曹禺全集

·4·

北 京 出 版 集 团
北京十月文艺出版社

主编：王风

本卷责任编委：马俊江

1938年

20世纪40年代初江安，国立戏剧专科学校校园演出，
曹禺时任教授兼教务主任

江安时期，曹禺住张乃赓公馆“乃庐”二楼，
《北京人》创作于此，图为乃庐旧址

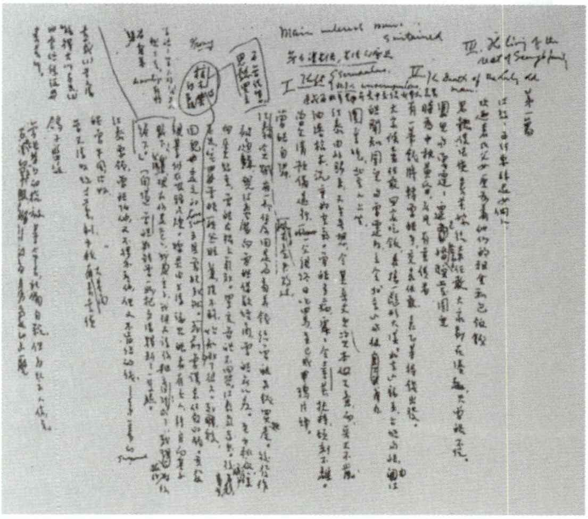

曹禺《北京人》手稿

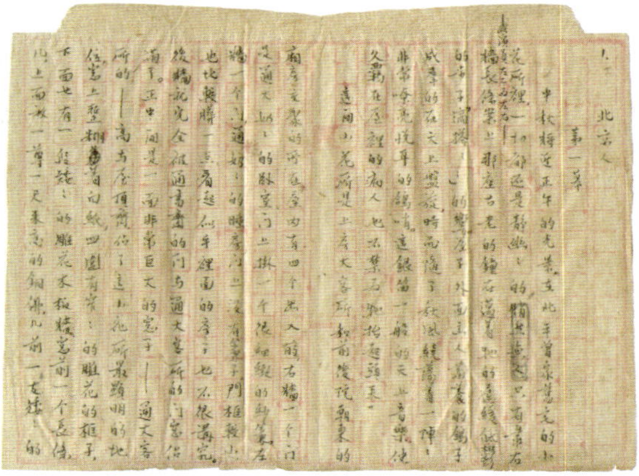

方瑞誊抄《北京人》手稿

1941年12月中央青年剧社在重庆首演《北京人》，
张瑞芳饰愫芳

曹禺妻子方瑞（原名邓译生），
系《北京人》中愫芳的原型

1942年5月西北文艺工作团在延安边区参议会礼堂公演《北京人》

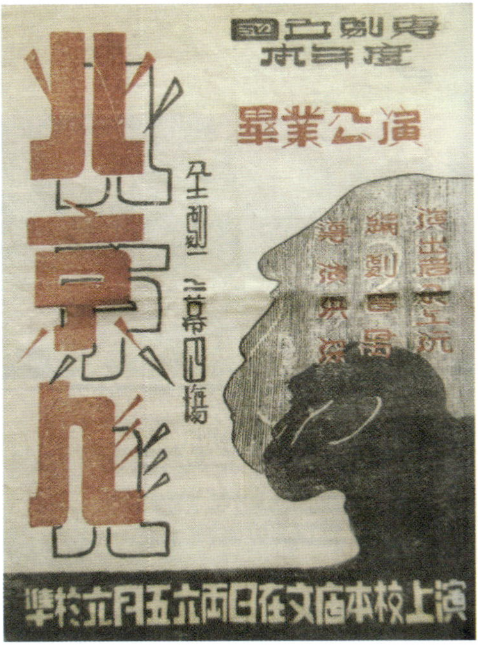

1943年6月
国立剧专毕业公演
《北京人》海报

1957年3月中央人民广播电台广播剧团在北京首排《北京人》，图为节目宣传单

1957年6月北京人民艺术剧院首排《北京人》，图为演出剧照

1987年北京人艺复排《北京人》剧照

1990年导演夏淳重排《北京人》，演出期间曹禺说戏

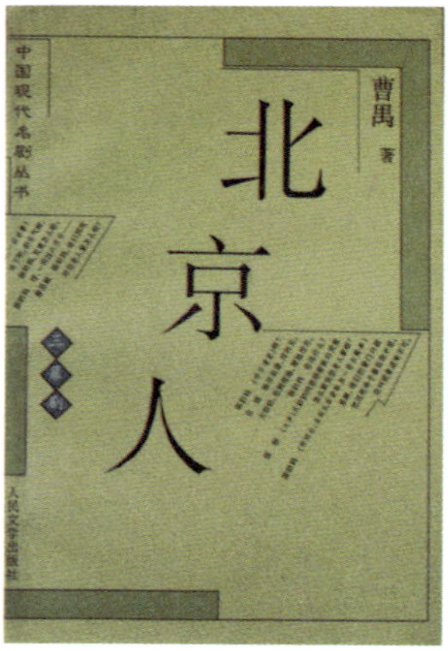

作家出版社、
中国戏剧出版社、
人民文学出版社、
北京十月文艺出版社
曹禺著译剧作书影选

目 录

版本叙录

马俊江

1940年完成的《蜕变》公演后，舞台演出效果很好："第一场演出，就引起全场爱国热情的高涨，台词不断为雷动的掌声所中断。"（柯灵、杨英梧《回忆"苦干"》,《中国话剧运动五十年史料集》第二辑，中国戏剧出版社1959年，第350页）但曹禺对《蜕变》并不满意，说这出戏"写得不深，不叫人思索，不叫人想到戏中描写以外的问题"。（曹禺《我的生活和创作道路》,《曹禺全集》第五卷，花山文艺出版社1996年，第101页）1940年秋，曹禺写给巴金的信中也提到"我想或者有一天写出一点略微成形的东西"（参见万方《你和我》，北京出版社2020年，第97页）。这个酝酿中的"略微成形的东西"，能"叫人想到戏中描写以外的问题"的戏，就是《蜕变》之后完成的《北京人》。

写给巴金的信中，曹禺还跟他谈起"我所爱的人"，说"她是一个极幽静温婉的女子，同时也是个'钢铁'般性格的人"。这个女子原名邓译生，曹禺给她取名方瑞，她即是愫芳的原型。《北京人》中，曹禺说愫芳"见过她的人的第一个印象便是她的'哀静'"；是曾文清“在寂寞的空谷中遇见了一枝幽兰”，而在写给方瑞的信中，曹禺写道：“说你是一枝幽兰”（参见万方《你和我》，第126页）。晚年，曹禺曾动情地谈起方瑞与《北京人》：“愫芳是《北京人》的主要人物，我是用了全部的力量，也可以说是用我的心灵塑造愫芳的，我是根据我死去的爱人方瑞来写愫芳的”。（参见田本相《曹禺传》，北京十月文艺出版社1988年版，第274页）《北京人》剧前引有王勃的诗句：“海内存知己，天涯若比邻”，也应该与曹禺和方瑞的恋爱有关。

晚年的曹禺回忆早年岁月时，说：“那时候搞东西很多，也很快，《蜕变》一个月，《北京人》40天就写完了”。（田本相、刘一军编《苦闷的灵魂——曹禺访谈录》，江苏教育出版社2001年，第164页）。《北京人》的写作时间是1940年秋，当时曹禺任教于迁到四川江安的南京国立戏剧专科学校。1941年5月，即剧作完成半年以后，《北京人》才开始连载于香港《大公报》的副刊《文艺》和《学生界》，自5月22日至11月1日结束，共计连载103次。连载时有中断，中断时，报纸即登出启事：“续稿未到，暂停登载”。

《北京人》连载结束的当月，文化生活出版社即出版了一个土纸本的单行本，为“曹禺戏剧集”之四。“曹禺戏剧集”通常以枝叶图案为封面，但土纸本只在白色封面上印了一个红字的剧名。《大公报》连载的初刊本《北京人》错讹颇多。抗战时期物资匮乏，土纸本《北京人》纸张粗劣，而且文字基本沿袭报纸连载的初刊本，校勘同样粗糙。这一“初版”此后未被计入文化生活出版社《北京人》的版次。

1941年12月，文化生活出版社重排《北京人》，该版经过曹禺亲自校对。在写给方瑞的信中，曹禺说“我这两天又不能走，一则《北京人》的校对（最后的）我要看一两遍，因为以后改不了。我看了印刷局的情形，我们在屋里说改就改，事实上给办事的人太大的困难了。我想以后要少改，但这一次叫他们少出错误，免得日后麻烦”（参见万方《你和我》，第136页）。虽然曹禺希望“少出错误”，该版《北京人》也确实比初刊本和土纸本好了许多，但依然有不少问题。

本次印行的《北京人》，既收入“文学丛刊”，为第七集，白色封面；又作为“曹禺戏剧集”第四种，彩色封面。二者同一纸型，版权页均标“初版”。1942年以后，“文学丛刊”本的《北京人》未再印行。“曹禺戏剧集”的《北京人》则是每年一版，直到1950年，共计印行10版，纸型一致，未曾修订。

贾植芳、俞元桂主编的《中国现代文学总书目》中，指文化生活版的《北京人》1947年3月第七版为“修订重排版”，经查，该版与前后各版完全一致。

新中国成立后不久，中央人民政府文化部组织“新文学选集编辑委员会”，丛书由开明书店出版。1951年8月，《曹禺选集》列入丛书第二辑出版，该选集收入《雷雨》《日出》《北京人》，曹禺对三部剧作均作了大量修改。曹禺晚年谈及这个选集时，说当年周扬写的《论〈雷雨〉和〈日出〉》“是很有分量的……建国初期，周扬的话，我佩服得不得了。我修改《雷雨》和《日出》，就是开明书店出版的那本剧作选，我基本上是按照周扬写的那篇文章改的”。（田本相、刘一军编《苦闷的灵魂——曹禺访谈录》，第37页）虽然并未谈及《北京人》，但开明版《北京人》也做了大幅度修改。

文化生活版《北京人》中确有一个“北京人”，本是“在袁任敢学术察勘队里一个修理卡车的巨人”，充满“野得可怕的力量”，“有如人猿”。开明版《北京人》删掉了这个人物，此后各版延续。可以说，在《北京人》的版本史上，开明版之前的《北京人》是有“北京人”的《北京人》，开明版之后是没有“北京人”的《北京人》。除此之外，开明版《北京人》大幅度压缩和删改人物介绍，在剧作的一些细节上也做了“追求进步”的处理，比如乡下孩子小柱儿唱出“造反”的歌谣：“说造反，就造反，天天养着个大懒汉，没有我们挖井你喝不上水，没有我们下力你吃不上饭……”

1954年6月，人民文学出版社出版《曹禺剧本选》，同样收入开明版选集所收的三种戏剧。在《前言》中，曹禺说：“不过这一次，除了一些文字的整理之外，没有什么大的改动。现在看来，还是保持原来的面貌好一些”。该版确实尽量恢复和保持了文化生活版《北京人》“原来的面貌”。没有恢复的，是被删掉的“北京人”。剧末首次添加了写作时间：1940年。

1961年5月，人文社将《曹禺剧本选》改名为《曹禺选集》出版。《出版说明》中说：“这次作者又对《雷雨》《日出》二剧，作了许多重要修改”，并未谈及《北京人》。事实也是，这版的《北京人》并未修改。1978年，人文社重印《曹禺选集》，曹禺为之新写了《后记》，但该版《北京人》同样未修改，依然是1954年人文版的重印。

1984年12月，四川人民出版社出版《北京人》，收入“曹禺戏剧集”。这也是1949年之后首次出版的《北京人》单行本。该版恢复了各种选集本删掉的剧前诗句:“海内存知己，天涯若比邻”，而底本依然是1954年人文版，且修改不多，只是将人物年龄稍作变动：曾皓由诸版本的六十三岁改为“六十四、五岁,”小柱儿由原来的十五岁改为“十三、四岁”。

1994年9月，人文社将《北京人》收入“中国现代名剧丛书”单独印行，底本为文化生活版，只校正了一些错字。

1996年7月，花山文艺出版社出版七卷本《曹禺全集》，第二卷收入《北京人》，据编者注，底本为重庆文化生活出版社1941年12月初版。

北京人

【题注】据1941年12月文化生活出版社第一版“文学丛刊”本排印。通校1941年5月22日至11月1日香港《大公报》副刊“文艺”和“学生界”初刊本（校注称“原刊”）。参校1994年9月人民文学出版社“中国现代名剧丛书”本初版（校注称“1994人文版”）。

海内存知己，天涯若比邻。

——王　勃[1]

1 “王勃”原刊作“唐诗”。

人　物

曾皓——在北平落户的旧世家的老太爷，年六十三[1]。

曾文清——他的长子，三十六岁。

曾思懿——他的长媳，三十八九岁。

曾文彩——他的女儿，三十三岁。

江泰——他的女婿，文彩的丈夫，一个老留学生，三十七八岁[2]。

曾霆——他的孙子，文清与思懿的儿子，十七岁。

曾瑞贞——他的孙媳，霆儿的媳妇，十八岁。

愫方——他的姨侄女，三十上下。

陈奶妈——哺养过[3]曾文清的老奶妈，年六十上下。

小柱儿——她的孙儿，年十五[4]。

张顺——曾家的仆人。

袁任敢——研究“人类学”的学者，年三十八[5]。

---

1 “年六十三”原刊作“六十三岁”。

2 “三十七八岁”原刊作“三十七岁”。

3 “哺养过”原刊作“哺养”。

4 “年十五”原刊作“十五岁”。

5 “年三十八”原刊作“三十八岁”。

袁圆——他的独女，十六整[1]。

“北京人”——在袁任敢学术察勘队里一个修理卡车的巨人。

寿木商人——甲，乙，丙，丁。

警察[2]

1 “十六整”原刊作“十六岁”。

2 原刊无“警察”。

地　点

第一幕　中秋节。在北平曾家小花厅里。

第二幕　当夜十一点钟的光景，曾宅小花厅里。

第三幕　仍在曾宅小花厅。

第一景　离第一幕约有一月，某一天的傍晚。

第二景　翌日五点钟左右，天尚未亮的时候[1]。

1 “仍在曾宅小花厅”以下原刊作“离第一幕约有一日，某一天，深夜三点钟。曾宅小花厅里”。

第一幕

中秋节，将近正午的光景，在北平曾家旧宅的小花厅里，一切都还是静幽幽的。屋内悄无一人，只听见靠右墙长条案上一条[1]方楞楞的古老苏钟迟缓低郁地迈着他“滴滴搭搭”的衰弱步子[2]。屋外，主人蓄养的白鸽成群地在云霄里盘旋，时而随着秋风吹下一片[3]泠泠的鸽哨响，异常嘹亮悦耳。这银笛一般的天上音乐，使久羁在暗屋里的病人也不禁抬起头来望望，后面大花厅一排明净的敞窗里[4]，正有三两朵白云悠然浮过蔚蓝的天空。

这间小花厅是上房，大客厅和前后院朝东的厢房交聚的所在，屋内一共有四个出入的门路。屋右一门通大奶奶的卧室，门前悬挂一簇[5]精细无比的翠绿纱帘。屋左一门通入姑奶奶——曾文彩嫁与留过洋[6]江泰先生的——睡房，门前没有挂着什么，门框较小，门也比较肮脏，似乎里面的屋子也不甚讲究。小花厅的后墙几乎完全为一排狭

---

1 “一条”原刊作“一架”。

2 “衰弱步子”原刊作“衰弱的步子”。

3 原刊无“一片”。

4 此句原刊作“从后面大花厅一排明净的敞窗望过去”。

5 “一簇”原刊作“一张”。

6 “留过洋”原刊作“留过洋的”。

长的纸糊的门扇[1]和壁橱似的小书斋占满。这排纸糊的槅扇，是上房的侧门，占有小花厅后壁三分之二的地位。门槛离地约有一尺，踏上一步石台阶，便迈入门内的大客厅里。天色好，这几扇狭长的纸糊槅扇也完全推开，望见[2]上房的气象果然轩豁宽畅，正是一个曾经盛极一时的大家门第。里面大客厅的门窗都开在右面，向前院的门大敞着，露出庭院中绿荫荫的[3]枣树[4]藤萝和白杨。此时[5]耀目的阳光透过里屋（即大客厅）一列明亮的净窗[6]，洒满了一地，又返射上去，屋内尘影浮沉，如在水中，连暗澹失色的梁柱上的金粉以及天花板上脱落的藻饰也在回照[7]里熠熠发着光彩。相形之下，接近观众眼目的小花厅确有些昏暗。每到“秋老虎”的天气，屋主人便将这大半壁通大客厅的门扇整个掩闭，只容左后壁小书斋内一扇圆月形的纱窗漏进一些光亮，这半暗的小花厅便显得荫凉可喜。屋里老主人平日不十分喜欢离开后院的寝室的，但有时也不免到此地来养息。这小书斋居然也有一个[8]名儿，门额上主人用篆书题了“养心斋”三个大字的横匾。其实

1 “门扇”原刊作“槅扇”。

2 “望见”原刊作“可以望见”。

3 “的”原刊作“,”。

4 原刊无“枣树”。

5 “此时”原刊作“有时”。

6 “净窗”原刊作“窗子”。

7 “回照”原刊作“这阳光的返照”。

8 “一个”原刊作“个”。

它只是小花厅的壁橱[1]，占了小花厅后壁不到三分之一的地位，至多可以[2]算作小花厅的耳室。书斋里正面一窗，可以望见后院老槐树的树枝。右面[3]一门（几乎是看不见的）正通后面的庭院和曾老太爷的寝室。这耳室里沿墙是一列书箱，里面装满了线装书籍。窗前有主人心爱的楠木[4]书案，紫檀[5]八仙凳子，案上放着笔墨画砚，瓷器古董，都是极其古雅而精致。这一代的主人们有时在这里作画吟诗，有时在这里读经清谈，有时在这里卜卜课，无味了就打瞌睡。

讲起来这小花厅原是昔日一个谈机密话的地方。当着曾家家运旺盛的时代，宾客盈门，敬德公，这位起家立业的祖先，创下了一条规矩：体己的亲友们都照例请到此地来坐候，待到他朝中归来，或者请入养心斋来密谈，或者由养心斋绕到后院的签押房里来长叙，以别于在大客厅候事的后生们。那时这已经鬓发斑白的老翁还年轻，正是翩翩贵胄，意气轩昂，每日逐花问柳，养雀听歌，过着公子哥儿的太平年月。

如今过了几十年了，这间屋子依然是曾家子孙们聚谈的所在。因为一则家世的光辉和祖宗的遗爱都仿佛集中在这块地方，不肖的子孙纵不能再像往日敬德公那样光大门第，而缅怀已逝的繁华，对于这间

1 “壁橱”原刊作“壁龛”。

2 “可以”原刊作“勉强”。

3 “右面”原刊作“左面”。

4 “楠木”原刊作“紫檀”。

5 “紫檀”原刊作“硬木”。

笑谈坐息过王公大人的地方，也不免徘徊低首，不忍遽去。再则统管家务的大奶奶（敬德公的孙媳）和她丈夫就住在右边隔壁，吩咐和商量[1]自然逃不开这个地方。加以这间房屋四通八达，盖得十分讲究，我们现在还看得出栋梁上往日金碧辉煌的痕迹。所以至今虽然家道衰微，以至于连大客厅和西厢房都不得已让租与一个研究人类学[2]的学者，但这一面的房屋再也不肯轻轻送给[3]外人居用，这是曾家最后的一座[4]堡垒。纵然花园的草木早已荒芜，屋内的柱梁亦有些褪色，墙壁的灰砌也大半剥蚀，但即便处处都像这样显出奄奄一息的样子，主人[5]也要在四面楚歌的环境中勉强挣扎，抵御的。

其实蓦看[6]这间屋子决不露一点寒伧模样，我们说过那沉重的苏钟就装璜得十分堂皇，钟后那扇八角形的玻璃窗也打磨得光亮，（北平老式的房子，屋与屋之间也有玻璃窗），里面深掩着杏色的幔子，——大奶奶的脾气素来不肯让人看见她在房里做些什么——仿佛锁藏着无限的隐秘。钟前横[7]放一架金锦包裹的玉如意，祖传下来[8]为

1 此处原刊有“一切”。

2 “人类学”原刊作“人类”。

3 “送给”原刊作“让”。

4 “一座”原刊作“一些”。

5 “主人”原刊作“而主人”。

6 “蓦看”原刊作“蓦一看”。

7 原刊无“横”。

8 “祖传下来”原刊作“祖宗传下来”。

子孙下定的东西。两旁摆列着盆景兰草和一对二十年前作为[1]大奶奶陪嫁的宝石红的古瓶。条案前立一张[2]红木方桌，有些旧损，上面铺着紫线毯，开饭时便[3]抬出来当做饭桌。现在放着[4]一大盘冰糖葫芦，有山楂红的，紫葡萄的，生荸荠的，胡桃仁的，山药豆的，黑枣的，梨片的，大红橘子瓣的，那鲜艳的颜色使人看着几乎忍不住流下涎水。靠方桌有两三把椅子，和一只矮凳，擦得都很洁净。左墙边上倚一张半月式的紫檀木桌，放在姑奶奶房门上首。桌上有一盆佛手，几只绿绢包好的鼻烟瓶，两三本古书。当中一只[5]透明的琉璃缸[6]，有金鱼在水藻里悠然游漾。桌前有两三把小沙发，和一个矮几，大约是留学生江泰出[7]的主意，摆的较为别致。这面墙上悬挂一张董其昌的[8]行书条幅，装裱颇古。近养心斋的墙角处，倒悬一张素锦套着的七弦琴，橙黄的丝穗重重地[9]垂下来。后面在养心斋与通大客厅的槅扇之间，空着一块白墙，一幅淡远秀劲的墨竹[10]挂在那儿，这看来似乎装

1 原刊无“作为”。

2 “一张”原刊作“张”。

3 原刊无“便”。

4 “放着”原刊作“上面放着”。

5 原刊无“只”。

6 “琉璃缸”原刊作“玻璃缸”。

7 “出”原刊作“用”。

8 原刊无“的”。

9 “重重地”原刊作“沉沉的”。

10 “墨竹”原刊作“墨草”。

裱得不久。在这幅竹子[1]的右边，立一个五尺高的乌木雕龙[2]灯座，龙嘴衔一个四方的纱灯，灯纱是深蓝色的，画着彩色的[3]花鸟。左边放一个白底蓝花仿明瓷的大口瓷缸，里面斜插了十几轴画。缸边放两张方凳，凳上正搁着一只皮箱，虚掩着箱盖。

屋内静悄悄的，天空有断断续续的鸽哨响。外面长胡同里仿佛有一个人很吃力地缓缓推着北平独有的单轮水车，在磷磷不平的石铺的狭道[4]上一直是[5]单调地"孜妞妞，孜妞妞"地呻嘶着。这郁塞的轮轴声，由远而近，又由近而远，中间偶尔夹杂了挑担子的剃头师傅打着"唤头"（一种熟铁做成巨镊似的东西，以一巨钉自镊隙中打出，便发出"ㄘㄤ儿、ㄘㄤ儿[6]"的金属音）如同巨蜂鸣唱一般嗡嗡的声响，间或又有磨刀剪的人吹起烂旧的喇叭"唔呃哈哈"地吼叫[7]，冲破了单调的沉闷。

屋内悄然无人。淡琥珀色的宫瓷盆内蓄养着紫素兰[8]，静静散发着

---

1 "竹子"原刊作"草"。

2 "乌木雕龙"原刊作"乌木雕龙的"。

3 原刊无"的"。

4 "石铺的狭道"原刊作"石铺路"。

5 原刊无"一直是"。

6 "ㄘㄤ儿、ㄘㄤ儿"1994人文版改作"cang儿，cang儿"。"ㄘㄤ"系注音字母，转写拼音即"cang"。

7 原刊无"吼叫"。

8 "紫素兰"原刊作"素兰"。

幽香，微风[1]吹来，窗外也送进来[2]桂花甜沁沁的气息。

半晌。

远远自大客厅通前院的门，走进来曾大奶奶和张顺，他们匆匆穿过大花厅，踱入眼前这间屋子。张顺，一个三十上下的北平仆人，恭谨而又有些焦灼地随在后面。

曾思懿（大奶奶的名字），是一个自小便在士大夫家庭熏陶出来的女人。自命知书达礼，精明干练，整天满脸堆着笑容，心里却藏着刀剑[3]，虚伪，自私，多话，从来不知道[4]自省。平素以为自己既慷慨又大方，周围的人[5]都是谋害她的狼鼠。嘴头上总嚷着“谦忍为怀”，而心中无时不在打算占人的便宜，处处思量[6]着“不能栽了跟头”。一向是猜忌多疑的，偏偏误认[7]那是自己感觉的敏锐：任何一段谈话，她都听得出[8]是恶意的攻讦，背后一定含有阴谋，计算。成天战战兢兢，好在自己造想的权诈，诡秘的空气中勾心斗角。言辞间尽性矫揉造作，显露她那种谦和，孝顺，仁爱……种种一个贤良妇人应有的美

---

1 “微风”原刊作“被风”。

2 原刊无“来”。

3 “刀剑”原刊作“万”。

4 “不知道”原刊作“不知”。

5 “周围的人”原刊作“而周围的人”。

6 “思量”底本作“较量”，据原刊改。

7 “偏偏误认”原刊作“还偏偏误认”。

8 “她都听得出”原刊作“她都像听出”。

德，藉此想在[1]曾家亲友[2]中，博得一个贤慧的名声，但这些亲友们没有一个不暗暗憎厌她。狡诈的狐狸时常要露出令人齿冷的尾巴的。她绝不仁孝（她恨极那老而不死的老太爷！），还夸口自己[3]是稀见的儿妇；贪财若命，却好说她是第一等慷慨；暗放冷箭简直[4]成了癖性，而偏爱赞美自己的口德[5]；几乎是虐待眼前的子媳，但总在人前叹惜自己待人过于厚道。有人说她阴狠，又有人说她不然，骂她阴狠的[6]，是恨她笑里藏刀，胸怀不知多么褊狭诡秘；看她不然的[7]是谅她胆小如鼠，怕贼，怕穷，怕死，[8]怕一切的恶人和小小的灾难。因为瞥见墙边一棵弱草，她不知哪里来的怨毒，定要狠狠踩绝[9]了根苗，而遇着了那能蜇噬人的蜂蛇就立刻暗避道旁，称赞自己的涵养。总之，她自认是聪明人，能干人，利害人，有抱负的人，只可惜错嫁[10]在一个衰微的士大夫家，怨艾自己为什么偏偏生成是一个妇道。她身材不高，兔眼睛微微有点斜。宽前额，高鼻梁，厚厚的嘴唇，牙齿向前暴突，两

---

1 “在”原刊作“现”。

2 “亲友”原刊作“亲人”。

3 “还夸口自己”原刊作“而自己还夸口”。

4 “简直”原刊作“直”。

5 “口德”原刊作“仁德”。

6 原刊无“的”。

7 原刊无“的”。

8 原刊无“怕死，”。

9 “踩绝”原刊作“踩死”。

10 “错嫁”原刊作“嫁错”。

条乌黑的细眉，像刀斩一般地涂得又齐又狠。说话时，极好暗地窥看对方的神色，举止言谈都非常机警。她不到四十岁的模样，身体已经发胖，脸上仿佛有些浮肿。她穿一件浅黄色的碎花旗袍，金绣缎鞋，胁下系着一串[1]亮闪闪的钥匙，手里拿着账单，眉宇间是恼怒的。

张　顺　（赔着笑脸）您瞅怎么办好，大奶奶？

曾思懿　（嘴唇一努）你叫他们在门房里等着去吧。

张　顺　可是他们说这账现在要付——

曾思懿　（斜着眼睛）现在没有。

张　顺　他们说，（颇难为情地）他们说——

曾思懿　（眉头一皱）说什么？

张　顺　他们说，漆棺材的时候，老太爷挑那个，选这个，非漆上三五十道不可，现在福建漆也漆上了，寿材也抬进来了，（赔笑）跟大奶奶要钱，钱就——

曾思懿　（狡黠地笑出声来）你叫他们跟老太爷要去呀，你告诉他们，棺材并不是大奶奶睡的。他们要等不及，请他们把棺材抬走，黑森森的棺材摆在家里我还嫌闷气[2]呢。

张　顺　（老老实实）我看借给他们点吧，大八月节的，那棺材漆都漆了，大奶奶。

曾思懿　（翻了脸）油漆店给了你多少好处，你这么帮着这些要账的

1　原刊无“串”。

2　“闷气”原刊作“晦气”。

混账东西说话。

张　顺　（笑脸，解释）不是，大奶奶，您瞅啊——[1]

〔陈奶妈，一位六十多岁的老妇人，由大客厅通前院的门颤巍巍地走进来，她是曾家多年的佣人，大奶奶的丈夫就吃她的乳水哺养大的。四十年前她就进了曾家的门，在曾家全盛的时代，她是死去[2]老太太得力的女仆。她来自田间，心直口快，待曾家的子女有如自己的骨血。最近因自己的儿子屡次接她回乡，她才回家小住，但不久她又念记她主人的子女，时常带些土礼回来探望。这一次她又带着自己的孙儿刚[3]由乡下来拜节，虽然步伐已经欠稳，头发已经斑白，但面色却白里透红，说话声音也十分响亮，都显出她仍然是很健壮。耳微聋，脸上常浮泛着欢愉的笑容。她的家里如今倒是十分地好过。她心地慈祥，口里唠叨，知悉曾家事最多，有话就说，曾家上上下下都有些惹她不起。她穿着一件月白色的上身。外面套了青织贡呢的坎肩，黑裤子，黑老布鞋。灰白的小髻上斜插一朵小小的红花。

张　顺　（惊讶）哟[4]，陈奶奶，您来了。

陈奶妈　（急急忙忙，探探身算是行了礼）大奶奶，真是的，要节账

---

1 “您瞅啊——”原刊作“奶奶啊——”。

2 此处原刊有“的”。

3 “刚”原刊作“刚刚”。

4 原刊无“哟”。

也有这么要的，做买卖人也许这么要账的！（回头，气呼呼地）张顺，你出去让他们滚蛋！我可没见过，大奶奶。（气得还在喘[1]）

曾思懿　（打起一脸笑容）您什么时候来的，陈奶妈？

张　顺　（抱歉的口气）怎么啦，陈奶奶？

陈奶妈　（指着）你让他们跟我[2]滚蛋！（回头对大奶奶半笑半怒的神色）我真没有见过[3]，可把我气着了[4]。大奶奶，你看可有堵着门要账的吗？（转身对张顺又怒冲冲地）你告诉他们，这是曾家大公馆。要是老太太在，这么没规没矩！送个名片就把他们押起来。别说这几个大钱，就是整千整万的银子，连我这穷老婆子都经过手，（气愤）真，他们敢堵着门口不让我进来。

曾思懿　（听出头绪，一半是玩笑，一半是讨她的欢喜，对着张顺）天啊[5]，哪个敢这么大胆，连我们陈大奶妈都不认得？

陈奶妈　（笑逐颜开）不是这么说，大奶奶，他们认得我不认得我不关紧，他们不认识这门口[6]，真叫人生气，这门口我刚来的时候，不是个蓝顶子，正三品都进不来。（对张顺）就你爷爷

---

1 “气得还在喘”原刊作“只气得在喘”。

2 “跟我”原刊作“给我”。

3 原刊无“过”。

4 “气着了”原刊作“气着啦”。

5 “天啊”原刊作“是啊”。

6 “门口”原刊作“天门”。

老张才，一年到头单这大小官的门包钱，就够买地[1]，娶媳妇，生儿子，添孙子！（笑指着）冒出了你这个小兔崽子。

张　顺　（遇见了爷爷辈的这般倚老卖老的同事，只好顺嘴胡溜，嘻嘻地）是啊是啊，陈奶奶。

曾思懿　坐吧，陈奶妈[2]。

陈奶妈　哼，谁认得这一群琉璃球嘎杂子？我来的时候老太爷还在当少爷呢。（一比）大爷才这么点大，那时候——

曾思懿　（推她坐，一面劝着）坐下吧，别生气啦，陈奶妈，究竟怎么啦。

陈奶妈　哼，一到过八月节——

曾思懿　陈奶妈，他们究竟[3]对您老人家怎么啦？

陈奶妈　（听不清楚）啊？

张　顺　她耳朵聋，没听见[4]。大奶奶，您别理她，理她没完。

陈奶妈　你说什么？

张　顺　（大声）大奶奶问您那要账的究竟怎么欺负您老人家啦？

陈奶妈　（听明白，立刻从衣袋取出一些白账单）您瞅，他们拦着门口，就把这些行子塞在我手里，非叫我拿进来不可。

---

1 “买地”原刊作“他”。

2 “奶妈”原刊作“奶奶”。

3 “究竟”原刊作“到底”。

4 “没听见”原刊作“听不见”。

曾思懿　（拿[1]在手里）哦，这个！

陈奶妈　（敲着手心）您瞧[2]，这些东西哪[3]是个东西呀！

曾思懿　（正在翻阅那账单）哼，裱画铺也有了账了。张顺，你告诉大树斋的伙计们，说大爷不在家。

陈奶妈　啊，怎么，清少爷！

曾思懿　（拿出钱来）叫他先拿二十块钱去，你可少扣人家底子钱！等大爷回来看看这一节字画是不是裱了那么多，再给他算清。

张　顺　可是那裁缝铺的，果子局的，还有那油漆棺材的——

曾思懿　（不耐烦）回头说，回头说，等会[4]见了老太爷再说吧。

张　顺　（指左面的门低声）大奶奶，这边姑老爷又闹了一早上啦，说他那屋过道土墙要塌了，问还收拾不收拾？

曾思懿　（沉下脸）你跟姑老爷说，不是不收拾，是收拾不起。请他老人家将就点住，老太爷正打算着卖房子呢。

张　顺　（不识相）大奶奶，下房也漏雨，昨天晚上——

曾思懿　（冷冷地）对不起，我没有钱，一会儿我跟老太爷讲，特为给你盖所[5]洋楼住。

〔张正在进退不得[6]，外面有——

---

1 “拿”原刊作“接”。

2 “瞧”原刊作“瞅”。

3 “哪”原刊作“都”。

4 “等会”原刊作“等我”。

5 “所”底本作“的”，据原刊改。

6 “进退不得”原刊作“狼狈不堪进退两难时”。

〔人声：张爷，张爷！

张　顺　来了！——

〔张由通大花厅的门下。

曾思懿　（转脸亲热非常）陈奶妈，您这一路上走累了，没有热着吧？

陈奶妈　（失望而又不甘心相信的[1]神气）真格的[2]，大奶奶，我的清少爷不在家——

曾思懿　别着急，你的清少爷（指右门）在屋里还没起来，他就要出来给他奶妈拜节[3]呢。

陈奶妈　（笑呵呵）大奶奶，您别说笑话了，就说是奶妈，也奴是奴，主是主，哪有叫快四十，都有儿媳妇的老爷给我——

曾思懿　（喜欢这样做作）那么，奶妈，让我先给您拜吧！

陈奶妈　（慌忙立起，拉住）得，得，折死我了[4]，您大奶奶都是做婆婆的人，哎，哪——（二人略略争让一会，大奶奶自然不想真拜，于是——）

曾思懿　（一笑结束）哎，真是的。

陈奶妈　（十分高兴）是呀，我刚才听了一愣，心想进城走这么远的路就为的是——

1　原刊无“的”。

2　“真格的”原刊作“整格的”。

3　“拜节”原刊作“拜寿”。

4　“折死我了”原刊作“别折死我了”。

曾思懿　（插嘴）看清少爷。

陈奶妈　（被人道中来意，愣了一下，不好意思地笑起来）您啊，真机灵！咳，我也是想看[1]您大奶奶，愫小姐，老太爷，姑奶奶，孙少爷，孙少奶奶，您想，这一大家子的人，我没看见就走——

曾思懿　怎么？

陈奶妈　我晚上就回去，我跟我儿媳妇说好的——

曾思懿　那怎么成，好容易大老远的从乡下来到北平城里一趟，哪能不住就走？

陈奶妈　（又自负又伤感）咳，四十年我都在这所房子里过了！儿子娶媳妇我都没回去[2]。您看，哪儿是我的家呀？大奶奶，我叫我的小孙子给您捎了点乡下玩意儿。

曾思懿　真是，陈奶妈，那么客气作什么[3]？

陈奶妈　（诚挚地）嗐，一点子东西。（一面走向那大客厅，一面笑着说）要不是我脸皮厚，这点东西早就——（遍找不见）小柱儿，小柱儿！这孩子一眨巴眼又不知疯到哪儿去了。小柱儿，小柱儿！（喊着喊着就走出大客厅到前院子里找去了）

〔天上鸽群的竹哨响，恬适而安闲。

〔远远在墙外卖凉货的小贩敲着“冰盏”——那是一对小酒

1　“想看”原刊作“想着”。

2　“回去”原刊作“回来”。

3　“作什么”原刊作“干什么”。

盅似的黄晶晶的铜器，叠在掌中，可互击作响——丁泠有声，清圆而浏亮，那声节是“叮嚓叮嚓，叮叮嚓，嚓嚓叮叮嚓”。操[1]着清脆的北平口音，似乎非常愉快地喊卖着“又解渴[2]，又带凉，又加玫瑰，又加糖！不信您就闹（弄）碗尝一尝！（到了此地索性提高嗓门有调有板的唱起来）酸梅的汤儿来（读若雷），哎另一个味的呀！”冰盏又继续簸弄着“叮嚓嚓，叮嚓嚓，嚓嚓叮叮嚓”。

〔此时曾思懿悄悄走到皮箱前，慢慢整理衣服。

曾思懿　（突然向右回头）文清，你起来了没有？

〔里面无应声。

曾思懿　文清，你的奶妈来了。

〔曾文清在右面屋内的声音（空洞乏力）知道了，为什么不请她进来呀？

曾思懿　请她进来？一嘴的臭蒜气，到了我们屋子，臭气熏天，你受得了，我可受不了。你今天究竟走不走，出门的衣服我可都给你收拾好了。

〔声音：（慢悠悠地）鸽子都飞起来了么？

曾思懿　（不理他）我问你究竟想走不想走？

〔声音：（入了神似地）今天鸽子飞得真高啊！哨子声音都快听不见了。

1　“操”原刊作“接”。

2　“解渴”底本作“解喝”，据1994人文版改。

曾思懿 （向右门走着）喂，你[1]到底心里头打算什么？你究竟——

〔声音:（苦恼地拖着长声）我走，我走，我走，我是要走的。

曾思懿 （走到卧室门前，掀起门帘，把门推开，仿佛突然在里面看见什么不祥之物，惊叫一声）啊，怎么你又——

〔这时大客厅里听见[2]陈奶妈正迈步进来，放声说话，思懿连忙回头谛听，那两扇房门立刻由里面霍地关上。

〔陈奶妈携着小柱儿走进来。小柱儿年约十四五[3]，穿一身乡下孩子过年过节才从箱子里取出来的那套[4]新衣裳。布袜子，布鞋，扎腿，毛蓝土布的长衫，短袖肥领，下摆盖不住膝盖。长衫洗得有些褪了颜色，领后正中有一块小红补钉。衣服早缩了水——有一个地方突然凸成一个包——紧紧箍在身上，显得他圆粗粗地茁壮可爱。进门来，一对圆溜溜的黑眼珠不安地四下乱望，小胸脯挺得高高的，在衣裳下面腾腾跳动着，活像刚从林中跃出来的一只小鹿。光葫芦头，滚圆的脸[5]红得有些发紫，塌鼻子，小翘嘴，一脸憨厚的傻相。眉眼中，偶尔流露一点顽皮神色。他一手拿着一具[6]泥土塑成的“刮打嘴”兔儿爷或猪八戒——“刮打嘴”

---

1 原刊无“你”。

2 “听见”原刊作“看见”。

3 “十四五”原刊作“十四五岁”。

4 “那套”原刊作“几套”。

5 “光葫芦头，滚圆的脸”原刊作“光葫芦头上滚圆的脸”。

6 “一具”原刊作“具”。

兔儿爷是白脸空膛的[1]，活安上唇，中系以线，下面扯着线，嘴唇就刮打刮打地[2]乱捣起来。如果是黑脸，红舌头的猪八戒，那手也是活的，扯起线来，那头顶僧帽身披袈裟的猪八戒就会敲着木鱼打着钹，长嘴巴也仿佛念经[3]似的“刮打”乱动，很可笑的。——一手挟着一个[4]老母鸡，提着[5]一个蓄鸽子的长方空竹笼。后面跟随张顺，两手抱着一个大筐子，里面放着母鸡，鸡蛋，白菜，小米，芹菜，等等。两个人都汗淋淋地傻站在一旁。

陈奶妈 走，走，走啊！（唠唠叨叨）这孩子，[6]你这孩子！出了一身汗，哪个[7]叫你喝酸梅汤？立了秋再喝这些冰凉的东西，闹肚子的[8]。（回头对张顺）张顺，你在旁边也不说着点！由他的性！（指着）你这刮打嘴是谁给你买的？

小柱儿 （斜眼，看了看张顺）他——张爷。

陈奶妈 （回头对张顺一半笑，一半埋怨）你别笑！你买了东西，我也不领你的情。

---

1 原刊无“的”。

2 原刊无“地”。

3 “念经”原刊作“念着经”。

4 “挟着一个”原刊作“叉着个”。

5 “提着”原刊作“捉着”。

6 此处原刊有“你瞧”。

7 “哪个”原刊作“谁”。

8 “闹肚子的”原刊作“非闹肚子不可”。

曾思懿 得了，别骂他了。

陈奶妈 小柱儿，你还不给大奶奶磕头。把东西放下，放下。

（小柱儿连忙放下空鸽笼，母鸡也搁在张顺抱着的大筐子里）

曾思懿 别磕了，别磕了，老远来的怪累的。

陈奶妈 （看着小柱儿舍不得放下那“刮打嘴”，一手抢过来）把那“刮打嘴”放下，没人抢你的（顺手又交给张顺。张顺狼狈不堪，抱满了一大堆东西[1]）

曾思懿 别磕了，怪麻烦的。

陈奶妈 （笑着说）您看[2]这乡下孩子！教了一路[3]，到了城里都忘了[4]。（上前按着他）磕头，我的小祖宗！

〔小柱儿回头望望他的祖母，仿佛发愣，待陈奶妈放开手，他蓦地扑在地上磕了一个头，一骨碌就起来。

曾思懿 （早已拿出一个为着过节赏人的小红纸包[5]）小柱儿，保佑你日后[6]狗头狗脑的，长命百岁！来，拿着，买点点心吃。（小柱儿傻站着）

陈奶妈 嗐，真是的，又叫您花钱，（对孙儿）拿着吧，不要紧的，

---

1 “一大堆东西”底本作“一堆大东西”，据1994人文版改。

2 “您看”原刊作“您瞧”。

3 “教了一路”底本作“教了一路上”，据原刊改。

4 “都忘了”原刊作“又都忘了”。

5 “小红纸包”原刊作“小纸包”。

6 “日后”原刊作“自后”。

这也是你奶奶的亲人给的。（小柱儿上前接在手里）谢谢呀，你！（小柱儿翻身又从张顺手里拿下他的“刮打嘴”，低头傻笑）这孩子站没站相，坐没坐相，磕头也没[1]磕头相。大奶奶，您坐呀。嗐，路远天热（拉出一个凳子就坐）我就一路上跟小柱儿跑[2]——

张　顺　（忍不住）陈奶奶，我这儿还抱着呢！

陈奶妈　（回头大笑）哼[3]，您瞅我这记性！大奶奶，（把她拉过来，一面说一面在筐里翻）乡下没什么好吃的，我就从地里摘（读若哉）了点韭菜[4]，芹菜，擘蓝（读若辣），黄瓜，青椒，缸豆[5]，这点东西——

曾思懿　太多了，太多了[6]。

陈奶妈　哦，还有点子小米，鸡蛋，俩啊[7]老母鸡。

曾思懿　您这简直是搬家了。真是的，大老远的带了来，又不能——（回头对张顺）张顺，就拿下去吧。

陈奶妈　（对张顺）还有给你带了[8]两个大萝卜。（乱找）

---

1 “也没”原刊作“也没个”。

2 “跑”原刊作“说”。

3 原刊无“哼”。

4 “韭菜”原刊作“韭黄”。

5 “缸豆”原刊作“豌豆”。

6 “太多了，太多了”原刊作“太多啦”。

7 “俩啊”原刊作“两个”。

8 原刊无“了”。

张　顺　（笑着）您别找了，早下了肚了。

〔张连忙抱着那大筐由通大客厅的门走出去。

小柱儿　（秘密地）奶奶。

陈奶妈　干什么？

小柱儿　（低声）拿出来不拿出来？

陈奶妈　（莫名其妙）什么？

小柱儿　（忽然伶俐地望着他的祖母，提了提那鸽笼）

陈奶妈　（突然想起来）哦！（非常着急）哪儿啦？哪儿啦？

小柱儿　（仿佛很抱歉的样子，由衣下掏出一只小小的灰鸽子，顶毛高翘，羽色油润润的，周身有几颗紫点。看去异常玲珑，一望便知是个珍种）这儿！

陈奶妈　（捧起那只小鸽，快乐得连声音都有些颤动，对那鸽子）乖，我的亲儿子，你在这儿啦！怪不得我觉得少了点什么。（对大奶奶）您瞅[1]这孩子！原来是一对的，我特意为我的清少爷"学磨"（"访求"的意思）来的。好好放在笼里，半路上他非要都拿出来玩，哗的，就飞了一个。倒是我清少爷运气好，剩下的是个好看的，大奶奶，您摸摸这毛（硬要塞在大奶奶的手中）这小心还直跳呢！

曾思懿　（本能地厌恶鸽子这一类的小生命，向后躲避，强打着笑容）好，好，好。（对左门喊）文清，陈奶妈又给你带鸽子来啦！

1　"瞅"原刊作"瞧"。

陈奶妈 （不由得随着喊）清少爷。

〔曾文清在屋内的声音：陈奶妈。

陈奶妈 （捧着鸽子，立刻就想到她的清少爷面前献宝）我进门给他看看！（说着就走）

曾思懿 （连忙）您别进去。

陈奶妈 （一愣）怎么？

曾思懿 他，他还没起。

陈奶妈 （依然兴高采烈）那怕什么的，我跟清少爷就在床边上谈谈。（又走）

曾思懿 别去吧。屋子里怪脏的。

陈奶妈 （温爱地）嗐，不要紧的。（又走）

曾思懿 （叫）文清，你衣服换好了没有？

〔文清在屋内应声：我正在换呢！

陈奶妈 （直爽地笑着）嗐，我这么大年纪还怕你。（走到门前推门）

〔文清在内：（大声）别进来，别进来。

曾思懿 （拦住她）就等会吧，他换衣服就怕见人——

陈奶妈 （有点失望）好，那就算了吧，脾气做成就改不了啦。（慈爱地）大奶奶，清少爷十六岁还是我给他换小褂裤呢。（把鸽子交给小柱儿）好，放回去吧！（但是又忍不住对着门喊）清少爷，你这一向好啊？

曾思懿 （同时拉出一个凳子）坐着说吧。

〔文清的声音：（亲热地）好，您老人家呢？

陈奶妈 （大声）好！（脸上又浮起光彩）我又添了一个孙女。

〔这时小柱儿悄悄把鸽子放入笼里。

〔文清的声音：恭喜您啊。

陈奶妈 （大声）可不是，胖着哪！（说完坐下）

曾思懿 他说恭喜您。

陈奶妈 嗐，恭什么喜，一个丫头子！

〔文清的声音：您这次得多住几天。

陈奶妈 （伸长颈子，大声）嗯，快满月了。

曾思懿 他请您多住几天。

陈奶妈 （摇头）不，我就走[1]。

〔文清的声音：（没听见）啊？

陈奶妈 （立起大声）我就走[2]，清少爷。

〔文清的声音：干嘛那么慌啊？[3]

陈奶妈 啊？

〔文清的声音：（大声）干什么那么忙？

陈奶妈 （还未听见）什么？

小柱儿 （忍不住憨笑起来）奶奶，您真聋，他问您忙什么？

陈奶妈 （喊昏了，迷惘地重复一遍）忙什么？（十分懊恼，半笑道）嗐，这么谈，可别扭死啦。得了，等他出来谈吧。大奶奶，我先到里院看看愫小姐去！

---

1 “就走”原刊作“就得走”。

2 此处原刊有“了”。

3 “干嘛那么慌啊？”原刊作“干什么那么忙？”。

曾思懿　也好，一会儿我叫人请您。（由方桌上盘中取下一串山楂红的糖葫芦）小柱儿，你拿串糖葫芦吃。（递给他）

陈奶妈　你还不谢谢！（小柱儿傻嘻嘻地接下，就放在嘴里）又吃！又吃！（猛可[1]从他口里抽出来）别吃！看着！（小柱儿馋滴滴地望着手中[2]红艳艳的糖葫芦）把那"刮打嘴"放下，跟奶奶来！

〔小柱儿放下那"刮打嘴"，还恋恋不舍，奶奶拉着他的手，由养心斋的小门下。

曾思懿　真讨厌！（把那五颜六色的"刮打嘴"放在一边，又提起那鸽笼——）

〔文清在屋内的声音：陈奶妈！

曾思懿　出去了。

〔曾文清——她的丈夫——由右边卧室门踱出。他是个在诗人中[3]也难得有的这般清俊飘逸的骨相：瘦长个儿，穿着宽大的袍子，服色淡雅大方，举止，谈话，带着几分懒散模样。然而，这是他的自然本色，一望而知[4]淳厚，聪颖，眉宇间蕴藏着灵气。他面色苍白，宽前额，高颧骨，无色的嘴唇，看来异常敏感。凹下去的眼眸流露出失望的神色，

1　原刊无"猛可"。

2　"手中"原刊作"手中那串"。

3　"诗人中"原刊作"诗人们里"。

4　"一望而知"原刊作"一望而知为"。

悲哀而沉郁。时常凝视出神，青筋微微在额前[1]凸起。

〔他生长在北平的书香[2]门第，下棋，赋诗，作画，很自然的在他的生活里占了很多的时间。北平的岁月是悠闲的，春天放风筝，夏夜游北海，秋天逛西山看红叶，冬天早晨在霁雪时的窗下作画。寂寞时徘徊赋诗，心境恬淡时独坐品茗，半生都在空洞的悠忽中度过。

〔又是从小为母亲所溺爱的，早年结婚，身体孱弱，语音清虚，行动飘然。小地方看去，他绝顶聪明，儿时即有“神童”之誉。但如今三十六岁了，却故我依然，活得却[3]那般无能力，无魂魄，终日像落掉了什么。他风趣不凡，谈吐也好，分明是个温爱[4]可亲的性格。然而他给与人的却是那么一种沉滞的懒散之感。懒于动作，懒于思想，懒于用心，懒于说话，懒于举步，懒于起床，懒于见人，懒于做任何严重费力的事情。种种[5]对生活的厌倦和失望甚至使他懒于宣泄心中的苦痛。懒到他不想感觉自己还有感觉，懒到能使一个有眼的人看得穿：“这只是一个生命的空壳。”虽然他[6]很温文有礼的，时而神采焕发，清奇飘逸。这是一个士

1 “前”原刊作“前边”。

2 “书香”原刊作“诗书”。

3 原刊无“却”。

4 “温爱”原刊作“温厚”。

5 “种种”底本作“重重”，据1994人文版改。

6 “他”原刊作“他是”。

大夫家庭的子弟，染受了过度的腐烂的北平士大夫文化的结果。他一半成了精神上的瘫痪。

〔他是有他的难言之痛的。

〔早年婚后的生活是寂寞的，麻痹的，偶尔在寂寞的空谷中遇见了一枝幽兰，心里不期然而有所憬悟。同声同气的灵魂常在静默中相通的。他们了解寂寞正如同宿鸟知晓归去。他们在相对无言的沉默中互相获得了哀惜[1]和慰藉，却又生怕泄露出一丝消息，不忍互通款曲。士大夫家庭原是个可怕的梏枷。他们的生活一直是郁结不舒，如同古井里的水。他们只沉默地接受这难以挽回的不幸，在无聊的岁月中全是黑暗同龃龉，想得到一线真正的幸福而不可能。一年年忍哀耐痛地打发着这渺茫无限的寂寞日子，以至于最后他索性自暴自弃，怯弱的沉溺在一种不良的[2]嗜好里来摧毁自己。

〔如今他已是中年人了，那枝[3]幽兰也行将凋落。多年瞩望的子息也奉命结婚，自己所身受的苦痛，眼看着十七岁的孩子重蹈覆辙。而且家道衰落，以往的好年月仿佛完全过去。逐渐逼来的困窘，使这懒散惯了的灵魂，也怵目惊心，屡

1 “哀惜”原刊作“哀情”。

2 原刊无“的”。

3 “那枝”原刊作“连那枝”。

次决意跳出这狭窄[1]的门槛，离开北平到更广大的人海里，与世浮沉，然而从未飞过的老鸟简直失去了勇气再学习飞翔，他怕，他思虑，他莫名其妙地在家里[2]踟蹰。他多年厌恶这个家庭的，如今要分别了，却又意外无力地沉默起来，仿佛突然中了瘫痪。时间的蛀虫，已逐渐啮耗了他的心灵，他隐隐感觉到暗痛，却又寻不出在什么地方。

〔他进了屋还在扣系他的夹绸衫上的纽襻。

曾文清 （笑颜隐失）她真的去了，[3]你[4]怎么不留她一会儿？

曾思懿 （不理他）这是她送给你的鸽子。（递过去）

曾文清 （提起那只鸽笼）可怜，让她老人家走这么远的路，（望着那鸽子，赞赏地）啊，这还是个“凤头”！“短嘴”！（欣喜地）这应该是一对的，怎么——（抬头，一副铁青的脸望着他）

曾思懿 文清，你又把那灯点起来干什么？

曾文清 （乌云罩住了脸，慢慢把那鸽笼放下）

曾思懿 （叨叨地）昨儿格[5]老头还问我你最近怎么样？那套烟灯，烟家伙扔了没有。我可告诉他早扔了。（尖厉的喉咙）怪事！怪事！苦也吃了，烟也戒了，临走，临走，你难道还想闹

---

1 “狭窄”原刊作“窄狭”。

2 原刊无“在家里”。

3 “她真的去了，”原刊作“她真出去了？”。

4 原刊无“你”。

5 “昨儿格”原刊作“昨儿个”。

场乱子？

曾文清 （长叹，坐下）哎，别管我，你让我就点着灯看看。

曾思懿 （轻蔑地）谁要管你？大家住在一起，也就顾的是这点面子，你真要你那好妹夫姑爷说中了，说你再也出不了门，做不得事，只会在家里抽两口烟，喝会子茶，玩玩鸽子，画画画，恍惚了这一辈子！

曾文清 （淡悠悠）管人家怎么说呢，我不就要走了么？

曾思懿 你要走，你就给我留点面子，别再昏天黑地的。

曾文清 （苦恼地）我不是处处听了你的话么？你还要怎么样？（又呆呆望着前面）

曾思懿 （冷冷地挑剔）请你别做那副可怜相。我不是母夜叉，你别做得叫人以为我多么厉害，仿佛我天天欺负丈夫，我可背不起这个名誉。（走到箱子前面）

曾文清 （无神地凝望那笼里的鸽子）别说了，晚上我就不在家了。

曾思懿 （掀开箱盖，回头）你听明白，我可没逼你做事。你别叫人说又是我出的主意，叫你出去。外头[1]有什么不舒服，叫亲戚们骂我逼丈夫出门受苦，自己享福，又是大奶奶不贤慧。（唠唠叨叨，一面整理箱中文清出门的衣服）我在你们家里气可受够了，哼！有婆婆的时候，受婆婆的气，没有婆婆了，受媳妇的气，老的老，小的小，中间还有你这位——

曾文清 （早已厌倦，只好另外找一个题目，截住她的无尽无休的

1 “外头”原刊作“回头外头”。

话）咦，这幅墨竹挂起来了。

曾思懿 （斜着眼）挂起来了——

曾文清 （走到画前）裱得还不错。

曾思懿 （尖酸地）我看画得才好呢！真地多雅致！一个画画，一个题字，真是才子佳人，天生的一对。

曾文清 （气闷）你别无中生有，拿愫小姐开心。

曾思懿 （鄙夷地）咦，奇怪，你看你这做贼心虚的劲儿。我说你们怎么啦！愫小姐画张画也值得你这样大惊小怪的，又赋诗，又题字，又亲自送去裱。我告诉你，我不是个小气人，丈夫讨小老婆，我一百个赞成。（夸张地）我要是个男人，我就讨个七八个小老婆。男人嘿！不争个酒色财气，争什么！可是有一样，（尖刻地）像愫小姐这样的人——

曾文清 （有点恼怒）你不要这样乱说人家，人家是个没出嫁的姑娘！

曾思懿 奇怪，（刁钻古怪地笑起来）你是她的什么！要你这么护着她。

曾文清 （诚挚地）人家无父无母的住在我们家里，你难道一点不怜恤人家？

曾思懿 （狡猾地把嘴唇一咧）你怜恤人家，人家可不怜恤你！（指着他说）你不要以为她一句话不说，仿佛厚厚道道，没心没意的。（精明自负）我可看得出这样的女人！（絮絮叨叨）这样女人一肚子坏水，话越少，心眼越多，人家为什么不嫁，陪着你们老太爷？人家不瘸不瞎，能写能画，为什么偏偏要当老姑娘，受活罪，陪着老头？（冷笑）我可不愿拿坏心眼乱猜人，你心里想去罢。

曾文清 （冷冷地望着她）我想不出来。

曾思懿 （爆发）你想不出来，那你是个笨蛋！

曾文清 （眉头上涌起寂寞的忧伤）唉，不要太聪明了。（低头踱到养心斋里，在画桌前，仿佛在找什么）

曾思懿 （更惹起她的委曲）我聪明？哼，聪明人也不会在你们家里苦待二十年了。我早就该学那些新派的太太们，自己下下馆子，看看戏，把这个家交给儿媳妇管，省得老头一看见我就皱眉头[1]，像欠了他的阎王债似的。（自诩）哎，我是个富贵脾气丫头命，快四十的人还得上孝顺公公，下侍候媳妇，中间还[2]得看你老人家颜色。（端起一杯参汤）得了，得了，参汤都凉了，你老人家快喝罢。

曾文清 （一直皱着眉头，忍耐地听着，翻着，突然由书桌抽屉里抖出一幅尚未装裱的山水，急得脸通红）你看，你看，这是谁做的事？（果然那幅山水的边缘被什么动物啮成犬牙的形状，正中竟然咬破一个掌大的洞）

曾思懿 （放下杯子）怎么？

曾文清 （抖动那幅山水）你看，你看啊！

曾思懿 （幸灾乐祸，淡淡地）这别是我们姑老爷干的吧。

---

1 “皱眉头”底本作“皱头”，据原刊改。

2 “还”原刊作“又”。

曾文清　（回到桌前，又查视那抽屉）这是耗子！这是耗子！（走近思，忍不住挥起那幅画）我早就说过，房子老，耗子多，要买点耗子药，你总是不肯。

曾思懿　老爷子，买过了。（嘲弄）现在的耗子跟从前不一样，鬼得多。放了耗子药，它就不吃，专找人心疼的东西祸害。

曾文清　（伤心）这幅画就算完了。

曾思懿　（刻薄尖酸）这有什么稀奇，叫愫小姐再画一张不结了么？

曾文清　（耐不下，大声）你——（突然想起和她解释也是枉然，一种麻木的失望之感又蠕蠕爬上心头。他默默端相那张已经破碎的山水，木然坐下，低头沉重地）这是我画的。

曾思懿　（也有些吃惊，但仍坚持她的冷冷的语调）奇怪，一张画叫几个小耗子咬了，也值得这么着急！家里这所房子，产业，成年叫外来一群大耗子啃得都空了心了，你倒像没事人似的。

曾文清　（长叹一声，把那张画扔在地上，立起来苦笑）哎，有饭大家吃。

曾思懿　（悻悻然）有饭大家吃？你祖上留给你多少产业，你夸得下这种口。现在老头在，东西还算一半是你的，等到有一天老头归了天——

〔突然由左边屋里发出一种混浊而急躁的骂人声音，口气高傲，骂得十分顺嘴，有那种久于呼奴使婢骂惯了下人的派头。

〔左屋内的声音：滚！滚！滚！真是混账王八蛋，一群狗杂种。

曾思懿 （对文）你听。

〔左屋内的声音：（仿佛打开窗[1]，对后院的天井乱喊）张顺，张顺！林妈！林妈！

曾文清 （走到大花厅门口，想替他喊叫）张顺，张——

曾思懿 （嘴一努，瞪起眼睛，挑衅的样子）叫什么？（文于是嘿然，思低声）让他叫去，成天打鸡骂狗的，（切齿而笑）哼，这是他给你送行呢！

〔左屋内的声音：（咻咻然）张顺，八月节，你们都死了，死绝了！

曾思懿 （盛气反而使她沉稳起来，狞笑）你听！

〔左屋内的声音：（拖长）张——顺！

曾文清 （忍不住又进前）张——

曾思懿 （拦住他，坚决）别叫，看我们姑老爷要发多大脾气！

〔砰朗一声，碗碟摔个粉碎，立刻有女人隐泣的声音。

〔半晌。

曾文清 （低声）妹妹刚病好，又哭起来了。

曾思懿 （轻蔑地冷笑）没本事，就知道欺负老婆。还[2]留学生呢，狗屁！

〔屋内的声音：（随她的话后）混账王八蛋！

---

1 “窗”原刊作“窗户”。

2 “还”原刊作“还算”。

〔砰朗一声，又碎了些陶瓷。

〔屋内的声音:（吼叫）这一家人都死绝了?

曾思懿 （火从心上起，迈步向前）真是太把人不放在眼里了！我们家的东西，不是拿钱买的是怎么?

曾文清 （拦劝，低声）思懿，不要跟他吵。

〔张顺慌忙由通大客厅门口上。

张　顺 （仓皇）是姑老爷叫我?

曾文清 快进去吧！

〔张顺忙着跑进左屋里。

曾思懿 （盛怒）"有饭大家吃"，（对文）给这种狼虎吃了，他会感激你么? 什么了不起的人? 赚钱舞弊，叫人四下里通缉的，躲在丈人家，就得甩姑老爷的臭架子啦?（指着门）一到过年过节他就要摔点东西纪念纪念。我真不知道——

〔曾霆——思懿和文清生的儿子——汗涔涔地由通大客厅的门很兴奋地急步走进来。

〔曾霆，这十七岁的孩子，已经做了两年多的丈夫了。他的妻比他大一岁，在他们还在奶妈的怀抱[1]时，双方的祖父就认为门当户对，替他们缔了婚姻，日后年年祖父祖母眼巴巴地望着重孙，在曾霆入了中学的前二年，一般孩子还在幸福地抛篮球，打雪仗，斗得头破血流的时候，便挑选一个黄道吉日，要为他们了却终身大事。于是在沸天震地的

1 "怀抱"原刊作"怀抱中"。

锣鼓鞭炮中，这一对小人儿——他十五，她十六——如一双临刑的羔羊，昏惑而惊惧地被人笑嘻嘻地推到焰光熊熊的龙凤喜烛之前：一拜再拜三拜……从此就在一间冰冷的新房里同住了两年零七个月。重孙还没有降世，祖老太太就在他们新婚第一个月升了天，而曾霆和他的妻就一直是形同路人，十天半月说不上一句话，喑哑一般的挨着痛苦的日子，活像一对遭人虐待的牲畜。每天晚上他由书房归来，必须在祖父屋里背些《昭明文选》《龙文鞭影》之类的文章，偶尔还要临摹碑帖，对些干涩的聪明对子。打过二更他才无精打采地回到房里，昏灯下望见那为妻的[1]依然沉默地坐着，他也就一言不发地拉开了被沉沉睡去。他原来就是过于早熟的，如今这强勉的成人生活更使他抑郁不伸。这么点的孩儿，时常[2]出神发愣，默想着往日偷偷读过的那些《西厢》《红楼》这一类文章毕竟都是一团美丽的谎话，事实完全不是如此。

〔进了学校七个月才使他略微有些异样，同伴们野马似的生活，使他多少恢复他应有的活泼，家人才发现这个文静的小大人原来也有些痴呆的孩子气。这突如其来的天真甚至于浮躁，不但引起家里长辈们的不满，连远房的亲属也大为惊异，因为一向是曾家的婴儿们仿佛生下来就该长满了

1 “那为妻的”原刊作“他的妻”。

2 “时常”原刊作“便时常”。

胡须，迈着四方步的。户外生活逐渐对他是个巨大的诱惑。他开始爱风，爱日光，爱小动物，爱看人爬树打枣，甚至爱独自走到护城河畔放风筝。尤其因为最近家里来了这么一个人类学者的女儿，她居然引动他陪着做起各种顽皮的嬉戏。莫名其妙地他暗自追随这个明快爽利，有若男孩的女孩子身后，像在黑夜里跟从一束熊熊的火焰。她和他玩，她喋喋不休地问他不知多少难以回答的有趣的傻话。曾霆心里开始感觉生命中展开了一片新的世界，他的心里忽然奔突起来，有如一个初恋的男子——事实上他是第一次有这样的经历。——他逐渐忘却他那循规蹈矩的步伐，有时居然被她的活泼激动得和她一同跳跃起来，甚至被她强逼着也羞涩涩地和她比武相扑，简直忘却他已有十七岁的年龄，如他祖父与母亲时常告诫的，是个“有家室之累”的大人了。

〔他生得文弱清秀，一若他的父亲。苍白而瘦削的脸上，深湛的黑眼睛有若一泓澄静的古潭。他穿一身淡色的夹长衫，便鞋，漂白布单裤，眉尖上微微有点汗。

曾　霆　（突然瞥见他的母亲，止住脚）妈！

曾文清　下学啦？

曾　霆　嗯，爹。

曾思懿　（继续她的牢骚）霆儿，你记着，再穷也别学你姑丈，有本事饿死也别吃丈人家的饭。看住在我们家的袁伯伯，到月头给房钱，吃饭给饭钱，再古怪也有人看得起。真是没见过我们这位江姑老爷，屎坑的石头，又臭又硬！

〔前院一个女孩的声音：（愉快地）曾霆！曾霆！

曾文清　你听，谁叫你？

〔前院女孩声：曾霆，曾霆！

曾　霆　（不得已只好当着母亲答应）啊！

〔前院女孩声：（笑喊）曾霆，我的衣服脱完了，你来呀！

曾思懿　（厉声）这是谁！

曾　霆　袁伯伯的女儿。

曾思懿　她叫你干什么？

曾　霆　（有些羞涩）她，她要泼水玩。

曾思懿　（大吃一惊）什么，脱了衣服泼水，一个大姑娘家！

曾　霆　（解释地）她，她常这样。

曾思懿　（申斥里藏着嘲讽）你也陪着她？

曾　霆　（恧然）她，她说的。

曾思懿　（突然严峻）不许去！八月节泼凉水，发疯了！我就不喜欢袁家人这点，无法无天，把个女儿惯得一点人样都没有。

〔女孩声：（高声）曾——霆！

曾　霆　（应声一半）哎！

曾思懿　（立刻截住）别答理她！

曾　霆　（想去告诉她）那么让我（未走一步）——

曾思懿　（又扯住他）不许走！（对霆）你当你还小吗！十七岁！成了家的人了。你爷爷在你那么大，都养了家了！（突兀）你的媳妇回来了没有？

曾　霆　（一直很痛苦地听着她的话，微声）打了电话了。

曾思懿　她怎么说？

曾　霆　（畏缩）不是我打的，我托愫姨打的[1]。

曾思懿　（怒）你为什么不打，叫你去打，你怎么不打？

〔女孩声：（几乎同时）曾霆，你藏到哪儿去了？

曾　霆　（昏惑地，不知答复哪面好）愫姨原来就要托她买檀香的。

〔女孩声：（着急）你再不答应，我可生气了。

曾思懿　（看出曾霆的心又在摇动。霆还没走半步，立刻气愤愤地）别动！愫姨叫她买檀香，叫她买去好了。（固执地）可[2]我叫你自己给瑞贞打电话，你为什么不打？我问你，你为什么总是不听？不听？

曾　霆　（偷偷望一眼，又低头无语）

曾文清　（悠然长叹）他们夫妻俩没话说，就少让他说几句，何必勉强呢？凡事勉强就不好。

〔女孩声：（高声大叫）曾——霆！

曾思懿　（突对那声音来处）讨厌！（转向文）"勉强就不好"，什么事都叫你这么纵容坏了的，我问你，八月节大清早回娘家，这是哪家的规矩？她又不是不知道现在家里景况不好，下人少，连我也不是下厨房帮着张顺做饭。（刻薄地）哼，娘家也没有钱，可一小就养成千金小姐的脾气！（对曾霆咻咻

1　"我托愫姨打的"原刊作"我，我托愫姨打的"。

2　"可"原刊作"可是"。

然）你告诉她，到哪儿，说哪儿，嫁到我们这读书的世家，我们家里什么都不讲究，就讲究这点臭规矩！

〔由通大花厅的门跑进来雄赳赳的袁圆小姐，这个一生致力于“人类学”的学者十分钟爱的独女。她手提一桶冷水，穿着男孩儿的西式短裤，露出小牛一般茁壮的圆腿，气昂昂地来到门槛上张望。她满脸顽皮相，整天在家里翻天覆地，没有[1]一丝儿安闲。时常和男孩儿们[2]一同玩耍嬉戏，简直忘却自己还是个千金的女儿。她现在十六岁了，看起来，有时比这大，有时比这小。论身体的发育，十七八岁[3]的女孩也没有她这般丰满；论她的心理，则如夏午的雨云，阴晴万变。正哭得伤心，转眼就开怀大笑，笑得高兴时忽然面颊上又挂起可笑的泪珠，活脱脱像一个莫名其妙的娃娃。但她一切都来得自然简单，率真爽朗，无论如何顽皮，绝无一丝不快的造作之感。

〔她幼年丧母，哺养教育都归思想“古怪”的父亲一手包办。“人类学”者的家教和世代书香的曾家是大不相同的。有时在屋里，当着袁博士正聚精会神地研究原始“北京人”的头骨的时候，在他的圆儿的想象中，小屋子早变成四十万年前民德尔冰期的森林，她持弓挟矢，光腿赤脚，半裸着

1 “没有”原刊作“没”。

2 “男孩儿们”原刊作“男孩儿”。

3 “十七八岁”原刊作“十七岁”。

上身，披起原来铺在地下的虎皮，在地板上扮起日常父亲描述得活灵活现的猿人模样。叫嚣奔腾，一如最可怕的野兽。末了一个飞石几乎投中了学者的头骨，而[1]学者只抬起头来，莞然微笑，神色怡如也。这样的父女，当然谈不上知道曾家家教中所宝贵的“人情世故”的。有一天大奶奶，瞅见圆儿在郁热的夏天倾盆暴雨下立在院中淋雨，跑去好心好意地告诉她的父亲，不料[2]一会儿这父亲也笑嘻嘻地光着上身拿着手巾和他女儿在急雨里对淋起来。这是一对古怪的鸟儿，在大奶奶的眼里，是不吃寻常的食的。

〔她穿着短袖洋衬衣，胶鞋，短裤。头发短短的汗淋的脸上红喷喷的。

袁　圆　（指着曾霆）曾霆，好，闹了归齐，你在这儿！（说着就提起那桶水笑嘻嘻地追赶上去，弄得曾霆十分困窘，在母亲面前，简直不知道如何是好）

曾　霆　（大叫）水！水！（不知不觉躲在父亲后面）

曾思懿　（惊吓）凉水浇不得！（拉住她）袁小姐我问你一句话。

袁　圆　（回转身，笑呵呵地）什么？

曾思懿　（随嘴乱问）你父亲呢？

袁　圆　（放下水桶，故意沉稳地）在屋里画“北京人”呢。（突然大叫一声，猫捉耗子似的把曾霆捉住）你跑？看你跑到哪里！

1　“而”原刊作“则”。

2　“不料”原刊作“不”。

曾　霆　（笑得狼狈）你，你放掉我。

袁　圆　（兴奋地）走，我们出去算账。

曾思懿　（大不高兴）袁小姐！

袁　圆　走！

曾文清　（笑嘻嘻地）袁圆，你要一个东西不？

袁　圆　（突然想起来，不觉放掉曾霆）啊，曾伯伯，你欠了我一个大风筝，你说你有，你给我找的。

曾文清　（笑着）秋天放不起风筝的。

袁　圆　（固执）可[1]你答应了我，我要放，我要放！

曾文清　（微笑）我倒是给你找着一个大蜈蚣。

袁　圆　（跳起来）在哪儿？（伸手）给我！

曾文清　（不得已）蜈蚣叫耗子咬了。

袁　圆　（黠巧地）你骗我。

曾文清　有什么法子，耗子饿极了，蜈蚣上的浆糊都叫耗子吃光了。

袁　圆　（顿足）你看你！（眼里要挂小灯笼）

曾文清　（安慰）别哭，别哭，还有一个。

袁　圆　（泪光中闪出一丝笑容）嗯，我不相信。

曾文清　霆儿，你到书房（指养心斋）里把那个大金鱼拿过来。

曾　霆　（几乎是跳跃地）我拿去。

曾思懿　（吼住他）霆儿，跳什么？

〔曾霆又抑压自己的欢欣，大人似的走向书斋。

1　“可”原刊作“可是”。

袁　圆　（追上去）曾霆！（拉着他的手）快点，你！（把他拉到书斋里，瞥见那只五颜六色上面有些灰尘的风筝，忍不住惊喜地尖叫一声）啊，这么大！（立刻就要抢过来）

曾　霆　（脸上也浮起异常兴奋的笑容，颤抖地）你别拿，我来！（举起那风筝）

袁　圆　（争执）你别拿，我来！

曾　霆　你毛手毛脚地弄坏了。

袁　圆　（连喊）我来！我来！我来！你爹爹为我糊的。

〔二人都在争抢着那金鱼。

曾思懿　（同时）霆儿！

曾　霆　（喘着气喊）不，不。（目不转睛望着她，兴奋而快乐地和袁圆争抢。十个苍白得几乎透明的手指握着那风筝的竹篾，被圆儿粗壮的手腕左右摇甩，几乎按不住那风筝）

袁　圆　（同时不住地叫）我来，我来！

曾　霆　（蓦然大叫一声，放下那风筝，呆望自己流血的手指）

袁　圆　（吃一惊）怎么？

曾思懿　（埋怨）你看！（走到他面前申斥）你看，出了血了！

曾文清　（望着霆）扎破了？

曾　霆　（握着手指）嗯。

袁　圆　（关怀地）痛不痛？

曾　霆　（惶惑）有一点。

曾思懿　（拉着霆）快去，上点七厘散。

袁　圆　（满有把握地）不用！（陡然低下头吮吸他手上的伤口）

曾　霆　（吃了一惊）啊！（一阵感激的兴奋在脸上掠过，他忸怩地拒绝母亲的手）妈，不用了，妈——

袁　圆　（唾出一口涎水，愉快地把他的手放开）得，还痛不痛？

曾　霆　（恧然低声）不痛了。

袁　圆　（指着那受伤的手指，仿佛对那手指说话）哼，你再痛，我一斧头把你砍下来。

曾文清　（开玩笑地）好凶！

袁　圆　（突然由地上提起那桶凉水）

曾　霆
曾思懿　（同时紧张）啊！

袁　圆　（对霆笑着）饶了你，这一桶水[1]，我不泼你了。（推着他）走，我们放风筝去。（霆立刻顺手拿起风筝）再见！曾妈妈。

〔圆儿跳跳蹦蹦地推着曾霆出了门，水洒了一地。

曾思懿　霆儿！

曾文清　（解劝地）让他们去吧！

曾思懿　你别管！（对外）霆儿！

〔霆儿只好又从外面走进来，后随那莫名其妙的袁圆。

曾　霆　（望着母亲）

曾思懿　（端起那碗参汤）把这碗参汤喝了它，你爹不喝了。

袁　圆　（圆眼一睁，惊讶地羡慕）参汤！

曾　霆　我不喝！

1　“这一桶水”原刊作“这桶水”。

曾思懿 （厉声）喝掉！

曾　霆 （拿起就喝了一口，立刻吐出）真的，坏了。

曾思懿 胡说！（自己拿过来尝了一口，果然觉得口味不对，放下）哼！

〔这时袁圆顽皮地向霆招手，又轻悄悄颠着脚步，推着霆的背走出。霆迈出门槛，袁圆只差一步——

曾思懿 （忽然）袁小姐！

袁　圆 （吃一惊）啊！（回头）

曾思懿 你过来！

袁　圆 （走过来）干什么？

曾思懿 （满脸笑容）今天我们家里，请你同你父亲一同过来过节，你对他说过了么？

袁　圆 （白眼）请我们吃中饭？

曾思懿 （异常讨好的神色）啊，特为请你这位顶好看的袁小姐。

袁　圆 （愣头愣脑）你胡扯！你们请的爸爸[1]跟愫小姐，我知道。

曾思懿 哪个说的？

袁　圆 （自负）江姑老爷跟我都说了。

曾思懿 （和颜悦色）那么你想要新妈妈不？

袁　圆 我没妈妈，我也不要。

曾思懿 （劝导地）有妈[2]好，你喜欢愫小姐做你的妈妈不？

---

1 “请的爸爸”原刊作“请的我爸爸”。

2 “妈”原刊作“妈妈”。

袁　圆　（莫名其妙）我？

〔前院子里曾霆的声音：袁圆，快来，有风了！

袁　圆　（冷不防递给思一个纸包）给你！

曾思懿　（吃了一惊）什么？

袁　圆　爸爸给你的房租钱！

〔袁圆由通大客厅门跑下。

曾思懿　（鄙恶）这种孩子，真是没家教！

曾文清　（不安地）你，你跟江泰闹的什么把戏？你们要把愫方怎么样[1]？

曾思懿　（翻翻眼）怎么样？人家要嫁人，人家不能当一辈子老姑娘，侍候你们老太爷一辈子。

曾文清　她没有说，你们怎么[2]知道她要嫁人？

曾思懿　（嘴角又咧下来）看不出来，还猜不出来！我前生没做好事，今生可要积积德，我可不想坑人家一辈子。

曾文清　嫁人当然好，不过嫁给这种整天就懂研究死人脑袋壳的袁博士——

曾思懿　她嫁谁有你的什么？你关的什么心？（恶毒地）你老人家是想当陪房丫头一块嫁过去，好成天给人家端砚台拿纸啊，还是给人家铺床叠被，到了晚上当姨老爷啊？

曾文清　（气愤）你是人是鬼，你这样背后欺负人家？

1　“怎么样”原刊作“怎样”。

2　“怎么”原刊作“怎样”。

曾思懿 （也怒）你放屁！我问“你”是人是鬼，用着你这样偏向着人家！

曾文清 她是个老姑娘，住在我们家里侍候爹这么些年——

曾思懿 （索性说出来）我就恨一个老姑娘死拖活赖住在我们家里，成天画图[1]写字，陪老太爷，仿佛她一个人顶聪明。

曾文清 唉，反正我要走了，只要爹爹肯，你们——

曾思懿 他不肯也得肯，一则家里没有钱，连大客厅都租给外人，再也养不住闲亲戚，再则（斜眼望着他，刻薄地）人家自己要嫁人，你不愿意她嫁呀……

曾文清 （忍无可忍，急躁）谁说我不愿意她嫁？谁说我不愿意她嫁？谁说不愿意她嫁？

曾思懿 （一眼瞥见愫小姐由养心斋的小门走进来，恰如猫弄老鼠一般地[2]诡笑起来）别跟我吵，我的老爷，人家愫小姐来了！

〔愫方这个名字是不足以表现进来这位苍白女子的性格的。她也就有三十岁上下的模样，出身在江南的名门世家，父亲也是个[3]名士。名士风流，身后非常萧条；后来寡母弃世，自己的姨母派人接来，从此就遵守母亲的遗嘱，长住在北平曾家，再没有回过江南。曾老太太在时，婉顺的愫小姐是她的爱宠；这个刚强的老妇人死后，愫方又成了她姨父

---

1 “画图”原刊作“画画”。

2 “地”原刊作“，”。

3 原刊无“个”。

曾老太爷的拐杖。他走到哪里，她必须随到哪里。在老太爷日渐衰颓的暮年里，愫方是他眼前[1]必不可少的慰藉，而愫方的将来，则渺茫如天际的白云，在悠忽的岁月中，很少人为她恳切地想一想。

〔见过她的人，第一个印象便是她的"哀静"。苍白的脸上，宛若[2]一片明静的秋水，里面莹然可见清深藻丽的河床。她的心灵是深深埋着丰富的宝藏的。在心地坦白人的眼前，那丰富的宝藏也坦白无余地流露出来，从不加一点修饰。她时常幽郁地望着天，诗画驱不走眼底的沉滞。像整日笼罩在一片迷离的秋雾里，谁也猜不出她心底压抑着多少苦痛的愿望与哀思。她是异常的缄默。

〔伶仃孤独，多年寄居在[3]亲戚家中的生活，养成她一种惊人的耐性，她低着眉头，听着许多刺耳的话。只有在偶尔和文清的诗画往还中，她几乎不自知地淡淡泄出一点抑郁的情感。她充分了解这个整日在沉溺中生活着的中年人。她哀怜他甚于哀怜自己。她温厚而慷慨，时常忘却自己的幸福和健康，抚爱着和她同样不幸的人们。然而她并不懦弱，她的固执在她的无尽的耐性中时常倔强地表露出来。

〔她的服饰十分淡雅。她穿一身深蓝毛哔叽织着淡灰斑点的

1 "眼前"原刊作"跟前"。

2 "宛若"原刊作"恍若"。

3 原刊无"在"。

旧旗袍，宽大适体。她人瘦小，圆脸，大眼睛，蓦看[1]怯怯的，十分动人矜惜。她已过三十，依然保持昔日闺秀的幽丽，说话声音，温婉动听，但多半在无言的微笑中静聆旁人的话语。

曾思懿 （对着愫小姐，满脸的笑容）你看，愫妹妹，你看他多么厉害！临走临走，都要恶凶凶地对我发一顿脾气，（又是那一套言不由衷的鬼话）不知道的，都看我这样子像是有点厉害，在家里不知道怎么恶呢！知道的，都明白，我是个受气包：我天天受他（指文）的气，受老爷子的气，受我们姑奶奶姑老爷的气，（可怜的委屈样）连儿子媳妇的气我都受啊！（亲热地）真是，这一家子，就是愫妹妹你，心地厚道，一个人[2]待我好，待我——

愫　方 （莫名其妙，谛听这潮涌似的话，恬静地微笑着）

曾文清 （忍不住，插进嘴去）爹起来了？

〔思才停止嘴。屋里顿时安静下来。

愫　方 （安详地）姨父早起来了。（望见地上那张破碎的山水，弯身拾起）这不是表哥画的那张画？

曾思懿 （又叨叨起来）是呀，就因为这张画叫耗子咬了，他老人家跟我闹了一早上啦。

愫　方 （衷心的善意）不要紧，我拿进去给表哥补补。

---

1 “蓦看”原刊作“蓦一看”。

2 原刊无“一个人”。

曾文清 （谦笑）算了吧，值不得。

曾思懿 （似笑非笑对文眄视一下）不，叫愫妹妹补吧。（对愫）你们俩位[1]一向是一唱一和的，临走了，也该留点纪念。

愫　方 （听出她的语气，不知放下好，不放下好，嗫嚅）那我，我——

曾文清 （过来解围）还是请愫妹妹动动手补补吧，怪可惜的。

曾思懿 （眼一翻）真是怪可惜的。（自叹）我呀，我一直就想着也有愫妹妹这双巧手，针线好，字画好。说句笑话，（不自然地笑起来）有时想着想着，我真恨不得拿起一把菜刀，（微笑的眼光里突然闪出可怕的恶毒）把你这两只巧手（狠重）斫下来给我接上[2]。

愫　方 （惊恐）啊！（不觉缩进去那双苍白的手腕）

曾文清 你这叫什么笑话。

曾思懿 （得意大笑）我可是个粗枝大叶，有嘴无心的人。（拿起愫小姐的手，轻轻抚弄[3]着）愫妹妹，你可别介意啊，我心直口快，学不出一点文绉绉的秀气样子，我常跟文清说（斜睨着文清）我要是个男人，我就不要像我这样的老婆，（更亲昵地）愫妹妹，你说是不是？你说我——

〔正当着愫方惶惑无主，不知如何答复的时候，曾瑞贞——

1 “俩位”原刊作“两位”。

2 “斫下来给我接上”原刊作“斩下来给我按上”。

3 “抚弄”原刊作“摇弄”。

大奶奶的儿媳妇——提着一大包檀香木和柱香由通大客厅的门慌慌走进来。

〔曾瑞贞只有十八岁，却面容已经看得有些苍老，使人不相信她是不到二十的年轻女子。她无时不在极度的压抑中生活。生成一种好强的心性，反抗的根苗虽然藏在心里，在[1]生人前，口上决不泄露一丝痕迹。眼神中望得出抑郁，不满，怨恨。嘴角总绷得紧紧的，不见一丝女人[2]的柔媚。她不肯涂红抹粉，也不愿穿鲜艳的衣裳，虽然屡次她的婆婆，这样吩咐她，当她未如她的意时，为着这件事詈骂她。

〔当她无端遭她婆婆狺狺然辱骂时，她只是冷冷地对看着。她并不惧怕，仿佛是故意地对她漠然。她决不在她所厌恶的人的面前哭泣，示出自己的怯弱，虽然她心里是忧苦的。在孤寂的空房中，她念起日后这漫漫的岁月，有时痛不欲生，几要自杀，既而又愤怒地想定：这幽灵似的门庭必须步出，一个女人[3]，该谋寻自己的生路。

〔当她还在十六岁的时候——想起来，仿佛隔现在有几十年——她进了中学只有二年，就糊里糊涂地被人送进了这个精神上的樊笼。在这个书香门第里，她仿佛在短短一个

---

1 “在”原刊作“但在”。

2 “女人”原刊作“女子”。

3 “女人”原刊作“女子”。

夜晚从少女的天真的懵懂中赶出来，蓦然变成了[1]一个充满了忧虑的成年妇人。她这样快地饱尝到作人的艰苦和忧郁的沉默，使她以往的朋友们惊叹一个少女怎会变得这样突然。她的小丈夫和她谈不上话来。她又不屑于学习那谄媚阿谀的妾妇之道来换取婆婆的欢心。她勉强做着曾家孙媳妇应守的繁缛的礼节。她心里知道长久生活在这样环境中是不可能的。

〔在布满愁云一般的家庭里，只有愫姨是她的朋友。她间或在她面前默默流着眼泪，她也同情怜惜着愫姨嘤嘤隐泣时发自衷心的哀痛。但她和愫姨是两个时代的妇女。她怀抱着希望，她逐渐看出她的将来不在这狭小的世界里，而愫姨的思想情感却跳不出曾家的圈栏[2]。她好读书。书籍教她认识现在的世界，也帮她获得几个热心为她介绍书籍以及帮助她认识其他方面的诚恳朋友。这一方面的生活，她只偶尔讲与愫姨听，曾家其他的人是完全不知道的。

〔这些天，她的面色不好，为着突如其来的一种身体上的[3]变化，她的心里激荡着可怕的矛盾。她寝馈不安，为着一个未来的小小的生命，更深切地感到自己懵懵懂懂在这个家庭是怎样不幸，更想不明白为什么嫁与这个小人，目前又

1　原刊无“了”。

2　“圈栏”原刊作“栏”。

3　原刊无“的”。

将糊糊涂涂为这个小人添了一个更小的生命。为着这个不可解决的疑难，她时常出门，她日夜愁思，要想出一个解决的方法。

〔她进门有些犹疑。她晓得她穿的颜色暗澹的衣服先使婆婆看着不快。

曾瑞贞 妈！爹！

曾思懿 （嘲弄地）居然打电话把您请回来啦。我正在跟愫姨说，想叫辆汽车催请呢。

曾瑞贞 我，我身上有点不舒服。

曾思懿 （刁钻古怪地尖声笑着）难道这儿不是家？我就不能侍候您少奶奶啦。

愫　方 （替瑞贞说话）表嫂，她是有点不舒服。

曾思懿 （勉强的问）好了没有？

曾瑞贞 （低声）好了。

曾思懿 （狠狠看了她一眼）请吧，我怕你——快敬祖宗去吧。

曾瑞贞 嗯。（就转身向养心斋走）

曾思懿 （满面笑容对愫）我这个人就是心软，顶不会当婆婆了。一看——（突然[1]转身对瑞）喂，瑞贞，你怎么连你爹都不叫一声[2]就走了。

曾瑞贞 叫过了。

---

1 “突然”原刊作“陡然”。

2 “叫一声”原刊作“呼一声”。

曾思懿　（嫌她顶撞，登时沉下脸对文）你听见了？（不容文答声，立刻转对瑞）我没听见。

曾瑞贞　（冷冷望着她，转又对文）爹爹！

曾文清　（不忍）快走，快走吧！

曾思懿　（对瑞）愫姨呢？

曾瑞贞　（机械地）愫姨。

曾思懿　（对愫又似谦和又似示威地阴笑）你看[1]我们这位少奶奶简直是一点规矩也不懂。（转对瑞非常慈祥的样子）你还不谢谢愫姨，愫姨疼你，刚才电话是愫姨打的。

曾瑞贞　谢谢愫姨。

曾思懿　你知道霆儿从学校回来了么？

曾瑞贞　知道。

曾思懿　你看见他跟袁小姐放风筝了么？

曾瑞贞　（低声）看见了。

曾思懿　（对愫指着瑞）您瞅，有这种傻人不？知道了，也看见了。（忽然转对瑞）那你为什么不赶紧回来看（读阴平，"守"着的意思）着他。（自以为聪明的告诫）别糊涂，他是你的男人，你的夫，你的一辈子[2]靠山。

曾文清　（寂寞地）小孩子们，一块玩玩，你总是大惊小怪地说这些话。

曾思懿　（故意）谁大惊小怪，你就会替这种女人说偏心话。（不自

1　此处原刊有"，"。

2　"一辈子"原刊作"一辈子的"。

主地往愫方身上一瞟）这种女人，看见就知道想勾引男人，心里顶下作啦。瑞贞你收拾好神桌，赶快叫霆儿穿马褂敬祖宗，少跟那个疯小姐混。

〔瑞又提起那一大包檀香木和柱香。

曾思懿 回来，哪个叫你买这些檀香木？

曾瑞贞 （不语）

愫　方 （低声）表嫂——

曾思懿 （佯未听见，仍对瑞）你发财啦，谁叫你买这么一大堆废东西？哪个那么讨厌，多事？

愫　方 （镇静地）是我，表嫂。

〔静默。

〔瑞由养心斋小门下。

曾思懿 （沉闷中笑出来）哎，真是的，你看我这个人，可不是心直口快，有口无心。莽张飞，心里一点事都存不住。（似乎是抱歉）哎，我要早知道是愫妹吩咐的——

愫　方 （沉静）姨，姨父说买来为晚上自己念经用的。

曾文清 爹前几天就说要人买了。

曾思懿 （顺嘴人情）我们这位老太爷，就是脾气怪，难侍候。早对我吩咐下来，不早就买啦。（又亲热地）哎，愫妹妹，你不知道，文清跟我多么感激你。这家里要没有你，老太爷不知道要对我这做儿媳妇的发[1]多少次脾气啦。（非常关心的口

---

1 “发”原刊作“闹”。

气，低声）昨天晚上是老太爷又不舒服了吧？

愫　方　（微颔首）嗯。

曾思懿　（对文，得意地）你看，可不是！（对愫）我就听老爷子屋里“喀儿喀儿”直咳嗽。我就跟文清说，“可怜，老爷子大概又在气喘呢！”（满脸忧虑的神气）我一听就翻来覆去睡不着，我直推着文清说：“你听，大半夜了，愫妹妹还下厨房拿水，给爹灌汤婆子呢。真是的……”

曾文清　爹爹犯什么病？

愫　方　（无力地）腿痛，要人捶，他说心里头气闷。

曾思懿　（口快）那一定是——

曾文清　（怨艾地）于是他老人家就叫你捶了一晚上？

愫　方　（悲哀的微笑）捶捶，姨父就多睡一会。

曾思懿　（惊讶）啊，怪不得一早上我看见愫妹还在捶呢。

曾文清　（深沉的同情）那么，你到现在还没有睡？

曾思懿　（翘起舌头）通宵不睡觉怎么成！（疼惜的样子）哎，你怎么不叫我来替呀。真是的，快回屋睡一会。（推着愫）你体子又单薄，哪经得住熬夜。（一肚子的关怀的心肠）哎[1]，这是怎么说的。走，我的好妹妹，睡一会，回头真病了，我真要急死了[2]。

愫　方　（哀婉地）不用，我睡不着。

1　“哎”原刊作“愫”。

2　“急死了”原刊作“急死啦”。

曾思懿　文清，你看真是再没有比愫妹再孝心的人了。我就爱愫妹这样的脾气，（对着愫方夸赞）不说话，待人好，心地厚道，总是和和气气，不言不语的。（忽转对文）文清，我要是男的，我就娶愫妹这样的人，一辈子都是福气。

曾文清　（解救）愫妹，你不是给爹拿参汤的么？

愫　方　哦，哦，是的。

曾思懿　你早说呀，我早就预备好了。（端起那碗参汤）

曾文清　刚才霆儿不是说这碗参汤——

曾思懿　你少听他胡扯。咳，还是我热热拿去吧！（笑嘻嘻）这才叫作“丑媳妇也得见公婆”呢！再丑再不爱看，也是没法子啦。（走了两步，回头）哦，厨房那两碗菜是不是你做给文清在路上吃的？

愫　方　啊——嗯——

曾思懿　（尖刻）文清，你看你多福气，愫妹待你多好啊！临走临走，愫妹一夜没睡，还赶着做两碗菜给你吃，你还不谢谢！

〔思笑着由养心斋小门走下。

〔静默，窗外天空断断续续地传来愉快的鸽哨响。

曾文清　（感愧的眼光，满眼含着泪，低声）愫方，我，我——

愫　方　（低头不语）

曾文清　（望望她也低下头，嗫嚅）陈奶妈来，来看我们来了。

愫　方　（忍着自己的哀痛）她，她在前院。

〔思蓦然又从书斋的小门匆忙探出身来。

曾思懿　（满面笑容，招手）文清，陈奶妈在外面找你呢。你快走了，还不跟她老人家说两句话？来呀，文清！

〔愫方望着文清毫无生气地随着思懿由书斋小门下。

〔泠泠的鸽哨响。

〔磷磷石道上独轮水车，单调的轮轴声。

〔远处算命瞎子悠缓的铜钲声。

〔一两句遥远市街上的“酸梅的汤儿来……”

愫　方　（伫立发痴，蓦然坐在一张孤零零的矮凳上嘤嘤隐泣起来）

〔微风吹来，响动着墙上挂的画。

〔外面圆儿的声音：（放着风筝，拍手喊）飞呀，飞呀，向上飞呀！

〔陈奶妈带着小柱儿由大花厅通前院的门走进来。小柱儿目不转睛地回头望着半空中的纸鸢，阳光迎面射着一张通红的圆脸。

陈奶妈　愫小姐！

小柱儿　（情不自禁，拍手）奶奶，金鱼上天了！金鱼上天了！（指着窗外的天空，惋惜大叫）哎呀，金鱼又从天上摔下来了。金鱼——

陈奶妈　（望见愫方独自在哭，回首，低声）别嚷嚷，你出去看去吧！

〔小柱儿喜出望外，三脚两步走出去。陈奶妈悄悄走到愫方面前。

陈奶妈　（缓缓地）愫小姐，你怎么啦？

愫　方　（低头）我，我——（又低声抽咽）

〔半晌。

陈奶妈 （叹了一口气，怜惜地把手放在她微微在抽动着的肩上）愫小姐，别哭了，我走了大半年了，怎么我回来你[1]还是在哭呀？

愫　方 （抬头）我真是想大哭一场，奶奶，这样活着，是干什么呀！（扑在桌上哭起来）

陈奶妈 （低下头，眼泪几乎也流下来）别哭了，我的愫小姐，去年我就劝你多少次了。（沉痛地）嫁了吧，还是嫁人好。就是给人填房都好。（一面擦着自己的泪水，一面强笑着）我可说话没轻没重的，一个大姑娘在姨父家混一辈子成怎么回事啊。（愫又隐泣起来）好歹嫁了吧，我的愫小姐，人家的家总不是自己的家呀！（愫哭出声来，陈低声秘密地）那位袁先生，我刚才到前院偷偷相了一下，人倒是——

愫　方 （抽咽）奶妈，你，你别说这个。

陈奶妈 （温慈地）是，八字都拿去合了么？

愫　方 （恳求她不要再说下去）奶妈。

陈奶妈 （摇头）我们这位大奶奶是不容人的。我看，清少爷，可怜，天天受她的气，我一想起来，心里真是总说不出的心疼啊。（忧伤地）哎，世上真是没有如意的事啊，你看，你跟清少爷，你们这一对——

〔瑞贞由养心斋小门匆忙上。

---

1 “你”原刊作“您”。

曾瑞贞 愫姨，爷爷叫你。

愫　方 哦！（忙立起身，擦擦眼睛，就低首向书斋走）

曾瑞贞 爷爷在前面厢房里，（愫又低头转身向通大客厅的门走，瑞看出她在哭，就随在后面，低声）愫姨，你——

〔愫依然低头向前走。

〔后院大奶奶在喊——

〔后院大奶奶声：瑞贞！

曾瑞贞 （停步应声）哎！

〔后院大奶奶声：（尖厉）你又跑到哪儿去了，瑞贞？

曾瑞贞 在这儿！（依然随着愫后面走）

愫　方 （在大客厅门槛上停步）你去吧！

曾瑞贞 不！（愫又走，二人走进大客厅内，愫先由通前院的门走出去）

〔大奶奶由养心斋小门上。

曾思懿 瑞贞，你——（瞥见陈奶妈）啊，陈奶妈，（满脸笑容，指着后院）快去吧，你的清少爷正到处找你呢！

陈奶妈 （喜不自禁）清少爷？哪儿？

曾思懿 院子里。

〔陈又非常高兴地颤巍巍地由书斋走下。瑞从通大客厅的门悄悄走上来。

曾瑞贞 妈。

曾思懿 （狠狠盯着她）你耳朵聋了！（四下一望）我叫你喊的人呢！

曾瑞贞 我，我——

曾思懿　（厉声）滚！死人！（瑞低首由她面前走过，切齿）看你那死样子，（顿足）你怎么不死啊！

〔瑞默默由书斋小门下。

曾思懿　（同时走到大客厅喊）霆儿，霆儿！

〔霆由大客厅通前院的门上。

曾　霆　（一脸汗）妈。

曾思懿　（责备，冷冷地）妈叫你，知道么？

曾　霆　（歉笑）知道。

曾思懿　（气消了一半）快穿好袍子马褂，给祖先上供去！（霆立刻转身向书斋走，思一手拉住他，异常和蔼地）孩子，以后你别跟那个袁小姐玩，野姑娘，没规没矩的。（一半鼓励，一半泄愤的样子）你要是嫌瑞贞不好，你中学毕了业，我给你再娶一个。好好念书，为你妈妈争气，将来——

〔霆正听得不耐烦时，张顺由左边姑老爷的卧室走出。霆乘机由书斋小门溜下。

〔左面卧室内：（门开时）混蛋！滚！滚！（砰地门随着关上[1]）

曾思懿　什么事，张顺？

张　顺　（也气呼呼地）大奶奶，张顺想跟您请长假。

曾思懿　又怎么啦？

张　顺　（指手画脚）我侍候不了这位姑老爷，一天百事不做，专找着我们当下人的祖宗八代地乱卷（“骂”的意思）。

1 “关上”原刊作“关闭”。

曾思懿　（愤愤）他是条疯狗，跟他一般见识干什么？

张　顺　（盛气难息）不，您另找人吧！我每天搪账不必说——

〔突然又由隔壁传来一声“混账”！一个女人喊着说：“你别去！别去！”男人暴叫：“撒开手，我要见她！”

曾思懿　（仿佛感到什么，立刻低声）张顺，这边来说，让他来喊去。

〔张随着大奶奶由书斋内小门走出。

〔同时几乎一阵闯进来的是扭持着的姑老爷和姑太太。江泰登时甩开手，曾文彩目瞪口张地望着他。他手握着一束钞票，气呼呼地乱指。

〔姑老爷江泰是个专攻“化学”的老留学生，到了北平，就纵情欢乐，尽量享受北平舒适的生活，几乎和北平土生的公子哥儿的神气，毫无二致。他有三十七岁，神色带着几分潦倒模样。人看来是很精明的，却仿佛走到社会里就比不过与他同样聪明的朋友们。于是[1]他时时刻刻想占些小便宜，而总不断地在大处吃了人的亏。他心地并不算奸恶，回国后，颇想大大发展一下。他不知为什么抛弃本行，洋洋自喜地做了官。做了几次官都不十分得意，在最后一任里，他拉下很大的亏空，并且据说有侵吞公款的嫌疑，非常不名誉地下了任。他没剩多少钱，就和太太寄居在丈人家里，成天牢骚满腹，喝了两杯酒就在丈人家里使气。人愈穷，气愈盛，拍桌骂人，摔碟子摔碗是常有的事。

1　“于是”底本作“以是”，据1994人文版改。

〔但他也不是没有可爱的地方，他很直率，肯说老实话，有时也很公平，固然他常欺蔑他的病妻，在太太偶尔高兴，开始发两句和他不同的议论的时候，他总是轻蔑地对她说："你懂得什么?"他还有一件长处，北平的饭馆、戏园、各种游乐的场所，他几乎处处知道门路。而且他最讲究吃，他是个有名的饕餮，精于品味食物的美恶，举凡一切烹调秘方，他都讲得头头是道，说得有声有色，简直像一篇袁子才的小品散文。他也好吹嘘，总爱夸显过去他若何的阔绰豪放，怎样得到朋友们的崇拜和称赞，有时说得使人难以置信。

〔通常他是无时无刻不在谈着发财的门径的。但多半是纸上谈兵的淡话，只图口头上快意，决不[1]想到实行。只有一次，他说要办实业，想开一个一本万利的肥皂厂，就在曾家的破花窖里砌炉举火，克日动工，熬开一大锅黄澄澄的浓汤，但制成时，一块块胰子软几几的像牛油，原来他的化学教科书不好，那节肥皂的制造方法，没有写[2]明白，于是那些锅儿灶儿就一直扔在破花窖里，再没有人提。

〔经过这一次失败后，有一阵他绝口不谈发财。但不久躲在房里又忍不住和他的妻轻轻叹息[3]说："总有一天我能发明

1 "不"原刊作"未"。

2 "写"原刊作"说"。

3 "轻轻叹息"原刊作"又轻轻叹息"。

一种像万金油似的药，那我就——”于是连续地他又有许多发财的梦，但始终都是梦。看相批命也不甚灵，命中该交财运的年头，事实都不如此。最近他才忽然想起一个巨大的计划，他要经商，他劝他丈人拿钱到上海做出口生意，并且如果一时手下不便，可以先卖了房子，作为营利的资本。但他的岳父照例地以为不可。却又怕他的“姑老爷”的脾气发作，就对他唯唯否否，弄得他十分不快。

〔他身材不高，宽前额，丰满的鼻翼，一副宽大的厚嘴唇，唇上微微有些黑髭，很漂亮的。他眼神[1]有些浮动，和他举止说话一样。

〔他穿一套棕色西服[2]，货料[3]和剪裁都好，领带拖在前面。一绺头发在顶上翘起来，通身上下[4]都不整齐。

〔他的夫人曾文彩有三十四岁，十年前是一位有名娇滴滴的蜡美人，温厚娴静，婚后数年颇得她丈夫的宠爱。后来一直卧病，容颜顿改，人也憔悴瘦弱，脸色比曾家一般人还要苍白，几乎一点也看不出昔日的风韵。她非常懦弱，任何事她都拿不定主意。在旧书房里读了几年书，她简直是崇拜她的丈夫，总是百依百顺地听她丈夫的吩咐，甘心受

---

1 “眼神”原刊作“眼睛”。

2 “棕色西服”原刊作“棕色的西服”。

3 “货料”原刊作“质料”。

4 “通身上下”原刊作“他通身上下”。

着她丈夫最近数年的轻蔑和欺凌。病久了，她进门[1]有些颤抖，唇惨白失色，头发微乱，她穿一件半旧蓝灰色羽纱旗袍，青缎鞋也有些破旧。

曾文彩　（哀求他）你这样去，成什么样子？

江　泰　（睁圆了眼）给他钱，什么样子？住房，给房钱，吃饭，给饭钱。

曾文彩　（怯弱地）你不要这么嚷，弄得底下人听见笑话。

江　泰　（愤慨）这有什么可笑话！给完了钱，我们就搬家。（举起那钞票乱甩，怒喊）我叫你给他钱，你为什么不去？（拔步就走）我自己去交给你父亲！

曾文彩　（死命拉住他，颤抖像一只将死的蝴蝶）江泰，你给我留点面子，这是我的娘家！

〔思懿偷偷由书斋小门冒出头窃听。

江　泰　（唾了一口涎水）娘家，我看还不及住旅馆有情分呢。（指着后院）老头死了，你要是拿他一个大钱，我立刻就跟你离婚。

曾文彩　（哀诉地）你从哪儿听的这些闲话？哪个告诉你说嫂嫂嫌我们住在此地，又是谁说你想着你岳父的钱哪？

江　泰　（傲慢地）奇怪，我贪这几个钱？（愤恨）你们家里的人一个个都是混蛋，小人，没见过钱的，第一你那个大嫂！

曾文彩　（低声，怯惧地）你喊什么？她说不定就在隔壁！

1　“进门”原刊作“进门时”。

江　泰　（痛快淋漓）我喊，我就是给她听，看她怎么样？看她敢怎么样？我要打死她，我要一枪打死她！

〔大奶奶先真要挺身而出，听见这么可怕的恐吓，又悄悄退回去。

曾文彩　（叹息）再怎么说也是亲戚。

江　泰　什么亲戚？（牢骚满腹）亲戚是狗屎！我有钱，我得意的时候，认识我。没有钱，下了台，你看他们那副鬼脸子！（愈想愈恨）混账！借我钱买田产的时候，你问问他们记得不记得？我叫他们累得丢了官，下了台，你问问他们知道不知道？昨天我就跟老头通融三千块钱，你看老头——

曾文彩　（连忙）回头我跟爹说！

江　泰　（怒冲冲）你不要去！你少给我丢脸！你以为你父亲吃斋念佛就有人心么？伤天害理，自己的棺材抬在家里，漆都漆好了，偏把人家老姑娘坑在家里，不许嫁人！

曾文彩　（弱声弱气）你不要这样胡说！

江　泰　哼，（凶横地）我问你，他怕死不怕死？

曾文彩　（枯笑）老人家哪个不怕死？

江　泰　那么，他既然知道他要死了，为什么屡次有人给愫小姐提婚，他总是东不是西不是，挑剔，反对？

曾文彩　（忠厚地）那也是为她好。

江　泰　（睁圆眼睛）你胡扯！自私！自私！就是自私！一句话，眼不见为净！我立刻走！我立刻就滚蛋，滚他妈的蛋！

〔霆由书斋小门上。

曾　霆　姑姑，姑丈，爷爷请您们二位敬祖去。

江　泰　我不去。

曾文彩　霆儿，你别听他的，我们就去。

曾　霆　妈说等着姑姑跟姑丈点蜡呢。

江　泰　我不去，我江家的祖宗还没有祭呢。

曾文彩　（哀恳地）走，把衣服换了，穿上袍子马褂！

〔愫方由书斋小门上。她手里拿着一包婴儿的衣服。

愫　方　（找着）瑞贞呢？

曾文彩　不在这儿。

愫　方　表姐夫还不去，姨父都在祖先堂屋等着呢！

曾文彩　（几乎是乞怜）看我的份上，你去一趟吧！

江　泰　（翻翻眼）你告诉他，我没有工夫侍候。

〔江头也不回，由大客厅通前院的门下。

曾文彩　（追在后面）江泰，你别走，你听我说。

〔彩追下。

〔霆欲由大客厅走出去。

愫　方　（哀恳[1]地）霆儿，你别走。

曾　霆　愫姨。

愫　方　你——（欲说又止）

曾　霆　什么？

愫　方　（终于）你为什么不跟瑞贞好呢？

1　“哀恳”原刊作“哀缓”。

曾　霆　（不语）

愫　方　（沉重）你们是夫妻呀。

曾　霆　（痛苦地）您别提这句话吧。

愫　方　譬，譬如她是你的妹妹，你忍心成天——

曾　霆　（哀恳地）愫姨！

〔他们觉得有人来，回头看见瑞贞低着头，仿佛忍着极端的苦痛，匆匆由书斋小门走进。

曾瑞贞　（抬头，突然望见霆）哦，你，你在这儿。

愫　方　（立刻）你们谈谈吧。（急向大客厅那面走）

〔前院袁圆在叫——

〔圆的喊声：快来呀，曾霆！

〔霆原来与瑞相对无语，听见喊声，立刻抢在愫方的前面，疾步走进大客厅。

愫　方　霆儿，你——

〔霆不回顾，忙由大客厅通前院的门走出，愫回过头，脸上罩满哀伤，慢慢向瑞贞走来。

曾瑞贞　愫姨！（扑在愫的怀里哭泣起来）

愫　方　（低声抚慰）不要哭，瑞贞。

曾瑞贞　（忍不住地抽咽）我，我不，我不。

愫　方　（拉着她）我看你回屋躺一躺去吧。

曾瑞贞　（摇头）不，他母亲还叫我侍候开饭呢。

愫　方　（不安地探问着）你怎么一早就出去了？

曾瑞贞　我有，有点事。

愫　方　（摸着她的脸，哀怜地）我看你睡一会吧，你的眼通红的。

曾瑞贞　（惨凄）不，那他母亲更要以为我是装病了。

愫　方　（同情地）你还吐么？

曾瑞贞　还好。

愫　方　（无意地）瑞贞，还是让我，我替你说了吧。

曾瑞贞　（坚决）不，不。

愫　方　那么先告诉霆儿吧。

曾瑞贞　（抑郁）他懂什么？他是个孩子。

愫　方　（劝解）可为什么不说呢？

曾瑞贞　（摇头）愫姨，你不明白。

愫　方　（不了解）为什么呢？（欣悦之色）这又不是什么怕人晓得的事。

曾瑞贞　（痛苦地望着愫方）愫姨，我要是能像你一样，一辈子不结婚多好啊。

愫　方　（哀静地凝视）你怎么说些小孩子话？

曾瑞贞　（痛心）愫姨，我们是小孩子啊，到了年底我十八，曾霆才十七呀。我同他糊糊涂涂叫人送到一处。我们不认识，我们没有情感，我们在房屋里连话都没有说的。过了两年了，（痛苦地）可现在，现在又要——

愫　方　（淳厚地）那你的爷爷才喜欢呢。

曾瑞贞　是呀，愫姨，我就是问为什么呀？为什么爷爷要抱重孙子，就要拉上我们这两个可怜虫再生些小可怜虫呢？

愫　方　（安慰）人家说有了小孩就好了，有了小孩，夫妻的情感就会好了的。

曾瑞贞　（沉重地摇着头）不，愫姨，我不相信，我们不会好的。（肯定）即使曾霆又待我好，我在这样的家庭也活不下去的。（憎恶地）我真是从心里怕看见这些长辈们的脸哪，（拉着愫的手）愫姨，如果这家里再没有你，我早就死了。

愫　方　（感动地）不要这么说话。你还小，生了小孩子大家就高兴了。

曾瑞贞　（哀愁）愫姨，怎么会高兴？杜家的账到现在没法子还，爷爷都说要卖房子——

愫　方　（低头）嗯。

曾瑞贞　多一个就多一个负担，曾霆连中学都还没毕业。

愫　方　（慈爱地笑着）不要像个小大人似的想下去了，活着吃苦不为着小孩子们，还为什么呢？毛毛生下来，我来替你喂。我来帮你，不要怕，真到了没路可走的时候，我母亲还留下一点钱，我们还可用在小孩子身上的。

曾瑞贞　（十分感动）愫姨，你，你的心真是——

愫　方　（高兴得流眼泪）那么，瑞贞，我一会儿替你说了吧，我替你告诉，先告诉表嫂，她想着要抱孙孙，就不会待你那样了。

曾瑞贞　（连忙）不，不，你不懂，我就不愿意告诉我这位婆婆。不，不，你千万谁也不要告诉！（激动地）愫姨，只有你，只有你——啊，愫姨，我心里乱慌慌的，昨天晚上我梦见我的母亲又活起来了，我还在家里当女孩子，（痛苦地）哦，愫

姨，我要是永远不嫁人，永远不长大多好啊，多好啊！（又抽咽起来）

愫　方　（抚慰）不要哭，不要再流眼泪了。我给你看一点东西吧！（打开那个包[1]，露出美丽的小婴儿绒线衣服）瑞贞，你看能用么？

曾瑞贞　（望着那件玲珑的小衣服，说不出话来）啊？

愫　方　喜欢么？

曾瑞贞　（颤抖着）怎么你连这个都预备了？（虽然有些羞赧，但也忍不住欣欣笑起来）还，还早得很呢。

愫　方　做着玩玩，我也是学着做。

曾瑞贞　（一件一件[2]地翻弄，欣喜地）好看，好看，真好看。（陡然放下衣服）可[3]愫姨，你没有钱，你为什么花这么许多钱，为，为着——

愫　方　（哀矜地）为着我爱你，瑞贞，你不生气吧。我们都是无父无母，看人家眼色过日子的人。

曾瑞贞　（低下头，紧紧握住愫的手）愫姨。（泪泫然流下来）

愫　方　（哀婉地）你现在快做母亲了，要成大人了，为什么想不要孩子呢？有了孩子，他就会慢慢待你好的。（手帕轻轻擦着瑞贞眼睫下面的泪水）顺着他一点，他还是个小孩呢！（摇

1　“包”原刊作“布包”。

2　“一件一件”原刊作“一件件”。

3　原刊无“可”。

头，哀伤地）唉，你们两个都是小孩子，十七八岁的人，懂得什么哟。（慢慢握紧瑞的手，诚挚地）瑞贞，昨天晚上你对我讲的话，那是万万做不得的。

曾瑞贞　（低声）为什么要这个小东西呢？（凝视）他是不喜欢我的。

愫　方　（恳切地）瑞贞，他再怎么不喜欢你，孩子是没有罪过的，岁数大了，心思就变了，有个小孩，家里再怎么不好，心里也就踏实多了。（凝望着她）你真想听你那个女朋友的话到什么地方去么？（悲哀地）哎，哪里又真是我们的家呀？

曾瑞贞　（愤慨）我不要家，我不要这个家。

愫　方　（立刻按住她的手，摇头）不，你小，你不明白没有家的女人是怎么过的？（泫然）那心里头老是非常地寂寞的。（不能自已）我自小就——（突然又抑制止住自己的愁苦，急转，哀痛地）瑞贞，你听我的话，你决不要[1]做那样的事，万不要打掉那孩子。

曾瑞贞　嗯。

愫　方　你刚才是不是又找那个坏医生去了？

曾瑞贞　（不语）

〔后院文清喊——

〔文清声：瑞贞！

愫　方　你要对我说实话。

曾瑞贞　（望她）嗯。

1　“决不要”原刊作“万不要”。

〔文清声：瑞贞！

愫　方　那你以后再也不要去。

曾瑞贞　（哀痛地）嗯！

愫　方　（沉挚）你说定了！

〔正当瑞贞微微颔首的时候，文清低首由书斋小门上。

曾文清　（扬头突见愫方）哦，你在这儿！（对瑞）瑞贞，你给我拿马褂来。

曾瑞贞　是，爹！

〔瑞贞进了文清的卧室。

〔半晌，二人相对无语。

曾文清　（长叹一声）愫方，我要走了，以后，你，你一个人——

〔蓦然由大客厅通前院的门兴高采烈地跑进来袁圆。

袁　圆　（连喊）曾伯伯，曾伯伯！

曾文清　（转身笑着）什么？

袁　圆　小柱儿说他奶奶送给你一对顶好看的鸽子。

曾文清　（指那笼子里的鸽子）在那里。

袁　圆　（提起来）咦，怎么就剩下一个啦？

曾文清　（哀痛）那个在半路上飞了。

袁　圆　（赞美地指着笼里的鸽子，天真地）这个有名字不？

曾文清　（缓缓点头）有。

袁　圆　（恳切地）叫什么？

曾文清　（沉静地）它，它叫“孤独”。

袁　圆　真好看！（撒娇似的央求着）曾伯伯，你送给我？

曾文清　好。

袁　圆　（大喜）谢谢你！你真是个好伯伯！（提着鸽笼跳起就跑）小柱儿！小柱儿！

〔袁圆一路喊着由大客厅通前院的门走出去。

〔静默。天空鸽哨声。

曾文清　（费力地）谢谢你送给我的画。

愫　方　（低头不语）

曾文清　（慢慢由身上取出一张淡雅的信笺）昨天晚上我作了几首小东西，（有些羞怯地递到她的面前）在，在这里。

愫　方　（接在手中）

曾文清　（温厚地）回头看吧。

愫　方　（望着他）一会儿，我不能送行了。

〔思懿突由书斋小门上。

曾思懿　（惊讶）哟，你们在这儿。（对愫）老爷子叫你呢。

愫　方　（仍然很大方地拿着那张纸）哦。（立刻走向书斋）

曾思懿　（瞥见她手上的诗笺，忽然眼珠一转）啊呀，地上还有一张纸！

愫　方　（不觉得回头）啊？

曾文清　（惴惴然）哪儿？（忙在地上寻望）

曾思懿　（尖刻笑）哦，就一张！（望着愫）原来在手上呢！

〔外面曾老太爷的声音：（苍老地）愫方哪！

愫　方　喉！

〔愫由书斋小门下。

曾思懿　（脸沉下来）你们又在我背后闹些什么把戏！

曾文清　（惶然）怎么——没有。

曾思懿　你刚才给她什么？

曾文清　（推诿）没有什么。

曾思懿　（厉声）你放屁，你瞒不了我！你说，她手里拿的是什么？你说——

曾文清　我——

〔瑞贞由右边卧室拿着马褂走出来。

曾瑞贞　爹，马褂！（文接下）

曾思懿　（对瑞恶烦）快去吧，你的愫姨等着你。

〔瑞由书斋小门下。

〔文默默穿马褂。

曾思懿　（叨叨）我一辈子是大方人，吃大方的亏。我不管你们在我背后闹些什么，（百般忍顺的模样）反正这家里早已不成一个家。“树倒猢狲散”，房子[1]一卖，你带你的儿子媳妇一齐去过（“生活”的意思）也好，或者带你的宝贝愫妹妹过也好，我一个人到城外尼姑庵一进。带发修行，四大皆空。（怕他不信）你别以为我在跟你说白话，我早已看好了尼姑庵，都跟老尼姑说好了。

曾文清　（明知她说的是一套恐吓的假话，然而也忍不住气闷，颤抖地）你这是何苦？你这是何苦？

1　“房子”原刊作“房”。

曾思懿　（诉苦）我也算替你们曾家生儿养女，辛苦了一场，我上上下下对得起你们曾家的人！过了八月节，这八月节，我把这家交给姑奶奶，明天我就进庙。（向卧室走）

〔张顺由大客厅通前院的门急进。

张　顺　（急促）大奶奶，那漆棺材的要账的伙计——

曾思懿　叫他们找老太爷去！

张　顺　（狼狈）可他们非请大奶奶——

曾思懿　（眼一翻）跟他们说大奶奶死了，刚断了气！

〔思进了卧室。

曾文清　（望着卧室的门）

〔张叹一口气由大客厅通前院门下。

曾文清　思懿！（推卧室门）开门！开门！你在干什么？

曾思懿　（气愤的口气）我在上吊！

曾文清　（敲门）你开门！开门！你心里在想着什么？你说呀，你打算——（回头一望，低声）爹来了！

〔果然是由书斋小门，瑞贞，愫方和陈奶妈簇拥着曾皓走进来。

〔曾皓，至多看来不过六十五，鬓发[1]斑白，身体虚弱，肿胀的黄脸上[2]，微微有几根稀落惨灰的短须。一对昏蒙而无精神的眼睛，时常流着泪水，只在偶尔振起精神谈话时才约莫

---

1 “鬓发”原刊作“须发”。

2 “肿胀的黄脸上”原刊作“黄黄的脸上”。

寻得出曾家人通有的清秀之气。他吝啬，自私，非常怕死，整天进吃补药，相信一切益寿延年的偏方。过去一直[1]在家里享用祖上的遗产，过了几十年的舒适日子。偶尔出门做官，补过几次缺，都不久挂冠引退，重回到北平闭门纳福。老境坎坷，现在才逐渐感到困苦，子女们尤其使他失望。家中的房产，也所剩无几，自己又无什么治生的本领，所以心中百般懊恼。他非常注意浮面上的繁文缛礼，以为这是士大夫门第的必不可少的家教，往往故意夸张他在家里当家长的威严，但心中颇怕他的长媳。他晓得大奶奶尽管外表上对他作“奉承”文章，心里不知打些什么算盘。他也厌恶他的女婿的嚣张横肆，一年到头，总听见他在吵，在出主意，在高谈阔论种种营利的勾当。曾老太爷一直不说他有钱的，但现在[2]也不敢说没有钱。他的家几乎完全操在大奶奶的手心里，哭穷固然可以应付女婿，但真要是穷得露了骨，他想得到大奶奶的颜色是很难看的，虽然到现在为止，大奶奶还不敢对自己的公公当面有若何轻视的表示。然而他很怕，担心有一天子女就会因为他没有留下多少财产，做出一种可怕的颜色给他看。

〔自然，这也许是他神经过敏，但他确实感到贫穷，对他，一个士大夫家庭中家长的地位都成了莫大的威胁。他有时

---

1 “一直”原刊作“直”。

2 原刊无“现在”。

几乎不相信诗书礼仪对他的子女究竟施了多大的教化和影响。他想最稳妥的方法是“容忍”，然而“容忍”久了也使他气郁，所以终不免时而唠唠叨叨，牢骚一发，便不能自止，但多半时间他愿装痴扮聋，隐忍不讲。他的需要倒也简单，除了漆寿木，吃补药两点他不让步外，其余他尽量使自己不成为子孙的赘疣。他躲在屋内，写字读佛，不见无欲，既省钱，也省力。却有时事情常闹到头上来，那么他就把多年忍住的脾气发作一下，但也与年壮气盛时大不相同，连发作的神情都很萎缩。他埋怨一切，他仿佛有一肚子的委屈要控诉，咒骂着子女们的不孝无能，叹惜着家庭不昌，毁谤着邻居们的粗野无礼，间或免不了这没落的士大夫家庭的教养，趣味种种，他唯一留下来的一点骄傲也行将消散。

〔他的自私常是不自觉的。譬如他对愫方，总以为[1]自己在护养着一个无告的[2]孤女。事实上愫方哀怜他，沉默地庇护他，多少忧烦的事隐瞒着他，为他遮蔽大大小小无数次的风雨。当他有时觉出她的心有些摇动时，他便猝然张皇[3]得不能自主，几乎是下意识地故意慌乱而过分地显露老人失倚的种种衰弱和苦痛，期想更深地撼动她的情感，成为他永远的

1 “以为”底本作“以”，据1994人文版改。

2 原刊无“的”。

3 “张皇”原刊作“慌张”。

奴隶。他无时无刻不在想着自己，怜悯着自己，这使他除了自己的不幸外，看不清其他周围的人也在痛苦。

〔他穿一件古铜色的长袍，肥大宽适。上套着一件愫方为他缝制的轻软的马褂——他是异常地怕冷的——都没有系领扣，下面穿着洋式翻口绒鞋，灰缎带扎着腿。他手里拿着一串精细的念珠。

〔愫方和瑞贞扶掖着他，旁边陈奶妈捧着盖碗。

曾　皓　（闭着眼睛，听什么，连连点着头）嗯，嗯。

曾文清　（不安地）爹。

曾　皓　（陷在沉思里，似乎没有听见）

陈奶妈　（边说边笑，大家暂停住[1]步子，听她的话。她很兴奋地对愫）我一算可不是有十五年了？（对皓）这副棺材漆了十五年！（惊羡地）哎，这可漆了有多少道漆呀？

曾　皓　（快慰）已经一百多道了。（被他们扶掖向长几那边走）

陈奶妈　（赞叹）怪不得那漆看着有（手一比）两三寸厚呢！（放下盖碗）

〔思由卧室走出[2]，满面和顺的笑容，仿佛忘记刚才那一件事。

曾思懿　爹来了。（赶上扶着皓）这边坐吧，爹，舒服点！（把皓又扶到沙发那边，忙对瑞贞）少奶奶，把躺椅搬正！（扶皓坐下，思对文）你还不把靠垫拿过来。

1　“暂停住”原刊作“暂停住了”。

2　“走出”原刊作“走出来”。

曾文清 哦!(到书斋内取靠垫，瑞也跟着拿)

曾　皓 (闭目，摸弄着佛珠)慢慢漆吧! 再漆上四五年也就勉强可以睡了。

〔瑞贞由书斋内拿来椅垫。

曾思懿 (指着，和蔼地)掖在背后，少奶奶。(仿佛看瑞贞掖得不好，弯下腰)嗐，我来吧。(对瑞)你去拿床毛毯，给爷[1]盖上。

曾　皓 (睁眼)不用了。(又闭目养神)

曾思懿 (更谦顺)您现在觉着好一点了吧。

曾　皓 还好。

曾文清 (走上前)爹。

曾　皓 (微颔首)嗯,(几乎是故意惊讶地)哦，你[2]还没有走?

曾思懿 (望文一眼，对皓)文清一会儿就要上车了。

曾　皓 (对文)你给祖先磕了头没有?

曾文清 没有。

曾　皓 (不高兴)去，去，快去，拜完祖先再说。(咳嗽)

曾文清 是，爹。(向书斋小门走)

陈奶妈 (又得着一个机会和文清谈话)嗐，清少爷，我再陪陪你。

〔文与陈同由书斋小门下。

曾　皓 愫方，你出去把我的痰罐拿过来。

---

1 “爷”底本作“爹”，据1994人文版改。

2 “你”原刊作“您”。

〔愫刚转身举步向书斋走——

曾思懿　（立刻笑着说）别再劳累愫妹妹啦，我屋里有，瑞贞，你给爷拿去。（把盖碗茶捧给皓）爹，您喝茶吧！

〔瑞贞进思懿的卧室。

曾　皓　（用茶漱口，愫拿过一个痰桶，皓吐入）口苦得很！（又合眼[1]）

愫　方　您还晕么？

曾　皓　（望望她，又闭上眼，一半自语地）头昏口苦，这是肝阴不足啊！所以痰多气闷！（枯手慢推摩自己的胸口）

曾思懿　（殷勤）我看给爹请个西医看看吧。

曾　皓　（睁开眼，烦恶）哪个说的？

曾思懿　要不叫张顺请罗太医来！

曾　皓　（启目，摇头）不，罗太医好用唐朝的古方，那种金石虎狼之药，我的年纪，体质——（不愿说下去，叹口气，闭眼轻咳）

〔瑞由思懿的卧室上，把小痰罐递与皓，皓又一口黏痰吐进去，把痰桶拿在手中。

曾思懿　隔壁杜家又派一个账房来要那五万块钱啦。

曾　皓　哦！

曾思懿　还有今年这一年漆寿木的钱——

曾　皓　（烦躁）钱，钱！牛马，牛马，做一辈子的牛马，连病中还要操心，当牛马。

1　底本作“瞌眼”，据原刊改。

〔思也沉下脸。半晌。

愫　方　（安慰地）今年那寿木倒是漆得挺好的。

曾　皓　（不肯使大奶奶太难看，点头，微露喜色）嗯，嗯，等吧，等到明年春天再漆上两道川漆，再设法把杜家这笔账还清楚，我这孽就算做完了。（不觉叹一口气，望着瑞贞）那么运气好，明年里头我再能看见重孙——

曾思懿　（打起欢喜的笑容）是啊，刚才给祖先磕头，我还叫瑞贞心里念叨着：求祖宗保佑她早点有喜，好给爷爷抱重孙呢。

曾　皓　（浮肿的面孔泛着欣喜的皱纹）瑞贞，你心里说了没有？

曾瑞贞　（低头）

曾思懿　（推她，尖声）爷爷问你心里说了没有？

曾瑞贞　（背转）

愫　方　（劝慰）瑞贞！

曾瑞贞　（回头）说了，爷爷。

曾　皓　（满意地笑）说了就好。

〔外面曾文彩声：江泰，江泰！

曾思懿　（咕噜着）你[1]瞅，这孩子，你哭什么？

〔由大客厅通前院的门拉拉扯扯地走进来文彩和江泰。

曾文彩　（央求）江泰！江泰！（拉他走进）

江　泰　（说着，走着，气愤愤地）好，我来，我来！你别拉着我！

〔大家都回头望他们，他们走到近前。

1　“你”原刊作“您”。

曾　皓　怎么啦？

曾文彩　爹！（回头低声对江）就这样跪着磕吧，别换衣服啦。

曾思懿　（故意笑着说出来）姑老爷给爹拜节呢。

曾　皓　（探身，手势要人扶起，以为他要磕头）哎，不用了，不用了，拜什么节哟！

〔江泰狠狠盯了思懿一眼，在皓已经欠起半身的时候，似[1]拜不拜地懒懒鞠了个半躬，自己就先坐下。

江　泰　（候皓坐定，四面望一望，立刻）好，我有一句话，（指着）我屋旁边那土墙要塌了，你们想收拾不收拾？——

曾文彩　（低声，急促地）你又怎么了？

江　泰　（对彩）你别管！（转对思和皓）你们收拾不收拾？不收拾，我就卷铺盖滚蛋。

曾　皓　（莫名其妙）怎么？

曾思懿　（软里透硬）不是这么说，姑老爷，我没有敢说不收拾，不过我听说爹要卖房子，做买卖，所以——

曾　皓　（挺身不悦）卖房子？

曾思懿　卖给隔壁杜家。

曾　皓　（微怒）哪个说的？这是哪个人说的？

曾思懿　（眼向江泰一瞟，冷笑）谁知道谁说的？

江　泰　（冒然）我说的！（望着皓，轻蔑的神色）我也不知道哪个说话不算话的人对我说的。

1　“似”原刊作“爱”。

曾　皓　（在自己家里，当着自己的儿妇受这样抢白，实在有些忍不住）江泰，你这不是对长辈说话的样子。

江　泰　好，那么我走。（拔脚就走）

曾文彩　（低声，几乎要哭出来）江泰，你还不坐下。

愫　方　（央求地）表姐夫！

〔江被他们暗暗拉着，不甘愿地又坐下。

〔半晌。沉静中文清由书斋小门悄悄走进来，站在一旁。

曾　皓　（望了文一眼，颤抖）好，我说过，我说过，我是为我这些不肖的子孙才说的。现在家里景况不好，没有一个人能赚钱，（望文愤愤地）大儿子第一个就不中用！隔壁那个暴发户杜家天天逼我们的债，他们硬要买我们的房子，难道我们就听他们再给一两万块钱，乖乖把房子送给他们么？（越说越气）这种开纱厂的暴发户，仗势欺人，什么东西都以为可以拿钱买，他连我这漆了十五年的寿木都托人要拿钱来买，（气得发抖）这种人真是一点书都没有读过。难道我自己要睡的棺材都要卖给他？（望彩）文彩，你说！（对文清）文清，你这个做长子的人也讲讲！（文低头）你们这做儿女[1]的——

〔由书斋小门走进来陈奶妈。

陈奶妈　（高兴地）清少爷！——（看见大奶奶对她指着皓摆手，吓得没有说来，就偷偷从通大客厅的门走出去）

1　“儿女”底本作“儿子”，据原刊改。

曾　皓　这房子是先人的产业，一草一木都是祖上敬德公惨淡经营留下的心血，我们食于斯，居于斯，自小到大都是倚赖祖宗留下来这点福气，吃住不生问题。（拍着那沙发的扶手）你们纵然不知道爱惜，难道我忍心肯把房子卖给这种暴发户，卖给这种——

江　泰　（把手一举）我声明，不要把我算在里面，你们房子卖不卖，我从来没有想过。

曾　皓　（愣一愣，继续愤慨地）这种开纱厂的暴发户！这种连人家棺木都想买的东西，这种——

〔突然从隔壁邻院袭来震耳的鞭炮声。

曾　皓　（惊吓）这是什么？（几乎要起来，仿佛神经受不住这刺激）这是什么？什么？什么？

愫　方　（在鞭炮响声里，用力喊出）不要紧，这是放鞭！

曾　皓　（掩盖自己的耳朵，紧张地）关上门，关上门！

〔文与瑞赶紧跑去关上通大客厅的门扇，鞭炮声略远，但仍不断爆响，半天才歇。

曾文彩　（爆竹声中倒吸一口长气）谁家放这么长的爆竹？

江　泰　（冷笑）哼！就是那暴发户的杜家放的。

曾　皓　（摇头）看看这暴发户！过一回八月节都要闹得像嫁女儿——

〔陈奶妈由通大客厅的门上。

陈奶妈　（拍手笑）愫小姐，这一家子可有趣！女儿管爹叫“老猴”，爹管女儿叫“小猴”，屋里还坐着一个像猩猩似的野东西，老猴画画，小猴直要爬到老猴头上翻筋斗，（笑着前翻后仰）

屋里闹得要翻了天——

曾　皓　（莫名其妙）谁？

陈奶妈　还不是袁先生跟那位袁小姐，我看袁先生人脾气怪好的，直傻呵呵地笑——

曾思懿　陈奶妈，你到厨房看看去，赶快摆桌子开饭，今天老太爷正为着[1]愫小姐请袁先生呢。

陈奶妈　哦，哦，好，好！

〔陈奶妈十分欢喜地由通大客厅的门走下。

曾思懿　（提出正事）媳妇听说袁先生不几天就要走了，不知道愫妹妹的婚事爹觉得——

曾　皓　（摇头，轻蔑地）这个人，我看——（江泰早猜中他的心思，异常不满地由鼻孔“哼”了一声，皓回头望他一眼，气愤地立刻对那正要走开的愫方）好，愫方，你先别走。乘你在这儿，我们大家谈谈。

愫　方　我要给姨父煎药去。

江　泰　（善意地嘲讽）咳，我的愫小姐，这药您还没有煎够？（迭连快说）坐下，坐下，坐下，坐下。

〔愫又勉强坐下。

曾　皓　愫方，你觉得怎么样？

愫　方　（低头不语）

曾　皓　愫，你自己觉得怎么样？不要想到我，你应该替你自己想。

---

1 “正为着”原刊作“正为”。

我这个当姨父的，恐怕也照拂不了你几天了，不过照我看，袁先生这个人哪——

曾思懿 （连忙）是呀，愫妹妹，你要多想想，不要屡次辜负姨父的好意，以后真是耽误了自己——

曾　皓 （也抢着说）思懿，你让她自己想想。这是她一辈子的事情，答应不答应都在她自己，（假笑）我们最好只做个参谋。愫方，你自己说，你以为如何？

江　泰 （忍不住）这有什么问题？袁先生并不是个可怕的怪物！他是研究人类学的学者，第一人好，第二有学问，第三有进款，这，这自然是——

曾　皓 （带着那种“稍安勿躁”的神色）不，不，你让她自己考虑。（转对愫，焦急地）愫方，你要知道，我就有你这么一个姨侄女，我一直把你当我的亲女儿一样看，不肯嫁的女儿，我不是也一样养么？——

曾思懿 （抢说）就是啊，我的愫妹妹，嫁不了的女儿也不是——

曾文清 （再也忍不下去，只好拔起脚就向书斋走——）

曾思懿 （斜睨着文）咦，走什么？走什么？

〔文不顾，由书斋小门下。

曾　皓 文清怎么？

曾思懿 （冷笑）大概他也是想给爹煎药呢！（回头对愫又万分亲热地）愫妹妹，你放心，大家提这件事也是为着你想。你就在曾家住一辈子，谁也不能说半句闲话。（阴毒地）嫁不出去的女儿不也是一样得养么？何况愫妹妹，你父母不在，家里原底就没有一个亲人——

曾　皓　（当然听出她话里的根苗，不等她说完——）好了，好了，大奶奶，请你不要说这么一大堆好心话吧。（思的脸突然罩上一层霜，皓转对愫）那么愫方，你自己有个决定不？

曾思懿　（着急，对愫）你说呀！

曾文彩　（听了半天，一直都在点头，突然也和蔼地）说吧，愫妹妹，我看——

江　泰　（猝然，对自己的妻）你少说话！

〔彩嘿然，愫默默立起，低头向通大客厅的门走。

曾　皓　愫方，你说话呀，小姐。你也说说你的意思呀。

愫　方　（摇头）我，我没有意思。

〔愫由通大客厅的门下。

曾　皓　唉，这种事怎么能没有意见呢？

江　泰　（耐不下）你们要我说话不？

曾　皓　怎么？

江　泰　要我说，我就说。不要我说，我就走。

曾　皓　好，你说呀，你当然说说你的意见。

江　泰　（痛痛快快）那我就请你们不要再跟愫方为难，愫方心里怎么回事，难道你们看不出来？为什么要你一句我一句欺负一个孤苦伶仃的老小姐？为什么——

曾思懿　欺负？

曾文彩　江泰。

江　泰　（盛怒）我就是说你们欺负她，她这些年侍候你们老的，少的，活的，死的，老太爷，老太太，少奶奶，小少爷，一直都是她一个人管。她现在已经过了三十，为什么还拉着她，不放她，这是干什么？

曾　皓　你——

曾文彩　江泰！

江　泰　难道还要她陪着一同进棺材，把她烧成灰供祖宗？拿出点良心来！我说一个人要有点良心！我走了，这儿有封信，（把信硬塞在皓的膝上）你们拿去看吧。

曾文彩　江泰！

〔江气呼呼地由通大客厅的门下。

曾　皓　（满腹不快）这，这说的是什么？我，我从来没听见这种野话！（同时颤抖地拆开[1]信，露出来钞票和简短的信纸）

〔皓看信时，张顺拿着碗筷悄悄走进来，瑞贞也走来帮他把方桌静静抬出，默默摆碗筷和凳子。

曾　皓　（匆促地读完那短信，气得脸发了青）这是什么意思？（举着那钞票）他要拿这几个房租钱给我？（对思）思懿，这是怎么回事？

曾思懿　（冷笑）我不知道他老人家又犯了些什么神经病。

曾文彩　（早已立起，看着那信，惶惑不安，哀诉着）爹，您千万别介他的意，他心里不快活，他这几年——

曾　皓　（愤然）江泰，我不说他，就说女婿是半子吧，他也是外姓

1　“拆开”原刊作“撕开”。

人。（对彩）你是我的女儿，你当然知道我们曾家人的脾气都是读书第一，从来没有谈过钱的话。好，你们愿意住在此地就住下去，不愿意住也随意，也无须乎拿什么房钱，饭钱，给父亲看——

曾文彩 （抽咽）爹，您就当错生了我这女儿，您就当——

曾　皓 （气得颤巍巍）呃，呃，在我们曾家甩这种阔女婿架子！

曾文彩 （早忍不下，哧[1]地哭起来）哦，妈，你为什么丢下我死了。我的妈呀！

曾思懿 姑奶奶！

〔文彩哭着跑进自己的卧室。

曾　皓 （长叹一声）一群冤孽！说都说不得的。开饭，张顺，请袁先生来。

〔张顺由通大客厅门下。

〔文由书斋小门上。

曾文清 爹！

曾　皓 要走了么？

曾文清 一点钟就上车。

曾　皓 你的烟戒了？

曾文清 （低头）戒了。

曾　皓 确实戒了？

曾文清 （赧然）确实戒了。

1 “哧”原刊作“呱”。

曾　皓　纸烟呢?

曾文清　（低头）也不抽了。

曾　皓　（望着他的黄黄的手指）又说瞎话,（训责地）你看，你的手指头叫纸烟熏成什么样子?（摇头叹息）你，你这样子怎么能见人做事!

曾文清　（不自觉看看手指）回，回头说。

曾　皓　霆儿呢?

曾思懿　（连忙跑到通大客厅门前喊）霆儿！你爷爷叫你。

曾　皓　他在干什么?

曾文清　大概陪袁小姐放风筝呢。

曾　皓　放风筝?为什么放着《昭明文选》不读，放什么风筝?

曾文清　霆儿!

〔霆慌慌张张由通大客厅的门跑上。

曾　皓　（厉容）跑什么，哪里学来这些野相?

曾　霆　（又正步）爷爷，袁伯伯正在画“北京人”，说就来。

曾　皓　哦,（对瑞）把酒筛好。

曾　霆　袁伯伯说还想带一位客人来吃饭。

曾　皓　当然好，你告诉他就一点家常菜，不嫌弃，就请过来。

曾　霆　哦!（立刻就走，走了一半又转身，顾虑地）不过，爷爷，他是“北京人”。

曾　皓　北京人不更好。（对文又申斥地）你看你管的什么儿子，到现在这孩子理路还是毫不清楚。

曾　霆　（踌躇）袁伯伯说要他换换衣服?

曾　皓　（烦恶）换什么衣服，你就请[1]过来吧，你父亲一点钟就要上车的。

〔霆由通大客厅的门下。

曾　皓　奇怪，愫方上哪里去了？

曾思懿　大概为着袁先生做菜呢。

曾　皓　哦。

〔霆在门外大客厅内大喊。

〔霆的声音：我爷爷在屋里！我爷爷在屋里！

〔圆的声音：你跑！你跑！

〔砰地通大客厅的门扇大开，霆一边喊着一边跑[2]进来，圆儿满头水淋淋的，提着一个空桶，手里拿着一串点着了的鞭炮。小柱儿也随在后面，一手拿着一根燃着的香，一手抱着那只鸽子。

曾　霆　（跑着）爷爷，她，她——

袁　圆　（笑喊）你跑！你跑！看你朝哪里跑……

〔待霆几乎躲在皓坐的沙发背后，她把鞭炮扔在他们身下，就听着一串"噼啪"乱响，霆和皓都吓得大叫起来。圆大笑，小柱儿站在门口也哈哈不止。

曾　皓　你这，这女孩子怎么回事？

袁　圆　曾爷爷！

1　"请"原刊作"请他"。

2　"跑"底本作"走"，据原刊改。

曾　皓　你怎么这样子胡闹？

袁　圆　（撒娇）你看，曾爷爷，（把湿漉漉的头发伸给他看，指霆）他先泼我这一桶水！

〔外面男人声音：（带着笑）小猴子，你到哪儿去了？

袁　圆　（顽皮地）老猴儿！我在这儿呢！

〔圆儿笑着，跳着，由通大客厅的门跑[1]出去。小柱儿连忙也跟出去。

曾　皓　（对思）你看，这种家教怎么配得上愫方，（转身对霆）刚才是你泼了她一桶水？

曾　霆　（怯惧地）她，她叫我泼她的。

曾　皓　跪下！

曾思懿　我看，爷爷——

曾　皓　跪下！（霆只得直挺挺跪下）也叫袁家人看看我们曾家的家教。

〔圆儿拉着她的“老猴儿”人类学者袁任敢兴高采烈地走进来。

〔“老猴儿”实在并不老，看去只有四十岁模样，不过老早就秃了顶，头顶油光光的只有几根毛，横梳过去，表示曾经还有过头发。他身材不高，可是红光满面，胸挺腰圆，穿着一身旧黄马裤，泥污的黑马靴，配上一件散领棕色衬衣，活像一个修理汽车的工人。但是他有一副幽默而聪明的眼睛，眼里时常闪出一种嘲讽的目光，偶尔也泄露着学者们常有的那种凝神入化的神思。嘴角常在微笑，仿佛他

---

1 “跑”底本作“走”，据原刊改。

不止是研究人类的祖先，同时也嘲笑着人类何以又[1]变得这般堕落。他有一副大耳轮，宽大的前额，衬上一对大耳朵，陷塌的狮子鼻，有时看来像一个小丑。

〔关于他个人的事，揣测很多，有的人说他结过婚，有的说他根本没有，圆儿只是个私生女。问起来他总一律神秘地微笑。他一生的生活是研究“北京人”的头骨，组织学术察勘队到西藏蒙古掘化石，其余的时间拿来和自己的女儿嬉皮笑脸没命地傻玩。似乎这个女儿也是从化石里蹦出来的。看他的样子，真不像懂得什么叫作男女的情感的事情。

袁　圆　（一路上谈）爹，小柱儿就给我拿来一根香，我就把鞭炮[2]点上，爹，我就追，我就照他的腿上——

袁任敢　（点头，笑着听着）嗯，嗯，哦——（望见曾皓已经立起来欢迎他）曾老伯，真是谢谢，今天我们又来吃你来了。

曾　皓　过节，随便吃一点。（让座）请袁先生上座，上座，上座。

袁　圆　（望见了霆儿突然矮了一截，大喊）爹，你看，你看，他跪在地上呢！

曾　皓　别管他，请坐吧！

袁任敢　（望着霆儿，大惊）怎么？

曾　皓　我这小孙儿年幼无知，说是在令嫒头上泼了一桶水——

袁任敢　（歉笑）哎呀！起来吧，起来吧，那桶水是我递给他泼

1　原刊无“又”。

2　“鞭炮”底本作“鞭”，据原刊改。

的——

曾　皓　（惊愕）你？——

曾思懿　（忍不住）起来吧，霆儿，谢谢袁老伯！

曾　霆　（立刻站起）谢谢袁老伯。

袁任敢　（对霆）对不起，对不起，下次你来泼我！

曾　皓　袁先生的客人呢？

袁　圆　（惊呼）爹，“北京人”还在屋里呢。

袁任敢　（粗豪地）我以为他已经来了。

〔圆儿说完，撒“鸭子”就跑出去。

曾　皓　（十分客气）啊，快请进来。（立起走向通大客厅的门）

袁任敢　您叫我们的时候，我正在画，我原来要他换好了衣服来的，可（指霆）他说您——

曾　皓　（又客气地）我就说吃便饭，换什么衣服，[1]真是太客气了，太客气了。

袁任敢　是啊，所以我就没有——

〔圆儿由通大客厅的门——这门已关上的——跳出来。

袁　圆　（仿佛通报贵宾，大喊）“北京人”到！

〔大家都莫名其妙地站起伫望。

曾　皓　啊。（对[2]着门，满脸笑容）请，请，（话犹未了——）

〔蓦然门开，如一个巨灵自天而降，陡地出现了这个“猩猩

1　“我就说吃便饭，换什么衣服”原刊作“我就说吧，便饭换什么衣服”。

2　“对”原刊作“望”。

似的野东西”。

〔他约莫有七尺多高，熊腰虎背，大半裸身，披着半个兽皮，浑身上下毛茸茸的。两眼炯炯发光，嵌在深陷的眼眶内，塌鼻子，大嘴，下巴伸出去有如人猿，头发也似人猿一样，低低压在黑而浓的粗眉上。深褐色的皮肤下，筋肉一粒一粒凸出，有如棕色的枣栗。他的巨大的手掌似乎轻轻一扭便可扭[1]断了任何敌人的脖颈。他整个是力量，野得可怕的力量，充沛丰满的生命和人类日后无穷的希望，都似在这个人身内藏蓄着。

〔曾家的人——除了瑞贞——都有些惊吓。

曾　皓　（没想到，几乎吓昏了）啊！（退后）

袁任敢　（忙走上前介绍）这是曾老太爷。

北京人　（点头）

曾　皓　这位是——

袁任敢　（笑着）这是我的伙伴，最近就要跟我们一块到蒙古去的。

〔“北京人”走到台中，森森然望着皓和皓的子孙们。

袁　圆　（同时，指着）曾爷爷，他是人类的祖先。曾爷爷，你的祖先就是这样！

袁任敢　（笑着）别胡扯，圆儿！（对皓）曾老伯，您不要生气！四十万年前的北京人倒是这样。要杀就杀，要打就打，喝鲜血，吃生肉，不像现在的北京人这么文明。

1　“扭”原刊作“握”。

曾　皓　（惊惧）怎么这是北京人？

袁任敢　（有力地）真正的“北京人”！（忽然笑起来）哦，曾老伯，您不要闹糊涂了，这是假扮的，请来给我们研究队画的。他原来是我们队里一个顶好的机器工匠，因为他的体格头骨有点像顶早的“北京人”——

曾　皓　（清醒了一点）哦，哦，哦，那么请坐吧！（硬着头皮对“北京人”）请坐吧。

袁任敢　对不起，他是个哑巴，不会说话。（这时大家均按序入座，低声）他脾气有点暴躁，说打人就打人，还是不理他好。

曾　皓　（毛骨悚然）哦，哦，（忙对瑞贞、霆儿）瑞贞，你们这边点坐，这边点坐！

〔“北京人”了无笑容地端坐在上首，面对观众。

〔张顺端进来一碗热菜，搁好即下。

曾　皓　（举杯）今天一则因为过节，二则也因为大小儿要离开家，一直没跟袁先生领教，也就乘这个机会跟袁先生多叙叙，来，请，请。（望“北京人”）呃，令友——[1]

袁任敢　多谢！

北京人　（望一望，一饮而尽，大家惊讶）

袁任敢　我听说曾大先生非常懂得喝茶的道理——

〔外面争吵声。

曾　皓　瑞贞，你看看，这是谁？吵什么？

1　原刊无“呃，令友——”。

袁　圆　（对瑞）我替你[1]看看去！

〔思对文耳语，文站起执酒壶，思懿随后向皓身边走来。圆早放下筷子由通大客厅的门跑下。

曾思懿　（持杯）媳妇给爹敬酒。

曾　皓　（仍坐）不用了。

曾思懿　（恭顺的样子）文清跟爹辞行啦。

曾文清　（低声）爹，跟您辞行！

〔文跪下三叩首，瑞贞和霆儿都立起，“北京人”与袁任敢瞪眼，互相望着。外面在他们一个端坐一个跪叩的时候，又讥诮地怒骂起来。

〔外面三四个人诮骂声：（你一句，我一句）你们给钱不给钱？大八月节，等了一大清早上了[2]。这么大门口也不是白盖的。有钱还再欠账，没有钱，你欠的什么账，别丢人！……

曾　皓　这是什么？

曾思懿　隔壁人家吵嘴吧。

曾　皓　（安下心，对袁等）请，请哪！（“北京人”又独自喝下一盅，皓对霆与瑞，和蔼地）你们也该给你们父亲送行哪！（于是——）

〔瑞、霆复立起来，执酒壶，到文面前，斟酒。

曾思懿　（非常精明练达的样子，教他们说）说爹一路平安。

1　“你”原刊作“您”。

2　“等了一大清早上了”原刊作“等这大清早上了”。

曾瑞贞

（同时呆板地）爹一路平安。

曾　霆

曾思懿　说以后请您老人家常写家信。

曾瑞贞

（同时呆滞地）以后请您老人家常写家信。

曾　霆

曾思懿　（又教他们）儿子、儿媳妇不能常伺候您[1]老人家了。

曾瑞贞

（又言不由衷地）儿子、儿媳妇不能常伺候您[2]老人家了。

曾　霆

〔说完了就要回座。

曾思懿　（连忙）磕头啊，傻孩子！（很得意地望望袁任敢）

〔霆与瑞双双跪下三叩首。文立起，"北京人"与袁瞪眼对望着，呼地又喝了一盅酒，袁为他斟满，他又喝空。沉静的磕头中，外面又开始咒骂——

〔外面咒骂声：（还是你一嘴我一嘴，逐渐凶横）你们过的什么节？有钱过节，没有钱跟我们这小买卖人打什么哈哈。五月节的账到现在还没有还清，现在还一个"子[3]"儿（"钱"的意思）不给。不到一千块钱就这么为难哪。

〔张顺的声音：（一面劝着）你们别在这儿嚷嚷，走！走！老太爷在这儿……

---

1 "您"底本作"你"，据1994人文版改。

2 "您"底本作"你"，据1994人文版改。

3 底本作"文"，原刊作"大"，据1994人文版改。

〔外面咒骂声:(讥讽地)老太爷就凶了，这摆的什么阔气。没有钱，还不跟我们一样！破落户!(一直吵下去，不断——)

〔袁任敢也回头谛听。

曾　皓　这究竟是什么?

曾思懿　别是隔壁的——

〔外面争吵声中，愫忙由通大客厅的门疾步进来。

曾　皓　是谁?

愫　方　(喘息着，闪烁其词)没有谁。

曾思懿　(奸笑)袁先生，我介绍一下，这是愫小姐!(袁立起，思又转对愫)袁先生!

〔由通大客厅的门，陈奶妈围着一个旧围裙，端一大盘菜急急慌慌走进来，后随着小柱儿，一手抱着鸽子，一手拉着他祖母的衣裾[1]。

陈奶妈　(边说边走，烦躁地)别拉着，小柱儿，讨厌，别拉着我!(把菜放在桌上，几乎烫熟了手，连甩手)好烫!

愫　方　(低声)表嫂!

曾思懿　(举筷[2])袁先生，这碗菜是愫小姐——(愫拉她的衣裾[3]，思回头对愫)啊?

---

1 “衣裾”原刊作“衣裙”。

2 “举筷”原刊作“举箸”。

3 “衣裾”原刊作“衣裙”。

曾　皓　（举箸）请！请！

愫　方　（同时惶惑）漆，漆棺材的——他，他们——

〔门蓦地大开，那一群矮胖凶恶的小商人甲乙丙丁挤进来。张顺还在抵挡，圆儿也夹在后面。

张　顺　不成，不成，屋里有客！

甲乙丙丁　（同时闯进来，凶横的野狗似的乱吠）你别管，我们要钱，不是要命——老太爷——大奶奶！——老太爷，你有钱就拿出来，——没有钱——

曾　皓　下去！混账！

曾思懿　（同时厉声）回头说，滚出去！

〔文彩也从卧室里跑出来，惊望。

甲乙丙丁（逼上前来，混杂地）我们为什么滚？——欠钱还账，没钱就别造这个孽！——我们是小买卖人！——五月节的账都还没清，——别甩臭架子，——还钱，还钱！（皓气得发了呆，思冷笑，曾家的人都瘫了一般，甲乙吼叫更逼近）别不言语，别装傻，（甲喊）你有钱漆棺材！（乙喊）没有钱漆的什么棺材！（丙喊）我们家也有父有母，死了情愿拿芦席一卷！（甲喊，指着曾家的人）也不肯这么坐着挺尸！

〔袁与“北京人”一直望着他们，这时——

袁任敢　（大吼一声）出去！

甲　（吓住）怎么？

袁任敢　（笑）我给你钱！

甲乙丙丁（固执）我们找（指皓）——

北京人 （慢慢立起，一个巨无霸似的人猿，森然怒视[1]，狺狺然沉重地向外挥手）

甲乙丙丁（倒吸一口气）好，给钱就得！给钱就得！

（仓皇退出）

〔“北京人”笨重地跨着巨步跟着出去，圆也出去，袁随在后面。

曾　霆 （焦急）袁伯伯！

袁任敢 （点头微笑，摇摇手，颇有把握的样子）

〔袁走出。

曾　皓 怎，怎么回事？

〔突然听见外面一拳[2]打在肉堆上的声音，接着一句惊愕的“你怎么打人”！接着东西摔破，一片乱糟糟叫喊，咒骂，揍打呼痛的嚣声。

〔屋里人吓成一团。

曾　皓 关门！关门！

〔思赶紧跑去关门。

〔圆的声音：（仿佛在观战，狂喊助威）好，再一拳！再一拳！打得好！向后边揍！脚，脚踢！对，捶！再一捶！对呀！咳，咬，用劲，再一拳！（最后胜利的大叫）好啊！（突然安静下来）

---

1 “怒视”原刊作“凝视”。

2 “一拳”底本作“一掌”，据原刊改。

曾　霆　（忍不住走到门口，想开门外看）

曾思懿　（低声，紧张地）别出去，你要找死啊？

〔大家都屏息静听。袁任敢头发微乱，捋起袖管，满面浮着笑容，走进来。

袁任敢　（慢慢地又把袖管捋下来[1]）

〔“北京人”更蛮野可怖，脸上流着鲜血，跨着巨步，若无其事然[2]走进来。后面袁圆满面崇拜的神色，跟着这个可怖[3]的英雄。

曾　皓　（低声）都，都走了？

袁任敢　打跑了！

袁　圆　（突然站在椅上，把“北京人”的巨臂举起来）我们的“北京人”打的！

〔“北京人”转过头，第一次温和地露出狞笑，大家悚然望着他。曾皓痴坐如同得了瘫痪。

曾思懿　（突然打破这沉闷，快意地笑着）快吃吧。（对袁）这两碗菜是（指着）愫小姐下厨房特为袁先生做的！（不觉对文笑了一下）

〔大家又开始入座。

——闭幕

1　此句原刊作“慢慢地把袖管又捋下来”。

2　“若无其事然”原刊作“若无其事”。

3　“可怖”原刊作“可怕”。

第二幕

当天夜晚，约有十一点钟的光景，依然在曾宅小客厅里。

曾宅的近周，沉寂若死。远远在冷落的胡同里有算命的瞎子隔半天敲两下寂寞的铜钲，仿佛正缓步踱回家去。间或也有女人或者小孩的声音，这[1]是在远远寥落的长街上凄凉地喊着的漫长的叫卖声。

屋内纱灯罩里的电灯，暗暗地投下一个不大的光圈，四壁的字画古玩，都隐隐地随着翳入黑暗里。墙上的墨竹也更显得模糊，有窗帷的地方都密密地拉严。从旧纱灯里[2]一个宽缝露出一道灯光，正射在那通大客厅的门上。那些白纸糊的槅子门，每扇都已关好[3]。从头至地，除了每个槅扇下半截有段极短的木质雕饰外，现在是整个成了一片雪白而巨大的纸幕。槅扇与槅扇的隙间泄进来一丝微光，纸幕上似乎有淡漠的人影隐约浮动。偶尔听见里面（大客厅）有人轻咳和谈话的声音。

靠左墙长条案上放着几只蜡台，有一只插着[4]半截残烬的洋蜡。屋正中添了一个矮几子，几上搁了一个小小的红泥火炉，非常洁净。

1 “这”原刊作“这声音”。

2 “里”原刊作“的”。

3 “关好”原刊作“严严关好”。

4 “插着”原刊作“已插着”。

炉上坐着一把小洋铁水壶[1]，炉火融融，在小炉口里闪烁着。水在壶里呻吟，像里面羁困着一个小人儿在哀哭。旁边有一张纤巧的红木桌，上面放着小而精致的茶具。围炉坐着苍白脸[2]的文清，他坐在一张矮凳上出神。对面移过来一张小沙发，陈奶妈坐在那里，正拿着一把剪刀为坐在小凳上的小柱儿剪[3]指甲。小柱儿打着盹。

书斋内有一盏孤零零的暗灯，灯下望见曾霆恹恹地独自低声诵读《秋声赋》。远远在深巷的尽头有木梆[4]打更的声音。

陈奶妈 （一面剪[5]着，一面念叨）真的，清少爷，你明天还是要走吗？

曾文清 （颔首）

陈奶妈 我看算了吧，既然误了一趟车，就索性在家里等两三天，看袁先生跟愫小姐这段事有了[6]眉目再走。

曾文清 （摇首）

陈奶妈 你说袁先生今天看出来不？

曾文清 （低着头，勉强回答）我没留神。

陈奶妈 （笑着）我瞅袁先生看出来了，吃饭的时候他老望着愫小姐这边看。

---

1 “洋铁水壶”原刊作“白铁水壶”。

2 原刊无“脸”。

3 “剪”原刊作“铰”。

4 原刊无“木梆”。

5 “剪”原刊作“铰”。

6 “有了”原刊作“有个”

曾文清　（望着奶妈，仿佛不明白她的话）

陈奶妈　清少爷，你说这件事——

曾文清　（不觉长叹一声）

陈奶妈　（望了清一下，又说不出）

〔小柱儿一磕头，突由微盹中醒来，打一个呵欠，嘴里不知道[1]说了句什么，又昏昏忽忽地打起盹。

陈奶妈　（剪[2]着小柱儿的指甲）唉，我也该回家的。（指小柱儿）他妈还在盼着我们今天晚上回去呢。（小柱儿头又往前一瞌，她扶住他说）别动，我的肉，小心奶奶剪[3]着你！（怜爱地）唉，这孩子也是真累乏了，走了一早晨，又跟着这位袁小姐玩了一天，乡下的孩子不比城里的孩子，饿了就吃，累了就睡，真不像——（望着书斋内的霆儿，怜惜地，低声）孙少爷，孙少爷！

曾　霆　（一直在低诵）"……嗟夫，草木无情，有时飘零，人为动物，惟物之灵，百忧感其心，万事劳其形，有动乎中，必摇其精。而况思其力之所不及，忧其智之所不能……"

曾文清　让他读书吧，一会儿他爷爷要问他的。

〔深巷的更声。

陈奶妈　这么晚了还念书！大八月节的，哎，打三更了吧。

1　"不知道"原刊作"不知"。

2　"剪"原刊作"铰"。

3　"剪"原刊作"铰"。

曾文清 嗯。可不是打三更了。

陈奶妈 乡下孩子到了这个时候都睡了大半觉了。（剪[1]完了最后一个手指）好啦，起来睡去吧，别在[2]这儿受罪了。

小柱子 （擦擦眼睛）我不，我不想睡。

曾文清 （微笑）不早啦[3]，快十一点钟啦。

小柱子 （抖擞精神）我不困。

陈奶妈 （又是生气，又是爱）好，你就一晚上别睡。（对文）真是乡下孩子进城，什么都新鲜，你看他就舍不得睡觉。

〔小柱儿由口袋里取出一块花生糖放在嘴里，不觉又把身旁那个刮打嘴抱起来看。

陈奶妈 唉，这个八月节晚上，又没有月亮。——怎么回子事[4]？大奶奶怎么又不肯出来。（叫）大奶奶！（对文）她这[5]阵子在屋里干什么？（立起）大奶奶，大奶奶！

曾文清 别，别叫她。

陈奶妈 清少爷，那，那你就进去吧。

曾文清 （摇头，哀伤地低声独自吟起陆游的《钗头凤》）“……东风恶，欢情薄，一怀愁绪，几年离索。错，错，错！……”

---

1 “剪”原刊作“铰”。

2 “别在”原刊作“别再在”。

3 “不早啦”原刊作“不早了”。

4 “回子事”原刊作“一回子事”。

5 此处原刊有“一”。

陈奶妈 （叹一口气）哎，这也是冤孽，清少爷，你是前生欠了大奶奶的债，今生该她来磨你。可，可到底怎么啦，她这一晚上一句话也没说，——她要干什么？

曾文清 谁知道？她说胃里不舒服，想吐。

陈奶妈 （回头瞥见小柱儿又闲不住手，开始摸那红木矮几的茶壶，叱责地）小柱儿，你放下，你屁股又痒痒啦！（小柱儿又规规矩矩地放好，陈转对文）也怪，姑老爷不是嚷嚷今天晚上就要搬出去么？怎么现在——

曾文清 哎，他也不过是说说罢了。（忽然口气里带着怨情）他也是跟我一样，我不说话，一辈子没有做什么。他吵得凶，一辈子也没有做什么。

〔文彩由书斋小门走进，手里拿着一支没点[1]的蜡烛和一副筷子，一碟从稻香村买来的清酱肉，酱黄豆，杂香之类的小菜。

曾文彩 （倦怠地）奶妈，你还没有睡？

陈奶妈 没有，怎么姑老爷又要喝酒了？

曾文彩 （掩饰）不，他不，是我。

曾文清 你？——哎，别再让他喝了吧。

曾文彩 （叹了一口气，放下那菜碟子和筷子）哥哥，他今天晚上又对我哭起来了。

陈奶妈 姑老爷？

1 “没点”原刊作“未燃”。

曾文彩 （忍不住掏出手帕，一眼眶的泪）他说他对不起我，他心里难过，他说他这一辈子都完了。我看他那个可怜样子[1]，我就觉得是我累的他。哎，是我的命不好，才叫他亏了款，丢了事。（眼泪流下来）奶妈，洋火呢？

陈奶妈 让我找——

曾文清 （由红木几上拿起一盒火柴）这儿！

〔陈接下，走起替文彩点上[2]洋蜡。

曾文彩 （由桌上拿起一个铜蜡台）他说闷得很，他想夜里喝一点酒。你想，哥哥，他心里又这么不快活，我——

曾文清 （长嘘一声）喝吧，一个人能喝酒也是好的。

陈奶妈 （把点好的蜡烛递给彩）老爷子还是到十一点就关电灯么？

曾文彩 （把烛按在烛台里）嗯。（体贴地）给他先点上蜡好。别待会儿[3]喝了一半，灯抽冷子灭了，他又不高兴。

陈奶妈 我帮你拿吧。

曾文彩 不用了。

〔彩拿着点燃的蜡烛和筷子菜碟走进自己的房里。

陈奶妈 （摇头）唉，做女人的心肠总是苦的。

〔彩放下东西，又忙忙自卧室走出。

曾文彩 江泰呢？

---

1 “我看他那个可怜样子”原刊作“我一看他那个可怜的样子”。

2 “点上”原刊作“点”。

3 原刊无“待会儿”。

陈奶妈　刚进大客厅。

曾文清　大概正跟袁先生闲谈呢。

曾文彩　（已走到火炉旁边）哥哥，这开水你要不？

曾文清　（摇头，倦怠地）文彩，小心你的身体，不要太辛苦了。

曾文彩　（悲哀地微笑）不。

〔彩提着开水壶由卧室下。文清又把一个[1]宜兴泥的水罐放在炉上，慢吞吞地拨着火。

曾　霆　（早已拿起书本，立起）爹，我到爷爷屋里去了。

曾文清　（低头放着他的泥罐）去吧。

陈奶妈　（走上前）孙少爷！（低声）你爷爷要问你爹，你可[2]别说你爹没有走成。

小柱儿　（正好好坐着，忽然回头，机灵地）就说老早赶上火车走了。

陈奶妈　（好笑）谁告诉你的？

小柱儿　（小眼一挤）你自个儿告诉我的。

陈奶妈　这孩子！（对霆）走吧，孙少爷你背完书，就回屋睡觉去[3]。老爷子再要上书，就说陈奶妈催你歇着呢！

曾　霆　嗯。（向书斋走）

曾文清　霆儿！

曾　霆　干嘛，爹？

1　此处原刊有“陶瓷”。

2　原刊无“可”。

3　“孙少爷你背完书，就回屋睡觉去”原刊作“孙少爷，背完书就回屋睡觉去”。

曾文清 （关心地）你这两天怎么啦？

曾　霆 （闪避）没有怎么，爹。

〔霆由书斋小门怏怏下。

陈奶妈 （看霆走出去，赞叹的样子，不觉回首指着小柱儿）你也学学人家，人家比你也就大两岁，念的书比你吃的饭米粒还要多。你呢，一顿就四大碗干饭，肚子里尽装的是——

小柱儿 （突然）奶奶，你听，谁在叫我呢？

陈奶妈 放屁！你别当我耳朵聋，听不见。

小柱儿 真的，你听呵[1]，这不是袁小姐——

陈奶妈 哪儿？

小柱儿 你听。

陈奶妈 （谛听）人家袁小姐帮她父亲画画呢。

小柱儿 （故意捉弄他的祖母）真地，你听！“小柱儿！小柱儿！”这不是袁小姐？你听：“小柱儿，你给我喂鸽子来！”（突然满脸顽皮的笑容）真的，奶奶[2]，她叫我喂鸽子！（立刻撒“鸭子”就向大客厅跑）

陈奶妈 （追在后面笑着）这皮猴又想骗你奶奶。

〔小柱儿连笑带跑，正跑到那巨幕似的槅扇门前。按着曾宅到十一点就得灭灯的习惯，突然全屋黑暗。在那雪白而宽大的纸幕上由后面蓦地现出一个体巨如山的猿人的黑影，

---

1 “呵”原刊作“呀”。

2 “真的，奶奶”原刊作“真地，奶奶”。

蹲伏在人的眼前，把屋里的人显得渺小而萎缩。只有那微弱的小炉里的火照着人们的脸。

小柱儿　（望见，吓得大叫）奶奶！（跑到奶奶怀里）

陈奶妈　哎哟！这，这是什么？

曾文清　（依然偎坐在小炉旁）不用怕，这是“北京人”的影子。

〔里面袁任敢的沉重的声音：这是人类的祖先，这也是人类的希望。那时候的人要爱就爱，要恨就恨，要哭就哭，要喊就喊，不怕死，也不怕生。他们整年尽着自己的性情，自由地活着，没有礼教来[1]拘束，没有文明来捆绑，没有虚伪，没有欺诈，没有阴险，没有陷害，没有矛盾，也没有苦恼；吃生肉，喝鲜血，太阳晒着，风吹着，雨淋着，没有现在这么多人吃人的文明，而他们是非常快活的。

〔猛地槅扇打开了一扇，大客厅里的煤油灯洒进一片光，江泰拿着一根点好的小半截残蜡，和袁任敢走进来。江泰穿一件洋服坎肩[2]，袁任敢还是那件棕色衬衣，袖口又掠起，口里叼着一个烟斗，冒出一缕缕的浓烟。

江　泰　（有些微醺，应着方才最后一句话，非常赞同地）而他们是非常快活的。

曾文清　（立起，对奶妈）点上蜡吧。

陈奶妈　嗯。（走去点蜡）

1　“来”原刊作“去”。

2　“洋服坎肩”原刊作“洋坎肩”。

〔在大客厅里的袁圆:（同时）小柱儿，你来看。

小柱儿 唳。（抽个空儿跑进大客厅。他顺手关了槅扇门，那一片巨大的白幕上又踞伏着那小山一样的“北京人”的巨影）

江　泰 （兴奋地放下蜡烛，咀嚼方才那一段话的意味，不觉连连地）而他们是非常快活的。对！对！袁先生，你的话真对，简直是不可更对。你看看我们过的什么日子？成天垂头丧气，要不就成天胡发牢骚。整天是愁死，愁生，愁自己的事业没有发展，愁精神上没有出路，愁活着没有饭吃，愁死了没有棺材睡，成天的希望，希望，而永远没有希望，譬如（指文清）他——

曾文清 别再发牢骚，叫袁先生笑话了。

江　泰 （肯定）不，不，袁先生是个研究人类的学者，他不会笑话我们人的弱点的。坐坐，袁先生！坐坐，坐着谈。（他与袁围炉坐下，由红木几上拿起一支[1]香烟，忽然）咦，刚才我说到哪里了？

袁任敢 （微笑）你说，（指着）譬如他吧！

江　泰 哦，譬如他吧，哦，（对文，苦恼地）我真不喜欢发牢骚，可你再不让我说几句，可我[2]，我还有什么？我活着还有什么？（对袁）好，譬如他，我这位内兄，好人，一百二十分

---

1 “一支”底本作“一枝”，原刊作“一根”，据1994人文版改。

2 “可我”原刊作“我”。

的好人，我知道[1]他就有情感上的苦闷。

曾文清 你别胡说啦。

江　泰 （黠笑）啊，你瞒不过我，我又不是[2]傻子。（指文对袁爽快地）他有情感上的苦闷，他希望有一个满意[3]的家庭，[4]有一个真了解他的女人[5]共处一生。（兴奋地）这点希望当然是自然的，对的，合理的，值得同情的，可是在二十年前他就发现了一个了解他的女人。但是他就因为胆小，而不敢找她；找到[6]了她，又不敢要她。他就让这个女人由小孩而少女，由少女而老女，像一朵花似的把她枯死，闷死，他忍心让自己苦，人家苦，一直到今天，现在这个女人还在——

曾文清 （忍不住）你真喝多了！

江　泰 （笑着摇手）放心，没喝多，我只讲到这点为止，决不多讲。（对袁）你想，让这么个女人[7]，成天在这样一个家庭里朽掉，像老坟里的棺材慢慢地朽，慢慢地烂，成天就知道叹气，做梦，忍耐，苦恼，懒，懒，懒得动也不动；爱不敢爱，

---

1 “知道”原刊作“就知道”。

2 “又不是”原刊作“不是”。

3 “满意”原刊作“美满”。

4 此处原刊有“他希望”。

5 此处原刊有“同他”。

6 原刊无“到”。

7 “让这么个女人”原刊作“让这样一个人”。

恨不敢恨，哭不敢哭，喊不敢喊，这不是堕落，人类的堕落。那么，（指着自己）就譬如我——（划地一声点着了烟，边吸边讲）读了二十多年的书——

袁任敢 （叼着烟斗，微笑）我就猜着你[1]一定还有一个“譬如我”的。

江　泰 （滔滔不绝[2]）自然，我决不尽批评人家，不说自己。譬如我吧，我爱钱，我想钱，我一直想发一笔大财，我要把我的钱，送给朋友用，散给穷人花。我要像杜甫的诗说的，盖起无数的高楼大厦，叫天下的穷朋友白吃，白喝，白住，研究科学，研究美术，研究文学，研究他们每个人所喜欢的，为中国为人类谋幸福。可是，袁先生，我的运气不好，处处倒霉[3]，碰钉子，事业一到我手里，就莫名其妙地弄得一塌糊涂[4]。我们成天在天上计划，而成天在地下妥协。我们只会叹气，做梦，苦恼，活着只是给有用的人糟蹋粮食，我们是活死人，死活人，活人死！一句话，你说的，（指着自己的胸）像我们这样的才真是（指那“北京人”的巨影）他的不肖的子孙！

袁任敢 （一直十分幽默地点着头，此时举起茶杯微笑）请喝茶！

江　泰 （接下茶杯）对了，譬如喝茶吧，我的这位内兄最讲究喝茶。

---

1 “我就猜着你”原刊作“我猜你”。

2 “滔滔不绝”原刊作“滔滔不绝的”。

3 “倒霉”原刊作“倒霉头”。

4 “就莫名其妙地弄得一塌糊涂”原刊作“就莫明其妙的，弄到一塌糊涂”。

他喝起茶来，要洗手，漱口，焚香，静坐。他的舌头不但尝得出这茶叶的性情，年龄，出身，做法，他还分得出这杯茶用的是山水，江水，井水，雪水还是自来水，烧的是炭火，煤火，或者柴火。茶对我们只是解渴的，可一到他口里，就会有无数的什么雅啦，俗啦的这些个道理。然而，这有什么用？他不会种茶，他不会开茶叶公司，不会做出口生意，就会一样，“喝茶”！喝茶喝得再怎么精，怎么好，还不是喝茶，有什么用？请问，有什么用？

〔文彩由卧室出。

曾文彩 泰！

江　泰 我就来！

陈奶妈 （走去推他）快去吧，姑老爷！

江　泰 （立起，仍舍不得就走）譬如我吧——

陈奶妈 别老“譬如我”“譬如我”地说个没完了，袁先生都快嫌你唠叨了。

江　泰 喂，袁博士，你不介意我再发挥几句吧。

袁任敢 （微笑）哦，当然不，请“发挥”！

江　泰 所以譬如——（彩又走来拉他回屋，他对彩几乎是恳求地）文彩，你让我说，你就让我[1]说说吧！（对袁）譬如我吧，我好吃，我懂得吃，我可以引你到各种顶好的地方去吃。（颇为自负，一串珠子似的讲下去）正阳楼的涮羊肉，便宜坊

---

1 “你就让我”原刊作“你让我”。

的挂炉鸭，同和居的烤馒头，东兴楼的乌鱼蛋，致美斋的烩鸭条。小地方哪，像灶温的烂肉面，穆家寨的炒[1]疙瘩，金家楼的汤爆肚，都一处的炸三角，以至于——

曾文彩 走吧！

江　泰 以至于月盛斋的酱羊肉，六必居的酱菜，王致和的臭豆腐，信远斋的酸梅汤，三妙堂的合碗酪，思德元的包子，沙锅居的白肉，杏花春的花雕，这些个地方没有一个掌柜的我不熟，没有一个掌灶的，跑堂的，站柜台的我不知道，然而有什么用？我不会做菜，我不会开馆子，我不会在人家外国开一个顶大的李鸿章杂碎，赚外国人的钱。我就会吃，就会吃！（不觉谈到自己的痛处，捶胸）我做什么就失败什么。做官亏款，做生意赔钱，读书对我毫无用处。（痛苦地）我成天住在丈人家里混[2]，好说话，好牢骚，好批评，又好骂人，简直管不住自己，专说人家不爱听的话。

曾文彩 （插嘴）泰！

江　泰 （有些抽噎）成天叫人家[3]看着我不快活，不成材，背后骂我是个废物，呵，文彩，我真是一个大废物，我从心里觉得对不起你[4]！（突然不自禁地哭出）累赘你！

---

1 “炒”底本作“抄”，据原刊改。

2 “混”原刊作“鬼混”。

3 “人家”原刊作“大家”。

4 此处原刊有“呀”。

曾文彩　（连叫）泰，泰！别难过，是我不好，我累了你。

陈奶妈　进去吧，又喝多了。

江　泰　（摇头）我没有，我没有，我心里难过，我心里难过啊——

〔陈与彩扶江泰由卧室下。

曾文清　（叹口气）您喝杯茶吧。

袁任敢　我已经灌了好几大碗凉开水了，我今天午饭吃多了，曾先生[1]，我有一件事拜托你——

曾文清　是——

袁任敢　我——

〔愫方一手持一床[2]毛毯，一手持蜡烛，由书斋小门上。

袁任敢　愫小姐。

愫　方　（点头）

曾文清　爹睡着了？

愫　方　（摇头）

曾文清　袁先生，您的事？

〔江又[3]由卧室走出，手里握着半瓶白兰地。

江　泰　（笑着）袁先生进来喝两杯不？

袁任敢　不，（指巨影）他还在等着我呢！

江　泰　（举瓶）好白兰地，文清，你——

1　“曾先生”原刊作“文先生”。

2　“一床”原刊作“床”。

3　原刊无“又”。

曾文清　（不语，望了望愫方）

江　泰　（莫名其妙）哦，怎么你们三位[1]——

〔陈奶妈在卧室内：姑老爷！

江　泰　（摇头，叹了口气）唉，没有人理我，没有人理我的。（江泰由卧室下）

曾文清　袁先生，你方才说——

〔圆在屋内的声音：爹，爹！你快来看，"北京人"的影子，我剪[2]好了。

袁任敢　（望望愫与文）回头说吧。（幽默而又懂事地）没有什么事，我的小猴子叫我呢。

〔袁打开那巨幕一般的门扇走进去。跟着泄出一道光，又关上，白纸幕上依然映现出[3]那个巨大无比的"北京人"的黑影。

〔寂静，远处更锣声。

曾文清　（期待地）奶妈把纸条给你了？

愫　方　（默默点头）

曾文清　（低声）我，我就想再见你一面，我好走。

愫　方　（无意中望着文的卧室的门）

曾文清　（指门）她关上门睡觉呢。（低头）

1　"怎么你们三位"原刊作"怎么，你们三位"。

2　"剪"原刊作"铰"。

3　"映现出"原刊作"映现着"。

愫　方　（坐下）

曾文清　（突然）愫方！

愫　方　（又立起）

曾文清　怎么？

愫　方　姨父叫我拿医书来的。

〔陈奶妈由文彩卧室走出。

陈奶妈　愫小姐，您来了。（立刻向书斋小门走）

曾文清　奶妈上哪儿去？

陈奶妈　（掩饰）我去瞅瞅孙少爷书背完了不？

〔陈由书斋小门下。远远又是两下凄凉的更锣声。

曾文清　愫方，明天我一定走了，这个家（顿）我不想再回来了。

愫　方　（肯定地）不回来是对的。

曾文清　嗯，我决不回来了。今天我想了一晚上，我真觉得是我，是我误了你这十几年。害了人，害了己，都因为我总在想，总在想着有一天，我们——（望见愫蹙起眉头，轻轻抚摸着前额）愫方，你怎么了？

愫　方　（疲倦地）我累得很。

曾文清　（恻然）可怜，愫方，我不敢想，我简直不敢再想你以后的日子怎么过。你就像那只鸽子似的，孤孤单单地困在笼子里，等，等，等到有一天——

愫　方　（摇头）不，不要说了！

曾文清　（伤心）为什么，为什么我们要东一个，西一个，苦苦地这么活着？为什么我们不能长两个翅膀，一块儿飞出去呢？

（摇着头）啊，我真是不甘心哪！

愫　方　（幽郁）这还不够么？要怎么样[1]才甘心呢？

曾文清　（突然）愫方，你跟我一道到南方去吧！（立刻眉梢又有些踌躇）走吧！

愫　方　（摇头，哀伤地）还提这些事吗？

曾文清　（悔痛，低头缓缓地）要不你就，你就答应今天早上那件事[2]吧。

愫　方　（愣住）为——为什么？

曾文清　（望着愫，嘴角痛苦地拖下来）这次我出去，我一辈子也不想回来的。愫方，我就求你这一件事，你就答应我吧。你千万不要再在这个家里住下去。（恳切地）想想这所屋子，除了[3]啃我们字画的耗子还有什么？（愫的眼睛悲哀地凝视着他）你心里是怎么打算？等着什么？你别再不说话，你对我说呀。（蓦然鼓起勇气，冒然）愫方，你，你还是嫁，嫁了吧，你赶快也离开这个牢吧。我看袁先生人是可托的，你——

愫　方　（缓缓立起）

曾文清　（也立起，哀求）你究竟怎么打算，你说呀。

愫　方　（向书斋小门走）

1　“怎么样”原刊作“怎样”。

2　“那件事”原刊作“这件事”。

3　“除了”原刊作“除”。

曾文清　（沉痛地）你不能不说就走，“是”“不是”你要对我说一句啊。

愫　方　（转身）文清！（手里递给他一封信，缓缓地走开。文清昏惑地把信接在手里）

〔陈奶妈由书斋小门急上。

陈奶妈　（迫促地）老爷子来了，就在后面。（推着文清）进去，进去，省得麻烦。进去……

曾文清　奶妈，我——

〔陈奶妈嘴里唠唠叨叨地把文清推着进到他的卧室里，愫方呆立在那里。

〔曾皓由书斋小门上，他穿一件棉袍，围着一条绒围巾，趿着拖鞋[1]，扶拐杖，提着一个小油灯走进。

曾　皓　（看见愫方[2]，急切地）我等你好半天了——（对陈）刚才谁进去了？

陈奶妈　大奶奶。

曾　皓　（望见那红泥火炉）怎么，谁又在这里烧茶了？

陈奶妈　姑老爷，他刚才陪着袁先生在这里品茶呢。

曾　皓　（藐笑）嗤，这两个人懂得什么品茶！（突然望见门上的巨影）这是什么？

陈奶妈　袁先生画那个“北京人”呢。

1　“趿着拖鞋”底本作“拖着趿鞋”，据川版改。

2　“看见愫方”原刊作“见愫”。

曾　皓　（鄙夷地）什么“北京人”，简直是闹鬼。

陈奶妈　老爷子，回屋去睡吧[1]。

曾　皓　不，我要在这儿看看，你睡去吧。

愫　方　奶妈，我给你把被铺叠好了。

陈奶妈　嗯，嗯。（感动）哎，愫小姐，你——（欣喜）好，我看看去。

〔陈由书斋小门下。皓开始每晚照例的巡视。

愫　方　（随着皓的后面）姨父，不早了，睡去吧，还看什么？

曾　皓　（一面在角落里探找，一面说）祖上辛辛苦苦留下来的房子，晚上火烛第一要小心，小心。（忽然）你看那地上冒着烟，红红的是什么？

愫　方　是烟头。

曾　皓　（警惕）你看这多危险！这一定又是江泰干的。总是这样，烟头总不肯灭掉。

愫　方　（拾起烟头，预备[2]扔在火炉里）

曾　皓　这么长一节就不抽了，真是糟蹋东西！[3]（回头[4]嗅闻）愫方，你闻闻仿佛有什么香味没有？

愫　方　没有。

---

1 “去睡吧”原刊作“睡去吧”。

2 原刊无“预备”。

3 原刊无此句。

4 “回头”原刊作“四面”。

曾　皓　刚才[1]没有人来过么？

愫　方　没谁[2]。

曾　皓　（嗅闻）怪得很，仿佛有鸦，鸦片烟的味道。

愫　方　别是您今天水烟抽多了。

曾　皓　唉，老了，连鼻子都不中用了。（突然）究竟文清走了没有？

愫　方　走了。

曾　皓　你可不要骗我。

愫　方　是走了。

曾　皓　唉，走了就好。这一个大儿子也够把我气坏了，烟就戒了许多次，现在他好容易把烟[3]戒了，离开了家——

愫　方　不早了，睡去吧。

曾　皓　（坐在沙发里怨诉）他们整天地骗我，上了年纪的人活着真是没意思[4]。儿孙不肖，没有一个孩子替我想。（凄惨地）家里没有一个体恤我，可怜我，心疼我。我牛马也做了几十年了，现在倒个个人都盼我早死[5]。

愫　方　[6]姨父，您别这么想。

---

1 “刚才”原刊作“方才”。

2 “没谁”原刊作“没有谁”。

3 此处原刊有“都”。

4 “真是没意思”原刊作“真没有意思”。

5 “盼我早死”原刊作“盼我死了”。

6 此处原刊有“不，”。

曾　皓　我晓得，我晓得。（怨恨地）我的大儿媳妇第一个不是东西，她就知道想法弄我的钱。今天正午我知道是她故意引这帮流氓进门，存心[1]给我难堪。（切齿）你知道她连那寿木都不肯放在家里。父亲的寿木，这种不孝的人，这种没有一点心肝的女人，她还是书香门第的闺秀，她还是——

〔外面风雨袭来，树叶飒飒地响着。

曾　皓　她自己还想做人的父母，她——

愫　方　（由书斋小窗谛听）雨都下下来了，姨父，睡吧，别再说了。

曾　皓　（摇头）不，我睡不着。老了，儿孙不肖，一个人真可怜，半夜连一个侍候我的人都没有。（痛苦地摸着腿）啊！

愫　方　怎么了？

曾　皓　（微呻）痛啊，腿痛得很！

〔外面更锣声。

愫　方　（拿来一个矮凳放好他的腿，把毛毯盖上，又拉过一个矮凳坐在旁边，为他轻轻捶腿）好点吧？

曾　皓　（呻吟）好，好。脚冷得像冰似的。愫方，你把我的汤婆子灌好了没有？

愫　方　灌好了。

曾　皓　（回忆）你姨妈生前顶好了，晚上有点凉，立刻就给我生起炭盆，热好了黄酒，总是老早把我的被先温好——（似乎突然记起来）我的汤婆子，你放在哪里了？

---

1 “存心”原刊作“成心”。

愫　方　（捶着腿）已经放在您的被里了。（呵欠）

曾　皓　（快慰）啊，老年人心里没有什么。第一就是温饱，其次就是顺心。你看，（又不觉牢骚起来）他们哪一个是想顺我的心？哪一个不是阴阳怪气？哪一个肯听我的话，肯为着老人家想一想？（望见愫方沉沉低下头去）愫方，你想睡了么？

愫　方　（由微盹中惊醒）没有。

曾　皓　（同情地）你真是累很了，昨天一夜没有睡，今天白天又侍候我一天，也难怪你现在累了。你睡去吧。（语声中带着怨望）我知道你现在听不下去了。

愫　方　（擦擦眼睛，微微打了一个呵欠）不，姨父，我不要睡，我是在听呢。

曾　皓　（又忍不住埋怨）难怪你，他们都睡了，老运不好，连自己的亲骨肉都不肯陪着我，嫌我烦厌。

愫　方　（低头）不，姨父，我没有觉得，我没有——

曾　皓　（唠叨）愫方，你不要骗我，我也晓得。他们就是不在你的面前说些话，我也知道你早就耐不下去了。（呻吟）哎哟，我的头好昏哪。

愫　方　没，并没有人[1]在我面前说什么。我，我刚才只是有点困了。

曾　皓　（絮絮叨叨）你年纪轻轻的，陪着我这么一个上了年纪的人，你心里委曲，我是知道的。（长叹）唉，跟着我有什么好处？一个钱没有，眼前固然没有快乐可言，以后也说

---

1 “没，并没有人”原刊作“并没，没有人”。

不上有什么希望。（嗟怨）我的前途就，就是棺材，棺材，我——（捶着自己的腿）啊！

愫　方　（捶重些，只好再解释）真的，姨父，我刚才就是一阵子[1]有点困了。

曾　皓　（一眶眼泪，望着愫）你瞒不了我，愫方，（一半责怨，一半诉苦）我知道你心里在怨我，你不是小孩子……

愫　方　姨父，我是愿意侍候您的。

曾　皓　（摇手）愫方，你别捶了。

愫　方　我不累。

曾　皓　（把她的手按住）不，别。你让我对你说几句话。（唠叨）我不是想苦你一辈子。我是在替你打算，你真的嫁了一个[2]可靠的好人，我就是再没有人管，（愫不觉把手抽出来）我也觉得心安，觉得对得起你，对得起你的母亲，我——

愫　方　不，姨父。（缓缓立起）

曾　皓　可是——（突然阴沉地）你的年纪说年轻也不算很[3]——

愫　方　（低首痛心）姨父，您别说了，我并没有[4]想离开您。

曾　皓　（狠心地）你让我说，你的年纪也不小了，一个老姑娘嫁人，

1　原刊无“一阵子”。

2　“嫁了一个”，原刊作“嫁给了”。

3　“很”原刊作“很小了”。

4　“并没有”原刊作“没有”。

嫁得再好[1]，也不过给人做个填房，可是做填房，如果遇见前妻的子女好倒也罢了，万一碰见尽是些不好的，你自己手上再没有钱，那种日子——

愫　方　（实在听不下去）姨父，我，我真是没有想过——

曾　皓　（苦笑）不过[2]，给人做填房总比在家里待一辈子要好得多[3]，我明白。

愫　方　（哀痛）我，我——

曾　皓　（絮烦）我明白，一个女人岁数一天一天地大了，高不成，低不就，人到了三十岁了，（一句比一句狠重）父母不在，也没有人做主，孤孤单单，没有一个体己的人，真是有一天，老了，没有人管了，没有孩子，没有孩子[4]，没有亲戚，老，老，老得像我——

愫　方　（悲哀而恐惧的目光，一直低声念着）不，不，（到此地突然大声哭起来）姨父，您为什么也这么说话，我并没有想离开您老人家呀！

曾　皓　（苦痛地）我是替你想啊，替你想啊！

愫　方　（抽咽）姨父，不要替我想吧，我说过我是一辈子也不嫁人的呀！

1　“再好”原刊作“最好”。

2　“不过”原刊作“当然”。

3　“给人做填房总比在家里待一辈子要好得多”原刊作“给人做填房比在家里当一辈子的老姑娘要好得多”。

4　“没有孩子，没有孩子”原刊作“没有孩子，”。

曾　皓　（长叹一声）愫方，你不要哭，姨父也活不长了。

〔幽长的胡同内又有算命的瞎子[1]寂寞地敲着铜钲走过去。

曾　皓　这是什么？

愫　方　算命的瞎子回家了。（默默擦着泪水）

曾　皓　不要哭啦[2]，我也活不了几年了，我就是再麻烦你，也拖不了你几年了。我知道思懿，江泰他们心里都盼我死，死了好分我的钱，愫方，只有你是一个[3]忠厚孩子！

愫　方　您，您不会的。（低泣起来）为什么您老是这么想，我今天没有冒犯您老人家啊！

曾　皓　（抚着愫的手[4]）不，你好，你是好孩子，可他们都以为姨父是有钱的，（愫又缓缓把手抽回去[5]）他们看着我脸上都贴的是钞票，我的肚子里装的不是做父母[6]的心肠，都装的是洋钱元宝啊。（咳）他们都等着我死，哎，上了年纪的人活着真没有意思啊，（抚摩自己的头）头也这么痛[7]。（想立起）

愫　方　（扶起他）睡去吧。

曾　皓　（坐起，在袋里四下摸索）可我早就没有钱。我的钱早为你

1 “瞎子”原刊作“盲人”。

2 “哭啦”原刊作“哭了”。

3 “一个”原刊作“个”。

4 原刊无此句。

5 原刊无此句。

6 “做父母”原刊作“为人父母”。

7 “头也这么痛”原刊作“头也这么，好痛！”。

的姨母出殡，修坟，修补房子，为着每年漆我的寿木早用光了。（从袋里取出一本红色的银行存折）这是思懿天天想偷看的银行存折[1]。（递在她的眼前）你看这里还有什么？愫方，可怜我死后连给你[2]都没留多少钱（立起）——

愫　方　（哀痛地）姨父，我从来没有想过要您的钱哪！

〔瑞由书斋小门上。

曾瑞贞　爷爷，药煎好了，在您屋里。

曾　皓　哦。

〔更声。深巷的犬吠声。

曾　皓　走吧。（瑞贞和愫方扶着他向书斋小门走）

〔霆拿一本线装书由书斋小门走进。

曾　霆　爷爷，抄完了，您还讲吧？

曾　皓　（摇头）不早了，（转头对瑞）瑞贞也不要来了，你们两个都回屋睡去吧。

〔愫方扶皓由书斋小门下，瑞呆望着那炉火。霆走到那巨影的下面，望了一望，又复逡巡踱回。

曾　霆　（找话说）妈妈没有睡么？

曾瑞贞　大概睡了吧。

曾　霆　（犹疑）你怎么还不睡？

1　“银行存折”原刊作“存折子”。

2　“连给你”原刊作“连你”。

曾瑞贞　我刚给爷爷煎[1]好药。（忽想呕吐，不觉坐下）

曾　霆　（有点焦急）你坐在这里干什么？

曾瑞贞　（手摸着胸口）没有什么，（失望地）要我走么？

曾　霆　（耐下）不，不。

〔淅沥的雨声，凄凉的“硬面饽饽”的叫卖声。

曾　霆　（望着窗外）雨下大了。

曾瑞贞　嗯，大了。

〔深巷中凄寂而沉重的声音喊着：“硬面饽饽！”

曾　霆　（寂寞地）卖硬面饽饽的老头儿又来了。

曾瑞贞　（抬头）饿了么？

曾　霆　不。

曾瑞贞　（立起）你，你不要回屋去睡么？

曾　霆　我，我不。你累，你回去吧。

曾瑞贞　（低头）好。（缓缓向书斋小门走）

曾　霆　你哭，哭什么？

曾瑞贞　我没有。

曾　霆　（忽然同情地一句一顿）你要钱，——妈今天给我二十块钱——在屋里枕头上——你拿去吧。

曾瑞贞　（绝望地叹息）嗯。

曾　霆　（怜矜的神色，微微带着勉强）你，你要不愿一个人回屋，

1　“煎”原刊作“煮”。

你就在这里[1]坐会儿。

曾瑞贞 不，我是要回屋的。（霆打了半个喷嚏，又忍住，瑞回头）你衣服穿少了吧？

曾　霆 我不冷。（瑞又向书斋小门走，霆忽然记起）哦，妈刚才说——

曾瑞贞 妈说什么？

曾　霆 妈说要你给她捶腿。

曾瑞贞 嗯。（转身向文清卧室走）

曾　霆 （突然止住她）不，你不要去。

曾瑞贞 （无神地）怎么？

曾　霆 （希望得着同感）你恨，恨这个家吧？

曾瑞贞 我？

曾　霆 （追问）你？

曾瑞贞 （抑郁地低下头来）

曾　霆 （失望，低声）你去吧。

〔瑞走了一半，忽然回头。

曾瑞贞 （一半希冀，一半担心）我想告诉你一件事。

曾　霆 什么事？

曾瑞贞 （有些赧然）我，我最近身上不大舒服。

曾　霆 （连忙）你为什么不早说？

曾瑞贞 我，我有点怕——

1 “这里”原刊作“这”。

曾　霆　（爽快[1]地）怕什么，你怎么不舒服？

曾瑞贞　（嗫嚅）我常常想吐，我觉得——

曾　霆　（懵懂）啊，就是吐啊，（立刻叫）妈！

曾瑞贞　（立刻止住他）你干什么？

曾　霆　[2]妈屋里有八卦丹，吃点就好。

曾瑞贞　（埋怨地）你！

曾　霆　（莫名其妙）怎么，说吧，还有什么不舒服？

曾瑞贞　（失望）没有什么，我，我——（向卧室走）

曾　霆　你[3]又哭什么？

曾瑞贞　（止步）我，我没有哭。（突然抬头望霆，哀伤地）霆，你一点不知道你是个大人么？霆，我们是——

曾　霆　（急促地解释）我们是朋友。你跟我也说过我们是朋友，因为我们结婚不是自由的。你的女朋友说的对，我不是你的奴隶，你也不是我的奴隶。我们顶多是朋友，各人有各人的自由，各走各的路。你，你自己也相信这句话，是吧？

曾瑞贞　（忽然坚决地）嗯，我相信！

〔由右面大奶奶卧室内——

〔思懿的喊声：瑞贞！瑞贞！

曾　霆　妈叫你。

1　“爽快”原刊作“直快”。

2　此处原刊有“（善意地）”。

3　原刊无“你”。

曾瑞贞　（愣一愣，转对霆）那么，我去了。

曾　霆　嗯。

〔瑞走入右面卧室。

曾　霆　（抬头望望那巨大的猿人的影子，鼓起勇气，走到那巨影的前面，对着那槅扇门的隙缝，低声）袁圆！袁圆！

〔瑞又从大奶奶卧室走出。

曾　霆　（有些狼狈）怎么你——

曾瑞贞　妈叫我找愫姨。

〔瑞由书斋小门下，霆有些[1]犹豫，叹一口气，又——

曾　霆　袁圆！袁圆！

〔槅扇门打开，泄出一道灯光，袁圆走出来，圆头插着花朵，身披着铺在地上[2]的兽皮，短裤赤腿，上身几乎一半是裸露着，一手拿着一把大剪刀，一手拿着剪[3]成猿人模样的马粪纸，笑嘻嘻地招呼着霆。

袁　圆　咦，你又来了？

曾　霆　你，你这是——

袁　圆　（不觉得）我在剪[4]“北京人”的影子呢，（举着那“猿人”的纸模）你看！

1　原刊无“有些”。

2　“地上”底本作“地下”，据1994人文版改。

3　“剪”原刊作“铰”。

4　“剪”原刊作“铰”。

曾　霆　（望着圆，目不转睛）不，不，我说你的衣服穿得太少，你，你会冻着的。

袁　圆　（忽然放下那纸模和剪刀，叉着腰）你看我好看不？

曾　霆　（昏惑）好看。

袁　圆　（背着手）能够吃你的肉不？

曾　霆　（为她的神采所夺，不知所云地）能。

袁　圆　（进前）能够喝你的血不？

曾　霆　（嗫嚅）能。

袁　圆　（大叫一声，由身后边取出一把可怕的玩具斧头，扬起来，跳在霆儿的前面长啸）呵，喝，啊！[1]（俨然是个可怕的母猿）

曾　霆　（吓糊涂）你要干什么？

袁　圆　（笑起来）我要杀人，你怕不怕？我像不像（指影）他？

曾　霆　（惊异）你要像他，——这个野东西？

袁　圆　（一把拉着霆）走，进去看看。

曾　霆　（妒嫉地）不，我不，我不去。

袁　圆　（赞美地）进去看看，他真是一身都是毛，毛——（拉霆到门前）

曾　霆　不，不。

袁　圆　走，进去！

〔槅扇门忽然开了一扇，小柱儿也被袁家父女几乎剥成精

1 “呵，喝，啊！”原刊作“啊！喝！啊！”。

光，装扮成一个小“原始人”模样走出来。他一手拿着一封信，臂上搭着自己的衣服，一手抱着袁圆叫他去喂的鸽子，露出一种不知是笑是哭的那份尴尬样子。门立刻关上，纸幕上又映出那个巨影。

曾　霆　啊，这是怎么？

袁　圆　（嘻笑）这是他（指影）的弟弟，小“北京人”。

小柱儿　（憨气）袁小姐，（举着信）你的信，你掉在地上的信。

袁　圆　信？

曾　霆　（猛然由他手里把信抢过来，低头）

小柱儿　（圆眼一睁，大叫）你抢什么？

袁　圆　（对小解释）这是他写的信，（轻轻把小柱儿的手按下）小柱儿，别生气，我喜欢你。

小柱儿　（天真地）我也喜欢你！

曾　霆　（申斥）小柱儿！

小柱儿　（睁圆了眼）怎么喳？

袁　圆　（回头对霆，委婉地）曾霆，我也喜欢你，（走到两个中间）赶明儿个我们三个人老在一块玩，好不好？

小柱儿　（粗率）好。

袁　圆　[1]曾霆，你呢？

曾　霆　（婉转对小柱儿）你，你睡去吧！

小柱儿　（莽冲）你去睡，我不睡！

1　此处原刊有“（反身问）”。

〔陈奶妈已由书斋小门上。

陈奶妈 （听见）哪个说不睡?

小柱儿 （惊怯，回头）奶奶。

陈奶妈 （才看清楚小柱儿[1]的模样，吃惊）你这是干什么？[2]小柱儿，你怎么把衣裳都[3]脱了?

小柱儿 （指圆）她叫我脱的。

陈奶妈 袁小姐，你怎么教他脱衣裳?

袁　圆 （很自然地）一个人为什么要穿那么多衣服呢?

陈奶妈 （冲到她面前，明明要发一顿脾气，但想不到圆依然在傻笑，只好毫无办法地）我的袁小姐!（又气又恼地）我看你怎么了啊[4]!（转身拉着小柱儿）走，睡觉去。

小柱儿 （一边走一边回头乞援）袁小姐！袁小姐!

袁　圆 （万分同情）去吧,（摇头叹气）玩不成了。

小柱儿 奶奶!（眼泪几乎流出来）

陈奶妈 走，还玩呢!

小柱儿 不，奶奶等等，还有（举着那鸽子）袁小姐的“孤独”。

陈奶妈 什么“鼓肚”?

---

1 此处原刊有“现在”。

2 原刊无此句。

3 原刊无“都”。

4 “啊”原刊作“哦”。

小柱儿 （举起鸽子点指[1]）

袁　圆 （跑过来）我的鸽子，我的小“孤独”!（一手由小柱儿手里取过来那鸽子）可怜的小柱儿，明天我带你玩，带你去爬山，浮水，你带我去放牛，耕地，打野鸟。这会儿你就跟你这狠心的奶奶睡觉去吧!（望着小柱儿眼泪汪汪，随着奶奶倒退一步）哦，我的可怜的小“北京人”!（突然拉转小柱儿，摇着他，在他脸上清脆而响亮地吻了一下）

陈奶妈 （怒[2]）袁小姐!（对小柱儿）快走!

〔陈奶妈立刻拉起小柱儿，像逃避魔鬼似的，忙忙由书斋小门下。

曾　霆 （愤愤）你，你怎么这样子？亲——

袁　圆 （莫名其妙）我不能亲小柱儿么？

曾　霆 （难忍）袁圆，你明天不带他？

袁　圆 为什么不带他？

曾　霆 （说不出理由，只好重复）不带他。

袁　圆 （眼一霎）那么，我们带他，（指影）带这个大“北京人”？

曾　霆 （摇头）不，也不带他。

袁　圆 （头一歪）为什么连他也不带？（突然想起一件事）啊，曾霆，我告诉你一个秘密，大秘密。（抱着鸽子跑到巨影下面的台阶前）你过来。

---

1 “点指”原刊作“指点”。

2 “怒”原刊作“大气”。

曾　霆　（拿着蜡烛跑过来）什么？（圆拉着他并坐在台阶上。这两个小孩就在那巨大无比的“北京人”的黑影下低低交谈起来）

袁　圆　（低声）我爸爸刚才问我，是“北京人”好玩，你好玩。

曾　霆　（心跳）他怎么问这个？他知道我——

袁　圆　你别管，爸爸就是这样。（轻轻点着他的颊，笑着）我就说你好玩。

曾　霆　（喜不自禁）真的？

袁　圆　（肯定）当然。

曾　霆　（连忙）我，我写的（略举信）这信，你看见了？

袁　圆　（兴奋地）你别插嘴哪，后来，爸又问我：“你爱哪一个？”

曾　霆　（紧张）你，你怎么说？

袁　圆　（扬头问）你猜我怎么说？

曾　霆　我，（羞赧）我猜，猜不出。

袁　圆　（伶俐地）我说我不知道。

曾　霆　（松了一口气，然而欣愉地）你答得真好。

袁　圆　后来他就问我：“你大了愿意嫁给哪一个？”（昂首指着那巨影）是这个样子的“北京人”，还是曾家的孙少爷？

曾　霆　（惶惑，也仰起头来，那“北京人”的影子也转了转身，仿佛低头望着这两个小孩。霆不觉吓了一跳，低声，恐怖）嫁给这个“北京人”，还是——

袁　圆　（点头）就是他，还是（一手指点着他的心口）你？

曾　霆　你——说——呢？

袁　圆　我说，（吻了一下那“孤独”）——你不要生气，我说（直截了当）我要嫁给他，嫁给这个大猩猩！

曾　霆　为，为什么？

袁　圆　（崇拜地）他大，他是条老虎，他一拳能打死一百个人。

曾　霆　（想不到）可，可我——

袁　圆　你呀，（带着轻蔑地）你是呀——（猛然跳起来，站在台阶上，大叫起来）耗子啊！

曾　霆　（也跳在一旁，震抖地）什么？什么？

袁　圆　（向墙边指）那儿，那儿！

曾　霆　哪儿？哪儿？

袁　圆　啊，进去了！（紧张地）刚才一个（比着）那么点的小耗子从我脚背上“出溜”一下穿过去。

曾　霆　（放下心，笑着）哦，耗子啊！你这么怕，我们家里多的是！

袁　圆　（忽有所得）啊，我想起来了，（高兴地拍手）你呀，就是这么一个小耗子！（拍他的肩）小耗子！

曾　霆　（不快）我，我想——

袁　圆　你想什么？

曾　霆　（冒然）你不，你不喜欢我么？

袁　圆　嗯，我喜欢你，当然喜欢你！（不觉又吻一下那“孤独”）你就是他！（指着那鸽子）你听话，你是这鸽子，你是我的“小可怜”。（坐在阶上又吻起那“孤独”）

曾　霆　（十分感动，随着坐在阶上）那么你看了我这封长信——

袁　圆　（又闪来一个念头，忽然立起）曾霆，你想，那个小耗子，再下[1]小耗子，那个小小耗子有多小啊！

曾　霆　（痛苦地）袁家妹妹，你怎么只谈这个？我，我的信你看完了，（低头，又立刻抬起）你，你的心（低头）——

袁　圆　（懵懂地摸着自己）我的心？——

曾　霆　（突然）你读了我给你的诗，我信里面的诗了么？

袁　圆　（点头，天真地）念了！

曾　霆　（欣喜）念了？

袁　圆　（点头）嗯，我爸爸说你的字比我写得好。

曾　霆　（惊吓）你给你父亲看了？

袁　圆　（忽然聪明起来）你别红脸，我的小可怜，爸爸说你就写了两个白（别）字，比我好。

曾　霆　那么，我给你的诗，你也——

袁　圆　（点头）嗯，我看不懂，我给爸爸看了，叫他讲给我听！

曾　霆　（更惊）他讲给你听？

袁　圆　（不懂）怎么？

曾　霆　没什么。你父亲，他，他，他讲给你听没有？

袁　圆　（摇头）没有，他就说不像活人作的。古，古的很。（抱歉地）他说，他也看不懂。

曾　霆　那么他还说什么？

〔瑞贞和愫方由书斋小门上，刚要走出书斋，瑞贞突然瞥见霆和圆，不由己地停住脚，哀伤地呆立在书斋里。愫方手

---

1 “下”原刊作“生下”。

里握着一件婴儿的绒线衣服，也默然伫立。

袁　圆　（嗫嚅）他说（冒然）他叫我以后别跟你一块儿玩了。

曾　霆　（昏惑）以后不跟你在——

袁　圆　（安慰）不理他，明天我们俩还是一块儿放风筝去。

曾　霆　（低语）可，可是为什么？

袁　圆　（随口）愫姨刚才找我爸爸来了。

曾　霆　（吃惊）干什么？

袁　圆　她说你的太太已经有了小毛毛了。

曾　霆　（晴天里的霹雳）什么？

袁　圆　她说你就快成父亲了。（好奇地）真的么？

曾　霆　（落在雾里）我？

袁　圆　我爸爸等愫姨走了，就跟我说，叫我以后别跟你玩了。

曾　霆　（依然晕眩）当父亲？

袁　圆　（忽然）我十五，你十几？

曾　霆　（发痴）十七。

袁　圆　（想引起他的笑颜）啊，十七岁你就要当父亲了。（拍手）十七岁的小父亲——你想，（忽然拉着他的手）小耗子再生下小小耗子多好玩啊。你说多——

曾　霆　（突然呜呜地哭起来）

袁　圆　别哭，曾霆，我们还是一块玩，不听我那个坏爸爸的话。（低声）你别哭，明天我给你买可可糖，我们一块放风筝，不带小柱儿，也不带“北京人”。

曾　霆　（哭）不，不，我不想去。

袁　圆　别哭了，你再哭，我生气了。

曾　霆　（依然痛苦着）

袁　圆　曾霆，别哭了，你看，我把我的鸽子都送给你。（把“孤独”在他的面前举起）

曾　霆　（推开）不。（又抽噎）

袁　圆　那[1]我就答应你，我一定不嫁给“北京人”，行不行？[2]

曾　霆　（摇头）不，不，我想哭啊！

袁　圆　（劝慰地）真的，我不骗你，等我长大一点，就大一点点，我一定嫁给你，一定！

曾　霆　（摇头）不，你不懂！（低声呜咽，慢慢把信撕碎）

袁　圆　（天真地）你信上不是说要我吗？要我嫁给——

〔巨影后袁任敢的声音：圆儿！圆儿！

袁　圆　（低声）我爸爸叫我了，明天见，我明天等你一块放风筝，钓鱼，好吧？

〔巨影后袁任敢的声音：圆儿！圆儿！

袁　圆　来了，爸。（忙回头在霆的脸上轻轻吻了一下）曾霆！我的可怜的小耗子！（霆抬头，望着她跑走）

〔圆儿打开槅扇门，跑进门又倏地关上。

〔斜风细雨，深巷里传来苍凉的“硬面饽饽”的叫卖声。

1　“那”原刊作“那么”。

2　原刊无“行不行？”。

曾　霆　（又扑倒哭泣[1]起来）

〔瑞贞缓缓由书斋[2]走出来，愫方依然在书斋内发痴。

曾瑞贞　（走到霆的身后，略弯身，轻轻拍着他的肩膀，哀怜地）不要哭了，袁小姐走了。

曾　霆　（抬头）愫，愫姨的话是真的？

曾瑞贞　（望着他，深深一声叹气）

曾　霆　（大恸，怨愤地）哦，是哪个人硬要把我们俩个拖在一起？（立起）我真是想（顿足）死啊！

〔霆向书斋小门跑去。

愫　方　霆儿！

〔霆头也不回，夺门而出。

曾瑞贞　（呆呆跌坐在凳子上）

愫　方　（走过来）瑞贞！

曾瑞贞　愫姨！

愫　方　（抚着她的头发）你，你别——

曾瑞贞　（猛然抱着愫方）我也真是想死啊！

愫　方　（温和地）瑞贞，我的妹妹。

曾瑞贞　（忍不住一面流泪，一面怨诉着）愫姨，你为什么要告诉袁家伯伯呢？为什么要叫袁家小姐不跟他来往呢？

愫　方　（悲哀地）瑞贞，我太爱你，我看你苦，我实在忍不下去了。

1　“哭泣”原刊作“哀泣”。

2　“书斋”原刊作“小书斋”。

（昏惑地）我不知道我怎么[1]跑去说的，我像个傻子似的跑去见了袁先生。我几乎不知道我说了些什么，我又昏昏糊糊跑出来了。瑞贞，如果霆儿从这以后能够——

曾瑞贞 （沉痛）你真傻呀，愫姨，他是不喜欢我的。你看不出来？他是一点也不喜欢我的[2]！

愫　方 （哀伤地）不，他是个孩子，他有一天就会对你好的。唉！瑞贞，等吧，慢慢地等吧，日子总是有尽的。活着不是为着自己受苦，留给旁人一点快乐，还有什么更大的道理呢？等吧，他总会——

曾瑞贞 （立起摇头，沉缓地）不，愫姨，我等不下去了。我要走[3]，我已经等了两年了。

〔外面曾皓声：愫方！愫方！

愫　方 你上哪里去？

曾瑞贞 （痴望）我那女朋友告诉我，有这么一个地方，那里——

愫　方 （哀缓地）可是你的孩子。（把那小衣服递在瑞的眼前）

曾瑞贞 （接下看着）那孩子。（长叹一声，不觉把衣服掷落地上）

〔由书斋小门露出曾皓的上半身。

---

1 “怎么”原刊作“怎样”。

2 此处原刊有“呀”。

3 “走”原刊作“走了”。

曾　皓　（举着蜡烛）愫方，[1]汤婆子漏了，一床上都是水[2]。

〔愫方与曾皓由书斋小门下。

〔思懿拿着账本由自己的卧室走出，瑞连忙从地上拾起小衣服藏起。

曾思懿　（瞥见愫方的背影）愫小姐！愫小姐！（对瑞）那不是你的愫姨么？

曾瑞贞　嗯。

曾思懿　怎么看见我又走了？

曾瑞贞　爷叫她有事。

曾思懿　（厉声）去找她来，说你爹找她有事。

〔瑞低头由书斋小门下。远处更声[3]。文清由卧房走进，思走到八仙桌前数钱。

曾文清　（焦急地）你究竟要怎么样？

曾思懿　（翻眼）我不要怎么样。

曾文清　你要怎么样？你说呀，说呀！

曾思懿　（故意作出一种忍顺的神色）我什么都看开了。人活着没有一点意思。早晚棺材一盖，两眼一瞪，什么都是假的。（走向自己的卧室）

曾文清　你要干什么？

1　此处原刊有“快来，”。

2　原刊无“，一床上都是水”。

3　“更声”原刊作“更锣声”。

曾思懿　（回头）干什么？我拿账本交账。

〔思走进屋内。

曾文清　（对门）你这是何苦，你这是何苦？你究竟想怎么样？你说呀！

〔思拿着账本又由卧室走进。

曾思懿　（翻眼）我不想怎么样。我只要你日后想着我这个老实人待你的好处。明天一见亮，我就进尼姑庵，我已经托人送信了。

曾文清　哦，天哪，请你老实说了吧？你的真意思是怎么回子事[1]？我不是外人，我跟你相处了二十年，你何苦这样？何苦这样？

曾思懿　（拿出方才愫给文的信，带着嘲蔑）哼，她当我这么好欺负，在我眼前就敢信啊诗啊地给你递起来。（突然狠恶地）还是那句话，我要你自己当着我的面把她的信原样退给她。

曾文清　（闪避地）我，我明天就会走了。

曾思懿　（严厉）那么就现在退给她。我已经替你请她来了。

曾文清　（惊恐）她，她来干什么？

曾思懿　（讽刺地）拿你写给她的情书啊！

曾文清　（苦闷地叫了一声）哦！（就想回转身跑到卧室）

曾思懿　（厉声）敢走！（文停住脚，思切齿）不会偷油的耗子，就少

1　“怎么回子事”原刊作“怎么回事”。

在猫面前做馋[1]相。这一点点颜色我要她——

〔蓦地大客厅里的灯熄灭，那巨影也突然消失，袁圆换了睡衣，抱着那“孤独”，举着蜡，打开一扇门走进来，手里拿着一张纸条。

袁　圆　（活泼地）哟，（递信给文）曾伯伯，我爸爸给你的信！（转对思指着）你们俩[2]还没有睡，我们都要睡了。

〔圆转身就跳着进了屋，门倏地关上。

曾文清　（读完信，长叹一声）嗯。

曾思懿　怎么？

曾文清　（递信给她）袁先生说他的未婚妻就要到。

曾思懿　他有未婚妻？

曾文清　嗯，他请你替他找所好房子。

曾思懿　（读完，嘲讽地）哼，这么说，我们的愫小姐这次又——

〔愫方拿着蜡烛由书斋小门上。

愫　方　（低声）表哥找我？

曾文清　我——

曾思懿　是，愫妹。（把信递给文）怎么样？

曾文清　哦。（想走）

曾思懿　（厉声）站住！你真的要逼我撒野？

曾文清　（哀恳地）愫方，你走吧，别听她。

1　“馋”底本作“饶”，据原刊改。

2　“俩”原刊作“俩儿”。

愫　方　（回头望思，想转身）

曾思懿　（对愫）别动！（对文，阴沉地）拿着还给她。（文屈服地伸手接下）

愫　方　（痛苦地望着文清，僵立不动）

曾思懿　（狞笑）这是愫妹妹给文清的信吧？文清说当不起，请你收回。

愫　方　（颤抖地伸出手，把文清手中的信接下）

曾文清　（低头）

〔静寂。

〔愫默默地由书斋小门走出。

曾文清　（回头望愫方走出门，忍不住倒坐在沙发上哽咽）

曾思懿　（低声，狠恶地）哭什么？你爹死了？

曾文清　（摇头[1]）你不要这么逼我，我是活不久的。

曾思懿　（长叹一声）隔壁杜家的账房晚上又来逼账了，老头拿住银行折子，一个钱也不拿出来。文清，我们看谁先死吧，我也快叫人逼疯了。

〔思忙忙由书斋小门下。

〔文清失神地站起来，缓缓地向自己的卧室走。那边门内砰然一声，像是木杖掷在门上的声音，文彩喊着由她的卧室跑出。

曾文彩　（低声，恐惧地）哥哥！

1　“摇头”原刊作“捶头”。

曾文清　怎么？

曾文彩　他，他又发酒疯了！

曾文清　（无力地）那我，我怎么办？

曾文彩　（急促）哥哥，怎么办，你看怎么办？

〔突然屋内又有摔东西的声音，和狺狺然骂人的声音。

曾文彩　（拉着文的臂）你听他又摔东西了。

曾文清　（捧着自己的头）唉，让他摔去得了。

曾文彩　（心痛地）他，他疯了，他要打我，他要离婚——

曾文清　（惨笑）离婚？

〔江泰在屋内的声音：（拍桌[1]）文彩！文彩！

曾文彩　哥哥。[2]

〔江泰在屋内的声音：（拍桌大喊）文彩！文彩！文彩！[3]

曾文彩　（拉着他）哥哥，你听！

曾文清　你别拉着我吧！

曾文彩　（焦急）他这样会出事的！会出事的。哥哥！

曾文清　放开我吧，我心里的事都闹不清啊！

〔文摔开手，踉跄步入自己的卧室内。

〔彩向自己的卧室走了两步，突然门开，跌进来醉醺醺的江

1　原刊此处省“大喊”。

2　“江泰在屋内的声音”以下原刊无。

3　“**曾文彩**　哥哥。”以下原刊无。

泰，一只脚穿着拖鞋，那一只是光着[1]。

江　泰　（不再是刚才[2]那样苦恼可怜的样子，倚着门口，瞪红了眼睛）你滚到哪里去了？你认识不认识我是江泰，我叫江泰，我叫你，叫你，你怎么不来？

曾文彩　（苦痛）我，我，你——

江　泰　我住在你们家里不是不花钱的。我在外面受了一辈子人家的气，在家里还要受你们曾家人的气么？我要喝就得买，要吃就得做——谁欺负我，我就找谁——走——（拉着彩的手）找他去！

曾文彩　（拦住他）你要找谁呀？

江　泰　曾皓，你的爹，他对不起我，我要找他算账。

曾文彩　明天，明天，父亲睡了。

江　泰　那么现在叫他滚起来。（走）

曾文彩　（拖住）你别去！

江　泰　你别管！

曾文彩　（忽然灵机一动，回头）啊呀，你看，爹来了！

江　泰　哪儿？

曾文彩　这儿！

〔彩顺手把江泰又推进自己的卧室内，立刻把门反锁上。

〔江泰在屋内的声音：（击门）开门！开门！

1　“是光着”原刊作“光着”。

2　“刚才”原刊作“方才”。

曾文彩 哥哥！（连忙向卧室的门跑）哥哥！

〔江泰在屋内的声音：（捶门）开门！开门！

〔文彩走到文清卧室门口，掀开门帘。

曾文彩 （似乎看见一件最可怕的事情）啊，天，你怎么还抽这个东西呀！

〔文清在屋内的声音：（长叹）别管我吧，你苦我也苦啊！

〔江泰在屋内的声音：（大吼叫）文彩！（乱捶门）开门，我要烧房子啦！我要烧房子，我要点火啦，我——（呼通一声仿佛全身跌倒在[1]地上）

曾文彩 （同时一面跑向自己的卧室，一面喊着）天啊，江泰，你醒醒吧，你还没有闹够，你别再吓死我了！（开了门）

〔文彩立刻进了自己的卧室，把门推严，里面只听得江泰[2]呻吟的声音。

〔立刻书斋小门上来曾皓，披着一件薄薄的夹袍，提着灯笼，由愫方扶掖着，颤巍巍地打着寒战。

曾　皓 （慌张地）出了什么事？什么事？（低声对愫）你，你让我看看是谁，是谁在吵。你快去给我拿棉袍来。

〔愫方由书斋小门下。江泰还在屋内低微地哼哼。皓瞥见文清卧室的灯光，悄悄走到他的门前，掀开帘子望去。

〔文清在屋内的声音：（喑哑）谁？

---

1 “跌倒在”原刊作“跌倒”。

2 此处原刊有“低微的”。

曾　皓　谁，（不可想象的打击）你，没走？

〔文清吓昏[1]了头，昏沉沉地竟然拿着烟枪走出来。

曾　皓　[2]你怎么又，又——

曾文清　（低头）爹，我——

曾　皓　（惊愕得说不出一句话，摇摇晃晃向文清身边来，文清吓得后退，逼到八仙桌旁，曾皓突然对文清跪下，痛心地）我给你跪下，你是父亲，我是儿子。我请你再不要抽，我给你磕响头，求你不——（一壁就要磕[3]下去）

曾文清　（突然意识到自己的罪恶，扔下烟枪）妈呀！

〔文清推开大客厅的门扇跑出，同时曾皓突然中了痰厥，瘫在沙发近旁。

〔同时愫方由书斋小门拿着棉袍忙上。

愫　方　（惊吓）姨父！姨父！（扶他靠在沙发上）姨父，你怎么了？姨父！你醒醒！姨父！

曾　皓　（睁开一半眼，细弱地）他，他走了么？

愫　方　（颤抖）走了。

曾　皓　（咬紧了牙）这种儿子怎么不（顿足）死啊？不（顿足）死啊！（想立起，舌头忽然有些弹）我舌头——麻——你——

愫　方　（颤声）姨父，你坐下，我拿参汤去，姨父！

1　“吓昏”原刊作“吓晕”。

2　此处原刊有“（退后）”。

3　“磕”原刊作“叩”。

〔皓口张目瞪，不能应声，愫慌忙由书斋小门跑下。

〔文彩在屋内的声音：（哭泣）江泰！江泰！

〔江泰在屋内的声音：（大吼）滚开呀，你！

〔文彩在屋内的声音：江泰！

〔江泰猛然打开门，回身就把门反锁上。

〔文彩在屋内的声音：你开门，开门！

江　泰　（在烛光摇曳中，看见了曾皓坐在那里，像入了定，江泰愤愤地）啊，你在这儿打坐呢！

曾　皓　（目瞪口张）

江　泰　你用不着这么斜眼看我，我明天一定走了，一定走了，我再不走运，养自己一个老婆总还养得起。（怨愤）可我走以前，你得算账，算账。

〔文彩在屋内的声音：（急喊）开门！开门！你在跟谁说话？江泰！（捶门）开门，江泰，开门！（一直在江泰说话的间隔中喊着）

江　泰　你欠了我的，你得还！我一直没说过，你不能再装聋卖傻，我为了你才丢了我的官，为了你才亏了款。人家现在通缉我。我背了名声，我一辈子出不了头，这是你欠我这一笔债，你得还，你不能不理！你得还，你得给，你得再给我一个出头日子。你不能再这样不言语。那我可——喂，（大声）你看清楚没有？我叫江泰，叫江泰！认清楚！你的女婿，你欠了我的债！曾皓，曾皓，你听见没有？

〔文彩在屋内的声音：（吓住）开门！开门！（一直大叫）爹！

爹！别理他！他说胡话，他疯了。爹，爹，爹呀！开门，江泰！（夹在江泰的长话当中）开门，爹，爹！

江　泰　曾皓，你给不给，你究竟还不还？我知道你有的是存款，金子，银子，股票，地契。（忽然恳切地）哦，借给我三千块钱，就三千，我做了生意，我一定要还你，还给你利息，还给你本，你听见了没有？我要加倍还给你，江泰在跟你说话，曾老太爷，你留着那么多死钱干什么？你老了，你岁数不小了。你的棺材都预备好了，漆都漆了几百遍了，你——

〔文彩在屋内的声音：（同时捶门）开门！开门！

〔思懿拿着曾皓方才拿出过的红面存折，气愤愤地由书斋小门急上，望了望曾皓，就走到文彩的卧室前开门。

江　泰　（并未察觉有人进来，冷静地望着曾皓，低声，厌恶地）你笑什么？你对我笑什么？（突然凶猛地）你怎么还不死啊？还不死啊！（疯了[1]似的走到曾皓前面，推摇那已经昏厥过去的老人的肩膀）

〔彩满面泪痕，蓦地由卧室跑出来。

曾文彩　（拖着江泰，力竭声嘶地）你这个鬼！你这个鬼！

江　泰　（一面被文彩向自己的卧室拉，一面依然激动地嚷着）你放开我，放开我，我要杀人，我杀了他，再杀死我自己呀。

〔文彩终于把江泰拖入房内，门霍地关上。愫方捧着一碗参

1　“疯了”原刊作“疯子”。

汤由书斋小门急上。思懿依然[1]阴沉沉地立在那里。

愫　方　（喂皓参汤）姨父！姨父！喝一点，姨父！

〔霆由书斋小门跑上。

曾　霆　怎么了？

愫　方　（喂不进去）爷爷不好了，赶快打电话，找罗太医。

曾　霆　怎么？

愫　方　中了风！姨父！姨父！

〔霆由大客厅门跑下，同时陈奶妈仓皇由书斋小门上，一边还穿着衣服。

陈奶妈　（颤抖地）怎么了老爷子？老爷子怎么了？

愫　方　（急促地）你扶着他的头，我来灌。（老人喉咙[2]里的痰涌上来）

陈奶妈　（扶着他）不成了，痰涌上来了。——牙关咬得紧，灌不下。

愫　方　姨父！姨父！

〔文清由大客厅门上。

曾文清　（步到老人的面前，愧痛地连叫着）爹，爹！我错了，我错了。

〔文彩由自己的卧室跑出来。

曾文彩　（抱着老人的腿）爹，爹，我的爹！

愫　方　姨父，姨父！

1　“依然”原刊作“仍然”。

2　“喉咙”原刊作“喉”。

陈奶妈　老爷子！老爷子！

曾思懿　（突然）别再吵了，别等医生来，送医院去吧。

愫　方　（昂首）姨父不愿意送医院的。

曾思懿　（对陈奶妈）叫人来！

〔陈由大客厅门下。

曾文彩　（立刻匆促地）我到隔壁杜家借汽车去。

〔彩[1]由大客厅跑下。

愫　方　姨父，姨父！

曾文清　（哽咽）怎么了？（"怎么办"的意思）怎么了？

曾思懿　哼，怎么了？（气愤地）你看，（把手里曾皓的红面折子[2]扔在他的眼前）这怎么了？

〔陈奶妈带着张顺由大客厅门上。大客厅的尽头燃起灯光，雪白的槅扇的纸幕突然[3]又现出一个正在行动的巨大猿人的影子，沉重地由远而近向观众方向[4]走来。

曾思懿　（指张顺）只有他？

陈奶妈　还有！

〔门倏地打开，浑身生长凶猛的黑毛的"北京人"，像一座小山压在人的面前，赤着脚沉甸甸地走进来，后面跟着曾霆。

1　"彩"底本作"陈"，据原刊改。

2　"折子"原刊作"存折子"。

3　"突然"原刊作"陡然"。

4　原刊无"方向"。

曾思懿　（对张顺）立刻抬到汽车上。

〔张顺对“北京人”做做手势，“北京人”对他看[1]了一眼，就要抱起曾皓。

愫　方　（忽然一把拉住[2]曾皓）不能进医院，姨父眼看着就不成了。（老人说不出话，眼睛苦痛地望着[3]）

〔“北京人”望着愫方停住手。

曾思懿　（拉开愫方，对张顺）抬！（张顺就要动手）

〔“北京人”轻轻推开张顺，一个人像抱起[4]一只老羊似的把曾皓举起，向大客厅走。

曾　霆　（哭起）爷！爷！

曾思懿　别哭了。

曾文清　（跟在后面）爹，我，我错了。

〔“北京人”走到门槛上。老人的苍白的手忽然紧紧抓着那门扇，坚不肯放。

曾　霆　（回头）走不了，爷爷的手抓着门不放。

曾思懿　用劲抬！（张顺连忙走上前去）

愫　方　（哀痛地）他不肯离开家呀。（大家又在犹疑）

---

1 “看”原刊作“稜”。

2 “拉住”原刊作“拉着”。

3 “望着”原刊作“瞪望着”。

4 “抱起”原刊作“抱”。

曾思懿　抬，抬！救人要紧，[1]听我的话是听她的话？抬！

〔张顺推着“北京人”，硬向前走。

愫　方　他的手，他的手。

曾思懿　（对霆）把手掰开[2]。

曾　霆　我怕。

曾思懿　笨，我来。

曾文清　爹！爹！[3]

曾　霆　（恐怖的指着）爷爷的手，爷爷的手！[4]

〔思懿强自掰开[5]他的手。

曾文清　（愤极[6]）你这个鬼！你把父亲的手都弄出血来了。

曾思懿　抬！（低声，狠恶地）房子要卖，你愿意人死在家里？

〔大家随着“北京人”由大客厅门走出，只有文清留在后面。

〔木梆声。

〔苍凉的“硬面饽饽”声。

〔屋里醉人一声痛苦的呻吟。[7]

〔文清进屋立刻走出。他拿着一件旧外衣和一个破帽子，臂

1　“抬，抬！救人要紧，”原刊作“救人要紧，快抬！”。

2　“掰开”原刊作“拿开”。

3　“爹！爹！”原刊作“爹！”。

4　原刊无“曾霆　（恐怖的指着）爷爷的手，爷爷的手！”。

5　“掰开”原刊作“拿开”。

6　此处原刊有“对思”。

7　原刊无此句。

里夹一轴画，长叹一声，缓缓地由通大客厅的门走出，顺手把门掩上。

〔暗风挟着秋雨吹入，门又悄悄自启，四壁烛影憧憧[1]，墙上的画轴也被刮起来，飒飒地响着。

〔远处[2]一两声凄凉的更锣。

——幕徐落

1 “憧憧”底本作“幢幢”，据原刊改。

2 “远处”原刊作“远远”。

第三幕

第一景

在北平阴历九月梢尾的早晚，人们已经需要加上棉绒的寒衣。深秋的天空，异常肃穆而爽朗。近黄昏时，古旧一点的庭园，就有成群成阵像一片片墨点子似的老鸦[1]，在老态龙钟的榆钱树的树巅上来回盘旋，此呼彼和，噪个不休。再晚些，暮色更深，乌鸦也飞进了自己的巢。在苍茫的尘雾里，传来城墙上还未归营的号手吹着的号声。这来自遥远，孤独的角声，打在人的心坎上说不出的熨帖而又凄凉，像一个多情的幽灵，独自追念着那不可唤回的渺若烟云的已往，又是惋惜，又是哀伤，那样充满了怨望和依恋，在薄寒的空气中不住的振抖。

天渐渐的开始短了，不到六点钟，石牌楼后面的夕阳在西方一抹淡紫的山气中隐没下去。到了夜半，就唰唰地刮起西风，园里半枯的树木飒飒地乱抖。赶到第二天一清早，阳光又射在屋顶辉煌的琉璃瓦上，天朗气清，地面上罩一层白霜，院子里，大街的人行道上都铺满了头夜的西风刮下来的黄叶。气候着实的凉了，大清早出来，人

1 “老鸦”原刊作“乌鸦”。

们的呼吸在寒冷的空气里凝成乳白色的热气，由[1]菜市买来的菜蔬碰巧就结上一层薄薄的冰凌，在屋子里坐久了不动就觉得有些冻脚，窗纸上[2]的苍蝇拖着迟重身子飞飞，就无力地落在窗台上。在往日到了这种天气，比较富贵的世家，如同曾家这样的门第，家里早举起了炕火[3]，屋内暖洋洋的。绕着大厅的花槅扇与宽大的玻璃窗前放着许多盆盛开的菊花：有绿的，白的，黄的，宽瓣的，细瓣的，都是名种，它们有的放在花架上，有的放在地上，还有在糊着蓝纱的槅扇前的紫檀花架上的紫色千头菊悬崖一般地倒吊下来，这些都绚烂夺目地在眼前罗列着。主人高兴时就在花前饮酒赏菊，邀几位知己的戚友，吃着热气腾腾的羊肉火锅，或猜拳，或赋诗，酒酣耳热，顾盼自豪。真是无上的气概，无限的享受。

像往日那般欢乐和气概，于今，在曾家这间屋子里已找不出半点痕迹，惨淡的情况代替了当年的盛景。现在这深秋的傍晚——离第二幕有一个多月——更是处处显得零落衰败的样子，槅扇上的蓝纱都褪了色，有一两扇已经撕去了，换上普通糊窗子用的高丽纸，但也泛黄了。槅扇前地上放着一盆白菊花，枯黄的叶子，花也干的垂了头。靠墙的一张旧红木半圆桌上放着一个深蓝色大花瓶，里面也插了三四朵快开败的黄菊。花瓣儿落在桌子上，这败了的垂了头的菊花，在这衰

1 “由”底本作“向”，据原刊改。

2 “窗纸上”底本作“窗纸边”，据原刊改。

3 “炕火”底本作“坑火”，据原刊改。

落的旧家算是应应节令。许多零碎的摆饰都收[1]了起来，墙上也只挂着一幅不知什么人画的山水，裱的绫子已成灰暗色，下面的轴子[2]只剩了一个。墙壁的纸已开始剥落。墙角倒悬那张七弦琴，琴上的套子不知拿去作了什么，橙黄的穗子仍旧沉沉的垂下来，但颜色已不十分鲜明，蜘蛛在上面织了网，又从那儿斜斜的织到屋顶。书斋的窗纸有些破了补上，补上又破了的。两张方凳随便的放在墙边，一张空着，一张放着一个做针线的笸箩。那扇八角窗的玻璃也许久没打磨过，灰尘尘的。窗前八仙桌上放一个茶壶两个茶杯，桌边有一把靠椅。

一片淡淡的夕阳透过窗子微弱地洒落在[3]桌子上的菊花瓣上，同织满了蛛网的七弦琴的穗子上，暗澹澹的，忽然又像回光返照一般的明亮起来，但接着又暗下去。外面一阵阵地噪着老鸦[4]。独轮水车的轮声又在单调地“孜妞妞，孜妞妞”地滚过去，太阳下了山，屋内渐渐地昏暗。

〔开幕时，姑奶奶坐在靠椅上织着毛线坎肩，她穿着一件旧黑洋绉的驼绒袍子，黑绒鞋。面色焦灼，手不时地停下来，似乎在默默的等待着什么。离她远远地在一张旧沙发上歪歪的靠着江泰，他正在拿着一本《麻衣神相》，十分入神地读，

---

1 “收”底本作“淡”，据原刊改。

2 此处原刊有“是”。

3 “洒落在”底本作“洒在落在”，据原刊改。

4 “老鸦”原刊作“乌鸦”。

左手还拿了一面用红头绳缠拢的破镜子，翻翻书又照照自己的脸，放下镜子又仔细研读[1]那本线装书。[2]

〔半晌。

〔陈奶妈拿着纳了一半的鞋底子，打开书斋的门走进来。她的头发更[3]斑白，脸上仿佛又多了些皱纹，因为年纪大了怕冷，她已经穿上一件灰布的薄棉袄，青洋缎套裤扎着腿。看见她来，文彩立刻放下手里的毛线活计站起来。

曾文彩 （非常关心地，低声问）怎么样啦?

陈奶妈 （听见了话又止了步，回头向窗外伫听。文彩满蓄忧愁的眼睛望着她，等待她的回话。陈无可奈何地摇摇头）没有走，人家还是不肯走。

曾文彩 （失望的叹息了一声，又坐下拿起毛线坎肩，低头缓缓的织着）

〔江泰略回头，看了这两个妇人一眼，显着厌恶的神气，又转过身读他的《麻衣神相》。

陈奶妈 （长长的嘘出一口气，四面望了望，提起袖口擦抹一下眼角，走到方凳子前坐下，迎着黄昏的一点微光默默地纳起鞋底）

---

1 “研读”原刊作“研究”。

2 此处原刊有：“他也穿着一件旧洋绉驼绒袍子，灰里泛黄的颜色，袖口上有被纸烟烧破的洞，非常短而又宽大得不适体，下面穿着棕色的西装裤子，裤腿拖在脚被（背）上，拖一双旧千层底鞋。”。

3 此处原刊有“显得”。

江　泰　（忽然搓顿着两只脚，浑身寒瑟瑟的）

曾文彩　（抬起头望江）脚冷吗？

江　泰　（心烦）唔！（又翻他的相书，彩又低下头织毛线）

〔半晌。

曾文彩　（斜觑江泰一下，再低下头织了两针，实在忍不住了）泰！

江　泰　（若有所闻，但仍然看他的书）

曾文彩　（又温和地）泰，你在干什么？

江　泰　（不理她）

〔陈看江一眼，不满意地转过头去。

曾文彩　（放下毛线）泰，几点了，现在？

江　泰　（拿起镜子照着，头也不回）不知道。

曾文彩　（只好看看外边的天色）有六点了吧？

江　泰　（放下镜子，回过头，用手指了一下，冷冷地）看钟！

曾文彩　钟坏了。

江　泰　（翻翻白眼）坏了拿去修！（又拿起镜子）

曾文彩　（怯弱地）泰，你再到客厅看看他们现在[1]怎么样啦，好么？

江　泰　（烦躁地）我不管，我管不着，我也管不了，你们曾家的事也太复杂，我没法管。

曾文彩　（恳求）你再去看一下，好不好？看看他们杜家人究竟想怎么样？

江　泰　怎么样？人家到期要曾家还钱，没有钱，要你们府上的房

1 “现在”原刊作“现在是”。

子，没有房子，要曾老太爷的寿木，那漆了几十年的楠木棺材。

曾文彩　（无力地）可这寿木是爹的命，爹的命！

江　泰　你既然知道这件事这么难办，你要我去干什么？

陈奶妈　（早已停下针在听，插进嘴）算了，就让大奶奶一个人对付他们去吧，反正钱是没有，房子要住——

江　泰　那棺材——

曾文彩　爸舍不得！

江　泰　（瞪瞪文彩）明白啦？（又拿起镜子）

曾文彩　（低头叹息，拿出手帕抹眼泪）

〔半晌。外面乌鸦噪声，水车“孜妞妞，孜妞妞”滚过声。

陈奶妈　（纳着鞋底，时而把针放在斑白的头发上擦两下，又使劲把针扎进鞋底。这时她停下针，抬起头叹气）我走喽，走喽！明天我也走喽，可怜今天老爷子过的是什么丧气生日！唉，像这样活下去倒不如那天晚上……（忽然）要是往年祖老太爷做寿的时候，家里请客唱戏，院子里，客厅里摆满了菊花[1]，上上下下都开着酒席，哪儿哪儿都是拜寿的客人，几里旮旯儿（“角落”）满世界都是寿桃，寿面，红寿帐子，哪像现在——

曾文彩　（一直在沉思着眼前的苦难，呆望着江泰，几乎没听见陈奶妈的话，此时打起精神对江泰又温和地提起话头）泰，你

1 “菊花”原刊作“花”。

在干什么？

江　泰　（翻翻眼）你看我在干什么？

曾文彩　（勉强的微笑）我说你一个人照什么？

江　泰　（早已不耐烦，立起来）我在照我的鼻子！你听清楚，我在照我的鼻子！鼻子！鼻子！（拿起镜子和书走到一个更远的椅子上坐下）

曾文彩　你不要再叫了吧，爹这次[1]性命是捡来的。

江　泰　（总觉文彩故意跟他为难，心里又似恼怒却又似毫无办法的样子，连连指着她）你看你！你看你！你看你！每次说话的口气，言外之意总像是我那天把你父亲气病了似的。你问问现在谁不知道是你那位令兄，令嫂——

曾文彩　（只好极力辩解）谁这么疑心哪？（又低声下气[2]，温婉地）我说，爹今天刚从医院回来，你就当着给他老人家拜寿，到上屋看看他，好吧？

江　泰　（还是气鼓鼓地）我不懂，他既然不愿意见我，你为什么非要我见他不可？就算那天我喝醉啦，说错了话，得罪了他，上个月到医院也望了他一趟，他都不见我，不见我——

曾文彩　（解释）唉，老人家现在心绪不好！

江　泰　那我心绪就好？

曾文彩　（困难地）可现在爹回了家，你难道就一辈子不见他？就当

1　“这次”原刊作“这次的”。

2　“低声下气”底本作“低首下心”，据川版改。

作客人吧，主人回来了，我们也该去问声好，何况你——

江　泰　（理曲却气壮，走到她的面前又指又点）你，你，你的嘴怎么现在学得这么刁？这么刁？我，我躲开你！好不好？

〔江赌气拿着镜子由书斋小门走出去。

曾文彩　（难过地）江泰？

陈奶妈　唉，随他——

〔江又匆匆进来在原处乱找。

江　泰　我的《麻衣神相》呢？（找着）哦，这儿。

〔江又走出。

曾文彩　江泰！

陈奶妈　（十分同情）唉，随他去吧，不见面也好。看见姑老爷，老爷子说不定又想起清少爷，心里更不舒服了。

曾文彩　（无可奈何，只得叹了口气）您的鞋底纳好了吧？

陈奶妈　（微笑）也就差一两针了。（放下鞋底，把她的铜边老花镜[1]取下来，揉揉眼睛）鞋倒是做好了，人又不在了。

曾文彩　（勉强挣出一句希望的话）人总是要回来的。

陈奶妈　（顿了一下，两手提起衣裾[2]擦泪水，伤心地）嗯，但——愿！

曾文彩　（凄凉地）奶妈，您明天别走吧，再过些日子，哥哥会回来的。

1　“老花镜”原刊作“老花眼镜”。

2　“衣裾”原刊作“衣裙”。

陈奶妈 （一月来的烦忧使她的面色失了来时的红润。她颤巍巍摇着头，干巴巴的瘪嘴激动得一抽一抽的。她心里实在舍不得，而口里却固执地说）不，不，我要走，我要走的。（立起把身边的针线什物[1]往笸箩里收，一面揉揉她的红鼻头）说等吧，也等了一个多月了，愿也许了，香也烧了，还是没音没信，可怜我的清少爷跑出去就穿了一件薄夹袍——（向外喊）小柱儿！小柱儿！

曾文彩 小柱儿大概帮袁先生捆行李呢。

陈奶妈 （从笸箩里[2]取出一块小包袱皮，包着那双还未完全做好的棉鞋）要，要是有一天他回来了，就赶紧带个话给我，我好从乡下跑来看他。（又不觉眼泪汪汪的）打，打听出个下落呢，姑小姐就把这双棉鞋绱好[3]给他寄去——（回头又喊）小柱儿！——（对彩）就说大奶妈给他做的，叫他给奶妈捎个信。（闪出一丝笑容）那天，只要我没死，多远也要去看他去。（忍不住又抽咽起来）

曾文彩 （走过来抚慰着老奶妈）别，别这么难过！他在外面不会怎么样，（勉强的苦笑）三十六七快抱孙子的人，哪会——

陈奶妈 （泪眼婆娑）多大我也看他是个小孩子，从来也没出过门，连自己吃的穿的都不会料理的人——（一面喊一面走向通大

1 “什物”原刊作“杂物”。

2 “从笸箩里”底本作“笸箩里”，据原刊改。

3 “绱好”原刊作“抐（纳）好”。

客厅的门）小柱儿，小柱儿！

〔小柱儿的声音：嗳，奶奶！

陈奶妈 你在干什么哪？你还不收拾收拾睡觉，明儿个好赶路。

〔小柱儿的声音：愫小姐叫我帮她喂鸽子呢。

陈奶妈 （一面向大客厅走，一面唠叨）唉，愫小姐也是孤零零的可怜，可也白糟蹋粮食，这时候这鸽子还喂个什么劲儿？

〔陈由大客厅门走出。

曾文彩 （一半对着陈奶妈说，一半是自语，喟然）喂也是看在那爱鸽子的人！

〔外面又一阵乌鸦噪，她打了寒战，正拿起她的织物——

〔江泰嗒然由书斋小门上。

江　泰 （忘记了方才的气焰，像在黄霉天背上沾湿了雨一般，说不出的又是丧气，又是恼怒，又是悲哀的神色，连连的摇着头）没办法，没办法！真是没办法！这么大的一所房子，走东到西的没有[1]一块暖和地方。到今儿个还不生火，脚冻得要死。你那位令嫂就懂得弄钱，你的父亲就知道他的棺材。我真不明白这样活着有什么意义，有什么意义？

曾文彩 别埋怨了，怎么样日子总是要过的。

江　泰 闷极了我也要革命！（从似乎是开玩笑又似乎是发脾气的口气而逐渐激愤的喊起来）我也反抗，我也打倒，我也要学瑞贞那孩子交些革命党朋友，反抗，打倒，打倒，反抗！

---

1 “没有”原刊作“没”。

都滚他妈的蛋，革他妈的命！把[1]一切都给他一个推翻！而，而，而——（突然摸着了自己的口袋，不觉挖苦挖苦自己，惨笑出来）我这口袋里，就剩下一块钱——（摸摸又眨眨眼）不，连一块钱也没有，——（翻眼想想，低声）看了相！

曾文彩 江泰，你这——

江　泰 （忽然摇头，“如丧考妣”的样子，长叹一声）要是我能发明一种像“万金油”似的药多好啊！多好啊！

曾文彩 （哀切地）泰，不要再这样胡思乱想，顺嘴里扯，你这样会弄成神经病的。

江　泰 （像没[2]听见她的话，蓦地又提起精神）文彩，我告诉你，今天早上我逛市场，又看了一个相。那个看相的也说我现在正交鼻运，要发财，连夸我的鼻子生得好，饱满，藏财。（十分认真地）我刚才照照我的鼻子，倒是生得不错！（直怕文彩驳斥）看相大概是有点道理，不然怎么我从前的事都说的挺灵呢？

曾文彩 那你也该出去找朋友啊！

江　泰 （有些自信）嗯！我一定要找，我要找我那些阔同学。（仿佛用话来唤起自己的行动的勇气）我就要找，一会儿我就去找！我大概是要走运了。

曾文彩 （鼓励地）江泰，只要你肯动一动你的腿，你不会不发达的。

---

1 “把”底本作“打”，据原刊改。

2 “没”原刊作“是”。

江　泰　（不觉高兴起来）真的吗？（突然）文彩，我刚才到上房看你爹去了。

曾文彩　（也提起高兴）他，他老人家跟你说什么？

江　泰　（黠巧地）这可不怪我，他不在屋。

曾文彩　他又出屋了？

江　泰　嗯，不知道他——

〔陈奶妈由书斋小门上。

陈奶妈　（有些惶惶）姑小姐，你去看看去吧。

曾文彩　怎么？

陈奶妈　唉！老爷子一个人拄着个棍儿又到厢房看他的寿木去了。

曾文彩　哦——

陈奶妈　（哀痛地）老爷子一个人站在那儿，直对着那棺材流眼泪……

江　泰　愫小姐呢？

陈奶妈　大概给大奶奶在厨房蒸什么汤呢[1]。——姑小姐，那棺材再也给不得杜家，您先去劝劝老爷子去吧。

曾文彩　（泫然）可怜，爹，我，我去——（向书房走）

江　泰　（讥诮地）别，文彩，你先去劝劝你那好嫂子吧。

曾文彩　（一本正经）她正在跟杜家人商量着推呢。

江　泰　哼，她正在跟杜家商量着送呢。你叫她发点良心，别尽想把押给杜家的房子留下来，等她一个人日后卖好价钱，你

1　此句原刊作“大概在厨房给大奶奶蒸什么汤呢”。

父亲的棺材就送不出去了。记着，你父亲今天出院的医药费都是人家愫小姐拿出来的钱。你嫂子一个人躲在屋子里吃鸡，当着人装穷，就知道卖嘴，你忘了你爹那天进医院以前，她咬你爹那一口啦，哼，你们这位令嫂啊——

〔思懿由书斋小门上。

陈奶妈 （听见足步声，回头一望，不觉低声）大奶奶来了。

江　泰 （默然，走在一旁）

〔思懿面色阴暗，蹙着眉头，故意显得十分为难，又十分哀痛的样子。她穿件[1]咖啡色起黑花的长袖绒旗袍，靠胳臂肘的地方有些磨光了，领子上的纽扣没扣，青礼服呢鞋。

曾文彩 （怯弱地）怎么样，大嫂？

曾思懿 （默默走向沙发那边去）

〔半晌。

陈奶妈 （关切又胆怯地）杜家人到底肯不肯？

曾思懿 （仍默然坐在沙发上）

曾文彩 大嫂，杜家人——

曾思懿 （猛然扑在沙发的扶手上，有声有色[2]的哭起来）文清，你跑到哪儿去了？文清，你跑了，扔下这一大家子，叫我一个人撑，我怎么办得了啊！你在家，我还有个商量，不在家[3]，

1 “件”原刊作“一件”。

2 “有声有色”原刊作“有声有调”。

3 “不在家”原刊作“你不在家”。

碰见这种难人的事，我一个妇道还有什么主意哟！

〔江泰冷冷地站在一旁望着她。

陈奶妈 （受了感动）大奶奶，您说人家究竟肯不肯缓期呀？

曾思懿 （鼻涕眼泪抹着，抽咽着，数落着）你们想，人家杜家开纱厂的，鬼灵精！到了我们家这个时候，“墙倒众人推”，还会肯吗？他们看透了这家里没有一个男人，（江泰鼻孔哼了一声）老的老，小的小，他们不乘火打劫，逼得你非答应不可，怎么会死心啊！

曾文彩 （绝望地）这么说，他们还是非要爹的寿木不可？

曾思懿 （直拿手帕擦着红肿的眼，依然抽动着肩膀）你叫我有什么法子？钱，钱我们拿不出；房子，房子我们要住；一大家子的人张着嘴要吃。那寿木，杜家老太爷想了多少年，如今非要不可，非要——

江　泰 （靠着自己卧室的门框，冷言冷语地）那就送给他们得啦。

陈奶妈 （惊愕）啊，送给他们？

曾思懿 （不理江泰）并且人家今天就要——

曾文彩 （倒吸一口气）今天？！

曾思懿 嗯，他们说杜家老太爷病得眼看着就要断气，立了遗嘱，点明——

江　泰 （替她说）要曾家老太爷的棺材！

曾文彩 （立刻）那爹怎么会肯？

陈奶妈 （插嘴）就是肯，谁能去跟老太爷子说？

曾文彩 （紧接）并且爹刚从医院回来。

陈奶妈　（岔进）今天又是老爷子的生日——

曾思懿　（突然又嚎起来）我，我就是说啊！文清，你跑到哪儿去了？到了[1]这个时候，叫我怎么办啊[2]？我这公公也要顾，家里的生活也要管，我现在是“忠孝不能两全”。文清，你叫我怎么办哪！

〔在大奶奶的哭嚎声中，书斋的小门打开。曾皓拄着拐杖，巍巍然地走进来。他穿着藏青“线春”的丝绵袍子，上面罩件黑呢马褂，黑毡鞋。面色黄枯，形容惨沮，但在他走路的样子看来，似乎已经恢复了健康。他尽量保持自己仅余那点尊严，从眼里看得出他在绝望中再做最后一次挣扎，然而他又多么厌恶眼前这一帮人。

〔大家回过头，都立起来。江泰一看见，就偷偷沿墙溜进自己的屋里。

曾文彩　爹！（跑过去扶他）

曾　皓　（以手挥开，极力提起虚弱的嗓音）不要扶，让我自己走。（走向沙发）

曾思懿　（殷殷勤勤）爹，我还是扶您回屋[3]躺着吧。

曾　皓　（坐在沙发上，对大家）坐下吧，都不要客气了。（四面望望）江泰呢？

1　原刊无“到了”。

2　“怎么办啊”原刊作“怎么办呢”。

3　“回屋”原刊作“回屋里”。

曾文彩　他，——（忽然想起）他在屋里，（惭愧地）等着爹，给爹赔不是呢。

曾　皓　老大还没有信[1]么？

曾思懿　（惨凄凄地）有人说在济南街上碰见他，又有人说在天津一个小客栈看见他——

曾文彩　哪里都找到了，也找不到一点影子。

曾　皓　那就不要找了吧。

曾文彩　（打起精神安慰老人家）哥哥这次实在是后悔啦，所以这次在外面一定要创一番事业才——

曾　皓　（摇首）"知子莫若父"，他没有志气，早晚他还是会——（似乎不愿再提起他，忽然对彩）你叫江泰进来吧。

曾文彩　（走了一步，中心愧怍，不觉转身又向着父亲）爹，我，我们真没脸见爹，真是没——

曾　皓　唉，去叫他，不用说这些了。（对思）你也把霆儿跟瑞贞叫来。

〔彩至卧室前叫唤。思由书斋门走下。

曾文彩　江泰！江——

〔江泰立刻悄悄溜出来。

江　泰　（出门就看见曾皓正在望着他，不觉有些惭愧）爹，您，您——

曾　皓　（挥挥手）坐下，坐下吧，（江坐。皓对奶妈，关心地）你告

1　"信"原刊作"信息"。

诉愫小姐，刚从医院回来，别去厨房再辛苦啦，歇一会去吧。

〔陈奶妈由通大客厅的门下。

曾文彩 （一直在望着江泰示意，一等陈奶妈转了身，低声）你还不站起来给爹赔个罪！

江　泰 （似立非立）我，我——

曾　皓 （摇手）过去的事我们不提了，不提了。

〔江又坐下。静默中，思懿领着霆儿与瑞贞由书斋小门上。瑞贞穿着一件[1]灰底子小红花的布夹袍，霆儿的袍子[2]上罩[3]一件蓝布大褂。

曾　皓 （指指椅子，他们都依次坐下，除了瑞贞立在文彩的背后。皓哀伤地望了望）现在座中[4]大概就缺少老大，我们曾家的人都在这儿了。（望望屋子，微微咳了一下）这房子是从你们的太爷爷敬德公传下来的，我们累代是书香门第，父慈子孝，没有叫人说过一句闲话。现在我们家里出了我这种不孝的子孙——

曾思懿 （有些难过）爹！——

〔大家肃然相望，又低下头。

1　原刊无“一件”。

2　“袍子”原刊作“袍”。

3　“罩”底本作“罩上”，据原刊改。

4　“座中”底本作“坐中”，据原刊改。

曾　皓　败坏了曾家的门庭，教出一群不明事理，不肯上进，不知孝顺，连守成都做不到的儿女——

江　泰　（开始有些烦恶）

曾文彩　（抬起头来惭愧地）爹，爹，您[1]——

曾　皓　这是我对不起我的祖宗，我没有面目再见我们的祖先敬德公！（咳嗽，瑞贞走过来捶背）

江　泰　（不耐，转身连连摇头，又唉声叹息起来，嘟哝着）哎，哎，真是！这时候还演什么戏？演什么戏？

曾文彩　（低声）你又发疯了！

曾　皓　（徐徐推开瑞贞）不要管我。（转对大家）我不责备你们，责也无用。（满面绝望可怜的神色，而声调是恨恨的）都是一群废物，一群能说会道的废物。（忽然来了一阵勇气）江泰，你，你也是——

〔江似乎略有表示。

曾文彩　（怕他发作）泰。（江嘿然，又不做声）

曾　皓　（一半是责备，一半是发牢骚）成天的想发财，成天的做梦，不懂得一点人情世故，同老大一样，白读书，不知什么害了你们，都是一对——（不觉大咳，自己捶了两下）

曾文彩　唉，唉！

江　泰　（只好无奈何地连连出声）这又何必呢，这又何必呢！

曾文彩　爹！爹！

---

1 “您”底本作“你”，据1994人文版改。

曾　皓　思懿，你是有儿女的人，已经做了两年的婆婆，并且都要当祖母啦。（强压[1]自己的愤怒）我不说你，错误也是我种的根，错也不自今日始。（自己愈说愈凄惨）将来房子卖了[2]以后，你们尽管把我当作死了一样，这家里没有我这个人，我，我——（泫然欲泣）

曾文彩　（忍不住大哭[3]）爹，爹！

曾思懿　（早已变了颜色）爹，我不明白爹的话。

曾　皓　（没有想到）你，你，——

曾文彩　（愤极）大嫂，你太欺侮[4]爹了。

曾思懿　（反问）谁欺侮[5]爹了？

曾文彩　（老实人也逼得出了声）一个人不能这么没良心。

曾思懿　谁没良心？谁没良心？天上有雷，眼前有爹，妹妹，我问你，谁？谁？

曾　霆　（同时苦痛地）妈！

曾文彩　（被她的气势所夺，气得发抖）你，你逼得爹没有一点路可走了。

江　泰　（无可奈何地）不要吵了，小姑子，嫂嫂们。

---

1 “强压”原刊作“强压住”。

2 “卖了”原刊作“卖下”。

3 “大哭”原刊作“哭”。

4 “欺侮”原刊作“欺负”。

5 “欺侮”原刊作“欺负”。

曾文彩 你逼得爹连他老人家的寿木都要抢去卖，你逼得爹——

曾　皓 （止住她）文彩！

曾思懿 （讥诮地）对了，是我逼他老人家，吃他老人家，（说说立起来）喝他老人家，成天在他老人家家里吃闲饭，一住就是四年，还带着自己的姑爷——

曾　霆 （在旁一直随声劝阻，异常着急）妈，您别，——妈，您——妈——

江　泰 （也突然冒了火）你放屁！我给了钱！

曾　皓 （急喘，镇止他们）不要喊了！

曾思懿 （同时）你给了钱？哼，你才——

曾　皓 （在一片吵声中顿足怒喊）思懿，别再吵！（突然一变几乎是哀号）我，我就要死了！

〔大家顿时安静，只听见思懿哀哀低泣。

〔天开始暗下来，在肃静的空气中，愫方由大客厅门上。她穿着深米色的哔叽夹袍，面庞较一个月前略瘦，因而她的眼睛更显得大而有光彩，我们可以看得出，在那里面含着无限镇静，和平，与坚定的神色。她右手持一盏洋油灯，左臂抱着两轴画。看见她进来，瑞贞连忙走近，替她接下手里的灯，同时低声仿佛在她耳旁微微说了一句话。愫方默默颔首，不觉悲哀地望望眼前那几张沉肃的脸，就把两轴画放进那只磁缸里，又回身匆忙地由书斋门下。瑞贞一直望着她。

曾　皓　（叹息）你们这一群废物啊！到现在还有什么可吵的[1]？

曾瑞贞　爷爷，回屋歇歇吧！

曾　皓　（感动地）看看瑞贞同霆儿还有什么脸吵？（慨然）别再说啦，住在一起也没有几天了。思懿，你，你去跟杜家的管事说，说叫，——（有些困难）叫他们把那寿木抬走，先，先（凄惨地）留下我们这所房子吧。

曾文彩　爹！

曾　皓　杜家的意思刚才愫方都跟我说了。

曾文彩　哪个叫愫表妹对您说的？

曾思懿　（挺起来）我！

曾　皓　不要再计较这些事情啦！

江　泰　（迟疑）那么您，还是送给他们？

曾　皓　（点头）

曾思懿　（不好开口，却终于说出）可杜家人说今天就要。

曾　皓　好，好，随他们，让它给有福气的人睡去吧。（思就想出去说，不料皓回首对江[2]）江泰，你叫他们赶快抬，现在就抬！（无限的哀痛）我，我不想明天再看见这晦气的东西！（低头不语，思只好停住脚）

江　泰　（怜悯之心油然而生）爹！（走了两步又停住）

曾　皓　去吧，去说去吧！

1　“可吵的”原刊作“可吵”。

2　原刊此处有“，激愤地”。

江　泰　（蓦然回头，走到皓的面前，非常善意地）爹，这有什么可难过的呢？人死就死了，睡个漆了几百道的棺材又怎么样呢？（原是语调里带着同情而又安慰的口气，但逐渐忘形，改了腔调，又按他一向的习惯，对着曾皓滔滔不绝地说起来）这种事您就没有看通，譬如说，您今天死啦，睡了就漆一道的棺材，又有什么关系呢？

曾文彩　（知道他的话又来了）江泰！

江　泰　（回头对彩嫌厌地）你别吵！（又转脸对皓，和颜悦色，十分认真地劝解）那么您死啦，没有棺材睡又有什么关系呢。（指着，点着）这都是一种习惯！一种看法！（说得逐渐高兴，渐次忘记了原来同情与安慰的善意，手舞足蹈地对着曾皓开了讲）譬如说，（坐在沙发上）我这么坐着好看，（灵机一动）那么，这么（忽然把条腿翘在椅背上）坐着，就不好看么？（对思）大嫂，（陶醉在自己的言词里，像喝得微醺之后，几乎忘记方才的龃龉）我这是比方啊！（指着）你穿衣服好看，你不穿衣服就不好看么？

曾思懿　姑老爷！

江　泰　（继续不断）这都未见得，未见得！这不过是一种看法！一种习惯！

曾　皓　（插嘴）江泰！

江　泰　（不容人插嘴，流水似的接下去）那么，譬如我吧，（坐下）我死了，（回头对文彩，不知他是玩笑，还是认真）你就给我火葬，烧完啦，连骨头末都要扔在海里，再给它一个水葬！痛痛快快来一个死无葬身之地！（仿佛在堂上讲课一般）这不过也是一种看法[1]，这也可以成为一种习惯！[2]那么，爹，您今天——

曾　皓　（再也忍不住，高声拦住他）江泰！你自己愿意怎么死，怎么葬，都任凭尊便。（苦涩地）我大病刚好，今天也还算是过生日，这些话现在大可不必——

江　泰　（依然和平地，并不以为忤）好，好，好，您不赞成！无所谓，无所谓！人各有志！——其实我早知道我的话多余，我刚才说着的时候，心里就念叨着，"别说啊！别说啊！"（抱歉地）可我的嘴总不由得——

曾思懿　（一直似乎在悲戚着）那姑老爷就此打住吧。（立起）那么爹，我，我（不忍说出的样子，擦擦自己的眼角）就照您的吩咐跟杜家人说吧？

曾　皓　（绝望）好，也只有这一条路了。

曾思懿　唉！（走了两步）

曾文彩　（痛心）爹呀！

江　泰　（忽然立起）别，你们等等，一定等等！

〔江泰三脚两步跑进自己的卧室，思也停住了脚。

曾　皓　（莫名其妙）这又是怎么？

〔张顺由通大客厅大门上。

1　原刊无此句。

2　"这也可以成为一种习惯"原刊作"这不过是一种习惯"。

张　顺　杜家又来人说，阴阳生看好，那寿木要在今天下半夜寅时以前抬进杜公馆，他们问大奶奶——

曾文彩　你——

〔江泰拿着一顶破呢帽，提着手杖，匆匆地走出来。

江　泰　（对张，兴高采烈）你叫他们杜家那一批混账王八蛋再在客厅等一下，你就说钱就来，我们老太爷的寿木要留在家里当劈柴烧呢！

曾文彩　你怎么——

江　泰　（对皓，热烈地）爹，您等一下，我找一个朋友去。（对彩）常鼎斋现在当了公安局长，找他一定有办法。（对皓，非常有把握地）这个老朋友跟我最好，这点小事一定不成问题。（有条有理）第一，他可以立刻找杜家交涉，叫他们以后不准再在此地无理取闹。第二，万一杜家不听调度，临时跟他通融（轻藐的口气）这几个大钱也决无问题，决无问题。

曾文彩　（几乎不相信自己的耳朵）泰，真的可以？

江　泰　（敲敲手杖）自然自然，那么，爹，我走啦（对思，扬扬手）大嫂，说在头里，我担保，准成！（提步就走）

曾思懿　（一阵风暴使她也有些昏眩）那么，爹，这件事……

曾文彩　（欣喜）爹！

〔江跨进通大客厅的门槛一步，又匆匆回来。

江　泰　（对彩，匆忙地，把手一伸）我身上没钱！

曾文彩　（连忙由衣袋里拿出一小卷钞票）这里！

江　泰　（一看）三十……

〔江由通大客厅的门施施走出。

曾　皓　（被他撩得头昏眼花，现在才喘出一口气）江泰这个东西是怎么回事？

曾文彩　（一直是崇拜着丈夫的，现在惟恐人不相信，于是极力对皓）爹，您放心吧，他平时不怎么乱说话的。他现在说有办法，就一定有办法。

曾　皓　（将信将疑）哦！

曾思懿　（管不住）哼，我看他——（忽然又制止了自己，转对曾皓，不自然地笑着）那么也好，爹，这棺木的事……

曾　皓　（像是得了一点希望的安慰似的，那样叹息一声）也好吧，“死马当作活马医”，就照他的意思办吧。

张　顺　（不觉也有些喜色）那么，大奶奶，我就对他们——

曾思懿　（半天在抑压着自己的愠怒，现在不免颜色难看，恶声恶气地）去！要你去干什么？

〔思懿有些气汹汹地向大客厅快步走去。

曾　皓　（追说）思懿，还是要和和气气对杜家人说话，请他们无论如何要等一等[1]。

曾思懿　哝！

〔思懿由通大客厅的门下，张顺随着出去。

曾文彩　（满脸欣喜的笑容）瑞贞，你看你姑父有点疯魔吧，他到了这个时候才——

1　“要等一等”原刊作“也等一等”。

曾瑞贞　（心里有事，随声应）嗯，姑姑。

曾　皓　（又燃起希望，紧接着彩的话）唉！只要把那寿木留下来就好了！（不觉回顾）霆儿，你看这件事有望么？

曾　霆　（也随声答应）有，爷爷。

曾　皓　（点头）但愿家运从此就转一转。——嗯，都说不定的。（想立起，瑞贞过来扶）你现在身体还好吧？

曾瑞贞　好[1]，爷爷。

曾　皓　（立起，望瑞，感慨地）你也是快当母亲的人喽！

〔文彩示意，叫霆儿也过来扶祖父，霆默默过来。

曾　皓　（望着孙儿和孙儿媳妇，忽然抱起无穷的希望）我瞧你们这一对小夫妻总算相得的，将来看你们两个撑起这个门户吧。

曾文彩　（对曾霆示意，叫他应声）霆儿！

曾　霆　（又应声，望望瑞贞）是，爷爷。

曾　皓　（对着曾家第三代人，期望的口气）这次棺木保住了，房子也不要卖，明年开了春，我为你们再出门跑跑看，为着你们的儿女我再当一次牛马！（用手帕擦着眼角）唉，只要祖先保佑我身体好，你们诚心诚意为我祷告吧！（向书斋走）

曾文彩　（过来扶着曾皓，凑着兴会[2]）是啊，明年开了春，爹身体也好了，瑞贞也把重孙子给您生下来，哥哥也——

---

1 “好”原刊作“嗯”。

2 “凑着兴会”川版作“凑着兴”；1994人文版作“助着兴会”。

〔书斋小门打开，门前现出愫方。她像是刚刚插完了[1]花，水淋淋的手还拿着两三朵插剩下的菊花。

愫　方　（一只手轻轻掠开掉在脸前的头发，温和地）回屋歇歇吧，姨父，您的房间收拾好啦。

曾　皓　（快慰地）好，好！（一面对文彩点首应声，一面向外走）是啊，等明年开了春吧！——瑞贞，明年开了春，明年——

〔瑞贞扶着他到书斋门口，望着愫方回头暗暗地指了指这间屋子。愫方会意，点点头，接过曾皓的手臂扶着他出去，后面随着文彩。

〔霆儿立在屋中未动，瑞贞望他，又从书斋门口默默走回来。

曾瑞贞　（低声）霆！

曾　霆　（几乎不敢望她的眼睛，悲戚地）你明天一早就走么？

曾瑞贞　（也不肯望他，低沉的声音，迟缓而坚定地）嗯。

曾　霆　是跟袁家的人一路？

曾瑞贞　嗯，一同走。

曾　霆　（四面望望，在口袋里掏着什么）那张字据我已经写好了。

曾瑞贞　（凝视霆）哦。

曾　霆　（掏出一张纸，不觉又四面看一下，低声读着）“离婚人谢瑞贞曾霆，我们幼年结婚，意见不合，实难继续同居，今后二人自愿脱离夫妻——”

---

1 “了”底本作“——”，据原刊改。

曾瑞贞　（心酸）不要再念下去了。

曾　霆　（迟疑一下，想着仿佛是应该办的手续，嗫嚅）那么签字，盖章——

曾瑞贞　回头在屋里办吧。

曾　霆　也，也好。

曾瑞贞　（衷心哀痛）霆，真对不起你，要你写这样的字据。

曾　霆　（说不出话，从来没有像今天对她这般依恋）不，这两年你在我们家也吃够了苦。（忽然）那个孩子不要了，你告诉过愫姨了吧？

曾瑞贞　（不愿提起的回忆）嗯！她给孩子做的衣服，我都想还给她了。怎么？

曾　霆　我想家里有一个人知道也好。

曾瑞贞　（关切地）霆，我走了以后，你，你干什么呢？

曾　霆　不知道。（寂寞地）学校现在不能上了。

曾瑞贞　（同情万分）你不要失望啊。

曾　霆　不。

曾瑞贞　（安慰）以后我们可以常通信的。

曾　霆　好。（泪流下来）

〔外面圆儿嚷着“瑞贞”！

曾瑞贞　（酸苦）不要难过，多少事情是要拿出许多痛苦才能买出一个“明白”呀。

曾　霆　这“明白”是真难哪！

〔圆儿吹着口哨，非常高兴的样子，由通大客厅的门走进。

她穿着灰，蓝，白三种颜色混在一起的毛织品的裙子，长短正到膝盖，上身是一件从头上套着穿的印度红的薄薄的短毛衫，两只腿仍旧是光着的，脚上穿着一双白帆布运动鞋。她像是刚在忙着收拾东西，头发有些乱，两腮[1]也红红的，依然是那样活泼可喜。她一手举一只鸟笼，里面关着那个鸽子“孤独”，一手提着那个大金鱼风筝，许多地方都撕破了，臂下还夹着用马粪纸铰好的二尺来长的“北京人”的剪影。

袁　圆　（大声）瑞贞，我父亲找了你好半天哪，他问你的行李——

曾瑞贞　（忙止住她，微笑）请你声音小点，好吧？

袁　圆　（只顾高兴，这时才忽然想起来，两面望一下，伸伸舌头，立刻憋住喉咙，满脸顽皮相，全用气音嘶出，一顿一顿地）我父亲——问你——同你的朋友们——行李——收拾好了没有？

曾瑞贞　（被她这种神气惹得也笑起来）收拾好了。

袁　圆　（还是嘶着喉咙）他说——只能——送你们一半路，——还问——（嘘出一口气，恢复原来的声音）可别扭死我了。还是跟我来吧，我父亲还要问你一大堆话呢。

曾瑞贞　（爽快地）好，走吧。

袁　圆　（并不走，却抱着东西走向曾霆，“煞有介事”的样子）曾霆，你爹不在家，（举起那只破旧的“金鱼”纸鸢）这个破风筝

1　“两腮”原刊作“两腿”。

还给你妈！（纸鸢靠在桌边，又举起那鸽笼）这鸽子交给愫小姐！（鸽笼放在桌上，这才举起那“北京人”的剪影，笑嘻嘻地）这个“北京人”我送你做纪念，你要不要？

曾　霆　（似乎早已忘记了一个多月前对圆儿的情感，点点头）好。

袁　圆　（眨眨眼，像是心里又在转什么顽皮的念头）明天天亮我们走了，就给你搁在（指着通大客厅的门）这个门背后。（对瑞）走吧，瑞贞！

〔圆儿一手持着那剪影，一手推着瑞贞的背向通大客厅的门走出。

〔这时思懿也由那门走进，正撞见她们。瑞贞望着婆婆愣了一下，就被圆儿一声“走”，推出去。

〔霆望她们出了门，微微叹了一声。

曾思懿　（斜着眼睛回望一下，走近霆）瑞贞这些日子常不在家，总是找朋友，你知道她在干些什么？

曾　霆　（望望她，又摇摇头）不知道。

曾思懿　（嫌她自己的儿子太不精明，但也毫无办法，抱怨地叹口气）哎，媳妇是你的呀，孩子，我也生不了这许多气了。（忽然）他们呢？

曾　霆　到上房去了。

曾思懿　（诉说，委屈地）霆儿，你刚才看见妈怎么受他们的气了。

曾　霆　（望望他的母亲，又低下头）

曾思懿　（掏出手帕）妈是命苦，你爹摔开我们跑了，你妈成天受这种气，都是为了你们哪！（擦擦泪润湿了的眼）

曾　霆　妈，别哭了。

曾思懿　（抚着霆）以后什么事都要告诉妈！（埋怨地）瑞贞有肚子，要不是妈上个月[1]看出来，你们还是不告诉我的。（指着）你们两个是存的什么心哪！（关切地）我叫瑞贞喝的那服安胎的药她喝了没有？

曾　霆　没有。

曾思懿　不，我说的前天我从罗太医那里讨来[2]的那个方子。

曾　霆　（心里难过，有些不耐）没有喝呀！

曾思懿　（勃然变色）为什么不喝呢？（厉声）叫她喝，要她喝！她再不听话，你告诉我，看我怎么灌她喝！她要觉得她自己不是曾家的人，她肚子里那块肉可是曾家的。现在为她肚子里那孩子，什么都由着她，她倒越说越来了。（忽然又低声）霆儿，你别糊涂，我看瑞贞这些日子是有点邪，鬼鬼祟祟，交些乱朋友，——（更低声）我怕她拿东西出去，夜晚前后门我都下了锁，你要当心啊，我怕——

〔愫方端着一个药罐由通书斋小门进。

愫　方　（温婉地）罗太医那方子的药煎好了。

曾思懿　（望望她）

愫　方　（看她不说话，于是又——）就在这儿吃么？

曾思懿　（冷冷地）先搁在我屋里的小炭炉上温着吧！

1　“上个月”原刊作“上月”。

2　“讨来”原刊作“取来”。

〔愫端着药由霆儿面前走过，进了思懿的屋子。

曾　霆　（望望那药罐里的药汤，诧异而又不大明白的神色）妈，怎么罗太医那个方子，您，您也在吃？

曾思懿　（脸色略变，有些尴尬，但立刻又镇静下来，含含糊糊地）妈，妈现在身体也不大好，（找话说）这几天倒是亏了你愫姨照护着，——（但立时又改了口气，咳了一声）不过，孩子，（脸上又是一阵暗云，狠恶地）愫姨这个人哪，（摇头）她呀，她才是——

〔愫方由卧室出。

愫　方　表嫂，姨父正叫着你呢！

曾思懿　（似理非理，点了点头。回头对霆）霆儿，跟我来。

〔霆儿随着思懿由书斋小门下。

〔天更暗了。外面一两声雁叫，凄凉而寂寞地掠过这深秋渐晚的天空。

愫　方　（轻轻叹息了一声，显出一点疲乏的样子。忽然看见桌上那只鸽笼，不觉伸手把它举起，凝望着那里面的白鸽——那个名叫"孤独"的鸽子——眼前似乎浮起一层湿润的忧愁，却又爱抚地对那鸽子微微露出一丝凄然的笑容——）

〔这时瑞贞提着一只装满婴儿衣服的小藤箱，把藤箱轻轻放在另外一张小桌上，又悄悄地走到愫方的身旁。

曾瑞贞　（低声）愫姨！

愫　方　（略惊，转身）你来了！（放下鸽笼）

曾瑞贞　你看见我搁在你屋里那封长信么？

愫　方　（点头）嗯。

曾瑞贞　你不怪我？

愫　方　（悲哀而慈爱地笑）不，——（忽然）真地要走了么？

曾瑞贞　（依依地）唉[1]。

愫　方　（叹一口气，并非劝止，只是舍不得）别走吧！

曾瑞贞　（顿时激奋起来）愫姨，你还劝我忍下去？

愫　方　（仿佛在回忆着什么，脸上浮起一片光彩，缓慢而坚决地）我知道，人总该有忍不下去的时候。

曾瑞贞　（眼里闪着期待的神色，热烈地握着她的苍白的手指）那么，你呢？

愫　方　（焕发的神采又收敛下去，凄凄望着瑞贞，哀静地）瑞贞，不谈吧，你走了，我会更寂寞的。以后我也许用不着说什么话，我会更——

曾瑞贞　（更紧紧握着她的手，慢慢推她坐下）不，不，愫姨，你不能这样，你不能一辈子这样！（迫切地恳求）愫姨，我就要走了，你为什么不跟我说几句痛快话？你为什么不说你的——（暖暖的暮色里，瞥见愫方含着泪光的大眼睛，突然抑止住自己）

愫　方　（缓缓地）你要我怎么说呢？

曾瑞贞　（不觉嗫嚅）譬如你自己，你，你，——（忽然）你为什么不走呢？

1　“唉”原刊作“嗯”。

愫　方　（落寞地）我上哪里去呢？

曾瑞贞　（兴奋地）可去的地方多得很。第一，你就可以跟我们走。

愫　方　（摇头）不，我不。

曾瑞贞　（坐近她的身旁，亲密地）你看完[1]了我给你的书了么？

愫　方　看了。

曾瑞贞　说的对不对？

愫　方　对的。

曾瑞贞　（笑起来）那你为什么不跟我们一道走呢？

愫　方　（声调低徐，却说得斩截）我不！

曾瑞贞　为什么？

愫　方　（凄然望望她）不！

曾瑞贞　（急切）可为什么呢？

愫　方　（想说，但又——这次只静静地摇摇头）

曾瑞贞　你总该说出个理由啊，你！

愫　方　（异常困难地）我觉得我，我在此地的事还没有了。（“了”字此处作“完结”讲）

曾瑞贞　我不懂。

愫　方　（微笑，立起）不要懂吧，说不明白的呀。

曾瑞贞　（追上去，索性——）那么你为什么不去找他？

愫　方　（有一丝惶惑）你说——

曾瑞贞　（爽朗）找爹！找他去！

1　“看完”底本作“看见”，据原刊改。

愫　方　（又镇定下来，一半像在沉思，一半像在追省，呆呆望着前面）为什么要找呢？

曾瑞贞　你不爱他吗？

愫　方　（低下头）

曾瑞贞　（一句比一句紧）那么为什么不想找他？你为什么不想？（爽快地）愫姨，我现在不像从前那样呆了。这些话，一个月前我决不肯问的。你大概也知道我晓得。（沉重）我要走了，此地再没有第三个人，这屋子就是你同我。愫姨，告诉我，你为什么不找他？为什么不？

愫　方　（叹一口气）见到了，就快乐么？

曾瑞贞　（反问）那么你在这儿就快乐？

愫　方　我，我可以替他——（忽然觉得涩涩地说不出口，就这样顿住）

曾瑞贞　（急切）你说呀，我的愫姨，你说过你要跟我好好谈一次的。

愫　方　我，我说——（脸上逐渐闪耀着美丽的光彩，苍白的面颊泛起一层红晕。话说得由开始的暗涩而终于畅适。衷心的感动使得她的声音都有些颤抖）——他走了，他的父亲我可以替他侍候；他的孩子我可以替他照料；他爱的字画我管；他爱的鸽子我喂；连他所不喜欢的人我都觉得该体贴，该喜欢，该爱，为着——

曾瑞贞　（插进，逼问愫——愫话略顿，但语气并未停止）为什么……？

愫　方　（颤动地）为着他所不爱的也都还是亲近过他的！（一气说

完，充满了喜悦，连自己都惊讶这许久关在心里如今才形诸语言的情绪原是这般难以置信的）

曾瑞贞 （倒吸一口气）所以你连霆的母亲，我那婆婆，你都拼出你的性命来照料，照护。

愫　方 （苦笑）你爹走了，她不也怪可怜吗？

曾瑞贞 （笑着，但几乎流下泪）真地愫姨，你就忘了她从前，现在，待你那种——

愫　方 （哀矜地）为什么要记得那些不快活的事呢？如果为着他，为着一个人，为着他——

曾瑞贞 （忍不住插嘴）哦，我的愫姨，这么一个苦心肠，你为什么不放在大一点的事情上去？你为什么处处忘不掉他？把你的心偏偏放在这么一个废人身上，这么一个无用的废——

愫　方 （如同刺着她的心一样，哀恳地）不要这么说你的爹呀。

曾瑞贞 （分辩）爷爷不也是这么说他？

愫　方 （心痛）不，不要这么说，没有人明白过他啊。

曾瑞贞 （喘一口气，哀痛地）那么你就这样预备一辈子不跟他见面啦？

愫　方 （突然慢慢低下头去）

曾瑞贞 （沉挚地）说呀，愫姨！

愫　方 （低到几乎听不见）嗯。

曾瑞贞 那当初你为什么让他走呢？

愫　方 （似乎在回忆，声调里充满了同情）我，我看他在家里苦，我替他难过呀。

曾瑞贞　（不觉反问）那么，他离开了，你快乐？

愫　方　（低微）嗯。

曾瑞贞　（叹息）唉，两个人这样活下去是为什么呢？

愫　方　（哀静的脸上掠过一丝笑的波纹）看见人家快乐，你不也快乐么？

曾瑞贞　（深刻的关心，缓缓地）你在家里就不惦着他？

愫　方　（低下头）

曾瑞贞　他在外面就不想着你？

愫　方　（眼泪默默流在苍白的面颊上）

曾瑞贞　就一生，一生这样孤独下去——两个人这样苦下去？

愫　方　（凝神）苦，苦也许；但是并不孤独的。

曾瑞贞　（深切感动）可怜的愫姨，我懂，我懂，我懂啊！不过我怕，我怕爹也许有一天会回来。他回来了，什么又跟从前一样，大家还是守着，苦着，看着，望着，谁也喘不出一口气，谁也——

愫　方　（打了一个寒战，蓦然坚决地摇着头）不，他不会回来的。

曾瑞贞　（固执）可万一他——

愫　方　（轻轻擦去眼角上的泪痕）他不会，他死也不会回来的。（低头望着那块湿了的手帕，低声缓缓地）他已经回来见过我！

曾瑞贞　（吃了一惊）爹走后又偷偷回来过？

愫　方　嗯。

曾瑞贞　（诧异起来）哪一天？

愫　方　他走后第二天。

曾瑞贞　（未想到，嘘一口气）哦！

愫　方　（怜悯地）可怜，他身上一个钱也没有。

曾瑞贞　（猜想到）你就把你所有的钱都给了他？

愫　方　不，我手边的钱都给他了。

曾瑞贞　（略略有点轻蔑）他收下了。

愫　方　（温柔地）我要他收下了。（回忆）他说他要成一个人，死也不再回来。（感动得不能自止地说下去）他说他对不起他的父亲，他的儿子，连你他都提了又提。他要我照护你们，看守他的家，他的字画，他的鸽子。他说着说着就哭起来，他还说，他还说他最放心不下的是——（泪珠早已落下，却又忍不住笑起来）瑞贞，他还像个孩子，哪像个连儿媳妇都有的人哪！

曾瑞贞　（严肃地）那么，从今以后，你决心为他看守这个家？（以下的问答几乎是没有停顿，一气接下去）

愫　方　（又沉静下来）嗯。

曾瑞贞　（追问）成天陪着快死的爷爷？

愫　方　（默默点首）嗯。

曾瑞贞　（逼望着她）送他的终？

愫　方　（躲开瑞的眼睛）嗯。

曾瑞贞　（故意这样问）再照护他的儿子？

愫　方　（望瑞，微微皱眉）嗯。

曾瑞贞　侍候这一家子老小？

愫　方　（固执地）嗯。

曾瑞贞 （几乎是生了气）还整天看我这位婆婆的脸子？

愫　方 （不由得轻轻地打了一个寒战）喔！——嗯。

曾瑞贞 （反激）一辈子不出门？

愫　方 （又镇定下来）嗯。

曾瑞贞 不嫁人？

愫　方 嗯。

曾瑞贞 （追问）受气？

愫　方 （低沉）嗯。

曾瑞贞 （逼近）吃苦？

愫　方 （凝视）嗯。

曾瑞贞 （狠而重）到死？

愫　方 （低头，用手摸着前额，缓缓地）到——死！

曾瑞贞 （爆发，哀痛地）可我的好愫姨，你这是为什么呀？

愫　方 （抬起头）为着——

曾瑞贞 （质问的神色）嗯，为着——

愫　方 （困难地）为着，我不知道该怎么说，——（忽然脸上显出异样美丽的笑容）为着，这才是活着呀！

曾瑞贞 （逼出一句话来）你真地相信爹就不会回来么？

愫　方 （微笑）天会塌么？

曾瑞贞 你真准备一生不离开曾家的门，这个牢，就为着这么一个梦，一个理想，一个人——

愫　方 （悠悠地）也许有一天我会离开——

曾瑞贞 （迫待）什么时候？

愫　方　（笑着）那一天，天真地能塌，哑巴都急得说了话！

曾瑞贞　（无限的悯切）愫姨，把自己[1]的快乐完全放在一个人的身上是危险的，也是不应该的。（感慨）过去我是个傻子，愫姨，你现在还——

〔室内一切渐渐隐入在昏暗的暮色里，乌鸦在窗外屋檐上叫两声又飞走了。在瑞贞说话的当儿，由远远城墙上断续送来未归营的号手吹着的号声，在凄凉的空气中寂寞地荡漾，一直到闭幕。

愫　方　不说吧，瑞贞。（忽然扬头，望着外面）你听，这远远吹的是什么？

曾瑞贞　（看出她不肯再谈下去）城墙边上吹的号。

愫　方　（谛听）凄凉得很哪！

曾瑞贞　（点头）嗯，天黑了！过去我一个人坐在屋里就怕听这个，听着就好像活着总是灰惨惨的。

愫　方　（眼里涌出泪光）是啊，听着是凄凉啊！（猛然热烈地抓着瑞贞的手，低声）可瑞贞，我现在突然觉得真快乐呀！（抚摸自己的胸）这心好暖哪！真好像春天来了一样。（兴奋地）活着不就是这个调子么？我们活着就是这么一大段又凄凉又甜蜜的日子啊！（感动地流下泪）叫你想想忍不住要哭，想想又忍不住要笑啊！

曾瑞贞　（拿手帕替愫擦泪，连连低声喊）愫姨，你怎么真地又哭

1　“自己”底本作“一个自己”，据原刊改。

了？愫姨，你——

愫　方　（倾听远远的号声）不要管我，你让我哭哭吧！（泪光中又强自温静地笑出来）可我是在笑啊！瑞贞，——（瑞贞不由得凄然地低下头，用手帕抵住鼻端。愫方又笑着想扶起瑞贞的头）——瑞贞，你不要为我哭啊！（温柔地）这心里头虽然是酸酸的，我的眼泪明明是因为我太高兴啦！——（瑞贞抬头望她一下，忍不住更抽咽起来。愫抚摸瑞的手，又像是快乐，又像是伤心地那样低低地安慰着，申诉着）——别哭了，瑞贞，多少年我没说过这么多话了，今天我的心好像忽然打开了，又叫太阳照暖和了似的。瑞贞，你真好！不是你，我不会这么快活；不是你，我不会谈起了他，谈得这么多，又谈得这么好！（忽然更兴奋地）瑞贞，只要你觉得外边快活，你就出去吧，出去吧！我在这儿也是一样快活的。别哭了，瑞贞，你说这是牢吗？这不是呀，这不是呀——

曾瑞贞　（抽咽着）不，不，愫姨，我真替你难过！我怕呀！你不要这么高兴！你的脸又在发烧，我怕——

愫　方　（恳求似的）瑞贞，不要管吧！我第一次这么高兴哪！（走近瑞放着小箱子的桌旁）瑞贞，这一箱[1]小孩儿的衣服，你还是带出去。（哀悯地）在外面还是尽量帮助人吧！把好的送给人家，坏的留给自己。什么可怜的人我们都要帮助，我

1　“一箱”原刊作“箱子”。

们不是单靠吃来[1]活着的啊！（打开那箱子）这些小衣服你用不着，就送给那些没有衣服的小孩子们穿吧。（忽然由里面抖出一件雪白的小毛线斗篷）你看这件斗篷好看吧？

曾瑞贞 好，真好看。

愫　方 （得意地又取出一顶小白帽子）这个好玩吧？

曾瑞贞 嗯，真好玩！

愫　方 （欣喜地又取出一件黄绸子小衣服）这件呢？

曾瑞贞 （也高起兴来，不觉拍手）这才真美哪！

愫　方 （更快乐起来，她的脸[2]更显出美丽而温和的光彩）不，这不算好的，还有一件（忍不住笑，低头朝箱子里——）

〔凄凉的号声，仍不断地传来，这时通大客厅的门缓缓推开，暮色昏暗里显出曾文清。他更苍白瘦弱，穿一件旧的夹袍，臂里挟着那轴画，神色惨沮疲惫，低着头，踽踽踱进来。

〔愫方背向他，正高兴地低头取东西。瑞贞面朝着那扇门——

曾瑞贞 （一眼看见，像中了梦魇似的，喊不出声来）啊，这——

愫　方 （压不下的欢喜，两手举出一个非常美丽的大洋娃娃，金黄色的头发，穿着粉红色的纱衣服。她满脸是笑，期待地望着瑞）你看！（突然看见瑞贞的苍白紧张的脸，颤抖地）谁？

---

1 “来”原刊作“米”。

2 此处原刊有“因而”。

曾瑞贞 （呆望）我看，天，天塌了。（突然回身，盖上自己的脸）

愫　方 （回头望见文清，文清正停顿着，仿佛看不大清楚似地向她们这边望）啊！

〔文清当时低下头，默默走进了自己的屋里。

〔他进去后，思懿就由书斋小门跑进。

曾思懿 （惊喜）是文清回来了么？

愫　方 （喑哑）回来了！

〔思立刻跑进自己的卧室。

〔愫方呆呆地愣在那里。

〔远远的号声随着风在空中寂寞的振抖。

——幕徐落

（落后即起，表示到第二景经过相当的时间。）

第二景

离第三幕第一景有十个钟头的光景，是黎明以前那段最黑暗的时候。一盏洋油灯扭得很大，照着屋子里十分明亮。那破金鱼纸鸢早不知扔在什么地方了。但那只鸽笼还孤零零地放在桌子上，里面的白鸽子动也不动，把头偎在自己的毛羽里，似乎早已入了睡。屋里的空气十分冷，半夜坐着，人要穿上很厚的衣服才耐得住这秋尽冬来的寒气。外面西风正紧，院子里的白杨树响得像一阵阵的急雨，使人压不下一种悲凉凄苦的感觉。破了的窗纸也被吹得抖个不休。远远偶尔有更锣声，在西风的呼啸中，间或传来远处深巷里卖“硬面饽饽”的老人叫卖声，被那忽急忽缓的风，荡漾得时而清楚，时而模糊。

这一夜曾家的人多半没有上床，在曾家的历史中，这是一个最惨痛的夜晚。曾家老太爷[1]整夜都未合上眼，想着那漆了又漆，朝夕相处有多少年的好寿木再隔不到几个时辰就要拱手让给别人，心里真比在火边炙烤还要难忍。

杜家人说好要在“寅时”未尽——就是五点钟——以前“迎材”，

1 “曾家老太爷”原刊作“曾老太爷”。

把寿木抬到杜府。因此杜家管事只肯等到五点以前，而江泰从头晚五点跑出去交涉借款到现在还未归来。曾文彩一面焦急着丈夫的下落，同时又要到上房劝慰父亲。一夜晚随时出来，一问再问，到处去打电话，派人找，而江泰依然是毫无踪影。其余的人看到老太爷这般焦灼，也觉得不好不陪。自然有的人是诚心诚意，望着江泰把钱借来，好把杜家这群狼虎一般的管事们赶走。有的呢，只不过是嘴上孝顺，倒是怕江泰归来，万一借着了钱，把一笔生意打空了。同时这夜晚[1]，曾家也有的人，暗地在房里忙着收拾自己的行李，流着眼泪，又怀着喜悦，抱着哀痛的心肠或光明的希望，追惜着过去，憧憬未来，这又是属于明日的“北京人”的事，和在棺木里打滚的人们不相干的。

在这间被凄凉与寒冷笼住了的屋子里，文清痴了一般地坐在沙发上，一动也不动。他换了一件深灰色杭绸旧棉袍，两手插在袖管里不作声。倦怠和绝望交替着在眼神里，眉峰间，嘴角边浮移，终于沉闷地听着远处的更锣声，风声，树叶声，和偶尔才肯留心到的身旁思懿无尽无休的言语。

思懿换了一件蓝毛噶[2]的薄棉袍，大概不知已经说了多少话，现在似乎说累了，正期待地望着文清答话。她一手拿着一碗药，一手拿着一只空碗，两只碗互相倒过来倒过去，等着这碗热药凉了好喝，最后一口把药喝光，就拿起另一杯清水漱了漱口。

1 “这夜晚”底本作“在夜晚”，据原刊改。

2 “毛噶”原刊作“毛葛”。

曾思懿 （放下碗，又开始——）好了，你也算回来了。我也算对得起曾家的人了。（冷笑）总算没叫我们那姑奶奶猜中，没叫我把她哥哥逼走了不回来。

〔文清厌倦地抬头来望望她。

曾思懿 （斜眼看着文清，似乎十分认真地）怎么样？这件事？——我可就这么说定了？（仿佛是不了解的神色）咦，你怎么又不说话呀？这我可没逼你老人家啊！

曾文清 （叹息，无可奈何地）你，你究竟又打算干什么吧？

曾思懿 （睁大了眼，像是又遭受不白之冤的样子）奇怪，顺你老人家的意思这又不对了。（做出那"把心一横"的神气）我呀，做人就做到家，今天我们那位姑奶奶当着爹，当着我的儿女，对我发脾气，我现在都为着你忍下去！刚才我也找她，低声下气地先跟她说了话，请她过来商量，大家一块儿来商量商量——

曾文清 （忍不住，抬头）商量什么？

曾思懿 咦，商量我们说的这件事啊？（认定自己看穿了文清的心思，讥刺地）这可不是小孩子见糖，心里想，嘴里说不要。我这个人顶喜欢痛痛快快的，心里想要什么，嘴里就说什么。我可不爱要吃羊肉又怕膻气的男人。

曾文清 （厌烦）天快亮了，你睡去吧。

曾思懿 （当作没听见，接着自己的语气）我刚才就爽爽快快跟我们姑奶奶讲，——

曾文清 （惊愕）啊！你跟妹妹都说了——

曾思懿　（咂咂嘴）怎么？这不能说？

〔文彩由书斋小门上。她仍旧穿着那件驼绒袍子，不过加上了一件咖啡色毛衣。一夜没睡，形容更显憔悴，头发微微有些蓬乱。

曾文彩　（理着头发）怎么哥哥，快五点了，你现在还不回屋睡去？

曾文清　（苦笑）不。

曾文彩　（转对思，焦急地）江泰回来了没有？

曾思懿　没有。

曾文彩　刚才我仿佛听见前边下锁开门。

曾思懿　（冷冷地）那是杜家派的杠夫，抬寿木来啦。

曾文彩　唉！（心里逐渐袭来失望的寒冷，她打了一个寒战，蜷缩地坐在那张旧沙发里）哦，好冷！

曾思懿　（谛听，忍不住故意地）你听，现在又上了锁了！（提出那问题）怎么样？（虽然称呼得有些硬涩，但脸上却堆满了笑容）妹妹，刚才我提的[1]那件事……

曾文彩　（心里像生了乱草，——茫然）什么？

曾思懿　（谄媚地笑着瞟了文清一眼）我说把愫小姐娶过来的事。

曾文彩　（想起来，却又不知思懿肚子里又在弄什么把戏，只好苦涩地笑了笑）这不大合适吧。

曾思懿　（非常豪爽地）这有什么不合适的呢？（亲热地）妹妹，你[2]

1　“的”底本作“了”，据原刊改。

2　“你”底本作“您”，据原刊改。

可别把我这个做嫂子的心看得（举起小手指一比）这么“不丁点儿”大！我可不是那种成天要守着男人才能过日子的人。“贤慧”这两个字今生我也做不到，这一点点度量我还有。（又谦虚地）按说呢，这并谈不上什么度量不度量，表妹[1]嫁表哥，亲上加亲，这也是天公地道，到处都有的事。

曾文彩　（老老实实）不，我说也该问问愫表妹的意思吧。

曾思懿　（尖刻地笑出声来）咳，这还用的着问？她还有什么不肯的？我可是个老实人，爱说一个[2]痛快话，愫表妹这番心思，也不是我一个人看得出来。表妹呢，道道地地是个好人，我不爱[3]说亏心话。那么，（对文清，似乎“恳切”的样子）“表哥”，你现在也该说句老实话了吧？亲姑奶奶也在这儿，你至少也该在妹妹面前，对我讲一句明白话吧。

曾文清　（望望文彩，仍低头不语）

曾思懿　（追问）你说明白了，我好替你办事啊！

曾文彩　（仿佛猜得出哥哥的心思，替他说）我看这还是不大好吧。

曾思懿　（眼珠一转）这又有甚不大好的？妹妹，你放心，我决不会委屈愫表妹，只有比从前亲，不会比从前远！（益发表现自己的慷慨）我这个人最爽快不过，半夜里我就把从前带到曾家的首饰翻了翻，也巧，一翻就把我那副最好的珠子翻

1　“表妹”底本作“表妹妹”，据原刊改。

2　“一个”原刊作“个”。

3　“爱”原刊作“喜欢”。

出来，这就算是我替文清给愫表妹下的定。（说着，由小桌上拿起一对从古老的簪子上拆下来的珠子，递到文彩面前）妹妹，你看这怎么样？

曾文彩 （只好接下来看，随口称赞）倒是不错。

曾思懿 （逐渐说得高兴）我可急性子，连新房我都替文清看定了，一会袁家人上火车一走，空下屋子，我就叫裱糊匠赶紧糊。大家凑个热闹，帮我个忙，到[1]不了两三天，妹妹也就可以吃喜酒啦。我呀，什么事都想到啦，——（望着文清，似乎是嘲弄，却又像是赞美的神气）我们文清心眼儿最好，他就怕亏待了他的愫表妹。我早就想过，以后啊，（索性说个畅快）哎，说句不好听的话吧，以后在家里就是"两头大"，（粗鄙地大笑起来）我们谁也不委屈谁！

曾文彩 （心里焦烦，但又不得不随着笑两声）是啊，不过我怕总该也问一问爹吧？

〔张顺由书斋小门上，似乎刚从床上被人叫起来，睡眼蒙眬的，衣服都没穿整齐。

张　顺 （进门就叫）大奶奶！

曾思懿 （不理张顺，装作没听清楚彩的话）啊？

曾文彩 我说该问问爹吧。

曾思懿 （更有把握地）嗐，这件事爹还用着问？有了这么个好儿媳妇，（话里有话）侍候他老人家，不更"名正言顺"啦吗？

---

1 "到"底本作"倒"，据原刊改。

（忽然）不过就是一样，在家里爱怎么称呼她，就怎么称呼。出门在外，她还是称呼她的“愫小姐”好，不能也“奶奶，太太”的，叫人听着笑话。——（又一转，瞥了文清一眼）其实我倒无所谓，这也是文清的意思，文清的意思。（文清刚要说话，她立刻转过头来问张）张顺，什么事？

张　顺　老太爷请您。

曾思懿　老太爷还没有睡？

张　顺　嗯——

曾思懿　（对张）走吧，唔！

〔思懿急匆匆由书斋小门下，后面随着张顺。

曾文彩　（望着思走出去，才站起来，走到文清面前，非常同情的声调，缓缓地）哥哥，你还没有吃东西吧？

曾文清　（望着她，摇摇头，又失望地出神）

曾文彩　我给你拿点枣泥酥来。

曾文清　（连忙摇手，烦躁地）不，不，不，（又倦惫地）我吃不下。

曾文彩　那么哥哥，你到我屋里洗洗脸，睡一会好不好？

曾文清　（失神地）不，我不想睡。

曾文彩　（想问又不好问，但终于——）她，她这一夜晚为什么不让你到屋子里去？

曾文清　（惨笑）哼，她要我对她赔不是。

曾文彩　你呢？

曾文清　（绝望但又非常坚决的神色）当然不！（就合上眼）

曾文彩　（十分同情，却又毫无办法的口气）唉，天下哪有这种事：丈夫刚回来一会儿，好不到两分钟，又这样没完没了地——

〔外面西风呼呼地吹着，陈奶妈由书斋小门上。她的面色也因为一夜的疲倦而显得苍白，眼睛也有些凹陷。她披着一件大棉袄，打着呵欠走进来。

陈奶妈 （看着文清低头闭上眼靠着，以为他睡着了，对着文彩，低声）怎么清少爷睡着了？

曾文彩 （低声）不会吧。

陈奶妈 （走近文，文依然合着眼，不想做声。陈看着他，怜悯地摇摇头，十分疼爱的，压住嗓子回头对彩）大概是睡着啦。（轻轻叹一口气，就把身上披的棉袄盖在他的身上）

曾文彩 （声音低而急）别，别，您会冻着的，我去拿（向自己的卧室走）——

陈奶妈 （以手止住文彩，嘶着声音，匆促地）我不要紧。得啦，姑小姐，您还是到上屋看看老爷子去吧！

曾文彩 （焦灼地）怎么啦？

陈奶妈 （心痛地）叫他躺下他都不肯，就在屋里坐着又站起来，站起来又坐下，直问姑老爷回来了没有？姑老爷回来了没有？

曾文彩 （没有了主意）那怎么办？怎么办呢？江泰到现在一夜晚没有个影，不知道他跑到——

陈奶妈 （摇头）唉，真造孽！（把彩拉到一个离文清较远的地方，怕吵醒他）说起可怜！白天说说把寿木送给人家容易；到半夜一想，这守了几十年的东西一会儿就要让人拿去，——您想，他怎么会不急！怎么会不——

〔张顺由书斋小门上。

张　顺　姑奶奶！

陈奶妈　（忙指着似乎在沉睡着的文清，连连摇手）

张　顺　（立刻把声音放低）老太爷请。

曾文彩　唉！（走了两步，回头）愫小姐呢？

陈奶妈　刚给老爷子捶完腿。——大概在屋里收拾什么呢！

曾文彩　唉。

〔文彩随着张顺由书斋小门下。

〔外面风声稍缓，树叶落在院子里，打着滚，发出沙沙的声音，更锣声渐渐地远了，远到听不见。隔巷又传来卖“硬面饽饽”苍凉单沉的叫卖声。

〔陈奶妈打个呵欠，走到文清身边。

陈奶妈　（低头向文清，看他还是闭着眼，不觉微微叫出，十分疼爱地）可怜的清少爷！

〔文清睁开了眼，依然是绝望而厌倦的目光，用手撑起身子——

陈奶妈　（惊愕）清少爷，你醒啦？

曾文清　（仿佛由恹恹的昏迷中唤醒，缓缓抬起头）是您呀，奶妈！

陈奶妈　（望着清，不觉擦着眼角）是我呀，我的清少爷！（摇头望着他，疼惜地）可怜，真瘦多了！你怎么在这儿睡着了？

曾文清　（含含糊糊地）嗯，奶妈。

陈奶妈　唉，我的清少爷，这些天在外面真苦坏啦！（擦着泪）愫小姐跟我没有一天不惦记着你呀。可怜，愫小姐——

曾文清　（忽然抓着陈奶妈的手）奶妈，我的奶妈！

陈奶妈　（忍不住心酸）我的清少爷，我的肉，我的心疼的清少爷！你，你回来了还没见着愫小姐吧？

曾文清　（说不出口，只紧紧地握住陈奶妈干巴巴的手）奶妈！奶妈！

陈奶妈　（体贴到他的心肠，怜爱地）我已经给你找她来了。

曾文清　（惊骇，非常激动地）不，不，奶妈！

陈奶妈　造孽哟，我的清少爷，你哪像个要抱孙子的人哪，清少爷。

曾文清　（惶惑）不，不，别叫她！您为什么要——

陈奶妈　（看见书斋小门开启）别，别，大概是她来了！

〔愫方由书斋小门上。

〔她换了一件黑毛巾布的旗袍，衬着长长的黑发，苍白的面容，冷静的神色，大的眼睛里稍稍露出难过而又疲倦的样子，像一个美丽的幽灵轻轻地走进房来。

〔文立刻[1]十分激动地站起来。

愫　方　陈奶妈！

陈奶妈　（故意做出随随便便的样子）愫小姐还没睡呀？

愫　方　嗯，（想不出话来）我，我来看看鸽子来啦。（就向搁着鸽笼的桌子走）

1　“立刻”底本作“此刻”，据原刊改。

陈奶妈 （顺口）对了，看吧！（忽然想起）我也去瞅瞅孙少爷孙少奶奶起来没有[1]，大奶奶还叫他们小夫妻俩给袁家人送行呢。（说着就向外面走）

曾文清 （举起她的棉袄，低低的声音）您的棉袄，奶妈！

陈奶妈 哦！棉袄，（笑对他们）你们瞧我这记性！

〔陈拿着棉袄，搭讪着由书斋小门下。

〔天未亮之前，风又渐渐地刮大起来，白杨树又像急雨一般地响着，远处已经听见第一遍鸡叫，随着风在空中缭绕。

〔二人默对，半天说不出话，文清愧恨地低下头，缓缓朝卧室走。

愫　方 （眼睛才从那鸽笼移开）文清！

曾文清 （停步，依然不敢回顾）

愫　方 奶妈说你在找——

曾文清 （转身，慢慢抬头，望愫）

愫　方 （又低下头去）

曾文清 愫方！

愫　方 （不觉又痛苦地望着笼里的鸽子）

曾文清 （没有话说，凄凉地）这，这只鸽子还在家里。

愫　方 （点头，沉痛地）嗯，因为他已经不会飞了！

曾文清 （愣一愣）我——（忽然明白，掩面抽咽）

愫　方 （声音颤抖地）不，不——

1 “孙少爷孙少奶奶起来没有”原刊作“孙少爷跟孙少奶奶起来了没有”。

曾文清　（依然在哀泣）

愫　方　（略近前一步，一半是安慰，一半是难过的口气）不，不这样，为什么要哭呢？唉！

曾文清　（大恸，扑在沙发上）我为什么回来呀！我为什么回来呀！明明晓得绝不该回来的，我为什么又回来呀！

愫　方　（哀伤地）飞不动，就回来吧！

曾文清　（抽咽，诉说）不，你不知道啊，——在外面——在外面的风浪——

愫　方　文清！你（取出一把钥匙递给文清）——

曾文清　啊？

愫　方　这是那箱子的钥匙！

曾文清　（不明白）怎么？

愫　方　（冷静地）你的字画都放在那箱子里。（慢慢将钥匙放在桌子上）

曾文清　（惊惶）你要怎么样啊，愫方——

〔半晌。外面风声，树叶声——

愫　方　你听！

曾文清　啊！

愫　方　外面的风吹得好大啊！

〔风声中屋外仿佛有人在叫着："愫姨！愫姨！"

愫　方　（谛听）外面谁在叫我啊？

曾文清　（也听，听不清）没，没有吧？

愫　方　（肯定，哀徐地）有，有！

〔思懿由书斋小门上。

曾思懿 （对愫，似乎在讥讽，又似乎是一句无心的话）啊！我一猜你就到这儿来啦！（亲热地）愫表妹，我的腰又痛起来啦，回头你再给我推一推，好吧？嗐，刚才我还忘了告诉你，你表哥回来了，倒给你带了一样好东西来了。

曾文清 （窘极）你——

曾思懿 （不由分说，拿起桌上那对珠子，送到愫方面前）你看这副珠子多大呀，多圆哪！

曾文清 （警惕）思懿！

〔张顺由通书斋小门上，在门口望见主人正在说话，就停住了脚。

曾思懿 （同时——不顾文清的脸色，笑着）你表哥说，这是表哥送给表妹做——

曾文清 （激动得发抖，突然爆发，愤怒地）你这种人是什么心肠呕！

〔文清说完，立刻跑进自己的卧室。

曾思懿 文清！

〔卧室门砰地关上。

曾思懿 （脸子一沉，冷冷地）哎，我真不知道我这个当太太的还该怎么做啦！

张　顺 （这时走上前，低声）大奶奶，杜家管事说寅时都要过啦，现在非要抬棺材不可了。

曾思懿 好，我就去。

〔张顺由通大客厅的门下。

曾思懿　（突然）好，愫表妹，我们回头说吧。（向通书斋的小门走了两步，又回转身，亲热地笑着）愫表妹，我怕我的胃气又要犯，你到厨房给我炒一把热盐熩熩[1]，好吧？

愫　方　（低下头）

〔思懿由书斋小门下。

愫　方　（呆立在那里，望着鸽笼）

〔外面风声。

〔瑞贞由通大客厅的门上。

曾瑞贞　愫姨！

愫　方　（不动）嗯。

曾瑞贞　（急切）愫姨！

愫　方　（缓缓回头，对瑞，哀伤地惋惜）快乐真是不长[2]的呀，连一个快乐的梦都这样短！

曾瑞贞　（同情的声调）不早了，愫姨，走吧！

愫　方　（低沉）门还是锁着的，钥匙在——

曾瑞贞　（自信地）不要紧！"北京人"会帮我们的忙。

愫　方　（不大懂）"北京人"——？

〔外面思懿在喊。

〔思懿的声音：愫表妹！愫表妹！

1　"熩熩"生造字，原刊此后有"（读若'爻'，去声）"。

2　"长"底本作"常"，疑当作"长"。

曾瑞贞　（推开通大客厅的门，指着门内——）就是他！

〔门后屹然立着那小山一般的“北京人”，他现在穿着一件染满机器上油泥的帆布工服，棕黑的脸，钢轴似的胳膊，宽大的手里握着一把钢钳子，粗黑的眉毛下，目光炯炯，肃然可畏，但仔细看来却带着和穆坦挚的微笑的神色，又叫人觉得蔼然可亲。

〔思懿的声音：（更近）愫表妹！愫表妹！

曾瑞贞　她来了！

〔瑞贞走到通大客厅的门背后躲起。“北京人”巍然站在门前。

〔思懿立刻由书斋小门上。

曾思懿　哦，你一个人还在这儿！爹要喝参汤，走吧。

愫　方　（点头，就要走）

曾思懿　（忽然亲热地）哦，愫表妹，我想起来了，我看我就现在对你说了吧？（说着走到桌旁，把放在桌上的那副珠子拿起来。忽然瞥见了“北京人”，吃了一惊，对他）咦，你在这儿干什么？

北京人　（森然望着她）

曾思懿　（惊疑）问你！你在这儿干什么？

北京人　（又仿佛嘲讽而轻蔑地在嘴上露出个笑容）

愫　方　（沉静地）他是个哑巴。

曾思懿　（没有办法，厌恶地盯了“北京人”一眼，对愫）我们在外面说去吧。

〔思懿拉着愫方由书斋小门下。

〔瑞贞听见人走了，立刻又由通大客厅的门上。

曾瑞贞 走了？（望望，转对“北京人”，指着外面，一边说，一边以手做势）门，——大门，——锁着，——没有钥匙！

北京人 （徐徐举起拳头，[1]一字一字，粗重而有力地）我——们——打——开！

曾瑞贞 （略吃一惊）你，你——

北京人 （坦挚可亲地笑着）跟——我——来！（立刻举步就向前走）

曾瑞贞 （大喜）愫姨！愫姨！（忽又转身对“北京人”，亲切地）你在前面走，我们跟着来！

北京人 （点首）

〔“北京人”像一个伟大的巨灵引导似的由通大客厅门走出。

〔同时愫方由书斋小门上，颜色非常惨白。

曾瑞贞 （高兴地跑过来）愫姨！愫姨！我，我告——（忽然发现愫方惨白的脸）你怎么脸发了青？怎么？她对你说了什么？

愫　方 （微微摇摇头）

曾瑞贞 （止不住那高兴）愫姨，我告诉你一件奇怪的事！哑巴真地说了话了！

愫　方 （沉重地）嗯，我也应该走了。

〔外面忽然传来一阵非常热闹的吹吹打打的锣鼓唢呐响，掩住了风声。

1　此处原刊有“出人意外，”。

曾瑞贞　（惊愕，回头）这是干什么？

愫　方　大概杜家那边预备迎棺材呢。

曾瑞贞　（又笑着问）你的东西呢？

愫　方　在厢房里。

曾瑞贞　拿走吧？

愫　方　（点首）嗯。

曾瑞贞　愫姨，你——

愫　方　（凄然）不，你先走！

曾瑞贞　（惊异）怎么，你又——

愫　方　（摇头）不，我就来，我只想再见他一面！

曾瑞贞　（以为是——不觉气愤）谁？

愫　方　（恻然）可怜的姨父！

曾瑞贞　（才明白了）哦！（也有些难过）好吧，那我先走，我们回头在车站上见。

〔外面文彩喊着："江泰！江泰！"瑞贞立刻由通大客厅的门下。

〔愫方刚向书斋小门走了两步，文彩就由书斋小门上，满脸的泪痕。

曾文彩　（焦急地）江泰还没有回来？

愫　方　没有。

曾文彩　他怎么还不回来？（说着就跌坐在沙发上[1]呜咽起来）我的爹

1　"沙发上"原刊作"沙发"。

呀，我的可怜的爹呀！

愫　方　（急切地）怎么啦？

曾文彩　（一边用手帕擦泪，一边诉说着）杜家的人现在非要[1]抬棺材，爹一死儿[2]不许！可怜，可怜他老人家像个小孩子似地抱着那棺材，死也不肯放。（又抽咽）我真不敢看爹那个可怜的样子！（抬头望着满眼露出哀怜神色的愫方）表妹，你去劝爹进来吧，别再在棺材旁边看哪！

愫　方　（凄然向书斋小门走）

〔愫方由书斋小门下。

曾文彩　（同时独自——）爹，爹，你要我们这种儿女干什么哟？（立起，不由得）哥哥！哥哥！（向文清卧室走）我们这种人有什么用，有什么用啊！

〔忽然外面爆竹声大作。

曾文彩　（不觉停住脚，回头望）

〔张顺由书斋小门上，眼睛也红红的。

曾文彩　这是什么？

张　顺　（又是气又是难过）杜家那边放鞭迎寿材呢！我们后门也打开啦，棺材已经抬起来了。

〔在爆竹声中听见了许多杠夫抬着棺木，整齐的脚步声，和低沉的“唉喝，唉喝”的声音；同时还掺杂着杜家的管事

1　“非要”原刊作“要”。

2　“一死儿”原刊作“一定”。

们督促着照料着的叫喊声。书斋窗户里望见许多灯笼，匆忙地随着人来回摇动[1]。

〔这时陈奶妈和愫方扶着曾皓由书斋小门走进。曾皓面色白得像纸，眼睛里布满了红丝。在极度的紧张中，他[2]几乎像颠狂了一般，说什么也不肯进来。陈奶妈一边擦着眼泪，一边不住地劝慰，拉着，推着。愫方悲痛地望着曾皓的脸。他们后面跟着思懿。她也拿了手帕在擦着眼角，不知是在擦沙，还是擦泪水。

陈奶妈 （连连地）进来吧，老爷子！——别看了！进来吧，——

曾　皓 （回头呼唤，声音喑哑）等等！叫他们再等等！等着！（颤巍巍转对思，言语失了伦次）你再告诉他们，说钱就来，人就来，钱就拿人来[3]！等等！叫他们再等等！

愫　方 姨父！你——

〔愫方把皓扶在一个地方倚着，看见老人这般激动地喘息，忽然想起要为他拿什么东西，立刻匆匆由书斋小门下。

陈奶妈 （不住地劝解）老爷子，让他们去吧，（恨恨地）让他们拿去挺尸去吧！

曾　皓 （几乎是乞怜）你去呀，思懿！

曾思懿 （这时她也不免有些难过，无奈何地只得用仿佛在哄骗着小

---

1 “摇动”原刊作“移动”。

2 原刊无“他”。

3 “钱就拿人来”原刊作“钱就拿来”。

孩子的口气）爹！有了钱，我们再买付好的。

曾　皓　（愤极）文彩，你去！你去！（顿足）江泰究竟来不来？他来不来？

曾文彩　（一直在伤痛着——连声应）他来，他来呀，我的爹！

〔外面爆竹声更响，抬棺木的脚步声仿佛越走越近，就要从眼前过似的。

曾　皓　（不觉喊起来）江泰！江泰！（又像是对着文彩，又像是对着自己）他到哪儿去啦？他到哪儿去啦！[1]

〔这时通大客厅的门忽然推开，江泰满脸通红，头发散乱，衣服上一身的皱褶，摇摇晃晃地走进来。

〔爆竹声渐停。

曾　皓　（几乎不相信自己的眼睛）江泰，你来了！

江　泰　（小丑似的，似笑非笑，似哭非哭，不知是得意还是懊丧的神气，含糊地对着他点了点头）我——来——了！

曾　皓　（忘其所以）好，来得好！张顺，叫他们等着！给他们钱，让他们滚！去，张顺。

〔张顺立刻由书斋小门下。

曾文彩　（同时走到江泰面前）借，借的钱呢！（伸出手）

江　泰　（手一拍，兴高采烈）在这儿！（由口袋里掏出一卷“手纸”，“啪”一声[2]掷在她的手掌里）在这儿！

1　“他到哪儿去啦？他到哪儿去啦！”原刊作“他到哪儿去啦……”。

2　“‘啪’一声”底本作“‘拍’一”，据1994人文版改。

曾文彩　你，你又——

江　泰　（同时回头望门口）进来！滚进来！

〔果然由通大客厅的门口走进一个警察，后面随着曾霆，非常惭愧的颜色，手里替他拿着半瓶“白兰地”。

江　泰　（手脚不稳，而理直气壮）就是他！（又指点着，清清楚楚地）就——是——他！（转身对曾家的人们申辩）我在北京饭店开了一个房间，住了一夜，可今天他们[1]偏说我拿了东西，拿了他们的东西——

曾　皓　这——

警　察　（非常懂事地）对不起，昨儿晚上委屈这位先生在我们的派出所——

江　泰　你放屁！北京饭店！

警　察　（依然非常有礼貌地）派出所！

江　泰　（大怒）北京饭店！（指着警察）你们的局长我认识！（说着走着，一刹时怒气抛到九霄云外）你看，这是我的家！我的老婆！（莫名其妙地顿时忘记了方才的冲突，得意地）我的岳父曾皓先生！（忽然抬头，笑起来）你看哪！（指屋）我的房子！（一面笑，望着警察[2]，一面含含糊糊地指着点着，仿佛在引导人家参观）我的桌子！（到自己卧室门前）我的门！（于是就糊里糊涂走进去，嘴里还在说着）我的——（忽

1　“他们”原刊作“他”。

2　“一面笑，望着警察”原刊作“一面笑着望警察”。

然不很重的“扑通”一声——）

曾文彩 泰，你——（跑进自己的卧室）

警　察 诸位现在都看见了，我也跟这位少爷交代明白啦。（随随便便举起手行个礼）

〔警察由通大客厅的门下。

〔外面的人：（高兴地）抬罢！（接着哄然一笑，立刻又响起沉重的脚步声）

曾　皓 （突又转身）

陈奶妈 您干什么？

曾　皓 我看，——看，——

陈奶妈 得啦，老爷子，——

〔曾皓走在前面，陈奶妈赶紧去扶，思懿也过去扶着。陈与皓由书斋小门下。

〔外面的喧嚣声，脚步声，随着转弯抹角渐行渐远。

曾思懿 （将皓扶到门口，又走回来，好奇地）霆儿，那警察说什么？

曾　霆 他说姑爹昨天晚上醉醺醺地到洋铺子买东西，顺手就拿了人家一瓶酒。

曾思懿 叫人当面逮着啦？

曾　霆 嗯，不知怎么姑爹一晚上在派出所还喝了一半，又不知怎么姑爹又把自己给说出来了，这（举起那半瓶酒）这是剩下那半瓶“白兰地”！（把酒放在桌子上，就苦痛地坐在沙发上）

曾思懿　（幸灾乐祸）这倒好，你姑爹现在又学会一手啦。（向卧室门走）文清，（到门口）文清，刚才我已经跟你的愫表妹说了，看她样子倒也挺高兴。以后好啦，你也舒服，我也舒服。你呢，有你的愫表妹陪你；我呢，坐月子的时候，也有个人伺候！

曾　霆　（母亲的末一句话像一根钢针戳入他的耳朵里，触电一般蓦然抬起头）妈，您说什么？

曾思懿　（不大懂）怎么——

曾　霆　（徐徐立起）您说您也要——呃——

曾思懿　（有些惭色）嗯。——

曾　霆　（恐惧地）生？

曾思懿　（脸上表现出那件事实）怎么？

曾　霆　（对他母亲绝望地看了一眼，半晌，狠而重地）唉！生吧！

〔霆突然由通大客厅的门跑下。

曾思懿　霆儿！（追了两步）霆儿！（痛苦地）我的霆儿！

〔彩由卧室匆匆地出来。

曾文彩　爹呢？

曾思懿　（呆立）送寿木[1]呢！

〔彩刚要向书斋小门走去，陈奶妈扶着曾皓由书斋小门上。皓在门口不肯走，向外望着，喊着。彩立刻追到门前。外面的灯笼稀少了，那些杠夫们已经走得很远。

1　“寿木”原刊作“棺材”。

曾　皓　（脸向着门外，遥遥地喊）不成，那不成！不是这样抬法！

陈奶妈　（同时）得啦，老爷子，得啦！

曾文彩　（不住地）爹！爹！

曾　皓　（依依瞭望着那正在抬行的棺木，叫着，指着）不成！那碰不得呀！（对陈奶妈）叫他们别碰着那土墙！那寿木盖子是四川漆！不能碰！碰不得！

曾思懿　别管啦，爹，碰坏了也是人家的。

曾　皓　（被她提醒，静下来发愣，半晌，忽然大恸）亡妻呀！我的亡妻呀！你死得好，死得早，没有死的，连，连自己的棺木都——（顿足）活着要儿孙干什么哟！要这群像耗子似的儿孙干什么哟！（哀痛地跌坐在沙发上）

〔訇然一片土墙倒塌声。

〔大家沉默。

曾文彩　（低声）土墙塌了。

〔静默中，江泰由自己的卧室摇摇晃晃又走出来。

江　泰　（和颜悦色，抱着极大的善意，对着思懿）我告诉过你，八月节我就告诉过你，要塌！要塌！现在，你看，是不是——

〔思厌恶地看他一眼，陡然转身由书斋小门走下。

江　泰　（摇头）哎，没有人肯听我的话！没有人理我的哟！没有人理我的哟！

〔江泰一边说着，一边顺手又把桌上那半瓶“白兰地”拿起来，又进了屋。

曾文彩　（着急）江泰！（跟着进去）

〔远远鸡又在叫。

陈奶妈　唉！

〔这时仿佛隔壁忽然传来一片女人的哭声。愫方一只手腕上搭着自己要带走的一条毯子，一手端了一碗[1]参汤，由书斋小门进。

曾　皓　（抬头）谁在哭？

陈奶妈　大概杜家[2]老太爷已经断了气了，我瞧瞧去。（皓又低下头）

〔陈奶妈匆匆由书斋小门下。

〔鸡叫。

愫　方　（走近皓，静静地）姨父！

曾　皓　（抬头）啊？

愫　方　（温柔地）您要的参汤！（递过去）

曾　皓　我要了么？

愫　方　嗯！（搁在皓的手里）

〔圆儿突然由通大客厅的门悄悄上。她仍然穿着那身衣服，只是上身又加了一件跟裙子一样颜色的短大衣，脖子上松松地系着一块黑底子白点子的绸方巾，手里拿着那"北京人"的剪影。

袁　圆　（站在门口，低声，急促地）天就亮了，快走吧！

1　"一碗"原刊作"碗"。

2　"杜家"原刊作"杜家的"。

愫　方　（点点头）

〔圆笑嘻嘻的立刻拿着那剪影缩回去，关上门。

曾　皓　（喝了一口，就把参汤放在沙发旁边的桌上，微弱地长嘘了一声）唉！（低头合上眼）

愫　方　（关心地）您好点吧？

曾　皓　（含糊地）嗯，嗯。——

愫　方　（哀怜地）我走了！姨父！

曾　皓　（点头）你去歇一会儿吧。

愫　方　嗳，（缓缓地）我去了！

曾　皓　（疲惫到极点，像要睡的样子，轻微地）嗯！

〔愫转身走了两步，回头望望那衰弱的老人的可怜的样子，忍不住又回来把自己要带走的毯子轻轻地给他盖上。

曾　皓　（忽然又含糊地）回头就来呀。

愫　方　（满眼的泪光）就来！

〔愫一面退着走，一面望着皓。[1]

曾　皓　（闭着眼）再来给我捶捶。

愫　方　（泪止不住的流下来）嗯，再来给您捶！再来给您捶！再——来——（似乎听见又有什么人要进来，立刻转身向[2]通大客厅的门走）

〔愫方刚一走出，文彩由卧室进。

1　原刊无此句。

2　“转身向”底本作“转向”，据原刊改。

曾文彩　（看见皓在打瞌睡，轻轻地）爹，把参汤喝了吧，凉了！

曾　皓　不，我不想喝。

曾文彩　（悲哀地安慰着）爹，别难过了！怎么样的日子都是要过的。（流下泪来）等吧，爹。等到明年开了春，爹的身体也好了，重孙子也抱着了，江泰的脾气也改过来了，哥哥也回来找着好事了——

〔文清卧室内忽然仿佛有人"哼"了一声，从床上掉下的声音。

曾文彩　（失声）啊！（转对皓）爹，我去看看去。

〔彩立刻跑进文清的卧室。

〔陈由书斋小门上。

曾　皓　（虚弱地）杜家——死了？

陈奶妈　死了，完啦。

曾　皓　眼睛好痛啊！给我把灯捻小了吧！

〔陈把洋油灯捻小，屋内暗下来，通大厅的槅扇[1]上逐渐显出那猿人模样的"北京人"的巨影，和在第二幕时一样。

陈奶妈　（抬头看着，自语）这个皮猴袁小姐！临走临走还——

〔彩慌张跑出。

曾文彩　（低声，急促地）陈奶妈，陈奶妈！

陈奶妈　啊！

曾文彩　（惧极，压住喉咙）您先不要叫！快告诉大奶奶！哥哥吞了

1　"槅扇"原刊作"纸槅扇"。

鸦片烟，脉都停了。

陈奶奶　（惊恐）啊！（要哭，——）

曾文彩　（急止她）别哭，奶奶，老太爷再经不住事了[1]。快去！

〔陈由书斋小门跑下。

曾文彩　（强自镇定，走向皓）爹，天就要亮了，我扶着您睡去吧。

曾　皓　（立起，走了两步）刚才那屋里是什么？

曾文彩　（哀痛地）耗子，闹耗子。

曾　皓　哦。

〔文彩扶着皓，向通书斋小门缓缓地走。门外面[2]鸡又叫，天开始亮了，隔巷有骡车慢慢地滚过去，远远传来两声尖锐的火车汽笛声。

——幕徐落

1　原刊无此句。

2　“门外面”原刊作“外面”。

北京人

1951开明版

【题注】据1951年8月开明书店“新文学选集”《曹禺选集》初版排印。

人　物

曾皓——在北平落户的旧世家的老太爷，年六十三。

曾文清——他的长子，三十六岁。

曾思懿——他的长媳，三十八九岁。

曾文彩——他的女儿，三十三岁。

江泰——他的女婿，文彩的丈夫，一个老留学生，三十七八岁。

曾霆——他的孙子，文清与思懿的儿子，十七岁。

曾瑞贞——他的孙媳，霆儿的媳妇，十八岁。

愫方——他的姨侄女，三十上下。

陈奶妈——哺养过曾文清的老奶妈，年六十上下。

小柱儿——她的孙儿，年十五。

张顺——曾家的仆人。

袁任敢——研究“人类学”的学者，年三十八。

袁圆——他的独女，十六整。

寿木商人甲，乙，丙。

警察

时间和地点

第一幕　　中秋节。在北平曾家小花厅里。

第二幕　　当夜十一点钟的光景，曾宅小花厅里。

第三幕　　仍在曾宅小花厅。

第一景　　离第一幕约有一月，某一天的傍晚。

第二景　　翌日五点钟左右，天尚未亮的时候。

第一幕

中秋节，将近正午的光景，在北平曾家旧宅的小花厅里，一切都是静幽幽的。屋内悄无一人，只听见靠右墙长条案上一座古老的苏钟迟缓地迈着“滴滴搭搭”的步子。屋外，主人蓄养的白鸽成群地在云霄里盘旋，时而随着散开一片泠泠的鸽哨响，异常嘹亮悦耳。从后面大花厅一排明净的敞窗望出去正有三两朵白云浮在蔚蓝的天空。

这间小花厅，是上房大客厅和前后院东厢房衔接的所在，屋内一共有四个出入的门。屋右一门通大奶奶的卧室，门上挂着一条精细的绿纱帘。屋左一门通姑奶奶——曾文彩的睡房，门上没有挂帘子，门框较小，比较肮脏，显得里面的屋子也不甚讲究。整个后墙的一面，是一排糊着蓝绸子的槅扇门窗，和一小部分壁橱似的小小的书斋。这槅扇门通大客厅，就是大客厅的侧门，占有小花厅后壁三分之二的地位。门槛前有一层石台阶，里面便是大客厅。打开槅扇就望见大客厅的气象十分轩豁，正是一个曾经盛极一时的大家门第。里面大客厅的门窗都开在右面，向前院的门大敞着，露出庭院中绿荫荫的枣树藤萝和白杨。这时耀目的阳光透过大客厅的窗子射进来。小书斋的门额上有篆书“养心斋”三个大字的横匾。小书斋里左面一门（观众看不大见的）通后面的庭院和曾老太爷的寝室。沿墙是一列书箱，里面装满了线装书籍。窗前有楠木书案，紫檀凳子，案上放着笔墨画砚，瓷器古董，都极其古雅而精致。主人们有时在这里作画吟诗，有时在这里读经清谈，有时在这里卜神课，无聊时就打瞌睡。

这间小花厅当年是作为一个谈机密话的地方。在曾家家运旺盛的时代，宾客盈门，敬德公，这位起家立业的祖先，创下了一条规矩：体己的亲友们都照例请到此地来坐候。如今过了几十年了。这间屋子依然是曾家子孙们聚谈的所在。统管家务的大奶奶（敬德公的孙媳）和她丈夫就住在右边隔壁，一切事情的吩咐和商量也离不开这个地方。虽然现在家道衰微，大客厅和西厢房都不得已租给一位研究人类学的学者，但这一面的房屋他们再也不肯轻易让出去，这是曾家最后的藏身之处。

这间屋子的陈设尽量保持当年的气派，一点也不觉寒伧，通大奶奶屋那扇八角形的玻璃窗打磨得非常光亮（北平老式的房子，屋与屋之间也有玻璃窗），里面掩着杏色的幔子——大奶奶的脾气素来不肯让人看见她在房里做些什么——仿佛锁藏着无限的隐秘。钟前横放一架金锦包裹的玉如意，祖传下来的东西。两旁摆列着盆景兰草和一对二十年前作为大奶奶陪嫁的宝石红的古瓶。条案前立一张红木方桌，有些旧损，上面铺着紫线毯，开饭时便抬出来当作饭桌，现在放着一大盘冰糖葫芦。靠方桌有两三把椅子和一只矮凳，擦得都很洁净。左墙边上倚一张半月式的紫檀木桌，放在姑奶奶房门上首。桌上有一盆佛手，几只绿绢包好的鼻烟瓶，两三本古书。当中一只透明的玻璃缸，几条金鱼在水藻里悠然游漾。桌前两三把小沙发和一个矮几。这面墙上悬挂一张董其昌的行书条幅，装裱颇古。近养心斋的墙角处，倒悬一张素锦套着的七弦琴，垂着橙黄的丝穗。后面在养心斋与通大客厅的槅扇之间的墙上挂着一幅淡远秀劲的墨竹，看来似乎装裱得不久。在这幅竹子的右边，立一个五尺高的乌木雕龙灯座，龙嘴衔一个四方形的，画着彩色的花鸟的纱灯。左边放一个白底蓝花仿明瓷的大口瓷缸，里面斜插了十几轴画。缸边放两张方凳，凳上正搁着一只皮箱，半掩着箱盖。

屋内静悄悄的，天空有断断续续的鸽哨响。外面长胡同里传来那时北平独有的单轮水车，在磷磷不平的路上单调地"孜妞妞，孜妞妞"的声音。间或又有磨刀剪的人吹起烂旧的喇叭"唔呃哈哈"地吼叫，冲破了沉闷。

半晌。

远远自大客厅通前院的门，走进来曾大奶奶和张顺，他们匆匆穿过大花厅走进来。张顺，一个三十上下的北平仆人，恭谨而又有些焦灼地随在后面。

曾思懿（大奶奶的名字）是一个自小便在士大夫家庭里熏陶出来的女人。自命知书达礼，精明干练，整天满脸堆着笑容，虚伪，自私，多话，猜忌多疑，而自以为慷慨大方，任何一句话，在她听来都藏着阴谋、计算。她好在自己造想的权诈、诡秘的空气中钩心斗角。言辞间总显露着她那种谦和，孝顺，仁爱……种种一个封建社会贤妇应有的美德。她身材不高，兔眼睛微微有点斜。宽前额，高鼻梁，厚厚的嘴唇，两条乌黑的细眉，像刀斩一般地涂得又齐又狠。她不到四十岁的模样，身体已经发胖，脸上仿佛有些浮肿。她穿一件浅黄色的碎花旗袍，缎鞋，胁下系着一串钥匙，手里拿着账单，眉宇间是恼怒的。

张　顺　（陪着笑脸）您瞅怎么办好，大奶奶？

曾思懿　（嘴唇一努）你教他们在门房里等着去吧。

张　顺　可是他们说这账现在要付——

曾思懿　（斜着眼睛）现在没有。

张　顺　他们说,（颇难为情地）他们说——

曾思懿　（眉头一皱）说什么？

张　顺　他们说，漆棺材的时候，老太爷挑那个，选这个，非漆上三五十道不可，现在福建漆也漆上了，寿材也抬进来了，（陪笑）跟大奶奶要钱，钱就——

曾思懿　（狡黠地笑出声来）你教他们跟老太爷要去呀，你告诉他们，棺材并不是大奶奶睡的。他们要等不及，请他们把棺材抬走，黑森森的棺材摆在家里我还嫌闷气呢。

张　顺　我看借给他们点吧。大八月节的，那棺材漆都漆了，大奶奶。

曾思懿　（翻了脸）油漆店给了你多少好处，你这么帮着这些要账的混账东西说话。

张　顺　不是，大奶奶，您瞅啊——

〔陈奶妈，一位六十多岁的老妇人，由大客厅通前院的门颤巍巍地走进来，她是曾家多年的用人，大奶奶的丈夫就是吃她的奶哺养大的。因自己的儿子屡次接她回乡，她才回家去住。这一次她又按着老规矩带着自己的孙儿来拜节，她虽然步伐已经欠稳，头发也斑白了，但面色却黑里透红，说话声音十分响亮，知悉曾家事最多，有话就说，曾家上上下下都有些惹她不起。她穿着一件月白色的上身，外面套了青织贡呢的坎肩，黑裤子，黑老布鞋；灰白的小髻上斜插一朵小小的红花。

张　顺　（惊讶）哟，陈奶奶，您来了。

陈奶妈　（急急忙忙，探探身算是行了礼）大奶奶，真是的，要节账也有这么要的，做买卖人也许这么要账的！（回头，气呼呼地）张顺，你出去让他们滚蛋！我可没见过，大奶奶。（气得还在喘）

曾思懿　（打起一脸笑容）您什么时候来的，陈奶妈？

张　顺　怎么啦，陈奶奶？

陈奶妈　（指着）你让他们给我滚蛋！（回头对大奶奶半笑半怒的神色）我真没有见过，可把我气着了。大奶奶，您看可有堵着门要账的吗？（转对张顺，怒冲冲地）你告诉他们，这是曾家大公馆。别说这几个大钱，就是整千整万的银子，连我这穷老婆子都经过手，（气愤）真，他们敢堵着门口不让我进来。

曾思懿　（听出头绪，一半是玩笑，一半是讨她的欢喜，对着张顺）天啊，哪个敢这么大胆，连我们陈大奶妈都不认得？

陈奶妈　（笑逐颜开）不是这么说，大奶奶，他们认得我不认得我不打紧，他们不认识这门口，真教人生气，这门口我刚来的时候，不是个蓝顶子，正三品都进不来。（对张顺）就你爷爷老张才，一年到头单这大小官的门包钱，就够买地，娶媳妇，生儿子，添孙子！（笑指着）冒出了你这个小兔崽子。

张　顺　（遇见了这般倚老卖老的同事，只好顺嘴胡溜，嘻嘻地）是啊是啊，陈奶奶。

曾思懿　坐吧，陈奶妈。

陈奶妈　哼，谁认得这一群琉璃球嘎杂子，我来的时候老太爷还在当少爷呢。（一比）大爷才这么点大，那时候——

曾思懿　（推她坐，一面劝着）坐下吧，别生气啦，陈奶妈，究竟怎么啦。

陈奶妈　哼，一到过八月节——

曾思懿　陈奶妈，他们究竟对您老人家怎么啦？

陈奶妈　（从衣袋取出一些白账单）您瞅，他们拦着门口，就把这些行子塞在我手里，非教我拿进来不可。

曾思懿　（拿在手里）哦，这个！

陈奶妈　您瞧，这些东西哪是个东西呀！

曾思懿　（正在翻阅那账单）哼，裱画铺也有了账了。张顺，你告诉大树斋的伙计们，说大爷不在家。

陈奶妈　啊，怎么，清少爷！

曾思懿　（拿出钱来）教他先拿二十块钱去。你可少扣人家底子钱！等大爷回来看看这一节字画是不是裱了那么多，再给他算清。

张　顺　可是那裁缝铺的，果子局的，还有那油漆棺材的——

曾思懿　（不耐烦）回头说，回头说，等会见了老太爷再说吧。

张　顺　（指左面的门，低声）大奶奶，这边姑老爷又闹了一早上啦，说他那屋过道土墙要塌了，问还收拾不收拾？

曾思懿　（沉下脸）你跟姑老爷说不是不收拾，是收拾不起。请他老人家将就点住，老太爷正打算着卖房子呢。

张　顺　（不识相）大奶奶，下房也漏雨，昨天晚上——

曾思懿　（冷冷地）对不起，我没有钱，一会儿我跟老太爷讲，特为给你盖洋楼住。

〔张顺正在进退不得，外面有——

〔人声：张爷，张爷！

张　顺　来了！——（由通大花厅的门下）

曾思懿　（转脸，亲热非常）陈奶妈，您这一路上走累了，没有热着吧？

陈奶妈　（失望而又不甘心相信的神气）真格的，大奶奶，我的清少爷不在家——

曾思懿　别着急，你的清少爷（指右门）在屋里还没起来，他就要出来给他奶妈拜节呢。

陈奶妈　（笑呵呵）大奶奶，您别说笑话了，就说是奶妈，也奴是奴，主是主，哪有教快四十，都有儿媳妇的老爷给我——

曾思懿　（喜欢这样做作）那么，奶妈，让我先给您拜吧！

陈奶妈　（慌忙立起，拉住）得，得，折死我了，您大奶奶都是做婆婆的人，哎，哪——

〔二人略略争让一会，曾思懿自然不想真拜。

曾思懿　哎，真是的。

陈奶妈　（十分高兴）是呀，我刚才听了一愣，心想进城走这么远的路就为的是——

曾思懿　（插嘴）看清少爷。

陈奶妈　（被人道中来意，不好意思地笑起来）您啊，真机伶！咳，我也是想看您大奶奶，愫小姐，老太爷，姑奶奶，孙少爷，孙少奶奶，您想，这一大家子的人，我没看见就走——

曾思懿　怎么？

陈奶妈　我晚上就回去，我跟我儿媳妇说好的——

曾思懿　那怎么成，好容易大老远的从乡下来到北平城里一趟，哪能不住就走？

陈奶妈　（又自负，又伤感）咳，四十年我都在这所房子里过了！儿子娶媳妇我都没回去。您看，哪儿是我的家呀？大奶奶，我教我的小孙子给您捎了点乡下玩意儿。

曾思懿　真是，陈奶妈，这么客气干什么？

陈奶妈　（诚挚地）嗐，一点子东西。（一面走向那大客厅，一面笑着说）要不是我脸皮厚，这点东西早就——（遍找不见）小柱儿，小柱儿！这孩子一眨巴眼又不知疯到哪儿去了。小柱儿！小柱儿！（喊着喊着就走出大客厅到前院子里找去了）

〔天上鸽群的竹哨声，恬适而安闲。

〔远远在墙外卖凉货的小贩敲着“冰盏”——那是一对小酒盅似的黄晶晶的铜器，叠在掌中，可互击作响——声音清圆而浏亮，“叮嚓叮嚓，叮叮嚓，嚓嚓叮叮嚓”。操着清脆的北平口音高声喊卖着：“又解渴，又带凉，又加玫瑰，又加糖！不信您就闹（弄）碗尝一尝！”更提高嗓门有调有板的唱起来，“酸梅的汤儿来（读若雷），哎另一个味的呀！”“叮嚓嚓，叮嚓嚓，嚓嚓叮叮嚓”。

曾思懿 （走到皮箱前，慢慢整理衣服。突然向右回头）文清，你起来了没有？

〔里面无应声。

曾思懿 文清，你的奶妈来了。

〔曾文清在右面屋内的声音：（空洞乏力）知道了，为什么不请她进来呀？

曾思懿 请她进来？一嘴的臭蒜气，到了我们屋子，臭气熏天，你受的了，我可受不了，你今天究竟走不走，出门的衣服我可都给你收拾好了。

〔声音：（慢悠悠地）鸽子都飞起来了么？

曾思懿 （不理他）我问你究竟想走不想走？

〔声音：（入了神似地）今天鸽子飞得真高啊！哨子声音都快听不见了。

曾思懿 （向右门走着）喂，你到底心里头打算什么？你究竟——

〔声音：（苦恼地拖着长声）我走，我走，我走，我是要走的。

曾思懿 （走到卧室门前，掀起门帘，把门推开，仿佛突然在里面看见什么不祥之物，惊叫一声）啊，怎么你又抽上了！

〔这时大客厅里听见陈奶妈正迈步进来，放声说话，思懿连忙回头谛听，那两扇房门立刻由里面霍地关上。

〔陈奶妈携着小柱儿走进来。小柱儿年约十四五，光葫芦头，穿一身农村的孩子过年过节才穿的新衣裳。布袜子，布鞋，扎腿，毛蓝土布的长衫，短袖肥领，下摆盖不住膝盖。长衫洗得有些褪了颜色，领后正中有一块小红补钉。衣服早缩了水，紧紧箍在身上，显得他圆粗粗地茁壮可爱。他一手拿着一具泥土塑成的“刮打嘴”兔儿爷或猪八戒——一种玩具，当中有线，可以抽着活动——一手挟着一个老母鸡，提着一个蓄鸽子的长方空竹笼。后面跟随张顺，两手抱着一个大筐子，里面放着母鸡，鸡蛋，白菜，小米，芹菜等等。两个人都汗淋淋地傻站在一旁。

陈奶妈 走，走，走啊！（唠唠叨叨）这孩子，你这孩子！出了一身汗，哪个教你喝酸梅汤？立了秋再喝这些冰凉的东西，要闹肚子的。（回头对张顺）张顺，你在旁边也不说着点！由他的性！（指着）你这刮打嘴是谁给你买的？

小柱儿 （斜眼，看了看张顺）他——张爷。

陈奶妈 （回头对张顺，一半笑一半埋怨）你别笑！你买了东西，我也不领你的情。

曾思懿 得了，别骂他了。

陈奶妈 小柱儿，你还不给大奶奶磕头。把东西放下，放下。

〔小柱儿连忙放下空鸽笼，母鸡也搁在张顺抱着的大筐子里。

曾思懿 别磕了，别磕了，老远来的怪累的。

陈奶妈 （看看小柱儿舍不得放下那“刮打嘴”，一手抢过来）把那“刮打嘴”放下，没人抢你的。（顺手又交给张顺）

曾思懿 别磕了，怪麻烦的。

陈奶妈 （笑着说）您看这乡下孩子！教了一路上，到了城里都忘了。

（上前按着他）磕头，我的小祖宗！

〔小柱儿站着不动。

陈奶妈 （按着小柱儿的头）你倒是磕呀！

〔小柱儿就势弯了弯腰，走到张顺身边。

陈奶妈 看这孩子。

曾思懿 （早已拿出一个为着过节赏人的小红纸包）得了，小柱儿，保佑你日后狗头狗脑的，长命百岁，来，拿着，买点点心吃。

〔小柱儿傻站着。

陈奶妈 嗐，真是的，又教您花钱，（对孙儿）拿着吧，不要紧的，这也是你奶奶的亲人给的。（塞在小柱儿手里）谢谢呀，你！

〔小柱儿从张顺手里拿下他的刮打嘴，没有理她。

陈奶妈 这孩子站没站相，坐没坐相，磕头也没磕头相。大奶奶，您坐呀。嗐，路远天热（拉出一个凳子就坐）我就一路上跟小柱儿跑——

张　顺 （忍不住）陈奶奶，我这儿还抱着呢！

陈奶妈 （回头大笑）哟，您瞅我这记性！大奶奶，（把思懿拉过来，一面说一面在筐里翻）乡下没什么好吃的，我就从地里摘（读若宅）了点韭菜，芹菜，擘兰（读若辣），黄瓜，青椒，豇豆，这点东西——

曾思懿 太多了，太多了。

陈奶妈 哦，还有点子小米，鸡蛋，俩啊老母鸡。

曾思懿　您这简直是搬家了。真是的，大老远的带了来，又不能——（回头对张顺）张顺，就拿下去吧。

陈奶妈　（对张顺）还有给你带了两个大萝卜。（乱找）

张　顺　（笑着）您别找了，早下了肚了。（连忙抱着那大筐由通大客厅的门走出去）

小柱儿　（秘密地）奶奶。

陈奶妈　干什么？

小柱儿　（低声）我拿出来了？

陈奶妈　（莫名其妙）什么？

〔小柱儿忽然伶俐地望着他的祖母，提了提那鸽笼。

陈奶妈　（突然想起来）哦！（非常着急）哪儿啦？哪儿啦？

小柱儿　（非常小心地由衣襟下掏出一只小小的灰鸽子，顶毛高翘，羽色油润润的，周身有几颗紫点。看去异常玲珑，一望便知是个珍种）这儿！

陈奶妈　（捧起那只小鸽，爱抚着）乖，我的亲儿子，你在这儿啦！怪不得我觉得少了点什么。（对大奶奶）您瞅这孩子！原来是一对的，我特意为我的清少爷“学磨”（“访求”的意思）来的。好好放在笼里，半路上他非要都拿出来玩，哗的，就飞了一个。倒是我清少爷运气好，剩下的是个好看的，大奶奶，您摸摸这毛，（硬要塞在大奶奶的手中）这小心还直跳呢！

曾思懿　（本能地厌恶这一类的小生命，向后躲避，强打着笑容）好，好，好。（对左门喊）文清，陈奶妈又给你带鸽子来啦！

陈奶妈　（不由得随着喊）清少爷。

〔曾文清在屋内的声音：陈奶妈。

陈奶妈　（捧着鸽子，立刻就想到她的清少爷面前献宝）我拿进去他看看！（说着就走）

曾思懿　（连忙）您别进去。

陈奶妈　（一愣）怎么？

曾思懿　他，他还没起。

陈奶妈　（依然兴高采烈）那怕什么的，我跟清少爷就在床边上谈谈。（又走）

曾思懿　别去吧。屋子里怪脏的。

陈奶妈　嗐，不要紧的。（又走）

曾思懿　（叫）文清，你衣服换好了没有？

〔文清在屋内应声：我正在换呢！

陈奶妈　（直爽地笑着）嗐，我这么大年纪还怕你。（走到门前推门）

〔文清在内：（大声）别进来，别进来。

曾思懿　（拦住她）就等会吧，他换衣服就怕见人——

陈奶妈　（有点失望）好，那就算了吧，脾气做成就改不了啦，（慈爱地）大奶奶，清少爷十六岁还是我给他换小褂裤呢。（把鸽子交给小柱儿）好，放回去吧，（但是又忍不住对着门喊）清少爷，你这一向[1]好啊？

曾思懿　（同时拉出一个凳子）坐着说吧。

1　“一向”底本作“一晌”，当作“一向”。

〔文清的声音：（亲热地）好，您老人家呢？

陈奶妈　（大声）好！（脸上又浮起光彩）我又添了一个孙女。

〔这时小柱儿悄悄把鸽子放入笼里。

〔文清的声音：恭喜你啊。

陈奶妈　（大声）可不是，胖至哪！（说完坐下）

曾思懿　他说恭喜您。

陈奶妈　嗐，恭什么喜，一个丫头子！

〔文清的声音：你这次得多住几天。

陈奶妈　（伸长脖子，大声）嗯，快满月了。

曾思懿　他请你多住几天。

陈奶妈　（摇头）不，我就走。

〔文清的声音：（没听见）啊？

陈奶妈　（立起大声）我就走，清少爷。

〔文清的声音：干吗那么慌啊？

陈奶妈　啊？

〔文清的声音：（大声）干什么那么忙？

陈奶妈　（还未听见）什么？

小柱儿　（忍不住憨笑起来）奶奶，你真聋，他问你忙什么？

陈奶妈　（喊昏了，迷惘地重复一遍）忙什么？（十分懊恼，半笑道）嗐，这么谈，可别扭死啦。得了，等他出来谈吧。大奶奶，我先到里院看看愫小姐去！

曾思懿　也好，一会儿我教人请您。（由方桌上盘中取下一串山楂红的糖葫芦）小柱儿，你拿串糖葫芦吃。（递给他）

陈奶妈 你还不谢谢!

〔小柱儿接下，刚要放在嘴里。

陈奶妈 又吃!又吃!(猛可从他口里抽出来)别吃!看着!把那“刮打嘴”放下，跟奶奶来!

〔小柱儿放下那“刮打嘴”，还恋恋不舍，奶奶拉着他的手，由养心斋的小门下。

曾思懿 真讨厌!(把那五颜六色的“刮打嘴”放在一边，又提起那鸽笼——)

〔文清在屋内的声音：陈奶妈!

曾思懿 出去了。

〔曾文清——她的丈夫——由右边卧室门踱出。他是个瘦长个儿，穿着宽大的袍子，服色淡雅大方，举止，谈话，带着几分闲散模样。他面色苍白，宽前额，高颧骨，无血色的嘴唇，看来异常敏感。凹下去的眼眸流露出失望的神色，悲哀而沉郁。时常凝视出神，青筋微微在额前凸起。

〔他生长在北平的书香门第，下棋，赋诗，作画，很自然的在他的生活里占了很多的时间。北平的岁月是悠闲的，春天放风筝，夏夜游北海，秋天逛西山看红叶，冬天早晨在霁雪时的窗下作画。寂寞时徘徊赋诗，心境恬淡时独坐品茗，半生都在空洞的悠忽中度过。

〔又是从小为母亲所溺爱的，早年结婚，身体孱弱，小地方看去，他绝顶聪明，然而他给与人的却是那么一种沉滞的懒怠之感。懒于动作，懒于思想，懒于说话，懒于举步，懒于起床，懒于见人，懒于做任何严重费力的事情。重重对生活的厌倦和失望甚至使他懒于宣泄心中的苦痛。懒到他不想感觉自己还有感觉，懒到能使一个有眼的人看得穿："这只是一个生命的空壳。"

〔他进了屋还在扣系他的夹绸衫上的纽襻。

曾文清 （笑颜隐失）她真的去了，你怎么不留她一会儿？

曾思懿 （不理他）这是她送给你的鸽子。（递过去）

曾文清 （提起那只鸽笼）可怜，让她老人家走这么远的路。（望着那鸽子，赞赏地）啊，这还是个"凤头"！"短嘴"！（欣喜地）这应该是一对的，怎么——（抬头）

曾思懿 （一副铁青的脸望着他）文清，你又把那灯点起来干什么？

〔文清乌云罩住了脸，慢慢把那鸽笼放下。

曾思懿 （叨叨地）昨儿个，老头还问我你最近怎么样？那套烟灯，烟家伙扔了没有。我可告诉他早扔了。（尖厉的）怪事！怪事！苦也吃了，烟也戒了，临走，临走，你难道还想闹场乱子？

曾文清 （长叹，坐下）哎，别管我，你让我就点着灯看看。

曾思懿 （轻蔑地）谁要管你？大家住在一起，也就顾的是这点面子，你真要你那好妹夫姑爷说中了，说你再也出不了门，做不得事，只会在家里抽两口烟，喝会子茶，玩玩鸽子，画画画，恍惚了这一辈子！

曾文清 （淡悠悠）管人家怎么说呢，我不就要走了么？

曾思懿 你要走，你就给我留点面子，别再昏天黑地的。

曾文清　（苦恼地）我不是处处听了你的话么？你还要怎么样？（又呆呆望着前面）

曾思懿　（冷冷地挑剔）请你别做那副可怜相。我不是母夜叉，你别做得教人以为我多么厉害，仿佛我天天欺负丈夫，我可背不起这个名声。（走到箱子前面）

曾文清　（无神地凝望那笼里的鸽子）别说了，晚上我就不在家了。

曾思懿　（掀开箱盖，回头）你听明白，我可没逼你做事。你别教人说又是我出的主意，教你出去。外头有什么不舒服，教亲戚们骂我逼丈夫出门受苦，自己享福，又是大奶奶不贤慧。（唠唠叨叨，一面整理箱中文清出门的衣服）我在你们家里气可受够了，哼！有婆婆的时候，受婆婆的气，没有婆婆了，受媳妇的气，老的老，小的小，中间还有你这位——

曾文清　（早已厌倦，只好另外找个题目，截住她的无尽无休的话）咦，这幅墨竹挂起来了。

曾思懿　（斜视文清）挂起来了——

曾文清　（走到画前）裱得还不错。

曾思懿　（尖酸地）我看画得才好呢！真地多雅致！一个画画，一个题字，真是才子佳人，天生的一对。

曾文清　（气闷）你别无中生有，拿愫小姐开心。

曾思懿　（鄙夷地）咦，奇怪，你看你这做贼心虚的劲儿。我说你们怎么啦！愫小姐画张画也值得你这样大惊小怪的，又赋诗，又题字，又亲自送去裱。我告诉你，我不是个小气人，丈夫讨小老婆我一百个赞成。（夸张地）我要是个男人，我就讨个七八个小老婆。男人嘿！不争个酒色财气，争什么？可是有一样,（尖刻地）像愫小姐这样的人——

曾文清　（有点恼怒）你不要这样乱说人家，人家是个没出嫁的姑娘！

曾思懿　奇怪,（刁钻古怪地笑起来）你是她的什么？要你这么护着她。

曾文清　（诚挚地）人家无父无母的住在我们家里，你难道一点不怜恤人家？

曾思懿　（狡猾地把嘴唇一咧）你怜恤人家，人家可不怜恤你！（指着他说）你不要以为她一句话不说，仿佛厚厚道道，没心没意的。（精明自负，絮絮叨叨）我可看得出这样的女人！这样女人一肚子坏水，话越少，心眼越多，人家为什么不嫁，陪着你们老太爷？人家不瘸不瞎，能写能画，为什么偏偏要当老姑娘，受活罪，陪着老头？（冷笑）我可不愿拿坏心眼乱猜人，你心里想去吧。

曾文清　（冷冷地望着她）我想不出来。

曾思懿　（爆发）你想不出来，那你是个笨蛋！

曾文清　（皱着眉）唉，不要太聪明了。（低头踱到养心斋里，在画桌前，仿佛在找什么）

曾思懿　（更惹起她的委屈）我聪明？哼，聪明人也不会在你们家里苦待二十年了。我早就该学那些新派的太太们，自己下下馆子，看看戏，把这个家交给儿媳妇管，省得老头一看见我就皱眉，像欠了他的阎王债似的。（自诩）哎，我是个富贵脾气丫头命，快四十的人还得上孝顺公公，下侍候媳妇，中间还得看你老人家颜色。（端起一杯参汤）得了，得了，参汤都凉了，你老人家快喝吧。

曾文清 （一直皱着眉头，忍耐着，一面在翻着书桌抽屉，突然抖出一幅尚未装裱的山水，急得脸通红）你看，你看，这是谁做的事？（那幅画的边缘被老鼠啮成犬牙的形状，正中咬破一个掌大的洞）

曾思懿 （放下杯子）怎么？

曾文清 （抖动那幅山水）你看，你看啊！

曾思懿 （幸灾乐祸地）这别是我们姑老爷干的吧。

曾文清 （回到桌前，又查视那抽屉）这是耗子！这是耗子！（走近思，忍不住挥起那幅画）我早就说过，房子老，耗子多，要买点耗子药，你总是不肯。

曾思懿 老爷子，买过了。（嘲弄）现在的耗子跟从前不一样，鬼得多，放了耗子药，它就不吃，专找人心疼的东西祸害。

曾文清 （惋惜地）这幅画就算完了。

曾思懿 （刻薄尖酸）这有什么稀奇，教愫小姐再画一张不结了么？

曾文清 （耐不下，大声）你——（突然想起和她解释也是枉然。一种麻木的失望之感又蠕蠕爬上心头。默默端相那张已破碎的山水，木然坐下，低头沉重地）这是我画的。

曾思懿 （也有些吃惊，但仍坚持她的冷冷的语调）奇怪，一张画教几个小耗子咬了，也值得这么着急！家里这所房子，产业，成年教外来一群大耗子啃得都空了心了，你倒像没事人似的。

曾文清　（长叹一声，把那张画扔在地上，立起来苦笑）哎，有饭大家吃。

曾思懿　（悻悻然）有饭大家吃？你祖上留给你多少产业，你夸得下这种口。现在老头在，东西还算一半是你的，等到有一天老头归了天——

〔突然由左边屋里发出一种混浊而急躁的骂人声音，口气高傲，骂得十分顺嘴，有那种久于呼奴使婢骂惯了下人的派头。

〔左屋内的声音：滚！滚！滚！真是混账王八蛋，一群狗杂种。

曾思懿　（对文）你听。

〔左屋内的声音：（仿佛是对后院的天井乱喊）张顺，张顺！林妈！林妈！

曾文清　（走到大花厅门口，想替他喊叫）张顺，张——

曾思懿　（嘴一努，瞪起眼睛，挑衅的样子）叫什么？

〔文清止步退回。

曾思懿　（低声）让他叫去，成天打鸡骂狗的，（切齿而笑）哼！这是他给你送行呢！

〔左屋内的声音：（咻咻然）张顺，八月节，你们都死了，死绝了！

曾思懿　（盛气反而使她沉稳起来）你听！

〔左屋内的声音：（拖长）张——顺！

曾文清　（忍不住又进前）张——

曾思懿 （拦住他，坚决）别叫，看我们姑老爷要发多大脾气！

〔砰朗一声，碗碟摔个粉碎，立刻有女人隐泣的声音。

〔半晌。

曾文清 （低声）妹妹刚病好，又哭起来了。

曾思懿 （轻蔑的冷笑）没本事，就知道欺负老婆。还留学生呢，狗屁！

〔屋内的声音：（随她的话后）混账王八蛋！

〔又是砰朗一声。

〔屋内的声音：（吼叫）这一家人都死绝了？

曾思懿 （火从心上起，迈步向前）真是太把人不放在眼里了！我们家的东西，不是拿钱买的是怎么？

曾文清 （拦劝，低声）思懿，不要跟他吵。

〔张顺慌忙由通大客厅门口上。

张　顺 （仓皇）是姑老爷叫我？

曾文清 快进去吧。

〔张顺忙着跑进左屋里。

曾思懿 （盛怒）"有饭大家吃"，（对文）给这种狼虎吃了，他会感激你么？什么了不起的人？赚钱舞弊，教人四下里通缉的，躲在丈人家，就得甩姑老爷的臭架子啦？（指着门）一到过年过节他就要摔点东西纪念纪念，我真不知道——

〔曾霆——思懿和文清生的儿子——汗涔涔地由通大客厅的门很兴奋地急步走进来。

〔曾霆，这十七岁的孩子，已经做了两年多的丈夫了。他的妻比他大一岁，在他们还在奶妈的怀抱时，双方的祖父就认为门当户对，替他们订了婚，日后年年祖父祖母眼巴巴地望着重孙，在曾霆入了中学的前二年，一般孩子还在幸福地抛篮球，打雪仗，斗得头破血流的时候，便挑选一个黄道吉日给他们了却了终身大事。于是在沸天震地的锣鼓鞭爆中，这一对小人儿——他十五，她十六——如一双临刑的羔羊，昏惑而惊惧，被人笑嘻嘻地推到龙凤喜烛前：摆弄了一番，从此就在一间冰冷的新房里同住了两年零七个月。重孙还没有降世，祖老太太就在他们新婚第一个月升了天，而曾霆和他的妻就一直是形同路人，十天半月说不上一句话。挨着痛苦的日子，活像一对遭人虐待的牲畜。

〔进了学校七个月才使他略微有些异样，同伴们野马似的生活，使他多少恢复他应有的活泼。家人才发现这个文静的小大人原来也有些天真的孩子气。

〔他穿一身淡色的夹长衫，便鞋，漂白布单裤，额上微微有点汗。

曾　霆　（瞥见他的母亲，突然止步）妈！

曾文清　下学啦？

曾　霆　嗯，爹。

曾思懿　（继续她的牢骚）霆儿，你记着，再穷也别学你姑丈，有本事饿死也别吃丈人家的饭。看住在我们家的袁伯伯，到月头给房钱，吃饭给饭钱，再古怪也有人看得起。真是没见过我们这位江姑老爷，屎坑的石头，又臭又硬！

〔前院一个女孩子的声音:（愉快地）曾霆！曾霆！

曾文清 你听，谁叫你？

〔前院女孩声：曾霆，曾霆！

曾　霆 （畏惧地望望母亲）啊！——

〔前院女孩声:（笑喊）曾霆，梯子搬好了，快来呀！

曾思懿 （厉声）这是谁！

曾　霆 袁伯伯的女儿。

曾思懿 她叫你干什么？

曾　霆 （有些羞涩）她，她要上房。

曾思懿 （大吃一惊）怎么，上房？一个大姑娘家！

曾　霆 （解释地）她，她，张顺的下房漏了，她要上去修漏。

曾思懿 （申斥里藏着嘲讽）你也陪着她？

曾　霆 （恧然）她，她说的。

曾思懿 （突然严峻）不许去！爬梯子登高，发疯了！我就不喜欢袁家人这点，无法无天。把个女儿惯得一点人样都没有。

〔女孩声:（高声）曾——霆！

曾　霆 （应声）哎！

曾思懿 （立刻截住）别管理她！

曾　霆 （想去告诉她）那么让我（未走一步）——

曾思懿 （又扯住他）不许走！（对霆）你当你还小吗！十七岁！成了家的人了。你爷爷在你那么大，都养了家了！（突然）你的媳妇回来了没有？

曾　霆 （一直很痛苦地听着她的话，微声）打了电话了。

曾思懿　她怎么说?

曾　霆　(畏缩)不是我打的,我托愫姨打的。

曾思懿　(怒)你为什么不打,教你去打,你怎么不打?

〔女孩声:(几乎同时)曾霆,你藏到哪儿去了?

曾　霆　(昏惑地,不知答复哪面好)愫姨原来就要托她买檀香的。

〔女孩声:(着急)你再不答应,我可生气了。

曾思懿　(看出霆的心又在摇动。霆还没走半步,立刻气愤愤地)别动,愫姨教她买檀香,教她买去好了。(固执地)可我教你自己给瑞贞打电话,你为什么不打?我问你,你为什么总是不听?不听?

〔曾霆偷偷望一眼,又低头无语。

曾文清　他们夫妻俩没话说,就少让他说几句,何必勉强呢?凡事勉强就不好。

〔女孩声:(高声大叫)曾——霆!

曾思懿　(对声音来处)讨厌!(转向文)"勉强就不好",什么事都教你这么纵容坏了的。我问你,八月节大清早回娘家,这是哪家的规矩?她又不是不知道现在家里景况不好,下人少,连我也不是下厨房帮着张顺做饭。(刻薄地)哼,娘家也没有钱,可养成千金小姐的脾气!(对曾霆咻咻然)你告诉她,到哪儿,说哪儿,嫁到我们这读书的世家,我们家里什么都不讲究,就讲究这点臭规矩!

〔由通大花厅的门跑进来雄赳赳的袁圆小姐,这个一生致力于"人类学"的学者十分钟爱的独女。她手提一桶,穿着蓝布工裤，气昂昂地来到门槛上张望。她满脸顽皮相，整天在家里翻天覆地，没有一刻安闲。和男孩儿们一同玩耍嬉戏，在她，一切都来得自然简单，率真爽朗。她的衣裤和汗淋淋的脸上都沾了一些泥点。

袁　圆　（指着曾霆）曾霆，好，闹了归齐，你在这儿！来，请你吃点冰淇淋！（说着就抓起那桶内的“瓦刀”，挖起一刀灰泥，要向曾霆的脸上抹去）

曾　霆　（困窘）别，别！（不知不觉躲在父亲后面）

曾思懿　（惊吓）这可做不得！（拉住她）袁小姐，我问你一句话。

袁　圆　（回转身，笑呵呵地）什么？

曾思懿　（随嘴乱问）你父亲呢？

袁　圆　（放下水桶，故意安稳地）在屋里研究“北京人”呢。（突然大叫一声，猫捉耗子似的把曾霆捉住）你跑？看你跑到哪里！

曾　霆　（狼狈地笑着）你，你放掉我。

袁　圆　（兴奋地）走，我们出去算账。看你还嫌脏不！

曾思懿　（大不高兴）袁小姐！

袁　圆　走！

曾文清　（笑嘻嘻地）袁圆，你要一个东西不？

袁　圆　（突想起来，不觉放掉曾霆）啊，曾伯伯，你欠了我一个大风筝，你说你有，你说你给我找的。

曾文清　（笑着）秋天放不起风筝的。

袁　圆　（固执）那你答应了我，我要放，准能放！

曾文清　我倒是给你找着一个大蜈蚣。

袁　圆　（跳起来）在哪儿?（伸手）给我!

曾文清　蜈蚣教耗子咬了。

袁　圆　（黠巧地）你骗我。

曾文清　（好兴致地）有什么法子，耗子饿极了，蜈蚣上的浆糊都教耗子吃光了。

袁　圆　（顿足）你看你!

曾文清　（安慰）别急别急，还有一个。

袁　圆　嗯，我不相信。

曾文清　（和蔼地）霆儿，你到书房（指养心斋）里把那个大金鱼拿过来。

曾　霆　（几乎是跳跃地）我拿去。

曾思懿　（吼住他）霆儿，跳什么?

〔曾霆抑压住欢欣，稳步走向书斋。

袁　圆　（追上去）曾霆!（拉着他的手）快点，你!（把他拉到书斋里，瞥见那只五颜六色上面有些灰尘的风筝，脱口叫出）啊，这么大!（立刻就要抢过来）

曾　霆　（脸上又恢复欢愉的笑容）你别拿，我来!（举起那风筝）

袁　圆　（争执）给我，我拿!

曾　霆　你毛手毛脚的，弄坏了。

袁　圆　（连喊）我来拿！我来拿！我来拿！你爹爹给我糊的。

〔二人争抢着那金鱼。

曾思懿　（同时）霆儿!

曾　霆　（喘着气喊）不，不，（目不转睛望着她，兴奋而快乐地和袁圆争抢，苍白得几乎透明的手指握着那风筝的竹篾，被圆儿粗壮的手腕左右摇甩，几乎按不住那风筝）

袁　圆　（同时不住地叫）我来，我来！

〔曾霆忽然叫一声，松开手，望着流血的手指。

袁　圆　（吃一惊）怎么？

曾思懿　（埋怨）你看！（走到他面前申斥）你看出了血了！

曾文清　（望着霆）扎破了？

曾　霆　（握着手指）嗯！

袁　圆　（关怀地）痛不痛？

曾　霆　（惶惑）有一点。

曾思懿　（拉着霆）快去，上点七厘散。

袁　圆　（满有把握地）不用！（低下头吮吸他扎破了的手指）

曾　霆　（吃了一惊）啊！（一阵感激的兴奋在脸上掠过，他忸怩地拒绝母亲的手）妈，不用了，妈——

袁　圆　（唾出一口涎水，愉快地把他的手放开）得，还痛不痛？

曾　霆　（恧然低声）不痛了。

袁　圆　（笑着）好，饶了你，一会儿，咱们再上房修漏。（推着他）走，放风筝去。

〔曾霆立刻顺手拿起风筝。

袁　圆　再见！曾伯伯。（跳跳蹦蹦地推着曾霆出了门）

曾思懿　霆儿！

曾文清　让他们去吧！

曾思懿　你别管！（对外）霆儿！

〔曾霆只好又从外面走进来，后随那莫名其妙的袁圆。曾霆望着母亲。

曾思懿　（端起那碗参汤）把这碗参汤喝了它，你爹不喝了。

袁　圆　（望着碗，好奇地）参汤！

曾　霆　我不喝！

曾思懿　（厉声）喝掉！

曾　霆　（端碗喝了一口，立刻吐出）真的，坏了。

曾思懿　胡说！（自己端过来尝了一口，果然觉得口味不对，放下）哼！

〔这时袁圆顽皮地向霆招手，颠着脚推着霆的背走出。霆迈出门槛，袁圆还在门里。

曾思懿　（忽然）袁小姐！

袁　圆　啊！（回头）

曾思懿　你过来！

袁　圆　（走过来）干什么？

曾思懿　（满脸笑容）今天我们家里，请你同你父亲一同过来过节，你对他说过了么？

袁　圆　请我们吃中饭？

曾思懿　（异常讨好的神色）啊，特为请你这位顶好看的袁小姐。

袁　圆　（愣头愣脑）你胡扯！你们请的爸爸跟愫小姐，我知道。

曾思懿　哪个说的？

袁　圆　（自负）江姑老爷跟我都说了。

曾思懿　（和颜悦色）那么你想要新妈妈不？

袁　圆　（干脆地）我没妈妈，我也不要。

曾思懿　（劝导地）有妈好，你喜欢愫小姐做你的妈妈不？

袁　圆　（莫名其妙）我？

〔前院子里曾霆的声音：袁圆，快来，有风了！

袁　圆　（拿出一个纸包，倏地放在思的手上）给你！

曾思懿　什么？

袁　圆　爸爸给你的房租钱！（由通大客厅门跑下）

曾思懿　（鄙恶）这种孩子，真是没家教！

曾文清　（不安地）你，你跟江泰闹的什么把戏？你们要把愫方怎么样？

曾思懿　（翻翻眼）怎么样？人家要嫁人，人家不能当一辈子老姑娘，侍候你们老太爷一辈子。

曾文清　她没有说，你们怎么知道她要嫁人？

曾思懿　（嘴角又咧下来）看不出来，还猜不出来！我前生没做好事，今生可要积积德，我可不想坑人家一辈子。

曾文清　嫁人当然好，不过嫁给这种整天就懂研究死人脑袋壳的袁博士——

曾思懿　她嫁谁有你的什么？你关的什么心？（恶毒地）你老人家是想当陪房丫头一块嫁过去，好成天给人家端砚台拿纸啊，还是给人家铺床叠被到了晚上当姨老爷啊？

曾文清　（气愤）你是人是鬼，你这样背后欺负人家？

曾思懿　（粗野地）你放屁！我问你是人是鬼，用着你这样偏向着人家！

曾文清　她是个没父没母的人，住在我们家里照护爹这么些年——

曾思懿　（率性说出来）我就恨这么个老姑娘死拖活赖住在我们家里，成天画图写字，陪老太爷，仿佛她一个人顶聪明。

曾文清　唉，反正我要走了，只要爹肯，你们——

曾思懿　他不肯也得肯，一则家里没有钱，连大客厅都租给外人，再也养不住闲亲戚，再则（斜眼望着他，刻薄地）人家自己要嫁人，你不愿意她嫁呀——

曾文清　（忍无可忍，爆发）谁说我不愿意她嫁？谁说我不愿意她嫁？谁说不愿意她嫁？

曾思懿　（一眼瞥见愫方由养心斋的小门走进来，立刻诡笑起来）别跟我吵，我的老爷，人家愫小姐来了！

〔愫方有三十岁上下的模样，生在江南的世家，父亲也是个名士。名士风流，身后非常萧条；不久母亲又弃世，自己的姨母派人接来，从此就遵守母亲的遗嘱，长住在北平曾家，再没有回过老家江南。曾老太太在时，非常喜爱她，这个刚强的老妇人死后，愫方又成了她姨父曾皓的拐杖，他走到哪里，她必须随到哪里。在曾皓日渐衰颓的暮年里，愫方是他眼前必不可少的慰藉，而愫方的将来，却在悠忽的岁月中，很少有人为她恳切地想一想。

〔见过她的人第一个印象便是她的沉静。谁也猜不出她心底压抑着多少苦痛的思想与愿望，她是异常缄默的。

〔伶仃孤独，多年寄居在亲戚家中的生活养成她一种惊人的耐性，她低着眉头，听着许多刺耳的话。只有在偶尔和文清的诗画往还中，她才不自知地流露出一点抑郁的情感。

〔她态度大方，服饰很淡雅。她穿一身深蓝毛哔叽的旧旗袍，宽大适体。

曾思懿 （对着愫小姐，满脸的笑容）你看，愫妹妹，你看他多么厉害，临走临走，都要恶凶凶地对我发一顿脾气，不知道的，都看我这样子像是有点厉害，背地里不定怎么恶呢！知道的，都明白，我是个受气包：我天天受他（指文）的气，受老爷子的气，受我们姑奶奶姑老爷的气，（可怜的委屈样）连儿子媳妇的气我都受啊！（夸张地）真是，这一家子，就是愫妹妹，你心地厚道，待我好。

〔愫方没来由地听着这潮涌似的话。

曾文清 （忍不住，插进嘴去）爹起来了？

〔思懿停嘴。屋里顿时安静下来。

愫　方 （安详地）姨父早起来了。（望见地上那张破碎的山水，弯身拾起）这不是表哥画的那张画？

曾思懿 （又叨叨起来）是呀，就因为这张画教耗子咬了，他老人家跟我闹了一早上啦。

愫　方 （衷心的善意）不要紧，我拿进去给表哥补补。

曾文清 （苦笑）算了吧，值不得。

曾思懿 （似笑非笑对文睨视一下）不，教愫妹妹补补吧。（对愫）你们俩位一向是一唱一和的，临走了，也该留点纪念。

愫　方 （听出她的语气，不知放下好，不放下好，嗫嚅）那我，我——

曾文清　（解围）那就请愫妹妹动手补一下吧，怪可惜的。

曾思懿　（眼一翻）真是怪可惜的。（自叹）我呀，我一直就想着也有愫妹妹这双巧手，针线好，字画好。说句笑话，（不自然地笑起来）有时想着想着，我真恨不得拿起一把菜刀，把你这两只巧手切下来给我换上。

愫　方　（惊恐）啊！（本能地缩进那双苍白的手腕）

曾文清　（瞪思一眼）你这叫什么笑话。

曾思懿　（得意大笑）我可是个粗枝大叶，有嘴无心的人。（拿起愫小姐的手，轻轻抚弄着）愫妹妹，你可别介意啊，我心直口快，学不出一点文绉绉的秀气样子，我常跟文清说（斜睨着文清）我要是个男人，我就不要像我这样的老婆，（更亲昵地）愫妹妹，你说是不是？你说我——

〔正当着愫方惶惑无主，不知如何答复的时候，曾瑞贞——大奶奶的儿媳妇——提着一大包檀香木和柱香由通大客厅的门慌慌走进来。

〔曾瑞贞只有十八岁，面色惨淡，使人不相信她是不到二十的年轻女子。她无时不在极度的压抑中生活。她生成一种好强的心性，反抗的根苗藏在心里，对一般人口上决不泄露一丝痕迹。眼神中望得出郁闷不满，怨恨。嘴角总绷得紧紧的。她不肯修饰，也不愿穿鲜艳的衣裳，虽然屡次她的婆婆为着这件事詈骂她。

〔当她无端遭她婆婆狺狺然辱骂时，她只是冷冷地对看着；她不惧怕，仿佛是故意地对她漠然。她决不在她所厌恶的人的面前哭泣，显出自己的怯弱，虽然她心里是痛苦的。

〔在布满愁云一般的家庭里，只有愫姨是她的朋友。

〔她进门有些犹疑。她晓得她穿的颜色暗澹的衣服先使婆婆看着不快。

曾瑞贞 妈！爹！

曾思懿 （嘲弄地）居然打电话把您请回来啦。我正在跟愫姨说，想叫辆汽车催请呢。

曾瑞贞 我，我身上有点不舒服。

曾思懿 （刁钻古怪地尖声笑着）难道这儿不是家？我就不能侍候您少奶奶啦。

愫　方 （替瑞贞说话）表嫂，她是有点不舒服。

曾思懿 （勉强的问）好了没有？

曾瑞贞 （低声）好了。

曾思懿 （狠狠瞪了她一眼）请吧，我怕你！快敬祖宗去吧。

曾瑞贞 嗯。（就转身向养心斋走）

曾思懿 （满面笑容对愫）我这个人就是心软，顶不会当婆婆了。一看！（突然转身对瑞）喂，瑞贞，你怎么连你爹都不叫一声就走了。

曾瑞贞 叫过了。

曾思懿 （嫌她顶撞，登时沉下脸对文）你听见了？（不容文答声，立刻转对瑞）我没听见。

曾瑞贞 （冷冷望着她，转又对文）爹爹！

曾文清 （不忍）快走，快走吧！

曾思懿 （对瑞）愫姨呢？

曾瑞贞 （机械地）愫姨。

曾思懿 （对愫又似谦和又似示威地阴笑）你看我们这位少奶奶简直是一点规矩也不懂，（转对瑞非常慈祥的样子）你还不谢谢愫姨，愫姨疼你，刚才电话是愫姨打的。

曾瑞贞 谢谢愫姨。

曾思懿 你知道霆儿从学校回来了么？

曾瑞贞 知道。

曾思懿 你看见他跟袁小姐放风筝了么？

曾瑞贞 （低声）看见了。

曾思懿 （对愫指着瑞）您瞅，有这种傻人不？知道了，也看见了。（忽然转对瑞）那你为什么不赶紧回来看（读阴平，“守”着的意思）着他。（自以为聪明的告诫）别糊涂，他是你的男人，你的夫，你的一辈子靠山。

曾文清 （皱着眉）小孩子们，一块玩玩，你总是大惊小怪地说这些话。

曾思懿 （故意）谁大惊小怪，你就会替这种女人说偏心话。（不自主地往愫方身上一瞟）这种女人一看见就知道想勾引男人，心里顶下作啦。瑞贞你收拾好神桌，赶快教霆儿穿马褂敬祖宗，少跟那个疯小姐混。

〔瑞贞又提起那一大包檀香木和柱香。

曾思懿 回来，哪个教你买这些檀香木？

〔瑞贞不语。

愫　方　（低声）表嫂——

曾思懿　（佯未听见，仍对瑞）你发财啦，谁教你买这么一大堆废东西？哪个那么讨厌，多事？

愫　方　（镇静地）是我，表嫂。

〔静默。

〔瑞贞由养心斋小门下。

曾思懿　（假笑）哎，真是的，你看我这个人，可不是心直口快，有口无心。莽张飞，心里一点事都存不住。（似乎是抱歉）哎，我要早知道是愫妹吩咐的——

愫　方　姨父说买来为着晚上念经用的。

曾文清　爹前几天就说要人买了。

曾思懿　（顺嘴人情）我们这位老太爷，就是脾气怪，难侍候。早对我吩咐下来，不早就买啦。（又亲热地）哎，愫妹妹，你不知道，文清跟我多么感激你。这家里要没有你，老太爷不知道要对我这做儿媳妇的发多少次脾气啦。（非常关心的口气，低声）昨天晚上是老太爷又不舒服了吧？

愫　方　（微颔首）嗯。

曾思懿　（对文，得意地）你看，可不是！（对愫）我就听老爷子屋里“喀儿喀儿”直咳嗽。我就跟文清说：“可怜，老爷子大概又在气喘呢！”（满脸忧虑的神气）我一听就翻来覆去睡不着，我直推着文清说：“你听，大半夜了，愫妹妹还下厨房拿水，给爹灌汤婆子呢。”真是的……

曾文清　（不理她，向愫）爹爹犯什么病？

愫　方　（无力地）腿痛，要人捶，他说心里头气闷。

曾思懿　（口快）那一定是——

曾文清　（怨艾地）他老人家就教你捶了一晚上？

愫　方　捶捶，姨父就多睡一会。

曾思懿　（惊讶）啊，怪不得一早上我看见愫妹还在捶呢。

曾文清　（无限的同情）那么，你到现在还没有睡？

曾思懿　（大惊小怪地）通宵不睡觉怎么成！（疼惜的样子）哎，你怎么不教我来替呀。真是的，快回屋睡一会。（推着愫）你体子又单薄，哪经得住熬夜。（假眉假势地）哎，这是怎么说的。走，我的好妹妹，睡一会，回头真病了，（望望文清）可怎么得了！

愫　方　（冷冷地）不用，我睡不着。

曾思懿　文清，你看真是再没有比愫妹再孝心的人了。我就爱愫妹这样的脾气，（对着愫方夸赞）不说话，待人好，心地厚道，总是和和气气，不言不语的。（忽转对文）文清，我要是男的，我就娶愫妹这样的人，一辈子都是福气。

曾文清　愫妹，你不是给爹拿参汤的么？

愫　方　哦，哦，是的。

曾思懿　你早说呀，我早就预备好了。（端起那碗参汤）

曾文清　刚才霆儿不是说这碗参汤——

曾思懿　你少听他胡扯。咳，还是我热热拿去吧！（笑嘻嘻）这才叫作“丑媳妇也得见公婆呢”！再丑再不爱看，也是没法子啦。（走了两步，回头）哦，厨房那两碗菜是不是你做给文清在路上吃的？

愫　方　啊——嗯——

曾思懿　（尖刻）文清，你看你多福气，愫妹待你多好啊！临走临走，愫妹一夜没睡，还赶着做两碗菜给你吃，你还不谢谢！（冷笑着由养心斋小门走下）

〔静默，窗外天空断断续续地传来愉快的鸽哨响。

曾文清　（感愧的眼光含泪，低声）愫方，我，我——

〔愫方低头不语。

曾文清　（望望她也低下头，嗫嚅）陈奶妈来，来看我们来了。

愫　方　（忍着自己的哀痛）她，她在前院。

〔思懿忽然又从书斋的小门匆忙探出身来。

曾思懿　（笑容满面，亲热地招手）文清，陈奶妈在外面找你呢。你快走了，还不跟她老人家说两句话？来呀，文清！

〔愫方望着文清，文清毫无生气地随着思懿由书斋小门下。

〔泠泠的鸽哨响。

〔远处算命瞎子悠缓的铜钲声。

〔一两句遥远市街上的“酸梅的汤儿来……”

〔愫方伫立发痴，忽然坐在一张矮凳上嘤嘤隐泣。

〔微风吹来，响动着墙上挂的画。

〔外面圆儿的声音：（放着风筝，拍手喊）飞呀，飞呀，向上飞呀！

〔陈奶妈带着小柱儿由大花厅通前院的门走进来。小柱儿目不转睛地回头望着半空中的纸鸢，阳光迎面射着一张通红的圆脸。

陈奶奶 愫小姐。

小柱儿 （情不自禁，拍手）奶奶，金鱼上天了！金鱼上天了！（指着窗外的天空惋惜大叫）哎呀，金鱼又从天上摔下来了。金鱼——

陈奶奶 （望见愫方独自在哭，回首，低声）别嚷嚷，你出去看去吧！

〔小柱儿喜出望外，三脚两步走出去。陈奶奶悄悄走到愫方面前。

陈奶奶 （缓缓地）愫小姐，你怎么啦？

〔愫方低头抽咽。

〔半晌。

陈奶奶 （叹了一口气，怜惜地把手放在她微微在抽动着的肩上）愫小姐，别哭了，我走了大半年了，怎么我回来你还是在哭呀？

愫　方 （抬头）我真是想大哭一场，奶奶，这样活着，是干什么呀！（扑在桌上哭起来）

陈奶奶 （低下头，眼泪几乎也流下来）别哭了，我的愫小姐，去年我就劝你多少次了。（沉痛地）嫁了吧，还是嫁人好。就是给人填房都好。（一面擦着自己的泪水，一面强笑着）我可说话没轻没重的，一个大姑娘在姨父家混一辈子成怎么回事啊。

〔愫方又隐泣起来。

陈奶妈　好歹嫁了吧，我的愫小姐，人家的家总不是自己的家呀！

〔愫方哭出声来。

陈奶妈　（低声秘密地）那位袁先生我刚才到前院偷偷相了一下，人倒是——

愫　方　（抽咽）奶妈，你，你别说这个。

陈奶妈　是，八字都拿去合了么？

愫　方　（恳求她不要再说下去）奶妈。

陈奶妈　（摇头）我们这位大奶奶是不容人的。我看，清少爷，可怜，天天受她的气，我一想起来，心里真是总说不出的心疼啊。（忧伤地）哎，世上真是没有如意的事啊，你看，你跟清少爷，你们这一对——

〔瑞贞由养心斋小门匆忙上。

曾瑞贞　愫姨，爷爷叫你。

愫　方　哦！（忙立起身，擦擦眼睛，就低首向书斋走）

曾瑞贞　爷爷在前面厢房里。

〔愫方又低头转身向通大客厅的门走。

曾瑞贞　（看出她在哭，就随在后面，低声）愫姨，你——

〔愫方依然低头向前走。

〔后院大奶奶在喊——

〔后院大奶奶声：瑞贞！

曾瑞贞　（停步应声）哎！

〔后院大奶奶声：（尖厉）你又跑到哪儿去了，瑞贞？

曾瑞贞　在这儿！（依然随着愫后面走）

愫　方　（在大客厅门槛上停步）你去吧！

曾瑞贞　不。（二人走进大客厅）

〔大奶奶由养心斋小门上。

曾思懿　瑞贞！（瞥见陈奶妈）啊，陈奶妈，（强笑，指着后院）快去吧，你的清少爷正到处找你呢！

陈奶妈　（喜不自禁）清少爷？哪儿？

曾思懿　院子里。

〔陈奶妈又非常高兴地颤巍巍地由书斋小门走下。瑞贞从通大客厅的门悄悄走进。

曾瑞贞　妈。

曾思懿　（狠狠盯着她）你耳朵聋了！（四下一望）我教你喊的人呢！

曾瑞贞　我，我——

曾思懿　（厉声）滚！死人！

〔瑞贞由她面前走过。

曾思懿　（切齿）看你那死样子。

〔瑞贞默默由书斋小门下。

曾思懿　（同时走到大客厅喊）霆儿，霆儿！

〔霆由大客厅通前院的门上。

曾　霆　（一脸汗）妈。

曾思懿　（申斥的口吻，冷冷地）妈叫你，知道么？

曾　霆　（歉笑）知道。

曾思懿　（气消了一半）快穿好袍子马褂，给祖先上供去！

〔霆立刻转身向书斋走。

曾思懿 （一手拉住他，异常和蔼地）孩子，以后你别跟那个袁小姐玩，野姑娘，没规没矩的。（半鼓励，半泄愤的样子）你要是嫌瑞贞不好，你中学毕了业，我给你再娶一个。好好念书，给你妈妈争气，将来——

〔霆正听得不耐烦时，张顺由左边姑老爷的卧室走出。霆乘机由书斋小门溜下。

〔左面卧室内：（门开时）混蛋！滚！滚！（砰地门随着关上）

曾思懿 什么事，张顺？

张　顺 （也气呼呼地）大奶奶，张顺想跟您请长假。

曾思懿 又怎么啦？

张　顺 （指手画脚）我侍候不了这位姑老爷，一天百事不做，专找着我们当下人的祖宗八代地乱卷（“骂”的意思）。

曾思懿 （愤愤）他是条疯狗，跟他一般见识干什么？

张　顺 （盛气难息）不，您另找人吧，我每天搪账不必说——

〔突然又由隔壁传来一声：“混账！”一个女人喊着说：“你别去！别去！”男人暴叫：“撒开手，我要见他！”

曾思懿 （立刻低声）张顺，这边来说，让他来喊去。

〔张顺随着大奶奶由书斋小门走出。

〔同时闯进来扭持着的姑老爷和姑太太。江泰登时甩开手，曾文彩目瞪口张地望着他。他手握着一束钞票，气呼呼地乱指。

〔姑老爷江泰是个专攻“化学”的老留学生，到了北平，就纵情欢乐，尽量享受北平舒适的生活，几乎和北平土生的公子哥儿的神气，毫无二致。他三十七岁，带着几分潦倒模样。人看来是很精明的，却仿佛走到社会里就比不过与他同样聪明的朋友们。他时时刻刻想占些小便宜，而总不断地在大处吃了人的亏。他回国后，颇想大大发展一下。但不知为什么抛弃本行，洋洋得意地做了官。做了几次官都不十分得意，在最后一任里，他拉下很大的亏空，并且据说有侵吞公款的嫌疑，非常不名誉地下了任。他没剩多少钱，就和太太寄居在丈人家里，成天牢骚满腹，喝了两杯酒就在丈人家里使气。人愈穷，气愈盛，拍桌骂人，摔碟子摔碗是常有的事。

〔他身材不高，宽前额，丰满的鼻翼，一副宽大的厚嘴唇，唇上微微有些黑髭，很漂亮的。他眼神有些浮动，和他举止说话一样。

〔他穿一套棕色西服，货料和剪裁都好，领带斜掩在前面。后脑翘起一绺头发。通身上下都不整齐。

〔他的夫人曾文彩有三十四岁，十年前是一位有名娇滴滴的蜡美人，温厚娴静，婚后数年颇得他丈夫的宠爱。后来一直卧病，容颜顿改，人也憔悴瘦弱，脸色比曾家一般人还要苍白，几乎一点也看不出昔日的风韵。她非常懦弱，任何事她都拿不定主意。在旧书房里读了几年书，她简直是崇拜她的丈夫，总是百依百顺地听她丈夫的吩咐，甘心受着她丈夫最近数年的轻蔑和欺凌。病久了，她进门有些颤抖，唇惨白失色，头发微乱，她穿一件半旧蓝灰色羽纱旗袍，青缎鞋也有些破旧。

曾文彩　（哀求他）你这样去，成什么样子？

江　泰　（睁圆了眼）给他钱，什么样子？住房，给房钱，吃饭，给饭钱。

曾文彩　（怯弱地）你不要这么嚷，弄得底下人听见笑话。

江　泰　（愤慨）这有什么可笑话！给完了钱，我们就搬家。（举起那钞票乱甩，怒喊）我教你给他钱，你为什么不去？（拔步就走）我自己去交给你父亲！

曾文彩　（用力拉住他）江泰，你给我留点面子，这是我的娘家！

〔思懿偷偷由书斋小门伸出头窃听。

江　泰　（唾了一口涎水）娘家，我看还不及住旅馆有情分呢。（指着后院）老头死了，你要是拿他一个大钱，我立刻就跟你离婚。

曾文彩　（哀诉地）你从哪儿听的这些闲话？哪个告诉你说嫂嫂嫌我们住在此地，又是谁说你想着你岳父的钱哪？

江　泰　（傲慢地）奇怪，我贪这几个钱？（愤恨）你们家里的人一个个都是混蛋，小人，没见过钱的，第一你那个大嫂！

曾文彩　（低声，怯惧地）你喊什么？她说不定就在隔壁！

江　泰　（痛快淋漓）我喊，我就是给她听，看她怎么样？看她敢怎么样？

〔大奶奶要挺身而出，但又悄悄退回去。

曾文彩　（叹息）再怎么说也是亲戚。

江　泰　什么亲戚？（牢骚满腹）亲戚是狗屎！我有钱，我得意的时候，认识我。没有钱，下了台，你看他们那副鬼脸子！（愈想愈恨）混账！借我钱买田产的时候，你问问他们记得不记得？我教他们累得丢了官，下了台，你问问他们知道不知道？昨天我就跟老头通融三千块钱，你看老头——

曾文彩　（连忙）回头我跟爹说！

江　泰　（怒冲冲）你不要去！你少给我丢脸！你以为你父亲吃斋念佛就有人心么？伤天害理，自己的棺材抬在家里，漆都漆好了，偏把人家老姑娘坑在家里，不许嫁人！

曾文彩　（弱声弱气）你不要这样胡说！

江　泰　哼，（凶横地）我问你，他怕死不怕死？

曾文彩　（怯笑）老人家哪个不怕死？

江　泰　那么，他既然知道他要死了，为什么屡次有人给愫小姐提婚，他总是东不是西不是挑剔，反对？

曾文彩　（忠厚地）那也是为她好。

江　泰　（睁圆眼睛）你胡扯！自私！自私！就是自私！一句话，眼不见为净，我立刻走！我立刻就滚蛋，滚他妈的蛋！

〔霆由书斋小门上。

曾　霆　姑姑，姑丈，爷爷请您们二位敬祖宗去。

江　泰　我不去。

曾文彩　霆儿，你别听他的，我们就去。

曾　霆　妈说等着姑姑跟姑丈点蜡呢。

江　泰　我不去，我江家的祖宗还没有祭呢。

曾文彩　（哀恳地）走，把衣服换了，穿上袍子马褂！

〔愫方由书斋小门上。她手里拿着一包婴儿的衣服。

愫　方　（找着）瑞贞呢！

曾文彩　不在这儿。

愫　方　表姊夫还不去，姨父都在祖先堂屋等着呢！

曾文彩　（几乎是乞怜）看我的份上，你去一趟吧。

江　泰　（翻翻眼）你告诉他我没有工夫侍候。（头也不回，由大客厅通前院的门下）

曾文彩　（追在后面）江泰，你别走，你听我说。（追下）

〔霆欲由大客厅走出去。

愫　方　霆儿，你别走。

曾　霆　愫姨。

愫　方　你——（欲说又止）

曾　霆　什么？

愫　方　（和蔼地）你为什么不跟瑞贞好呢？

〔霆不语。

愫　方　你们是夫妻呀。

曾　霆　（痛苦地）您别提这句话吧。

愫　方　譬，譬如她是你的妹妹，你忍心成天——

曾　霆　（恳求地）愫姨！

〔他们觉得有人来，回头看见瑞贞低着头仿佛忍着极端的苦痛，匆匆由书斋小门走进。

曾瑞贞　（抬头，突然望见霆）哦，你，你在这儿。

愫　方　（立刻）你们谈谈吧。（急向大客厅那面走）

〔前院袁圆在叫——

〔圆的喊声：快来呀，曾霆！

〔霆原来与瑞贞相对无语，听见喊声，立刻抢在愫方的前面，疾步走进大客厅。

愫　方　霆儿，你——

〔霆不回头，忙由大客厅通前院的门走出，愫回过头，脸上罩满哀伤，慢慢向瑞贞走来。

曾瑞贞　愫姨！（扑在愫的怀里哭泣起来）

愫　方　（低声抚慰）不要哭。瑞贞。

曾瑞贞　（忍不住地抽咽）我，我不，我不。

愫　方　（拉着她）我看你回屋躺一躺去吧。

曾瑞贞　（摇头）不，他母亲还教我侍候开饭呢！

愫　方　（不安地探问着）你怎么一早就出去了？

曾瑞贞　我有，有点事。

愫　方　（望着她，怜惜地）我看你睡一会吧，你的眼通红的。

曾瑞贞　不，那他母亲更要以为我是装病了。

愫　方　（同情地）你还吐么？

曾瑞贞　还好。

愫　方　瑞贞，还是让我，我替你说了吧。

曾瑞贞　（坚决）不，不。

愫　方　那么先告诉霆儿吧。

曾瑞贞　（抑郁）他不懂，他是个孩子。

愫　方　（劝解）可为什么不说呢？

曾瑞贞　（摇头）愫姨，你不明白。

愫　方　（不了解）为什么呢？这又不是什么怕人晓得的事。

曾瑞贞　（痛苦地望着愫方）愫姨，我要是能像你一样，一辈子不结婚多好啊。

愫　方　你怎么说些小孩子话？

曾瑞贞　（痛心）愫姨，我们是小孩子啊，到了年底我十八，曾霆才十七呀。我同他糊糊涂涂教人送到一处。我们不认识，我们没有情感，我们在房里连话都没有说的。过了两年了，（痛苦地）可现在，现在又要——

愫　方　（淳厚地）那你的爷爷才喜欢呢。

曾瑞贞　是呀，愫姨，我就是问为什么呀？为什么爷爷要抱重孙子，就要拉上我们这两个可怜虫再生些小可怜虫呢？

愫　方　（安慰）人家说有了小孩就好了，有了小孩夫妻的情感就会好了的。

曾瑞贞　（摇着头）不，愫姨，我不相信，我们不会好的。（肯定）即使曾霆又待我好，我在这样的家庭也活不下去的。（憎恶地）我真是从心里怕看见这些长辈们的脸哪，（拉着愫的手）愫姨，如果这家里再没有你，我真不知怎么过下去。

愫　方　（感动地）不要这么说话。你还小，生了小孩子大家就高兴了。

曾瑞贞　（忧愁）愫姨，怎么会高兴？杜家的账到现在没法子还，爷爷都说要卖房子——

愫　方　（低头）嗯。

曾瑞贞　多一个就多一个负担，曾霆连中学都还没毕业。

愫　方　（慈爱地笑着）不要像个小大人似的想下去了，活着吃苦不为着小孩子们，还为什么呢？毛毛生下来，我来替你喂。我来帮你。不要怕，真到了没路可走的时候，我母亲还留下一点钱，我们还可用在小孩子身上的。

曾瑞贞　（十分感动）愫姨，你，你的心真是——

愫　方　（喜悦地）那么，瑞贞，我一会儿替你说了吧，我替你告诉，先告诉表嫂，她想着要抱孙子，就不会待你那样了。

曾瑞贞　（连忙）不，不，你不懂，我就不愿意告诉我这位婆婆，不，不，你千万谁也不要告诉。（激动地）愫姨，只有你，只有你——啊，愫姨，我心里乱慌慌的，昨天晚上我梦见我的母亲又活起来了，我还在家里当孩子，（痛苦地）哦，愫姨，我要是永远不嫁人，永远不长大多好啊，多好啊！（又抽咽起来）

愫　方　（抚慰）不要哭，不要再流眼泪了。我给你看一点东西吧！（打开那个包，露出美丽的婴儿绒线衣服）瑞贞，你看能用么？

曾瑞贞　（望着那件玲珑的小衣服，说不出话来）啊？

愫　方　喜欢么？

曾瑞贞　怎么你连这个都预备了？（虽然有些羞赧，但也忍不住笑起来）还早的很呢。

愫　方　做着玩玩，我也是学着做。

曾瑞贞　（一件一件地翻弄，天真地）好看，好看，真好看。（忽然放下衣服）可愫姨，你没有钱，你为什么花这么许多钱，为着——

愫　方　（诚挚地）我喜欢你，瑞贞，我们都是无父无母，没有人疼的人。

曾瑞贞　（低下头，紧紧握住愫的手）愫姨。

愫　方　（委婉地）你现在快做母亲了，要成大人了，为什么想不要孩子呢？有了孩子，他就会慢慢待你好的。（替瑞贞擦泪）顺着他一点，他还是个小孩呢！（握紧瑞的手，诚挚地）瑞贞，昨天晚上你对我讲的话，那是万万做不得的。

曾瑞贞　（低声）为什么要这个小东西呢？（凝视）他是不喜欢我的。

愫　方　（恳切地）瑞贞，他再怎么不喜欢你，孩子是没有罪过的，岁数大了，心思就变了，有个小孩心里也就踏实多了，（凝望着她）你真想听你那个女朋友的话到什么地方去么？（悲哀地）哎，哪里又真是我们的家呀？

曾瑞贞　（愤慨）我不要家，我不要这个家。

愫　方　（立刻按住她的手，摇头）不，你不，你不明白没有家的女人是怎么过的！（凄然）那心里头老是非常地寂寞的。（不能自已）我自小就——（突然又抑制止住自己的愁苦）瑞贞，你听我的话，你决不要做那样的事，万万不要打掉那孩子。

曾瑞贞　嗯。

愫　方　你刚才是不是又找那个医生去了？

〔瑞贞不语。

〔后院文清喊——

〔文清声：瑞贞！

愫　方　你要对我说实话。

曾瑞贞　（望她）嗯。

〔文清声：瑞贞！

愫　方　那你以后再也不要去。

曾瑞贞　嗯！

愫　方　千万不要去了。

〔正当瑞贞微微颔首的时候，文清低首由书斋小门上。

曾文清　（抬头见愫方）你在这儿！（对瑞）瑞贞，你给我拿马褂来。

曾瑞贞　哦，爹！

〔瑞贞进了文清的卧室。

〔半晌，二人相对无语。

曾文清　（长叹一声）愫方，我要走了，以后，你，你一个人——

〔袁圆由大客厅通前院的门兴高采烈地跑进来。

袁　圆　（连喊）曾伯伯，曾伯伯！

曾文清　（转身笑着）什么？

袁　圆　小柱儿说他奶奶送给你一对顶好看的鸽子。

曾文清　（指鸽笼）在那里。

袁　圆　（提起来）咦，怎么就剩下一个啦？

曾文清　（哀痛）那个在半路上飞了。

袁　圆　（赞美地指着笼里的鸽子，天真地）这个有名字不？

曾文清　（缓缓点头）有。

袁　圆　（急切地）叫什么？

曾文清　（低声）它，它叫“孤独”。

袁　圆　真好看！（撒娇似地央求着）曾伯伯，你送给我？

曾文清　（微笑）好。

袁　圆　（大喜）谢谢你！你真是个好伯伯！（提着鸽笼跳起就跑）小柱儿！小柱儿！

〔袁圆一路喊着由大客厅通前院的门走出去。

〔静默。天空鸽哨声。

曾文清　（哀伤地望着她）谢谢你送给我的画。

〔愫方低头不语。

曾文清　（慢慢由身上取出一张信笺）昨天晚上我写了几首小东西，（有些羞怯地递到她的面前）在，在这里。

〔愫方接在手中。

曾文清　（温厚地）回头看吧。

愫　方　（望着他）一会儿，我不能送行了。

〔思懿突由书斋小门上。

曾思懿　（惊讶）哟，你们在这儿。（对愫）老爷子叫你呢。

愫　方　（仍然很大方地拿着那张纸）哦。（立刻走向书斋）

曾思懿　（瞥见她手上的诗笺，一转念，轻薄地）啊呀，地上还有一张纸！

愫　方　（不觉得回头）啊？

曾文清　（惴惴然）哪儿？（忙在地上寻望）

曾思懿　（尖刻地笑）哦，就一张！（望着愫）原来在手上呢！

〔外面曾老太爷的声音：（苍老地）愫方啊！

愫　方　嗥！（由书斋小门下）

曾思懿　（脸沉下来）你们又在我背后闹些什么把戏！

曾文清　（惶然）什么——没有。

曾思懿　你刚才给她什么？

曾文清　（低声）没有什么。

曾思懿　（厉声）你放屁，你瞒不了我！你说，她手里拿的是什么？你说——

曾文清　我——

〔瑞贞由右边卧室拿着马褂走出来。

曾瑞贞　爹，马褂！

〔文清接下马褂。

曾思懿　（对瑞恶烦）快去吧，你的愫姨等着你。

〔瑞贞由书斋小门下。

〔文清默默穿马褂。

曾思懿　（叨叨）我一辈子是大方人，吃大方的亏。我不管你们在我背后闹些什么，（百般忍顺的模样）反正这家里早已不成一个家。"树倒猢狲散，"房子一卖，你带你的儿子媳妇一齐去过（"生活"的意思）也好，或者带你的宝贝愫妹妹过也好，我一个人到城外尼姑庵一进。带发修行，四大皆空。（怕他不信）你别以为我在跟你说白话，我早已看好了尼姑庵，都跟老尼姑说好了。

曾文清　（明知她说的是一套恐吓的假话，然而也忍不住气恼）你这是何苦？你这是何苦？

曾思懿　（诉苦）我也算替你们曾家生儿养女，辛苦了一场，我上上下下对得起你们曾家的人！过了八月节，这八月节，我把这家交给姑奶奶，明天我就进庙。（向卧室走）

〔张顺由大客厅通前院的门急进。

张　顺　（急促）大奶奶，那漆棺材的要账的伙计——

曾思懿　教他们找老太爷去！

张　顺　（狼狈）可他们非请大奶奶——

曾思懿　（眼一翻）跟他们说大奶奶死了，刚断了气！（进了卧室）

〔文清茫然出神。张顺望望他由大客厅通前院门下。

曾文清　思懿！（推卧室门）开门！开门！你在干什么？

曾思懿　（凶势势地）我在上吊！

曾文清　（敲门）你开门！开门！你心里在想着什么？你说呀，你打算——（回头一望，低声）爹来了！

〔果然由书斋小门，瑞贞、愫方和陈奶妈簇拥着曾皓走进来。

〔曾皓至多看来不过六十五，鬓发斑白，身体虚弱，肿胀的黄脸上，微微有几根稀落灰白的短须。一对昏蒙而无精神的眼睛，时常流着泪水，只在偶尔振起精神谈话时才约莫寻得出曾家人通有的清秀之气。他吝啬、自私，非常怕死，整天进吃补药，相信一切益寿延年的偏方。他非常注意浮面上繁文缛礼，以为这是士大夫门第的必不可少的家教，往往故意夸张他在家里当家长的威严，但心中颇怕他的长媳。

〔他的自私常是不自觉的。譬如他对愫方，总以为自己在护养着一个无靠的孤女。事实上愫方常是暗地里庇护他，怜悯他，多少烦恼的事隐瞒着他，为他遮蔽大大小小无数次的风雨。当他有时觉出她的心有些摇动时，他便张皇得不能自主，几乎是下意识地故意慌乱而过分地显露老人失倚的种种衰弱和苦痛，以期更深地撼动她的情感，成为他永远的奴隶。他无时无刻不在想着自己，怜悯着自己，这使他除了自己的不幸外，看不清其他周围的人也在痛苦。

〔他穿一件古铜色的长袍，肥大宽适。上面套着一件轻软的马褂——他是异常地怕冷的——都没有系领扣，下面穿着翻口绒鞋。他手里拿着一串精细的念珠。

〔愫方和瑞贞扶着他，旁边陈奶妈捧着盖碗。

曾　皓　（闭着眼睛，听什么，连连点着头）嗯，嗯。

曾文清　（不安地）爹。

〔皓陷在沉思里，似乎没有听见。

陈奶妈　（边说边笑，大家暂停住步子，听她的话。她很兴奋地对愫）我一算可不是有十五年了？（对皓）这副棺材漆了十五年！（惊羡地）哎，这可漆了有多少道漆呀？

曾　皓　（快慰）已经一百多道了。（被他们扶着向长几那边走）

陈奶妈　（赞叹）怪不得那漆看着有（手一比）两三寸厚呢！（放下盖碗）

〔思懿由卧室走出，满面和顺的笑容，仿佛忘记刚才那一件事。

曾思懿　爹来了。（赶上扶着皓）这边坐吧，爹，舒服点，（把皓又扶到沙发那边，忙对瑞贞）少奶奶，把躺椅搬正！（扶皓坐下，对文）你还不把靠垫拿过来。

曾文清　哦！（到书斋内取靠垫）

曾　皓　（闭目，摸弄着佛珠）慢慢漆吧！再漆上四五年也就勉强可以睡了。

〔瑞贞由书斋内拿来椅垫。

曾思懿　（指着，和蔼地）掖在背后，少奶奶。（仿佛看瑞贞掖得不好，弯下腰）嗐，我来吧。（对瑞）你去拿床毛毯，给爷[1]盖上。

曾　皓　（睁眼）不用了。（又闭目养神）

曾思懿　（更谦顺）您现在觉着好一点了吧。

曾　皓　还好。

曾文清　（走上前）爹。

曾　皓　（微颔首）嗯，（故做惊讶地）哦，你还没有走？

曾思懿　（望文一眼，对皓）文清一会儿就要上车了。

曾　皓　（对文）你给祖先磕了头没有？

曾文清　没有。

曾　皓　（不高兴）去，去，快去，拜完祖先再说。（咳嗽）

曾文清　是，爹。（向书斋小门走）

陈奶妈　（又得着一个机会和文清谈话）嗐，清少爷，我再陪陪你。

〔文清与陈奶妈同由书斋小门下。

---

1 “爷”底本作“爹”，当作“爷”。

曾　皓　愫方，你出去把我的痰罐拿过来。

〔愫方刚转身举步向书斋走——

曾思懿　（立刻笑着说）别再劳累愫妹妹，我屋里有，瑞贞，你给爷拿去。（把盖碗茶捧给皓）爹，您喝茶吧！

〔瑞贞进思懿的卧室。

〔皓用茶漱口，素方拿过一个痰桶，皓吐入。

曾　皓　口苦的很！（又瞌眼）

愫　方　您还晕么？

曾　皓　（望望她，又闭上眼，一半自语地）头昏口苦，这是肝阴不足啊！所以痰多气闷！（慢慢推摩自己的胸口）

曾思懿　（殷勤）我看给爹请个西医看看吧。

曾　皓　（睁开眼，烦恶）哪个说的？

曾思懿　要不教张顺请罗太医来！

曾　皓　（启目摇头）不，罗太医好用唐朝的古方，那种金石虎狼之药，我的年纪，体质——（不愿说下去，叹口气，闭眼轻咳）

〔瑞贞由思懿的卧室上，把小痰罐递与皓，皓又一口黏痰吐进去，把痰罐拿在手中。

曾思懿　隔壁杜家又派一个账房来要那五万块钱啦。

曾　皓　哦！

曾思懿　还有今年这一年漆寿木的钱——

曾　皓　（烦躁）钱，钱！牛马，牛马，做一辈子的牛马，连病中还要操心，当牛马。

〔思懿也沉下脸。半晌。

愫　方　（安慰地）今年那寿木倒是漆得挺好的。

曾　皓　（不肯使大奶奶太难看，点头，微露喜色）嗯，嗯，等吧，等到明年春天，再漆上两道川漆，再设法把杜家这笔账还清楚，我这孽就算做完了。（不觉叹一口气，望着瑞贞）那么运气好，明年里头我再能看见重孙——

曾思懿　（打起欢喜的笑容）是啊，刚才给祖先磕头，我还教瑞贞心里念叨着：求祖宗保佑她早点有喜，好给爷爷抱重孙呢。

曾　皓　（浮肿的面孔泛着欣喜的皱纹）瑞贞，你心里说了没有？

〔瑞贞低头。

曾思懿　（推她，尖声）爷爷问你心里说了没有？

〔瑞贞背转。

愫　方　瑞贞！

曾瑞贞　（低声）说了，爷爷。

曾　皓　（满意地笑）说了就好。

〔外面曾文彩声：江泰，江泰！

曾思懿　（咕噜着）你瞅，这孩子，你哭什么！

〔由大客厅通前院的门拉拉扯扯地走进来文彩和江泰。

曾文彩　（央求）江泰！江泰！（拉他走进）

江　泰　（说着走着，气愤愤地）好，我来，我来！你别拉着我！

〔大家都回头望他们，他们走到近前。

曾　皓　怎么啦？

曾文彩　爹！（回头低声对江）就这样跪着磕吧，别换衣服啦。

曾思懿　（故意笑着说）姑老爷给爹拜节呢。

曾　皓　（探身）哎，不用了，不用了，拜什么节哟！

〔江泰狠狠盯了思懿一眼，在皓已经欠起半身的时候，似拜不拜地懒懒鞠了个半躬，自己就先坐下。

江　泰　（候皓坐定，四面望一望，立刻）好，我有一句话，（指着）我屋旁边那土墙要塌了，你们想收拾不收拾？——

曾文彩　（低声，急促地）你又怎么了？

江　泰　（对彩）你别管！（转对思和皓）你们收拾不收拾？不收拾我就卷铺盖滚蛋。

曾　皓　（莫名其妙）怎么？

曾思懿　（软里透硬）不是这么说，姑老爷，我没有敢说不收拾，不过我听说爹要卖房子，做买卖，所以——

曾　皓　（挺身不悦）卖房子？

曾思懿　卖给隔壁杜家。

曾　皓　（微怒）哪个说的？这是哪个人说的？

曾思懿　（眼向江泰一瞟，冷笑）谁知道谁说的？

江　泰　（冒然）我说的！（望着皓，轻蔑的神色）我也不知道哪个说话不算话的人对我说的。

曾　皓　（在自己家里，当着自己的儿妇受这样抢白，实在有些忍不住）江泰，你这不是对长辈说话的样子。

江　泰　好，那么我走。（拔脚就走）

曾文彩　（低声，几乎要哭出来）江泰，你还不坐下。

愫　方　（央求地）表姐夫！

〔江泰被他们暗暗拉着，不甘愿地又坐下。

〔半晌。沉静中文清由书斋小门悄悄走进来，站在一旁。

曾　皓　（望了文一眼）好，我说过，我说过，我是为我这些不肖的子孙才说的。现在家里景况不好，没有一个人能赚钱，（望文愤愤地）大儿子第一个就不中用！隔壁那个暴发户杜家天天逼我们的债，他们硬要买我们的房子，难道我们就听他们再给一两万块钱，乖乖把房子送给他们么？（越说越气）这种开纱厂的暴发户仗势欺人，什么东西都以为可以拿钱买，他连我这漆了十五年的寿木，都托人要拿钱来买，（气得发抖）这种人真是一点书都没有读过。难道我自己要睡的棺材都要卖给他？（望彩）文彩，你说，（对文清）文清，你这个做长子的人也讲讲！

〔文清低下头。

曾　皓　你们这些做儿女的——

〔由书斋小门走进来陈奶妈。

陈奶妈　（高兴地）清少爷！——（看见大奶奶对她指着皓摆手，吓得没有说出，就偷偷从通大客厅的门走出去）

曾　皓　这房子是先人的产业，一草一木都是祖上敬德公惨淡经营留下的心血，我们食于斯，居于斯，自小到大都是倚赖祖宗留下来这点福气，吃住不生问题。（拍着那沙发的扶手）你们纵然不知道爱惜，难道我忍心肯把房子卖给这种暴发户，卖给这种——

江　泰　（把手一举）我声明，不要把我算在里面，你们房子卖不卖，我从来没有想过。

曾　皓　（愣一愣，继续愤慨地）这种开纱厂的暴发户，这种连人家棺木都想买的东西，这种——

〔突然从隔墙邻院袭来震耳的鞭爆声。

曾　皓　（惊吓）这是什么？（仿佛神经受不住这刺激）这是什么？什么？

愫　方　没什么，这是放鞭爆！

曾　皓　（掩耳，紧张地）关上门，关上门！

〔文清与瑞贞赶紧跑去关上通大客厅的门扇，鞭爆声略远，但仍不断爆响，半天才歇。

曾文彩　（爆竹声中倒吸一口长气）谁家放这么长的爆竹？

江　泰　（冷笑）哼！就是那暴发户的杜家放的。

曾　皓　（摇头）看着这种暴发户！过个八月节都要闹得像嫁女儿——

〔陈奶妈由通大客厅的门上。

陈奶妈　（拍手笑）愫小姐，这一家子可有趣！女儿上了房，爸爸也上了房，一个掀瓦，一个和泥，两个人都做上泥水匠了。

曾　皓　（莫名其妙）谁？

陈奶妈　还不是袁先生爷儿俩，我看袁先生人脾气怪好的，直傻呵呵地笑——

曾思懿　陈奶妈，你到厨房看看去，赶快摆桌子开饭，今天老太爷正为着愫小姐请袁先生呢！

陈奶妈　哦，哦，好，好！

〔陈奶妈十分欢喜地由通大客厅的门走下。

曾思懿 （提出正事）媳妇听说袁先生不几天就要走了，不知道愫妹妹的婚事爹觉得——

曾　皓 （摇头，轻蔑地）这个人，我看——

〔江泰早猜中他的心思，异常不满地由鼻孔“哼”了一声。

曾　皓 （回头望江泰一眼，气愤地立刻对那正要走开的愫方）好，愫方，你先别走。趁你在这儿，我们大家谈谈。

愫　方 我要给您煎药去。

江　泰 （善意地嘲讽）咳，我的愫小姐，这药你还没有煎够？（迭连快说）坐下，坐下，坐下，坐下。

〔愫方又勉强坐下。

曾　皓 愫方，你觉得怎么样？

〔愫方低头不语。

曾　皓 愫方，你自己觉得怎么样？不要想到我，你应该替你自己想，我这个当姨父的，恐怕也照拂不了你几天了，不过照我看，袁先生这个人哪——

曾思懿 （连忙）是呀，愫妹妹，你要多想想，不要屡次辜负姨父的好意。以后真是耽误了自己——

曾　皓 （也抢着说）思懿，你让她自己想想。这是她一辈子的事情，答应不答应都在她自己。（假笑）我们最好只做个参谋。愫方，你自己说，你以为如何？

江　泰 （忍不住）这有什么问题？袁先生并不是个可怕的怪物！他是研究人类学的学者，第一人好，第二有学问，第三有进款，这，这自然是——

曾　皓　（带着那种“稍安勿躁”的口气）不，不，你让她自己考虑。（转对愫，焦急地）愫方，你要知道，我就有你这么一个姨侄女，我一直把你当我的亲女儿一样看，不肯嫁的女儿，我不是也一样养么？——

曾思懿　（抢说）就是啊，我的愫妹妹，嫁不了的女儿不也是——

〔文清再也忍不下去，向书斋走——

曾思懿　（斜睨着文）咦，走什么？走什么？

〔文清不顾，由书斋小门下。

曾　皓　文清怎么？

曾思懿　（冷笑）大概他也是想给爹煎药呢！（回头对愫，又万分亲热地）愫妹妹，你放心，大家提这件事也是为着你想。你就在曾家住一辈子谁也不能说半句闲话。（阴毒地）不肯嫁的女儿不也是一样得养么？何况愫妹妹你父母不在，家里原底就没有一个亲人——

曾　皓　（当然听出她话里的根苗，不等她说完——）好了，好了，大奶奶，请你不要说这么一大堆好心话吧。

〔思懿的脸突然罩上一层霜。

曾　皓　（转对愫）那么愫方，你自己有个决定不？

曾思懿　（着急，对愫）你说呀！

曾文彩　（听了半天，一直都在点头，突然也和蔼地）说吧，愫妹妹，我看——

江　泰　（猝然，对自己的妻）你少说话！

〔文彩嘿然，愫方默默立起，低头向通大客厅的门走。

曾　皓　愫方，你说话呀，小姐。你也说说你的意见呀。

愫　方　（摇头）我，我没有意见。

〔愫方由通大客厅的门下。

曾　皓　唉，这种事怎么能没有意见呢？

江　泰　（耐不下）你们要我说话不？

曾　皓　怎么？

江　泰　要我说，我就说。不要我说，我就走。

曾　皓　好，你说呀，你当然说说你的意见。

江　泰　（痛痛快快）那我就请你们不要再跟愫方为难，愫方心里怎么回事，难道你们看不出来？为什么要你一句我一句欺负一个孤苦伶仃的老小姐？为什么——

曾思懿　欺负？

曾文彩　江泰。

江　泰　（盛怒）我就是说你们欺负她，她这些年侍候你们老的少的，活的，死的，老太爷，老太太，少奶奶，小少爷，一直都是她一个人管。她现在已经过了三十，为什么还拉着她，不放她，这是什么意思？

曾　皓　你——

曾文彩　江泰！

江　泰　难道还要她陪着一同进棺材，把她烧成灰供祖宗？拿出点良心来！我说一个人要有点良心。我走了，这儿有封信，（把信放在皓的膝上）你们拿去看吧。

曾文彩　江泰！

〔江泰气呼呼地由通大客厅的门下。

曾　皓　（满腹不快）这，这说的是什么？我，我从来没听过这种野话。（同时颤抖地拆开信，露出来钞票和简短的信纸）

〔皓看信时张顺拿着碗筷悄悄走进来，瑞贞也走来帮他把方桌静静抬出，默默摆碗筷和凳子。

曾　皓　（匆促读完那短信，气得脸发青）这是什么意思？（举着那钞票）他要拿这几个房租钱给我？（对思）思懿，这是怎么回事？

曾思懿　（冷笑）我不知道他老人家又犯了什么神经病？

曾文彩　（早已立起，看着那信，惶惑不安，哀诉着）爹，您千万别介他的意，他心里不快活，他这几年——

曾　皓　（愤然）江泰，我不说他，就说女婿是半子吧，他也是外姓人。（对彩）你是我的女儿，你当然知道我们曾家人的脾气都是读书第一，从来没有谈过钱的话。好，你们愿意住在此地就住下去，不愿意住也随意，也无须乎拿什么房钱，饭钱，给父亲看——

曾文彩　（抽咽）爹，您就当错生了我这女儿，你就当——

曾　皓　（气得颤巍巍）呃，呃，在我们曾家甩这种阔女婿架子！

曾文彩　（早忍不住哭起来）哦，妈，您为什么丢下我死了，我的妈呀！

曾思懿　姑奶奶！

〔文彩哭着跑进自己的卧室。

曾　皓　（长叹一声）一群冤孽！说都说不得的。开饭，张顺，请袁先生来。

〔张顺由通大客厅门下。文清由书斋小门上。

曾文清 爹！

曾　皓 要走了么？

曾文清 一点钟就上车。

曾　皓 你的烟戒了？

曾文清 （低头）戒了。

曾　皓 确实戒了？

曾文清 （赧然）确实戒了。

曾　皓 纸烟呢？

曾文清 （低头）也不抽了。

曾　皓 （望着他的黄黄的手指）又说瞎话，（训责地）你看，你的手指头教纸烟熏成什么样子？（摇头叹息）你，你这样子怎么能见人做事？

曾文清 （不自觉看看手指）回，回头说。

曾　皓 霆儿呢？

曾思懿 （连忙跑到通大客厅门前喊）霆儿！你爷爷叫你。

曾　皓 他在干什么？

曾文清 大概陪袁小姐放风筝呢。

曾　皓 放风筝。为什么放着《昭明文选》不读，放什么风筝？

〔霆在门外大客厅内大喊。

〔霆的声音：我爷爷在屋里！我爷爷在屋里！

〔圆的声音：你跑！你跑！

〔砰地通大客厅的门扇大开，霆一边喊着一边走进来，圆儿满脸泥点，拿着“瓦刀”追赶。小柱儿一手抱着那只鸽子，也随在后面叫。

曾　皓　（厉声厉色）跑什么，哪学来的这些野相？

曾　霆　（跑着）爷爷，她，她——

袁　圆　（笑喊）你跑！你跑！看你朝哪里跑……

〔待霆快躲在皓坐的沙发背后，她大叫一声，冷不防跳到霆的面前，拿“瓦刀”抹了他一脸泥。圆大笑，小柱儿站在门口也哈哈不止。

曾　皓　你这女孩子是怎么回事？

袁　圆　曾爷爷！

曾　皓　你怎么这样子胡闹？

袁　圆　（撒娇）你看，曾爷爷，（扬起脸，指霆）教他好好做活不干，他先弄了我一脸。

〔外面男人声音：（带着笑）圆儿，你到哪儿去了？

袁　圆　（高声）我在这儿呢，爸爸。（跑出去）

〔圆儿笑着，跳着，由通大客厅的门走出去，小柱儿连忙也跟出去。

曾　皓　（对思）你看，这种家教怎么配得上愫方，（转身对霆）你也想当泥水匠啦？

曾　霆　（怯惧地）是她，她教我——

曾　皓　跪下！

曾思懿　我看，爷爷——

曾　皓　跪下。

〔霆只得直挺挺跪下。

曾　皓　也叫袁家人看看我们曾家的家教。

〔圆儿拉着她的父亲人类学者袁任敢兴高采烈地走进来。

〔袁任敢，看去只有四十岁模样，不过老早就秃了顶，头顶油光光的只有几根毛，横梳过去，好遮盖那光光的秃顶。他身材不高，红光满面，穿着一套旧西装。他有一副幽默而聪明的眼睛，眼里时常闪出一种嘲讽的目光，嘴角带着微笑。

袁　圆　（边走边说）教他干什么他都不会，一帮忙，倒弄了我一脸泥，我就追到这屋子，他一劲儿躲，我就拿瓦刀——

袁任敢　（点头，笑着听着）嗯，嗯，哦——（望见曾皓已经立起来欢迎他）曾老伯，真是谢谢，今天我们又来吃你来了。

曾　皓　过节，随便吃一点，（让座）请袁先生上座，上座。

袁　圆　（望见了霆儿突然矮了一截，大喊）爹，你看，你看，他跪在地上呢！

曾　皓　别管他，请坐吧！

袁任敢　（望着霆儿大惊）怎么？

曾　皓　我这小孙儿年幼无知，他对令嫒实在是顽皮。

袁任敢　（歉笑）哎呀，起来吧，起来吧，顽皮一点好，顽皮一点好。

曾思懿　（就势）起来吧，霆儿，谢谢袁老伯！

曾　霆　（立刻站起）谢谢袁老伯。

袁任敢　（对霆）对不起，对不起，都是我们教你做泥水匠闹出来的事。

曾　皓　袁先生请坐吧。

袁任敢　（率直地）不过孩子，你没有错，学学动动手劳动，是好的。

曾　皓　（听不下去）瑞贞，把酒筛好。（走近桌旁）

袁任敢　（笑着）再，我的小朋友，一个人可跪不得的，一跪就比旁人矮了一截，这就真丢了人喽。

曾思懿　袁先生，这边坐吧。

袁任敢　好，那么就吃，不客气了。圆儿——

〔张顺端进来一碗热菜，搁好即下。

曾思懿　过来，袁小姐，到这边陪着爸爸坐。（大家按序入座）

曾　皓　（举杯）今天一则因为过节，二则也因为大小儿要离开家，一直没跟袁先生领教，也就趁这个机会跟袁先生多叙叙，来，请，请。

袁任敢　多谢，多谢，（一饮而尽）我听说曾大先生非常懂得喝茶的道理——

〔外面争吵声。

曾　皓　瑞贞，你去看看，这是谁？吵什么？

袁　圆　（对瑞）我替你看看去！

〔思懿对文清耳语，文站起执酒壶，思随后向皓身边走来。圆早放下筷子由通大客厅的门跑下。

曾思懿　（持杯）媳妇给爹敬酒。

曾　皓　（仍坐）不用了。

曾思懿　（恭顺的样子）文清跟爹辞行啦。

曾文清 （低声）爹，跟您辞行！

〔文清跪下三叩首，瑞贞和霆儿都立起，袁任敢瞪着大眼，好奇地望着他们。在他们一个端坐，一个跪叩的时候，又传进讥诮的骂声。

〔外面三四个人诮骂声:（你一句，我一句）你们给钱不给钱。大八月节，教人等了一大清早上了。有钱还，再欠账，没有钱，你欠的什么账，别丢人！……

曾　皓 这是什么?

曾思懿 隔壁人家吵嘴吧。

曾　皓 （安下心，对袁）请，请哪！（皓对霆与瑞，和蔼地）你们也该给你们父亲送行哪！

〔于是——瑞贞和霆儿复立起来，执酒壶，到文清面前，斟酒。

曾思懿 （非常精明练达的样子，教他们说）说爹一路平安。

曾　霆
曾瑞贞 （同时呆板地）爹一路平安。

曾思懿 说以后请您老人家常写家信。

曾　霆
曾瑞贞 （同时呆滞地）以后请您老人家常写家信。

曾思懿 （又教他们）儿子、儿媳妇不能常侍候你老人家了。

曾　霆
曾瑞贞 （又言不由衷地）儿子、儿媳妇不能常侍候你老人家了。

〔说完了就要回坐。

曾思懿　（连忙）磕头啊，傻孩子！（很得意地望望袁任敢）

〔霆与瑞贞双双跪下三叩首。文清立起，无声的磕头中，外面又开始咒骂——

〔外面咒骂声：（还是你一句我一句）你们过的什么节？五月节的账到现在还没有还清，现在还一个钱儿不给。不到五百块钱就这么为难哪。

〔张顺的声音：（一面劝着）你们别在这儿嚷嚷，走！走！老太爷在这儿……

〔外面咒骂声：（讥讽地）老太爷又怎么样，这摆的什么阔气。老太爷没有钱还不跟我们一样！破落户！（继续吵下去）

〔袁任敢也回头谛听。

曾　皓　这究竟怎么啦？

曾思懿　别是隔壁的——

〔外面争吵声中，愫方忙由通大客厅的门疾步进来。

曾　皓　是谁？

愫　方　（喘息着，闪烁其词）没有谁。

曾思懿　（奸笑）袁先生，我介绍一下，这是愫小姐！

〔袁任敢立起。

曾思懿　（又转对愫）袁先生！

〔由通大客厅的门陈奶妈围着一个旧围裙，端一大盘菜急急慌慌走进来，后随着小柱儿，一手抱着鸽子，一手拉着他祖母的衣裾。

陈奶妈　（边说边走，烦躁地）别拉着，小柱儿，讨厌，别拉着我！

（把菜放在桌上连连甩手）好烫！

愫　方　（低声）表嫂！

曾思懿　（举筷）袁先生，这碗菜是愫小姐——

〔愫方拉她的衣裾。

曾思懿　（回头对愫）啊？

曾　皓　（举箸）请！请！

愫　方　（同时惶惑）漆棺材的——他，他们——

曾思懿　（翻翻眼，不答理她，快意地笑着）快吃吧。（对袁）这碗菜是（指着）愫小姐下厨房特为袁先生做的！（不觉对文笑了一下）

曾　皓　（举箸）请，请哪。

〔门蓦地大开，要账的甲，乙，丙拥进来，张顺挤在当中，阻挡不住。

张　顺　不成，不成，屋里有客。

甲　（推开他）你别管，我们要钱，不是要命。老太爷，大奶奶，（伸手）您老人家有钱就拿出来，现在该还账了吧？

〔他们慢慢走向曾皓。

——幕落

第二幕

当天夜晚，约有十一点钟的光景，依然在曾宅小客厅里。

曾宅的近周，沉寂若死，远远在冷落的胡同里有算命的瞎子隔半天敲两下寂寞的铜钲，仿佛正缓步归家。间或有小孩哭的声音和远远寥落的长街上凄凉而漫长的叫卖声。

屋内纱灯罩里的电灯，暗暗的投下一个昏黄的光圈，四壁的字画古玩，都隐隐的翳入黑暗里。墙上的墨竹也更显得模糊，有窗帷的地方都密密地拉严。从旧纱灯里一个宽缝露出一道灯光，正射在那通大客厅的门上。那些白纸糊的槅子门，每扇都已关好。从头至地，除了每个槅扇下半截有段极短的木质雕饰外，整个像一片雪白而巨大的纸幕。从槅扇的隙缝间泄进一丝微光，纸幕上似乎有人影隐约移动。偶尔听见里面（大客厅）有人轻咳和谈话的声音。

靠左墙长条案上放着几只蜡台，有一只插着半截残烬的洋蜡。屋正中添了一个矮几子，几上搁了一个小小的干净的红泥火炉。炉上坐着一把小洋铁水壶，炉火融融，在小炉口里闪烁着。水在壶里呻吟，像里面羁困着一个小人儿在哀哭。旁边有一张纤巧的红木桌，上面放着小而精致的茶具。文清脸色苍白，靠在炉边一张小沙发里，陈奶妈坐在对面一个小凳上，正拿着一把剪刀给小柱儿剪指甲。小柱儿蹲跪在地上打着盹。

书斋内有一盏孤另另的暗灯，灯下曾霆恹恹地独自低声诵读《秋声赋》。

远远在深巷的尽头有打更的声音。

陈奶妈 （一面剪着，一面唠叨）真的，清少爷，你明天还是要走吗？

〔文清颔首。

陈奶妈 我看算了吧，既然误了一趟车，就索性在家里等两三天，看袁先生跟愫小姐这段事有了眉目再走。

〔文清摇首。

陈奶妈 你说袁先生今天看出来不？

曾文清 （低着头勉强回答）我没留神。

陈奶妈 （笑着）我瞅袁先生看出来了，吃饭的时候他老朝着愫小姐这边看。

〔文清望着奶妈，仿佛不明白她的话。

陈奶妈 清少爷，你说这件事——

〔文清不觉长叹一声。

〔陈奶妈着看文清，又说不出。

〔小柱儿一磕头，突由微盹中醒来，打一个呵欠，嘴里不知道咕噜句什么，又昏昏忽忽地打起盹来。

陈奶妈 （剪着小柱儿的指甲）唉，我也该回家的。（指小柱儿）他妈还在盼着我们今天晚上回去呢。（小柱儿头又往前一瞌，她扶住他说）别动，我的肉，小心奶奶剪着你！（怜爱地）唉，这孩子也真是累乏了，走了一早晨，又跟着这位袁小姐玩了一天，乡下的孩子不比城里的孩子，饿了就吃，累了就睡，真不像——（望着书斋内的霆儿，怜惜地，低声）孙少爷，孙少爷！

曾　霆　（一直在低诵）"……嗟夫，草木无情，有时飘零，人为动物，惟物之灵，百忧感其心，万事劳其形，有动乎中，必摇其精。而况思其力之所不及，忧其智之所不能……"

曾文清　让他读书吧，一会儿他爷爷要问他的。

〔深巷的更声。

陈奶妈　这么晚了还念书！大八月节的，哎，打三更了吧。

曾文清　嗯。可不是打三更了。

陈奶妈　乡下孩子到了这个时候都睡了大半觉了。（剪完了最后一个手指）好啦，起来睡去吧，别在这儿受罪了。

小柱儿　（揉揉眼睛）我不，我不想睡。

曾文清　（微笑）不早了，快十一点钟啦。

小柱儿　（抖擞精神）我不困。

陈奶妈　（又是生气，又是爱）好，你就一晚上别睡。（对文）真是乡下孩子进城，什么都新鲜，困的这样，还舍不得睡觉。

〔小柱儿由口袋取出一块花生糖放在嘴里，随手又把身旁那个"刮打嘴"拿起来看。

陈奶妈　唉，这个八月节晚上，又没有月亮——怎么回子事？大奶奶怎么又不肯出来。（叫）大奶奶！（对文）她这阵子在屋里干什么？（立起）大奶奶，大奶奶！

曾文清　别，别叫她。

陈奶妈　清少爷，那你就进去吧。

曾文清　（摇头，哀伤地低声独自吟起陆游的《钗头凤》）“……东风恶，欢情薄，一怀愁绪，几年离索，错，错，错！……”

陈奶妈　（叹一口气）哎，这也是冤孽，清少爷，你是前生欠了大奶奶的债，今生该她来磨你。可，可到底怎么啦，她这一晚上一句话也没说——她要干什么？

曾文清　谁知道？她说胃里不舒服，想吐。

〔陈奶妈回头瞥见小柱儿又闲不住手，要动那红木矮几上的茶壶。

陈奶妈　（叱责地）小柱儿，你放下，你屁股又痒痒啦！

〔小柱儿又规规矩矩地缩回手。

陈奶妈　（转对文）也怪，姑老爷不是嚷嚷今天晚上就要搬出去么？怎么现在——

曾文清　哎，他也不过是说说罢了。（自嘲，苦笑着）他也是跟我一样，我不说话，一辈子没有做什么。他吵得凶，一辈子也没有做什么。

〔文彩由书斋小门走进，手里拿着一支没点的蜡烛和一副筷子，一碟从稻香村买来的清酱肉、酱黄豆之类的小菜。

曾文彩　（倦怠地）奶妈，您还没有睡！

陈奶妈　没有，怎么姑老爷又要喝酒了？

曾文彩　（掩饰）不，他不，是我。

曾文清　你？——哎，别再让他喝了吧。

曾文彩　（叹了一口气，放下那菜碟子和筷子）哥哥，他今天晚上又对我哭起来了。

陈奶妈 姑老爷?

曾文彩 (眼里含着泪)他说他对不起我,他心里难过,他说他这一辈子都完了。我看他那个可怜样子,我就觉得是我累的他。哎,是我的命不好,才教他亏了款,丢了事,(擦着泪)奶妈,洋火呢?

陈奶妈 让我找——

曾文清 (由红木几上拿起一盒火柴)这儿!

〔陈奶妈接下,走起替文彩点上洋蜡。

曾文彩 (由桌上拿起一个铜蜡台)他说闷得很,他想夜里喝一点酒。你想,哥哥,他心里又这么不快活——

曾文清 (长嘘一声)喝吧,一个人能喝酒也是好的。

陈奶妈 (把点好的蜡烛递给彩)老爷子还是到十一点就关电灯么?

曾文彩 (把烛按在烛台里)嗯。(体贴地)给他先点上蜡好。别待会儿喝了一半,灯抽冷子灭了,他又不高兴。

陈奶妈 我帮您拿吧。

曾文彩 不用了。

〔文彩拿着点燃的蜡烛和筷子、菜碟走进自己的房里。

陈奶妈 (摇头)唉,做女人的心肠总是苦的。

〔文彩放下东西,即刻又从卧室走出。

曾文彩 江泰呢?

陈奶妈 刚进大客厅。

曾文清 大概正跟袁先生闲谈呢。

曾文彩 （走到火炉旁边）哥哥，这开水你要不？

曾文清 （摇头，倦怠地）文彩，小心你的身体，不要太辛苦了。

曾文彩 （悲哀地微笑）我知道。

〔文彩提着开水壶由卧室下。文清又把一个宜兴泥的水罐放在炉上，慢吞吞地拨着火。

曾　霆 （拿起书本，立起）爹，我到爷爷屋里去了。

曾文清 （低头拨着火）去吧。

陈奶妈 （走上前）孙少爷！（低声）你爷爷要问你爹，你可别说你爹没有走成。

小柱儿 （正玩弄着"刮打嘴"，忽然回头，机灵地）就说老早赶上火车走了。

陈奶妈 （好笑）谁告诉你的？

小柱儿 （一挤眼）你自个儿告诉我的。

陈奶妈 这孩子！（对霆）走吧，孙少爷你背完书，就回屋睡觉去。老爷子再要上书，就说陈奶妈催你歇着呢！

曾　霆 嗯。（向书斋走）

曾文清 霆儿！

曾　霆 干嘛，爹？

曾文清 （关心地）你这两天怎么啦？

曾　霆 （闪避）没有怎么，爹。

〔霆由书斋小门怏怏下。

陈奶妈 （看霆走出去，赞叹的样子，不觉回首指着小柱儿）你也学学人家，人家比你也就大两岁，念的书比你吃的饭米粒还要多。你呢，一顿就四大碗干饭，肚子里尽装的是——

小柱儿 糠饼子，杂合面粥。奶奶，什么时候咱们吃过干饭？

陈奶妈 （翻翻眼）你今天没吃啊？

小柱儿 能天天吃吗？

陈奶妈 （望文清一眼，笑着）瞧这孩子的口气。（对小）要吃容易，得念书。

小柱儿 （大声）得种地。我爹说的。

陈奶妈 你爹下力下了一辈子，不是两眼漆摸黑，一年吃不上两顿干饭。

小柱儿 那我就要造反。

陈奶妈 （大吃一惊）造反？谁告诉你的。

小柱儿 （得意地）我爹！

陈奶妈 （对文清）我看这孩子得管教管教。（站起来）

曾文清 （阻止）陈奶妈，小柱儿说得对，是该反反啰！

小柱儿 （拍手，跳起来）啊，对，对，对！（数落着）说造反，就造反，天天养着个大懒汉，没有我们挖井你喝不上水，没有我们下力你吃不上饭，你倒……

陈奶妈 （又气又笑）你活腻啦？（追上去要打他）

小柱儿 （一面跑着）你倒挤得我们没个地方站。

〔小柱儿连笑带跑，正跑到槅扇门前，按照曾宅到十一点就灭灯的习惯，突然全屋黑暗。

小柱儿 （大叫）奶奶！（跑回陈身边）

〔大客厅内扭亮煤油灯，槅扇上显出光亮。

〔袁任敢的声音：人是从猿猴变来的——

曾文清 （同时，递洋火给陈）点上蜡吧。

〔陈接过洋火点蜡。

〔袁任敢的声音：（他正走过槅扇前，槅扇上现出他举起的双手的影子）看，这双手，这是从猿猴的爪子变成的手，这是从辛苦的劳动，进化出来的手——

〔槅扇门打开，由大客厅洒进一片煤油灯的灯光。袁任敢一面讲着，一面走进来，后随江泰，他很有兴味的听着。

袁任敢 （有力地）我们人类的祖先，经过几十万年的劳动，才创造出（举起手）这双能够改造生活，改造人类的手。劳动扩大了人的眼界，劳动加强了人的智慧。只有劳动的人才能改造生活，只有劳动的人才能团结起来，不怕艰难，没有恐惧，为着自己的幸福、自由斗争。而他们是非常乐观的。

江　泰 （有些微醺，非常赞同地）而他们是非常乐观的。

〔在大客厅里的袁圆：（同时）小柱儿，小柱儿。

小柱儿 嗳。（抽个空儿跑进大客厅）

江　泰 （不觉连连地）而他们是非常乐观的。对！对！袁先生，你的话真对，简直是不可更对。你看看我们过的什么日子？成天垂头丧气，要不就成天胡发牢骚，整天是愁死，愁生，愁自己的事业没有发展，愁精神上没有出路，愁活着没有饭吃，愁死了没有棺材睡，成天的希望，希望，而永远没有希望，譬如，（指文清）他——

曾文清 别再发牢骚，教袁先生笑话了。

江　泰　（肯定）不，不，袁先生是个研究人类的学者，他不会笑话我们这些人的弱点的。坐坐，袁先生！坐坐，坐着谈。（他与袁围炉坐下，由红木几上拿起一支香烟，忽然）咦，刚才我说到哪里了？

袁任敢　（微笑）你说，（指着）譬如他吧！

江　泰　哦，譬如他吧，哦，（对文，苦恼地）我真不喜欢发牢骚，可你再不让我说几句，可我，我还有什么？我活着还有什么？（对袁）好，譬如他，我这位内兄，好人，一百二十分的好人，我知道他就有情感上的苦闷。

曾文清　你别胡说啦。

江　泰　（黠笑）啊，你瞒不过我，我又不是傻子。（指文对袁，爽快地）他有情感上的苦闷，他希望有一个满意的家庭，有一个真了解他的女人共处一生。（兴奋地）这点希望当然是自然的，对的，合理的，值得同情的，可是在二十年前他就发现了一个了解他的女人。但是他就因为胆小，而不敢找她；找到了她，又不敢要她。他就让这个女人由小孩而少女，由少女而老女，像一朵花似的把她枯死，闷死，他忍心让自己苦，人家苦，一直到今天，现在这个女人还在——

曾文清　（忍不住）你真喝多了！

江　泰　（笑着摇手）放心，没喝多，我只讲到这点为止，决不多讲。（对袁）你想，让这么个女人，成天在这样一种家庭里朽掉，像老坟里的棺材慢慢地朽，慢慢地烂，成天就知道叹气，做梦，忍耐，苦恼，懒，懒，懒得动也不动；爱不敢爱，恨不敢恨，哭不敢哭，喊不敢喊，你还配当我们这个，我们这个人类祖先的子孙！那么，（指着自己）就譬如我——（划地一声点着了烟，边吸边讲）读了二十多年的书———

袁任敢 （微笑）我就猜着你一定还有一个“譬如我”的。

江　泰 （滔滔不绝）自然，我决不尽批评人家，不说自己。譬如我吧，我爱钱，我想钱，我一直想发一笔大财，发了财，我要把我所有的钱，送给朋友们用，散给穷人们花。可是，袁先生，我的运气不好，处处倒楣，碰钉子，事业一到我手里就莫名其妙地弄得一塌糊涂。我们成天在天上计划，而成天在地下妥协。我们只会叹气，做梦，苦恼，活着只是给有用的人糟蹋粮食，我们是活死人，死活人，活人死！一句话，你说的，（指着自己）像我们这样的才真是人类的不肖的子孙！

袁任敢 （一直十分幽默地点着头，此时举起茶杯微笑）请喝茶！

江　泰 （接下茶杯）对了，譬如喝茶吧，我的这位内兄最懂得喝茶，最讲究喝茶。他的舌头不但尝得出这茶叶的性情、年龄、出身、做法，他还分得出这杯茶用的是山水、江水、井水、雪水还是自来水，烧的是炭火、煤火或者柴火。茶对我们只是解渴的，一到他口里，就会有无数的什么雅啦，俗啦的这些个道理。然而，这有什么用？他不会种茶，他不会开茶叶公司，不会做出口生意，就会一样：“喝茶”！喝茶喝得再怎么精，怎么好，还不是喝茶，有什么用？请问，有什么用？

〔文彩由卧室出。

曾文彩　泰！

江　泰　我就来！

陈奶妈　（走去推他）快去吧，姑老爷！

江　泰　（立起，仍舍不得就走）譬如我吧——

陈奶妈　别老“譬如我”“譬如我”地说个没完了，袁先生都快嫌你唠叨了。

江　泰　喂，袁博士，你不介意我再发挥几句吧。

袁任敢　（微笑）哦，当然不，请“发挥”！

江　泰　所以譬如——

〔文彩又走来拉他回屋。

江　泰　（对彩，几乎是恳求地）文彩，你让我说，你就让我说说吧！（对袁）譬如我吧，我好吃，我懂得吃，我可以带你到各种顶好的地方去吃。（颇为自负，一串珠子似地讲下去）正阳楼的涮羊肉，便宜坊的挂炉鸭，同和居的烤馒头，东兴楼的乌鱼蛋。小地方哪，像灶温的烂肉面，穆家寨的炒疙瘩，金家楼的汤爆肚，以至于——

曾文彩　走吧！

江　泰　以至于月盛斋的酱羊肉，六必居的酱菜，王致和的臭豆腐，信远斋的酸梅汤，沙锅居的白肉，杏花春的花雕，这些个地方没有一个掌柜的我不熟，没有一个掌灶的、跑堂的、站柜台的我不知道，然而有什么用？我不会做菜，我不会开馆子，我不会在人家外国开一个顶大的中国饭馆，赚外汇。我就会吃，就会吃！（不觉谈到自己的痛处，捶胸）我做什么就失败什么。做官亏款，做生意赔钱，读书对我毫无用处。（痛苦地）我成天住在丈人家里混，好说话，好牢骚，好批评，又好骂人，简直管不住自己，专说人家不爱听的话。

曾文彩 （插嘴）泰！

江　泰 （有些抽噎）成天教人家看着我不快活，不成材，背后骂我是个废物，呵，文彩，我真是一个大废物，我从心里觉得对不起你！（突然不自禁的哭出）累赘你！

曾文彩 （连叫）泰，泰！别难过，是我不好，我累了你。

陈奶妈 进去吧，又喝多了。

江　泰 （摇头）我没有，我没有，我心里难过，我心里难过啊——

〔陈奶妈与文彩扶江泰由卧室门下。

曾文清 （叹口气）您喝杯茶吧。

袁任敢 我已经灌了好几大碗凉开水了，我今天午饭吃多了，曾先生，我有一件事拜托你——

曾文清 是——

袁任敢 我——

〔愫方一手持一床毛毯，一手持蜡烛，由书斋小门上。

袁任敢 愫小姐。

〔愫方点头。

曾文清 爹睡着了？

〔愫方摇头。

曾文清　袁先生，您的事？

〔江泰又由卧室走出，手里握着半瓶白兰地。

江　泰　（笑着）袁先生进来喝两杯不？

袁任敢　不，我还有些工作。

江　泰　（举瓶）好白兰地。文清，你——

〔文清不语，望了望愫方。

江　泰　（莫名其妙）哦，怎么你们三位——

〔陈奶妈在卧室内：姑老爷！

江　泰　（摇头，叹了口气）唉，没有人理我，没有人理我的。

〔江泰由卧室门下。

曾文清　袁先生，你方才说——

〔圆在屋内的声音：爸，爸，你快来。

袁任敢　（望望愫与文）回头说吧。没有什么事，我的孩子叫我呢。

（打开槅扇门走进去）

〔寂静，远远更锣声。

曾文清　（期待地）奶妈把纸条给你了？

〔愫方默默点头。

曾文清　（低声）我，我就想再见你一面，我好走。

〔愫方无意中望着文清的卧室的门。

曾文清　（指门）她关上门睡觉呢。（低头）

〔愫方坐下。

曾文清　（突然）愫方！

〔愫方又立起。

曾文清 怎么?

愫　方 姨父教我拿医书来的。

〔陈奶妈由文彩卧室走出。

陈奶妈 愫小姐，您来了。(立刻向书斋小门走)

曾文清 奶妈上哪儿去?

陈奶妈 (掩饰)我去瞅瞅孙少爷书背完了不?(由书斋小门下)

〔远远又是两下凄凉的更锣声。

曾文清 愫方，明天我一定走了，这个家(顿)我不想再回来了。

愫　方 (肯定地)不回来是对的。

曾文清 嗯，我决不回来了，今天我想了一晚上，我真觉得是我，是我误了你这十几年。害了人，害了己，都因为我总在想，总在想着有一天，我们——(望见愫蹙起眉头，轻轻抚摸着前额)愫方，你怎么了?

愫　方 (疲倦地)我累的很。

曾文清 (恻然)可怜，愫方，我不敢想，我简直不敢再想你以后的日子怎么过。你就像那只鸽子似的，孤孤单单地困在笼子里，等，等，等到有一天——

愫　方 (摇头)不，不要说了!

曾文清 (伤心)为什么，为什么我们要东一个，西一个苦苦地这么活着?为什么我们不能长两个翅膀，一块儿飞出去呢?(摇着头)啊，我真是不甘心哪!

愫　方 (幽郁)这还不够么?要怎么样才甘心呢!

曾文清　（突然）愫方，你跟我一道到南方去吧！（立刻眉梢又有些踌躇）走吧！

愫　方　（摇头，哀伤地）还提这些事吗？

曾文清　（低头缓缓地）要不你就，你就答应今天早上那件事吧。

愫　方　（愣住）为——为什么？

曾文清　（望着愫，痛苦地）这次我出去，我一辈子也不想回来的。愫方，我就求你这一件事，你就答应我吧。你千万不要再在这个家里住下去。（恳切地）想想这所屋子除了啃我们字画的耗子还有什么！

〔愫方的眼睛悲哀地痴视着他。

曾文清　你想怎么样？还等着什么？你别再不说话，你对我说呀，（蓦然鼓起勇气）愫方，你，你还是嫁，嫁了吧，你赶快也离开这个牢吧。我看袁先生人是可托的，你——

〔愫方缓缓立起。

曾文清　（也立起哀求）你究竟怎么打算，你说呀。

〔愫方向书斋小门走。

曾文清　（沉痛地）你不能不说就走，“是”“不是”你要对我说一句啊。

愫　方　（转身）文清！（递给他一封信，缓缓的走开）

〔文清昏惑地把信接在手里。陈奶妈由书斋小门急上。

陈奶妈　（迫促地）老爷子来了，就在后面。（推着文清）进去，进去，省得麻烦。进去……

曾文清　奶妈，我——

〔陈奶妈嘴里唠唠叨叨地把文清推着进到他的卧室里，愫方呆立在那里。

〔曾皓由书斋小门上，他穿一件棉袍，围着一条绒围巾，趿着拖鞋，扶拐杖，提着一个小油灯走进。

曾　皓　（看见愫方，急切地）我等你好半天了——（对陈）刚才谁进去了？

陈奶妈　大奶奶。

曾　皓　（望见那红泥火炉）怎么，谁又在这里烧茶了？

陈奶妈　姑老爷，他刚才陪着袁先生在这里品茶呢。

曾　皓　（藐笑）哧，这两个人懂得什么品茶！

陈奶妈　老爷子，回屋睡去吧。

曾　皓　不，我要在这儿看看，你睡去吧。

愫　方　奶妈，我给你把被铺叠好了。

陈奶妈　嗯，嗯。（感动）哎，愫小姐，你——（欣喜）好，我看看去。

〔陈奶妈由书斋小门下。皓开始每晚照例的巡视。

愫　方　（随在皓的后面）姨父，不早了，睡去吧，还看什么？

曾　皓　（一面在角落里探找，一面说）祖上辛辛苦苦留下来的房子，晚上火烛第一要小心，小心。（忽然）你看那地上冒着烟，红红的是什么？

愫　方　是烟头。

曾　皓　（警惕）你看这多危险！这一定又是江泰干的。总是这样，烟头总不肯灭掉。

〔愫方拾起烟头，预备扔在火炉里。

曾　皓　这么长一节就不抽了，真是糟蹋东西！（回头嗅闻）愫方，你闻闻仿佛有什么香味没有？

愫　方　没有。

曾　皓　刚才没有人来过么？

愫　方　没谁。

曾　皓　（嗅闻）怪的很，仿佛有鸦，鸦片烟的味道。

愫　方　别是您，今天水烟抽多了。

曾　皓　唉，老了，连鼻子都不中用了。（突然）究竟文清走了没有？

愫　方　走了。

曾　皓　你可不要骗我。

愫　方　是走了。

曾　皓　唉，走了就好。这一个大儿子也够把我气坏了，烟就戒了许多次，现在他好容易把烟戒了，离开了家——

愫　方　不早了，睡云吧。

曾　皓　（坐在沙发里怨诉）他们整天的骗我，上了年纪的人活着真是没意思。儿孙不肖，没有一个孩子替我想。（凄惨地）家里没有一个体恤我，可怜我，心疼我。我牛马也做了几十年了，现在倒个个人都盼我早死。

愫　方　姨父，您别这么想。

曾　皓　我晓得，我晓得。（怨恨地）我的大儿媳妇第一个不是东西，她就知道想法弄我的钱。今天正午我知道是她故意引这帮流氓进门，存心给我难堪。（切齿）你知道她连那寿木都不肯放在家里。父亲的寿木，这种不孝的人，这种没有一点心肝的女人，她还是书香门第的闺秀，她还是——

〔外面风雨袭来，树叶飒飒地响着。

曾　皓　她自己还想做人的父母，她——

愫　方　（由书斋小窗谛听）雨都下下来了，姨父，睡吧，别再说了。

曾　皓　（摇头）不，我睡不着。老了，儿孙不肖，一个人真可怜，半夜连一个侍候我的人都没有。（痛苦的摸着腿）啊！

愫　方　怎么了？

曾　皓　（微呻）痛啊，腿痛的很！

〔外面更锣声。

愫　方　（拿来一个矮凳放好他的腿，把毛毯盖上，又拉过一个矮凳坐在旁边，为他轻轻捶腿）好点吧？

曾　皓　（呻吟）好，好。脚冷得像冰似的。愫方，你把我的汤婆子灌好了没有？

愫　方　灌好了。

曾　皓　（回忆）你姨妈生前顶好了，晚上有点凉，立刻就给我生起炭盆，热好了黄酒，总是老早把我的被先温好——（似乎突然记起来）我的汤婆子，你放在哪里了？

愫　方　（捶着腿）已经放在你的被里了。（呵欠）

曾　皓　（快慰）啊，老年人心里没有什么。第一就是温饱，其次就是顺心。你看，（又不觉牢骚起来）他们哪一个是想顺我的心？哪一个不是阴阳怪气？哪一个肯听我的话，肯为着老人家想一想？（望见愫方沉沉低下头去）愫方，你想睡了么？

愫　方　（由微盹中惊醒）没有。

曾　皓　（同情地）你真是累很了，昨天一夜没有睡，今天白天又侍候我一天，也难怪你现在累了。你睡去吧。（语声中带着怨望）我知道你现在听不下去了。

愫　方　（擦擦眼睛，微微打了一个呵欠）不，姨父，我不要睡，我是在听呢。

曾　皓　（又忍不住埋怨）难怪你，他们都睡了，老运不好，连自己的亲骨肉都不肯陪着我，嫌我烦厌——

愫　方　（低头）不，姨父，我没有觉得，我没有——

曾　皓　（唠叨）愫方，你不要骗我，我也晓得。他们就是不在你的面前说些话，我也知道你早就耐不下去了。（呻吟）哎哟，我的头好昏哪。

愫　方　没，并没有人在我面前说什么。我，我刚才只是有点困了。

曾　皓　（絮絮叨叨）你年纪轻轻的，陪着我这么一个上了年纪的人，你心里委屈，我是知道的。（长叹）唉，跟着我有什么好处？一个钱没有，眼前固然没有快乐可言，以后也说不上有什么希望。（嗟怨）我的前途就，就是棺材，棺材，我——（捶着自己的腿）啊！

愫　方　（捶重些，只好再解释）真的，姨父，我刚才就是一阵子有点困了。

曾　皓　（一眶眼泪，望着愫）你瞒不了我，愫方，（一半责怨，一半诉苦）我知道你心里在怨我，你不是小孩子——

愫　方　我是愿意照护您的。

曾　皓　（摇手）愫方，你别捶了。

愫　方　我不累。

曾　皓　（把她的手按住）不，别。你让我对你说几句话。（唠叨）我不是想苦你一辈子，我是在替你打算，你真的嫁了一个可靠的好人，我就是再没有人管——

〔愫方不觉把手抽出来。

曾　皓　我也觉得心安，觉得对得起你，对得起你的母亲，我——

愫　方　不，姨父。（缓缓立起）

曾　皓　可是——（突然阴沉地）你的年纪说年轻也不算很——

愫　方　（低首痛心）您别说了。

曾　皓　（狠心地）你让我说，你的年纪也不小了，一个老姑娘嫁人，嫁得再好，也不过给人做个填房，可是做填房如果遇见前妻的子女好，倒也罢了，万一碰见尽是些不好的，你自己手上再没有钱，那种日子——

愫　方　（实在听不下去）姨父，我，我真是没有想过——

曾　皓　（苦笑）不过，给人做填房总比在家里待一辈子要好得多，我明白。

愫　方　（哀痛）我，我——

曾　皓　（絮烦）我明白，一个女人岁数一天一天地大了，高不成，低不就，人到了三十岁了，（一句比一句狠重）父母不在，也没有人做主，孤孤单单，没有一个体己的人，真是有一天，老了，没有人管了，没有孩子，没有孩子，没有亲戚，老，老，老得像我——

愫　方　（悲哀而恐惧的目光，一直低声说着）不，不，（到此地突然大声哭起来）姨父，您为什么也这么说话，我并没有想离开您老人家呀。

曾　皓　（苦痛地）我是替你想啊，替你想啊！

愫　方　（抽咽）您不要替我想吧，不要替我想吧。

曾　皓　（长叹一声）愫方，你不要哭，姨父也活不长了。

〔幽长的胡同内又有算命的瞎子寂寞地敲着铜钲走过去。

曾　皓　这是什么？

愫　方　算命的瞎子回家了。（默默擦着泪水）

曾　皓　不要哭啦，我也活不了几年了，我就是再麻烦你，也拖不了你几年了。我知道思懿、江泰他们心里都盼我死，死了好分我的钱，愫方，只有你是一个忠厚孩子！

愫　方　您，您不会的。（低泣起来）为什么您老是这么想，我今天没有冒犯您老人家啊！

曾　皓　（抚着愫的手）不，你好，你是好孩子，可他们都以为姨父是有钱的，（愫又缓缓把手抽回去）他们看着我脸上都贴的是钞票。我的肚子里装的不是做父母的心肠，都装的是洋钱元宝啊，（咳）他们都等着我死，哎，上了年纪的人活着真没有意思啊，（抚摩自己的头）头也这么痛。（想立起）

愫　方　（扶起他）睡去吧。

曾　皓　（坐起，在袋里四下摸索）可我早就没有钱。我的钱早为你的姨母出殡，修坟，修补房子，为着每年漆我的寿木早用光了。（从袋里取出一本红色的银行存折）这是思懿天天想偷看的银行存折。（递在她的眼前）你看这里还有什么？愫方，可怜我死后连给你都没留多少钱（立起）——

愫　方　（哀痛地）姨父，我从来没有想过要您的钱哪！

〔瑞贞由书斋小门上。

曾瑞贞　爷爷，药煎好了，在您屋里。

曾　皓　哦。

〔更声。深巷的犬吠声。

曾　皓　走吧。

〔瑞贞和愫方扶着皓向书斋小门走。霆拿着一本线装书由书斋小门走进。

曾　霆　爷爷，抄完了，您还讲吧？

曾　皓　（摇头）不早了，（转头对瑞）瑞贞也不要来了，你们俩个都回屋睡去吧。

〔愫方扶皓由书斋小门下，瑞贞呆望着那炉火。霆走到大客厅门前，望了一望，又逡巡踱回。

曾　霆　（找话说）妈妈没有睡么？

曾瑞贞　大概睡了吧。

曾　霆　（犹疑）你怎么还不睡？

曾瑞贞　我刚给爷爷煎好药。（忽想呕吐，不觉坐下）

曾　霆　（有点焦急）你坐在这里干什么？

曾瑞贞　（手摸着胸口）没有什么，（望望他）要我走么？

曾　霆　（耐下）不，不。

〔淅沥的雨声，凄凉的“硬面饽饽”的叫卖声。

曾　霆　（望着窗外）雨下大了。

曾瑞贞　嗯，大了。

〔深巷中凄寂而沉重的声音喊着，“硬面饽饽！”

曾　霆　（寂寞地）卖硬面饽饽的老头儿又来了。

曾瑞贞　（抬头）饿了么？

曾　霆　不。

曾瑞贞　（立起）你，你不要回屋去睡么？

曾　霆　我，我不。你累，你回去吧。

曾瑞贞　（低头）好。（缓缓向书斋小门走）

曾　霆　你哭，哭什么？

曾瑞贞　我没有。

曾　霆　（忽然同情地一句一顿）你要钱——妈今天给我二十块钱——在屋里枕头上——你拿去吧。

曾瑞贞　（绝望地叹息）嗯。

曾　霆　（怜矜的神色，微微带着勉强）你，你要不愿一个人回屋，你就在这里坐会儿。

曾瑞贞　不，我是要回屋的。

〔霆打了半个喷嚏，又忍住。

曾瑞贞　（回头）你衣服穿少了吧？

曾　霆　我不冷。

〔瑞贞又向书斋小门走。

曾　霆　（忽然记起）哦，妈刚才说——

曾瑞贞　妈说什么?

曾　霆　妈说要你给她捶腿。

曾瑞贞　嗯,(转身向文清卧室走)

曾　霆　(突然止住她)不,你不要去。

曾瑞贞　(无神地)怎么?

曾　霆　(希望得着同感)你恨,恨这个家吧?

曾瑞贞　我?

曾　霆　(追问)你?

〔瑞贞抑郁地低下头来。

曾　霆　(失望,低声)你去吧。

〔瑞贞走了一半,忽然回头。

曾瑞贞　(一半希冀,一半担心)我想告诉你一件事。

曾　霆　什么事?

曾瑞贞　(有些赧然)我,我最近身上不大舒服。

曾　霆　(连忙)你为什么不早说?

曾瑞贞　我,我有点怕——

曾　霆　(爽快地)怕什么,你怎么不舒服?

曾瑞贞　(嗫嚅)我常常想吐,我觉得——

曾　霆　(懵懂)啊,就是吐啊,(立刻叫)妈!

曾瑞贞　(立刻止住他)你干什么?

曾　霆　妈屋里有八卦丹,吃点就好。

曾瑞贞　(埋怨地)你!

曾　霆　(莫名其妙)怎么,说吧,还有什么不舒服?

曾瑞贞　（失望）没有什么，我我——（向卧室走）

曾　霆　你又哭什么？

曾瑞贞　（止步）我，我没有哭。（突然抬头望霆，哀伤地）霆，你一点不知道你是个大人么？霆，我们是——

曾　霆　（急促地解释）我们是朋友。你跟我也说过我们是朋友，因为我们结婚不是自由的。你的女朋友说的对，我不是你的奴隶，你也不是我的奴隶。我们顶多是朋友，各人有各人的自由，各走各的路。你，你自己也相信这句话是吧？

曾瑞贞　（忽然坚决地）嗯，我相信！

〔由右面大奶奶卧室内——

〔思懿的喊声：瑞贞，瑞贞！

曾　霆　妈叫你。

曾瑞贞　（愣一愣，转对霆）那么，我去了。

曾　霆　嗯。

〔瑞贞走入右面卧室。

曾　霆　（望着瑞贞走出去，鼓起勇气，走向槅扇，对着那槅扇门的隙缝，低声），袁圆！袁圆！

〔瑞贞又从大奶奶卧室走出。

曾　霆　（有些狼狈）怎么你——

曾瑞贞　妈教我找愫姨。（由书斋小门下）

〔霆有些犹豫，叹一口气，又——

曾　霆　袁圆！袁圆！

〔槅扇门打开，泄出一道灯光，袁圆走出来。

袁　圆　咦，你又来了？

曾　霆　袁家妹妹，你看到我给你的信没有？

袁　圆　（懵懂地）看到了。

曾　霆　（突然）你读了我给你的诗，我信里面的诗了么？

袁　圆　（点头，天真地）念了！

曾　霆　（欣喜）念了？

袁　圆　（点头）嗯，我爸爸说你的字比我写得好。

曾　霆　（出乎意料）你给你父亲看了？

袁　圆　（忽然聪明起来）你别红脸，爸爸说你就写了两个白（别）字，比我好。

曾　霆　那么，我给你的诗——

袁　圆　（点头）我给爸爸看了。

曾　霆　（更惊）给他看？

袁　圆　我看不懂。

曾　霆　那么你父亲——

袁　圆　（摇头）他说那诗古的很。（抱歉地）他也看不懂。

曾　霆　他还说什么？

〔瑞贞和愫方由书斋小门上。刚要走出书斋，瑞贞突然瞥见霆和圆，不由己的停住脚，呆立在书斋里，愫方手里握着一件婴儿的绒线衣服，也默然伫立。

袁　圆　（嗫嚅）他说（冒然）他教我以后别跟你一块儿玩了。不理他，明天我们俩还是一块儿放风筝去。

曾　霆　（低语）为什么不能在一块儿玩？

袁　圆　（随口）愫姨刚才找我爸爸来了。

曾　霆　（吃惊）干什么？

袁　圆　她说你的太太已经有了小毛毛了。

曾　霆　（晴天里的霹雳）什么？

袁　圆　她说你就快成父亲了。（好奇地）真的么？

曾　霆　（落在雾里）我？

袁　圆　我爸爸等愫姨走了，就跟我说，少领着你瞎玩了。

曾　霆　（依然晕眩）当父亲？

袁　圆　（忽然）我十五，你十几？

曾　霆　（发痴）十七。

袁　圆　啊，十七岁你就要当父亲了。（拍手）十七岁的小父亲，小父亲！

〔霆突然呜呜地哭起来。

袁　圆　别哭了，你再哭，我生气了。

〔霆依然痛苦着。

袁　圆　曾霆，别哭了，你看，我把我的鸽子都送给你。（把“孤独”在他的面前举起）

曾　霆　（摇头）不，不，我想哭啊！

〔袁任敢的声音：圆儿！圆儿！

袁　圆　（低声）我爸爸叫我了，明天见，我明天等你一块放风筝，钓鱼，好吧？

〔袁任敢的声音：圆儿！圆儿！

袁　圆　来了，爸。

〔霆抬头，望着她跑走。圆儿打开槅扇门，跑进去。

〔斜风细雨，深巷里传来苍凉的“硬面饽饽”的叫卖声。

〔霆又扑倒哭泣起来。

〔瑞贞缓缓由书斋走出来，愫方依然站在书斋内。

曾瑞贞　（走到霆的身后，略弯身，轻轻拍着他的肩膀，哀怜地）不要哭了，袁小姐走了。

曾　霆　（抬头）愫，愫姨的话是真的？

〔瑞贞望着他，深深一声叹气。

曾　霆　（大恸，怨愤地）哦，是哪个人硬要把我们俩个拖在一起，（立起）我真是想（顿足）死啊！（向书斋小门跑去）

愫　方　霆儿！

〔霆头也不回，夺门而出。

〔瑞贞呆呆跌坐在凳子上。

愫　方　（走过来）瑞贞！

曾瑞贞　愫姨！

愫　方　（抚着她的头发）你，你别——

曾瑞贞　（猛然抱着愫方）我也真是想死啊！

愫　方　（温和地）瑞贞。

曾瑞贞　（忍不住一面流泪，一面怨诉着）愫姨，你为什么要告诉袁家伯伯呢？为什么要教袁家小姐不跟他来往呢？

愫　方　（悲哀地）瑞贞，我太爱你，我看你苦，我实在忍不下去了。（昏惑地）我不知道我怎么跑去说的，我像个傻子似的跑去见了袁先生。我简直不知道我说了些什么，我就跑出来了。

瑞贞，如果霆儿从这以后能够——

曾瑞贞　（沉痛）你真傻呀，愫姨，他是不喜欢我的。你看不出来？他是一点也不喜欢我的！

愫　方　（哀伤地）不，他是个孩子，他有一天就会对你好的。唉，瑞贞，等吧，慢慢地等吧，日子总是有尽的。

曾瑞贞　（立起摇头，沉缓地）不，愫姨，我等不下去了。我要走，我已经等了两年了。

〔外面曾皓声：愫方！愫方！

愫　方　你上哪里去？

曾瑞贞　（热情地）我那女朋友告诉我，有这么一个地方，那里——

愫　方　（哀缓地）可是你的孩子——（把那小衣服递在瑞的眼前）

曾瑞贞　（接下看看）那孩子——（长叹一声，不觉把衣服掷落地上）

〔由书斋小门露出曾皓的上半身。

曾　皓　（举着蜡炬）愫方，汤婆子漏了，床上都湿了。

〔愫方与曾皓由书斋小门下。

〔思懿拿着账本由自己的卧室走出，瑞贞连忙从地上拾起小衣服藏起。

曾思懿　（瞥见愫方的背影）愫小姐！愫小姐！（对瑞）那不是你的愫姨么？

曾瑞贞　嗯。

曾思懿　怎么看见我又走了？

曾瑞贞　爷叫她有事。

曾思懿　（厉声）去找她来，说你爹找她有事。

〔瑞贞低头由书斋小门下。远处更声。文清由卧房走进，思懿走到八仙桌前数钱。

曾文清 （焦急地）你究竟要怎么样？

曾思懿 （翻眼）我不要怎么样。

曾文清 你要怎么样？你说呀，说呀！

曾思懿 （故意作出一种忍顺的神色）我什么都看开了。人活着没有一点意思。早晚棺材一盖，两眼一瞪，什么都是假的。（走向自己的卧室）

曾文清 你要干什么？

曾思懿 （回头）干什么？我拿账本交账。（走进屋内）

曾文清 （对门）你这是何苦，你这是何苦？你究竟想怎么样？你说呀！

〔思懿拿着账本又由卧室门走进。

曾思懿 （翻眼）我不想怎么样？我只要你日后想着我这个老实人待你的好处。明天一见亮，我就进尼姑庵，我已经托人送信了。

曾文清 哦，天哪，请你老实说了吧？你的真意思是怎么回子事？我不是外人，我跟你相处了二十年，你何苦这样？何苦这样？

曾思懿 （拿出方才愫给文的信，带着嘲蔑）哼，她当我这么好欺负，在我眼前就敢信啊诗啊地给你递起来。（突然狠恶地）还是那句话，我要你自己当着我的面把她的信原样退给她。

曾文清 （闪避地）我，我明天就会走了。

曾思懿 （严厉）那么就现在退给她。我已经替你请她来了。

曾文清 （惊恐）她，她来干什么？

曾思懿 （讥刺地）拿你写给她的情书啊！

曾文清 （苦闷地叫了一声）哦！（就想回转身跑到卧室）

曾思懿 （厉声）敢走！

〔文清停住脚。

曾思懿 （切齿）不会偷油的耗子，就少在猫面前做馋相。这一点点颜色我要她——

〔袁圆抱着那“孤独”，打开一扇门走进来，手里拿着一张纸条。

袁　圆 （递信给文）曾伯伯，我爸爸给你的信！（对思，指着）你们俩还没有睡，我们都要睡了。（转身就跳着进了屋，门倏地关上）

曾文清 （读完信，长叹一声）嗯。

曾思懿 怎么？

曾文清 （递信给她）袁先生说他的未婚妻就要到。

曾思懿 他有未婚妻？

曾文清 嗯，他请你替他找所好房子。

曾思懿 （读完，嘲讽地）哼，这么说，我们的愫小姐这次又——

〔愫方拿着蜡烛由书斋小门上。

愫　方 （低声）表哥找我？

曾文清 我——

曾思懿 是，愫妹。（把信递给文）怎么样？

曾文清　哦。（想走）

曾思懿　（厉声）站住！你真的要逼我撒野？

曾文清　（哀恳地）愫方，你走吧，别听她。

〔愫方回头望思懿，想转身。

曾思懿　（对愫）别动！（对文阴沉地）拿着还给她。

〔文清屈服地伸手接下。

〔愫方痛苦地望着文清，僵立不动。

曾思懿　（狞笑）这是愫妹妹给文清的信吧？文清说当不起，请你收回。

〔愫方颤抖地伸出手把文清手中的信接下。

〔文清低头。

〔静寂。

〔愫方默默地由书斋小门走出。

〔文清回头望愫方走出门，忍不住倒坐在沙发上哽咽。

曾思懿　（低声，狠恶地）哭什么，你爹死了？

曾文清　（摇头）你不要这么逼我，我是活不久的。

曾思懿　（长叹一声）隔壁杜家的账房晚上又来逼账了，老头拿住银行折子，一个钱也不拿出来。文清，我们看谁先死吧，我也快教人逼疯了。（忙忙由书斋小门下）

〔文清失神地站起来，缓缓地向自己的卧室走，那边门内砰然一声，像是木杖掷在门上的声音，文彩喊着由她的卧室跑出。

曾文彩　（低声，恐惧地）哥哥！

曾文清　怎么？

曾文彩　他，他又发酒疯了！

曾文清　（无力地）那我，我怎么办？

曾文彩　（急促）哥哥，怎么办，你看怎么办？

〔突然屋内又有摔东西的声音，和狺狺然骂人的声音。

曾文彩　（拉着文的臂）你听他又摔东西了。

曾文清　（捧着自己的头）啊，让他摔去得了。

曾文彩　（心痛地）他，他疯了，他要打我，他要离婚——

曾文清　（惨笑）离婚？

〔江泰在屋内的声音：（拍桌）文彩！文彩！

曾文彩　哥哥。

〔江泰在屋内的声音：（拍桌大喊）文彩！文彩！文彩！

曾文彩　（拉着他）哥哥，你听！

曾文清　你别拉着我吧！

曾文彩　（焦急）他这样会出事的！会出事的。哥哥！

曾文清　放开我吧，我心里的事都闹不清啊！（摔开手踉跄步入自己的卧室内）

〔文彩向自己的卧室走了两步，突然门开，跌进来醉醺醺的江泰，一只脚穿着拖鞋，那一只是光着。

江　泰　（不再是刚才那样苦恼可怜的样子，倚着门口，瞪红了眼睛）你滚到哪里去了？你认识不认识我是江泰，我叫江泰，我叫你，叫你，你怎么不来？

曾文彩　（苦痛）我，我，你——

江　泰　我住在你们家里不是不花钱的，我在外面受了一辈子人家的气，在家里还要受你们曾家人的气么？我要喝就得买，要吃就得做——谁欺负我，我就找谁——走——（拉着彩的手）找他去！

曾文彩　（拦住他）你要找谁呀？

江　泰　曾皓，你的爹，他对不起我，我要找他算账。

曾文彩　明天，明天，父亲睡了。

江　泰　那么现在教他滚起来。（走）

曾文彩　（拖住）你别去！

江　泰　你别管！

曾文彩　（忽然灵机一动，回头）呵呀，你看，爹来了！

江　泰　哪儿？

曾文彩　这儿！

〔文彩顺手把江泰又推进自己的卧室内，立刻把门反锁上。

〔江泰在屋内的声音：（击门）开门！开门！

曾文彩　哥哥！（连忙向文清卧室的门跑）哥哥！

〔江泰在屋内的声音：（捶门）开门！开门！

〔文彩走到文清卧室门口，掀开门帘。

曾文彩　（似乎看见一件最可怕的事情）啊，天，你怎么还抽这个东西呀！

〔文清在屋内的声音：（长叹）别管我吧，你苦我也苦呵！

〔江泰在屋内的声音：（大吼叫）文彩！（乱捶门）开门，我要烧房子啦！我要烧房子，我要点火啦，我——（砰通一声

仿佛全身跌倒在地上）

曾文彩 （同时一面跑向自己的卧室，一面喊着）天啊，江泰，你醒醒吧，你还没有闹够，你别再吓死我了！（开了门）

〔文彩立刻进了自己的卧室，把门推严，里面只听得江泰呻吟的声音。

〔立刻书斋小门上来曾皓，披着一件薄薄的夹袍，提着灯笼，由愫方扶掖着，颤巍巍地打着寒战。

曾　皓 （慌张地）出了什么事？什么事？（低声对愫）你，你让我看看是谁，是谁在吵。你快去给我拿棉袍来。

〔愫方由书斋小门下。江泰还在屋内低微地哼哼。皓瞥见文清卧室的灯光，悄悄走到他的门前，掀开帘子望去。

〔文清在屋内的声音：（暗哑）谁？

曾　皓 谁，（不可想象的打击）你，没走？

〔文清吓昏了头，昏沉沉地竟然拿着烟枪走出来。

曾　皓 你怎么又，又——

曾文清 （低头）爹，我——

〔皓惊愕得说不出一句话，摇摇晃晃向文清身边来。文清吓得后退，逼到八仙桌旁，皓突然对文清跪下。

曾　皓 （痛心地）我给你跪下，你是父亲，我是儿子。我请你再不要抽，我给你磕响头，求你不——（一壁就要磕下去）

曾文清 （突然意识到自己的罪恶，扔下烟枪）妈呀！

〔文清推开大客厅的门扇跑出，同时曾皓突然中了痰厥，瘫在沙发近旁。

〔同时愫方由书斋小门拿着棉袍忙上。

愫　方　（惊吓）姨父！姨父！（扶他靠在沙发上）姨父，你怎么了，姨父，你醒醒！姨父！

曾　皓　（睁开一半眼，细弱地）他，他走了么？

愫　方　（颤抖）走了。

曾　皓　（咬紧了牙）这种儿子怎么不（顿足）死啊？不（顿足）死啊！（想立起，舌头忽然有些颤）我舌头——麻——你——

愫　方　（颤声）姨父，你坐下，我去拿参汤去，姨父！

〔皓口张目瞪不能应声，愫慌忙由书斋小门跑下。

〔文彩在屋内的声音：（哭泣）江泰！江泰！

〔江泰在屋内的声音：（大吼）滚开呀，你！

〔文彩在屋内的声音：江泰！

〔江泰猛然打开门，回身就把门反锁上。

〔文彩在屋内的声音：你开门，开门！

江　泰　（在烛光摇曳中，看见了曾皓坐在那里，像入了定，愤愤地）啊，你在这儿打坐呢！

〔皓目瞪口张。

江　泰　你用不着这么斜眼看我，我明天一定走了，一定走了，我再不走运，养自己一个老婆总还养得起。（怨愤）可我走以前，你得算账，算账。

〔文彩在屋内的声音：（急喊）开门！开门！你在跟谁说话？江泰！（捶门）开门，江泰，开门！（一直在江泰说话的间隔中喊着）

江　泰　你欠了我的，你得还。我为了你才丢了我的官，为了你才亏了款。人家现在通缉我，我一辈子出不了头，这是你欠我这一笔债，你得还，你不能不理！你得还，你不能再这样不言语。（大声）你看清楚没有？我叫江泰，认清楚！你的女婿，你欠了我的债！曾皓，你听见没有？

〔文彩在屋内的声音：（吓住）开门！开门！（一直大叫）爹！爹！别理他！他说胡话，他疯了。开门，江泰！（夹在江泰的长话当中）开门！爹，爹！

江　泰　曾皓，你给不给？我知道你有的是存款，金子，银子，股票，地契，（忽然恳切地）哦，借给我三千块钱，就三千，我做了生意，我一定要还你，还给你利息，还给你本，你听见了没有？我要加倍还给你。曾老太爷，你留着那么多死钱干什么？你老了，你岁数不小了。你的棺材都预备好了，漆都漆了几百遍了，你——

〔文彩在屋内的声音：（同时捶门）开门！开门！

〔思懿拿着曾皓方才拿出过的红面存折，气愤愤地由书斋小门急上，望了望曾皓，就走到文彩的卧室前开门。

江　泰　（并未察觉有人进来，冷静地望着曾皓，低声，厌恶地）你笑什么？你对我笑什么？（突然凶猛地）你怎么还不死啊？还不死啊！（疯了似地走到曾皓前面，推摇那已经昏厥过去的老人的肩膀）

〔文彩满面泪痕，蓦地由卧室跑出来。

曾文彩　（拖着江泰，力竭声嘶地）你这个鬼！你这个鬼！

江　泰　（一面被文彩向自己的卧室拉，一面依然激动地嚷着）放开我，放开我，我要杀人，我杀了他，再杀死我自己呀。

〔文彩终于把江泰拖入内房，门霍地关上，愫方捧着一碗参汤由书斋小门急上。思懿依然阴沉沉地立在那里。

愫　方　（喂皓参汤）姨父！姨父！喝一点，姨父！

〔霆由书斋小门跑上。

曾　霆　怎么了？

愫　方　（喂不进去）爷爷不好了，赶快打电话，找罗太医。

曾　霆　怎么？

愫　方　中了风！姨父！姨父！

〔霆由大客厅门跑下，同时陈奶妈仓皇由书斋小门上，一边还穿着衣服。

陈奶妈　（颤抖地）怎么了老爷子？老爷子怎么了？

愫　方　（急促地）你扶着他的头，我来灌。

〔老人喉咙里的痰涌上来。

陈奶妈　（扶着他）不成了，痰涌上来了——牙关咬得紧，灌不下。

愫　方　姨父！姨父！

〔文清由大客厅门上。

曾文清　（走到老人的面前，愧痛地连叫着）爹，爹！我错了，我错了。

〔文彩由自己的卧室跑出来。

曾文彩　（抱着老人的腿）爹，爹，我的爹！

愫　方　姨父，姨父！

陈奶妈　老爷子！老爷子！

曾思懿　（突然）别再吵了，别等医生来，送医院去吧。

愫　方　（昂首）姨父不愿意进医院的。

曾思懿　（对陈奶妈）叫人来！

〔陈奶妈由大客厅门下。

曾文彩　（立刻匆促地）我到隔壁杜家借汽车去。（由大客厅跑下）

愫　方　姨父，姨父！

曾文清　（哽咽）怎么了（“怎么办”的意思）？怎么了？

曾思懿　哼，怎么了？（气愤地）你看，（把手里曾皓的红面折子扔在他的眼前）这怎么了？

〔陈奶妈带着张顺由大客厅门上。曾霆随进。

曾思懿　张顺呢？

陈奶妈　这不是？

曾思懿　（对张顺）抬到汽车上。

〔张顺正要抱起老太爷。

愫　方　（忽然一把拉住曾皓）不能进医院，姨父眼看就不成了。

〔老人说不出话，眼睛苦痛地望着。

〔张顺望着愫方，停住手。

曾思懿　（拉开愫方，对张顺）抬！

〔张顺把曾皓抱起，向大客厅走。

曾　霆　（哭起来）爷！爷！

曾思懿　别哭了。

曾文清　（跟在后面）爹，我，我错了。

〔张顺走到门槛上。老人的苍白的手忽然紧紧抓着那门扇，坚不肯放。

曾　霆　（回头）走不了，爷爷的手抓着门不放。

曾思懿　用劲抬！

愫　方　（哀痛地）他不肯离开家呀。

〔大家又在犹疑。

曾思懿　抬，抬！救人要紧，听我的话还是听她的话？抬！

〔张顺硬向前走。

愫　方　他的手，他的手。

曾思懿　（对霆）把手掰开。

曾　霆　我怕。

曾思懿　笨，我来。

曾文清　爹！爹！

曾　霆　（恐怖的指着）爷爷的手，爷爷的手！

〔思懿强自掰开他的手。

曾文清　（愤极）你这个鬼！你把父亲的手都弄出血来了。

曾思懿　抬！（低声，狠恶地）房子要卖，你愿意人死在家里？

〔大家随着张顺，由大客厅门走出，只有文清留在后面。

〔木梆声。

〔苍凉的“硬面饽饽”声。

〔屋里醉人一声痛苦的呻吟。

〔文清进屋立刻走出。他拿着一件旧外衣和一个破帽子，臂里挟一轴画，长叹一声，缓缓地由通大客厅的门走出，顺手把门掩上。

〔暗风挟着秋雨吹入，门又悄悄自启，四壁烛影憧憧，墙上的画轴也被刮起来飒飒地响着。

〔远处一两声凄凉的更锣。

——幕徐落

第三幕

第一景

在北平阴历九月梢尾的早晚，人们已经需要加上棉绒的寒衣。深秋的天空十分肃穆。近黄昏时，古老一点的庭园就有成群成阵像一片片墨点子似的老鸦在老态龙钟的榆钱树的树巅上来回盘旋，此呼彼和，噪个不休。再晚些，暮色更深，乌鸦也飞进了自己的巢。在苍茫的尘雾里，传来城墙上还未归营的号手吹着凄凉的号声。

天渐渐的开始短了，不到六点钟，石牌楼后面的夕阳在西方一抹淡紫的山气中隐没下去。到了夜半就唰唰的刮起西风，园里半枯的树木飒飒的乱抖。赶到第二天一清早，阳光又射在屋顶的琉璃瓦上，天朗气清，地面上罩一层白霜，院子里，大街的人行道上都铺满了头夜的西风刮下来的黄叶。气候着实的凉了，大清早出来，人们的呼吸在寒冷的空气里凝成乳白色的热气，向菜市买来的菜蔬碰巧就结上一层薄薄的冰凌，在屋子里坐久了不动就觉得有些冻脚，窗纸边的苍蝇拖着迟重身子飞飞就无力的落在窗台上。在往日到了这种天气，比较有钱的如同曾家这样的宅门，家里早举起了炕火[1]，屋内暖洋洋的了。

---

1 “炕火”底本作“坑火”，当作“炕火”。

深秋的傍晚——离第二幕有一个多月——曾家小花厅显得零落衰败的样子，槅扇前放着一盆白菊花，花干的垂了头。靠墙的一张旧红木半圆桌上放着一个深蓝色大花瓶，里面也插了三四朵快开败的黄菊。许多零碎的摆饰都收了起来，墙上也只挂着一幅不知什么人画的山水，裱的绫子已成灰暗色，下面的轴子只剩了一个。墙壁的纸，有些地方已开始剥落。墙角倒悬那张七弦琴，琴上的套子不知拿去作了什么，橙黄的穗子仍旧沉沉的垂下来，蜘蛛在上面织了网。书斋的窗纸有些破了再补上的。两张方凳随便的放在墙边。一张空着，一张放着一个作针线的簸箩。那扇八角窗的玻璃也许久没擦过，灰尘尘的。窗前八仙桌上放一个茶壶、两个茶杯，桌边有一把靠椅。

一片暗澹的夕阳透过窗子微弱地照在衰败的菊花瓣，同织满了蛛网的七弦琴上。外面一阵阵的噪着老鸦。独轮水车的轮声又在单调地“孜妞妞孜妞妞”的响着。

开幕时姑奶奶坐在靠椅上织着毛线衣，她穿着一件旧黑洋绉的驼绒袍子，黑绒鞋。面色焦灼，手不时的停下来。似乎在默默的等待着什么。离她远远地在一张旧沙发上歪歪的靠着江泰，他正拿着一本《麻衣神相》，十分入神地研究，左手还拿了一面用红头绳缠拢的破镜子，翻翻书又照照自己的脸，放下镜子又仔细读那本线装书。

半晌。

陈奶妈拿着纳了一半的鞋底子打开书斋的门走进来。她穿上一件灰布的薄棉袄，青洋缎套裤扎着腿。看见她来，文彩立刻放下手里的毛线活计站起来。

曾文彩 （非常关心地低声问）怎么样啦？

〔陈奶奶止步，回头向窗外伫听。文彩满蓄忧愁的眼睛望着她，等待她的回话。

陈奶妈 （无可奈何地摇摇头）没有走，人家还是不肯走。

〔文彩失望的叹息了一声，又坐下拿起毛线衣，低头缓缓的织着。

〔江泰略回头，看了这两个妇人一眼，显着厌恶的神气又转过身读他的《麻衣神相》。

〔陈奶妈长长的嘘出一口气，四面望了望，提起袖口擦抹一下眼角，走到方凳子前坐下，迎着黄昏的一点微光默默的纳起鞋底。

〔江泰忽然搓顿着两只脚，冷瑟瑟的。

曾文彩 （抬起头望江）脚冷吗？

江　泰 （心烦）唔！（又翻他的相书）

〔文彩又低下头织毛线。

〔半晌。

曾文彩 （斜觑江泰一眼又低下头织了两针，实在忍不住了）泰！

〔江泰若有所闻，但仍然看他的书。

曾文彩 （又温和的）你在干什么？

〔江泰不理她。

〔陈奶妈看江泰一眼，不满意地转过头去。

曾文彩 （放下毛线）泰，几点了，现在？

江　泰 （拿起镜子照着，头也不回）不知道。

曾文彩　（只好看看外边的天色）有六点了吧？

江　泰　（放下镜子，回过头，用手指了一下，冷冷地）看钟！

曾文彩　钟坏了。

江　泰　（翻翻白眼）坏了拿去修！（又拿起镜子）

曾文彩　（怯弱地）泰，你再到客厅看看他们现在怎么样啦，好么？

江　泰　（烦躁地）我不管，我管不着，我也管不了，你们曾家的事也太复杂，我没法管。

曾文彩　（恳求）你再去看一下，好不好？看看他们杜家人究竟想怎么样？

江　泰　怎么样？人家到期要曾家还钱，没有钱要你们府上的房子，没有房子要曾老太爷的寿木，那漆了几十年的楠木棺材。

曾文彩　（无力地）可这寿木是爹的命，爹的命！

江　泰　你既然知道这件事这么难办，你要我去干什么？

陈奶妈　（早已停下针在听，插进嘴）算了，就让大奶奶一个人对付他们去吧，反正钱是没有，房子要住——

江　泰　那棺材——

曾文彩　爹舍不得！

江　泰　（瞪她一眼）明白啦？（又拿起镜子）

〔文彩低头叹息，拿出手帕抹眼泪。

〔半晌。外面乌鸦噪声，水车“孜妞妞孜妞妞”滚过声。

陈奶妈　（纳着鞋底，时而把针放在斑白的头发上擦两下，又使劲把针扎进鞋底。这时她停下针，抬起头叹气）我走咯！明天我也走咯，可怜今天老爷子过的是什么丧气生日！唉，像这样活下去倒不如那天晚上……（忽然）要是往年祖老太爷做寿的时候，家里请客唱戏，院子里、客厅里摆满了菊花，上上下下都开着酒席，满哪儿都是拜寿的客人，几里噶拉儿（“角落”）满世界都是寿桃、寿面、红寿幛子，哪像现在——

曾文彩　（一直在思虑着眼前的苦难，呆望着江泰，几乎没听见陈奶奶的话，此时打起精神对江泰又温和地提起话头）泰，你在干什么？

江　泰　（翻翻眼）你看我在干什么？

曾文彩　（勉强的微笑）我说你一个人照什么？

江　泰　（早已不耐烦，立起来）我在照我的鼻子！看见了没有？我在照我的鼻子！鼻子！鼻子！（拿起镜子和书走到更远一个的椅子上坐下）

曾文彩　你不要再叫了吧，爹这次性命是捡来的。

江　泰　（总觉文彩故意跟他为难，心里又似恼怒却又似毫无办法的样子，连连指着她）你看你！你看你！每次说话的口气，言外之意总像是我那天把你父亲气病了似的。你问问现在谁不知道是你那位令兄，令嫂——

曾文彩　（只好极力辩解）谁这么疑心哪？（又低首下心，温婉地）我说，爹今天刚从医院回来，你就算是给他老人家拜寿，到上屋看看他，好吧？

江　泰　（还是气鼓鼓的）我不懂，他既然不愿意见我，你为什么非要我见他不可？就算那天我喝醉啦，说错了话得罪了他，上个月到医院也看了他一趟，他都不见我，不见我——

曾文彩　（解释）唉，老人家现在心绪不好！

江　泰　那我心绪就好？

曾文彩　可现在爹回了家，你难道就一辈子不见他？就当作客人吧，主人回来了，我们也该去问声好，何况你——

江　泰　（理曲却气壮，走到她的面前，又指又点）你，你的嘴怎么现在学得这么刁？这么刁？我，我躲开你！好不好？（赌气拿着镜子由书斋小门走出去）

曾文彩　（难过地）江泰！

陈奶妈　唉。随他——

〔江泰又匆匆进来在原处乱找。

江　泰　我的《麻衣神相》呢？（找着）哦，这儿。（又走出）

曾文彩　江泰！

陈奶妈　（十分同情）唉，随他去吧，不见面也好。看见姑老爷，老爷子说不定又想起清少爷，心里更不舒服了。

曾文彩　（无可奈何，只得叹了口气）您的鞋底纳好了吧？

陈奶妈　（微笑）也就差几针了。（放下鞋底，把她的铜边老花眼镜取下来，揉揉眼睛）鞋倒是做好了，人又不在了。

曾文彩　（勉强挣出一句希望的话）人总是要回来的。

陈奶妈　（顿了一下，两手提起衣裾擦泪水，伤心地）嗯，但——愿！

曾文彩　（凄凉地）奶妈，您明天别走吧，再过些日子，哥哥会回来的。

陈奶妈　（一月来的烦忧使她的面色失了来时的红润。她颤巍巍摇着头，干巴巴的瘪嘴激动得一抽一抽的。她心里实在舍不得，而口里却固执地说）不，不，我要走，我该走啦。（立起把身边的针线什物往簸箩里收，一面揉揉她的红鼻头）说等吧，也等了一个多月了，愿也许了，香也烧了，还是没音没信，可怜我的清少爷跑出去就穿了一件薄夹袍——（向外喊）小柱儿！小柱儿！

曾文彩 小柱儿大概帮袁先生捆行李呢。

陈奶妈 （从簸箩里取出一块小包袱皮，包着那双还未完全做好的棉鞋）要，要是有一天他回来了，就赶紧带个话给我，我好从乡下跑来看他。（又不觉眼泪汪汪的）打，打听出个下落呢，姑小姐就把这双棉鞋绱好给他寄去——（回头又喊）小柱儿！——（对彩）就说大奶妈给他做的，教他给奶妈捎个信。（闪出一丝笑容）那天，只要我没死，多远也要去看他去。（忍不住又抽咽起来）

曾文彩 （走过来抚慰着老奶妈）别，别这么难过！他在外面不会怎么样，（勉强的苦笑）三十六七快抱孙子的人，哪会——

陈奶妈 （泪眼婆娑）多大我也看他是个小孩子，从来也没出过门，连自己吃的穿的都不会料理的人——（一面喊一面走向通大客厅的门）小柱儿，小柱儿！

〔小柱儿的声音：哴，奶奶！

陈奶妈 你在干什么哪？你还不收拾收拾睡觉，明儿个好赶路。

〔小柱儿的声音：愫小姐教我帮她喂鸽子呢。

陈奶妈 （一面向大客厅走，一面唠叨）唉，愫小姐也是孤零零的可

怜，可也白糟蹋粮食，这时候这鸽子还喂个什么劲儿？（由大客厅门走出）

曾文彩 （一半对着陈奶妈说一半是自语，喟然）喂也是看在那爱鸽子的人！

〔外面又一阵乌鸦噪，文彩打了个寒战，正拿起她的织物——

〔江泰嗒然由书斋小门上。

江　泰 （忘记了方才的气焰，说不出的又是丧气，又是恼怒，又是悲哀的神色，连连的摇着头）没办法，没办法！真是没办法！这么大的一所房子，走东到西的没有一块暖和地方。到今儿个还不生火，脚冻得要死。你那位令嫂就懂得弄钱，你的父亲就知道他的棺材。我真不明白这样活着有什么意义，有什么意义？

曾文彩 别埋怨了，怎么样日子总是要过的。

江　泰 闷极了我也要革命！（从似乎是开玩笑，又似乎是恼怒的口气而逐渐激愤起来）我也反抗，我也打倒，我也要学瑞贞那孩子交些革命党朋友，反抗，打倒，打倒，反抗！都滚他妈的蛋，革他妈的命！一切都给他一个推翻！而，而，而——（突然摸着了自己的口袋，不觉挖苦挖苦自己，惨笑出来）我这口袋里，就剩下一块钱——（摸摸又眨眨眼）不，连一块钱也没有——（低声）看了相！

曾文彩 江泰，你这——

江　泰 （忽然摇头，“如丧考妣”的样子，长叹一声）要是天上能掉下一万块现洋多好啊！多好啊！

曾文彩 （哀切地）泰，不要再这样胡思乱想，顺嘴里扯，你这样会弄成神经病的。

江　泰 （像没听见她的话，蓦地又提起精神）文彩，我告诉你，今天早上我逛市场，又看了一个相。那个看相的也说我现在正交鼻运，要发财，连夸我的鼻子生得好，饱满，藏财。（十分认真地）我刚才照照我的鼻子，倒是生得不错！（直怕文彩驳斥）看相大概是有点道理，不然怎么我从前的事都说得挺灵呢？

曾文彩 那你也该出去找朋友啊！

江　泰 （有些自信）嗯！我一定要找，我要找我那些得意的同学。（仿佛用话来唤起自己的行动的勇气）我就要找，一会儿我就去找！我大概是要走运了。

曾文彩 （鼓励地）江泰，只要你肯动一动你的腿，你不会不发达的。

江　泰 （不觉高兴起来）真的吗？（突然）文彩，我刚才到上房看你爹去了。

曾文彩 （也提起高兴）他，他老人家跟你说什么？

江　泰 （黠巧地）这可不怪我，他不在屋。

曾文彩 他又出来了？

江　泰 嗯，不知道他——

〔陈奶妈由书斋小门上。

陈奶妈 （有些惶惶）姑奶奶，你去看看去吧。

曾文彩 怎么？

陈奶妈　唉！老爷子一个人拄着个棍儿又到厢房看他的寿木去了。

曾文彩　哦——

陈奶妈　（哀痛地）老爷子一个人站在那儿，直对着那棺材流眼泪……

江　泰　愫小姐呢？

陈奶妈　大概给大奶奶在厨房蒸什么汤呢。——姑奶奶，那棺材再也给不得杜家。您先去劝劝老爷子去吧。

曾文彩　（泫然）可怜，爹，我，我去——（向书房走）

江　泰　（讥诮地）别，文彩，你先去劝劝你那好嫂子吧。

曾文彩　（一本正经）她正在跟杜家人商量着推呢？

江　泰　哼，她正在跟杜家商量着送呢。你教她发点良心，别尽想把押给杜家的房子留下来，等她一个人日后卖好价钱，你父亲的棺材就送不出去了。记着，你父亲今天出院的医药费是人家愫小姐拿出来的钱。你嫂子一个人躲在屋子里吃鸡，当着人装穷，就知道卖嘴，你忘了你爹那天进医院以前她咬你爹那一口啦，哼，你们这位令嫂啊——

〔思懿由书斋小门上。

陈奶妈　（听见足步声，回头一望，不觉低声）大奶奶来了。

〔江泰默然，走在一旁。

〔思懿面色阴暗，蹙着眉头，故意显得十分为难又十分伤心的样子，她穿件咖啡色起黑花的长袖绒旗袍，靠胳膊肘的地方有些磨光了，领子上的纽扣没扣，青礼服呢鞋。

曾文彩　（怯弱地）怎么样，大嫂？

〔思懿默默走向沙发那边去。

〔半晌。

陈奶妈　（关切而又胆怯地）杜家人到底肯不肯？

〔思懿仍默然坐在沙发上。

曾文彩　大嫂，杜家人！

曾思懿　（猛然扑在沙发的扶手上，有腔有调的哭起来）文清，你跑到哪儿去了？文清，你跑了，扔下这一大家子，教我一个人撑，我怎么办得了啊？你在家，我还有个商量，不在家，碰见这种难人的事，我一个妇道还有什么主意哟！

〔江泰冷冷地站在一旁望着她。

陈奶妈　（受了感动）大奶奶，您说人家倒是肯不肯缓期呀？

曾思懿　（鼻涕眼泪抹着，抽咽着，数落着）你们想，人家杜家开纱厂的，鬼灵精！到了我们家这个时候，“墙倒众人推”，还会肯吗？他们看透了这家里没有一个男人，（江泰鼻孔哼了一声）老的老，小的小，他们不趁火打劫，逼得你非答应不可，怎么会死心啊！

曾文彩　（绝望地）这么说，他们还是非要爹的寿木不可？

曾思懿　（直拿手帕擦着红肿的眼，依然抽动着肩膀）你教我有什么法子，钱，钱我们拿不出，房子，房子我们要住，一大家子的人张着嘴要吃。那寿木，杜家老太爷想了多少年，如今非要不可，非要——

江　泰　（靠着自己卧室的门框冷言冷语地）那就送给他们得啦。

陈奶妈　（惊愕）啊，送给他们？

曾思懿　（不理江泰）并且人家今天就要——

曾文彩 （倒吸一口气）今天?

曾思懿 嗯，他们说杜家老太爷病得眼看着就要断气，立了遗嘱，指明——

江　泰 （替她说）要曾家老太爷的棺材!

曾文彩 （立刻）那爹怎么会肯?

陈奶妈 就是肯，谁能去跟老爷子说?

曾文彩 并且爹刚从医院回来。

陈奶妈 今天又是老爷子的生日——

曾思懿 （突然又嚎起来）我，我就是说啊！文清，你跑到哪儿去了？到了这个时候，教我怎么办啊？我这公公也要顾，家里的生活也要管，我现在是“忠孝不能两全”。文清你教我怎么办哪!

〔在大奶奶的哭嚎声中，书斋的小门打开，曾皓拄着拐杖，走进来。他穿着藏青“线春”的丝棉袍子，上面罩件黑呢马褂，黑毡鞋。面色黄枯，形容惨沮，但在他走路的样子看来，似乎已经恢复了健康。他尽量保持自己仅余那点尊严，看得出他想在绝望中做最后一次挣扎，然而他又多么厌恶眼前这一帮人。

〔大家回过头都立起来。江泰一看见就偷偷沿墙溜进自己的屋里。

曾文彩 爹。（跑过去扶他）

曾　皓 （以手挥开，极力提起虚弱的嗓音）不要扶，让我自己走。（走向沙发）

曾思懿　（殷殷勤勤）爹，我还是扶您回屋躺着吧。

曾　皓　（坐在沙发上对大家）坐下吧，都不要客气了。

曾　皓　（四面望望）江泰呢？

曾文彩　他——（忽然想起）他在屋里，（惭愧地）等着爹，给爹赔不是呢。

曾　皓　老大还没有信么？

曾思懿　（惨凄凄地）有人说在济南街上碰见他，又有人说在天津一个小客栈看见他——

曾文彩　哪里都找到了，也找不到一点影子。

曾　皓　那就不要找了吧。

曾文彩　（打起精神安慰老人家）哥哥这次实在是后悔啦，所以这次在外面一定要创一番事业才——

曾　皓　（摇首）"知子莫若父"，他没有志气，早晚他还是会——（似乎不愿再提起他，忽然对彩）你叫江泰进来吧。

曾文彩　（走了一步，中心愧怍，不觉转身又向着父亲）爹，我，我们真没脸见爹，真是没——

曾　皓　唉，去叫他，不用说这些了。（对思）你也把霆儿跟瑞贞叫来。

〔文彩至卧室前叫唤。思懿由书斋门走下。

曾文彩　江泰，江——

〔江泰立刻悄悄溜出来。

江　泰　（出门就看见曾皓正在望着他，不觉有些惭愧）爹，您，您——

曾　皓　（挥挥手）坐下，坐下吧。

〔江泰坐下。

曾　皓　（对奶妈，关心地）你告诉愫小姐，刚从医院回来，别去厨房再辛苦啦，歇一会去吧。

〔陈奶妈由通大客厅的门下。

曾文彩　（一直在望着江泰示意，一等陈奶妈转了身，低声）你还不站起来给爹赔个礼！

江　泰　（似立非立）我，我——

曾　皓　（摇手）过去的事我们不提了，不提了。

〔江泰又坐下。静默中，思懿带同霆儿与瑞贞由书斋小门上。瑞贞穿着一件灰底子小蓝花的布夹袍，霆儿的袍子上罩上一件蓝布大褂。

〔皓指指椅子，他们都依次坐下，除了瑞贞立在文彩的背后。

曾　皓　（望了望他们）现在座中大概就缺少老大，我们曾家的人都在这儿了。（环顾一下，微微咳了一声）这房子是从你们的太爷爷敬德公传下来的，我们累代是书香门第，父慈子孝，没有教人说过一句闲话。现在我们家里出了我这种不孝的子孙——

曾思懿　（有些难过）爹！——

〔大家肃然相望，又低下头。

曾　皓　败坏了曾家的门庭，教出一群不明事理，不肯上进，不知孝顺，连守成都做不到的儿女——

〔江泰开始有些烦恶。

曾文彩 （抬起头来，惭愧地）爹，爹，你——

曾　皓 这是我对不起我的祖宗，我没有面目再见我们的祖先敬德公！（咳嗽）

〔瑞贞走过来捶背。

江　泰 （不耐，转身连连摇头，又嘟哝着）哎，哎，真是这时候还演什么戏？演什么戏？

曾文彩 （低声）你又发疯了！

曾　皓 （徐徐推开瑞贞）不要管我。（转对大家）我不责备你们，责也无用。（满面绝望的神色，而恨恨然的）都是一群废物，一群能说会道的废物。（忽然来了一阵勇气）江泰，你，你也是——

〔江泰似乎略有表示。

曾文彩 （怕他发作）泰！

〔江泰嘿然，又不做声。

曾　皓 （一半是责备，一半是发牢骚）成天地想发财，成天的做梦，不懂得一点人情世故，同老大一样，白读书，不知什么害了你们，都是一对——（不觉大咳，自己捶了两下）

曾文彩 爹！

江　泰 （只好无奈何地连连出声）这又何必呢，这又何必呢！

曾　皓 思懿，你是有儿女的人，已经做了两年的婆婆，并且都要当祖母啦。（强压自己的愤怒）我不说你，错误也是我种的根，错也不自今日始。（自己愈说愈凄惨）将来房子卖了以

后，你们尽管把我当作死了一样，这家里没有我这个人，我，我——（泫然欲泣）

曾文彩 （忍不住大哭）爹，爹！

曾思懿 （早已变了颜色）爹，我不明白爹的话。

曾　皓 （没有想到）你，你——

曾文彩 （再也忍不住）大嫂，你太欺侮爹了。

曾思懿 （反问）谁欺侮爹了？

曾文彩 （愤极）一个人不能这么没良心。

曾思懿 （恶狠狠的）谁没良心？谁没良心？天上有雷，眼前有爹，妹妹，我问你，谁？谁？

曾　霆 （同时苦痛地）妈？

曾文彩 （被她的气势所夺，气得发抖）你，你逼得爹没有一点路可走了。

江　泰 （无可奈何地）不要吵了，小姑子，嫂嫂们。

曾文彩 你逼得爹连他老人家的寿木都要抢去卖，你逼得爹——

曾　皓 （喝住她）文彩！

曾思懿 （讥诮地）对了，是我逼他老人家，吃他老人家，（说说立起来）喝他老人家，成天在他老人家家里吃闲饭，一住就是四年，还带着自己的姑爷——

曾　霆 （在旁一直随声劝阻，异常着急）妈，您别——妈，您——妈——

江　泰 （也突然冒了火）你放屁，我给了钱！

曾　皓 （急喘，镇止他们）不要喊了！

曾思懿　（同时）你给了钱？哼，你才——

曾　皓　（在一片吵声中顿足怒喊）思懿，别再吵！（突然一变，几乎是哀号）我，我就要死了！

〔大家顿时安静，只听见思懿哀哀低泣。

〔天开始暗下来，在肃静的空气中，愫方由大客厅门上。她穿着深米色的哔叽夹袍，面庞较一个月前略瘦。她右手持一盏洋油灯，左臂抱着两轴画。看见她进来，瑞贞连忙走近，替她接下手里的灯，同时低声仿佛在她耳旁微微说了一句话。愫方默默颔首，不觉望望眼前那几张沉肃的脸，就把两轴画放进那只瓷缸里，又回身匆忙地由书斋门下。瑞贞一直望着她。

曾　皓　（叹息）你们这一群废物啊！到现在还有什么可吵的？

曾瑞贞　爷爷回屋歇歇吧？

曾　皓　（感动地）看看瑞贞同霆儿还有什么脸吵？（慨然）别再说啦，住在一起也没有几天了。思懿，你，你去跟杜家的管事说，说教——（有些困难）教他们把那寿木抬走，先，先（凄惨地）留下我们这所房子吧。

曾文彩　爹！

曾　皓　杜家的意思刚才愫方都跟我说了。

曾文彩　哪个教愫表妹对您说的？

曾思懿　（挺起来）我！

曾　皓　不要再计较这些事情啦！

江　泰　（迟疑）那么您，还是送给他们？

〔皓点头。

曾思懿　（不好开口，却终于说出）可杜家人说今天就要。

曾　皓　好，好，随他们，让它给有福气的人睡去吧。

〔思懿就想出去说，不料——

曾　皓　（回首对江）江泰，你教他们赶快抬，现在就抬！（无限的哀痛）我，我不想明天再看见这晦气的东西！（低头不语）

〔思懿只好停住脚。

江　泰　（怜悯之心油然而生）爹！（走了两步又停住）

曾　皓　去吧，去说去吧！

江　泰　（蓦然回头，走到皓的面前，非常善意地）爹，这有什么可难过的呢？人死就死了，睡个漆了几百道的棺材又怎么样呢？（原是语调里带着同情而又安慰的口气，但逐渐忘形，改了腔调，又按他一向的习惯，对着曾皓滔滔不绝地说起来）这种事您就没有看通，譬如说，您今天死啦，睡了就漆一道的棺材，又有什么关系呢？

曾文彩　（知道他的话又来了）江泰！

江　泰　（回头对彩嫌厌地）你别吵！（又转脸对皓，和颜悦色，十分认真地劝解）那么您死啦，没有棺材睡又有什么关系呢？（指着，点着）这都是一种习惯！一种看法！（说得逐渐高兴，渐次忘记了同情与安慰的善意，手舞足蹈地对着曾皓开了讲）譬如说，（坐在沙发上）我这么坐着好看，（灵机一动）那么，这么（忽然把条腿翘在椅背上）坐着，就不好看么？（对思）大嫂，（陶醉在自己的言词里，像喝得微醺之后，几乎忘记方才的龃龉）我这是比方啊！（指着）你穿衣服好看，你不穿衣服就不好看么？

曾思懿 姑老爷！

江　泰 （继续不断）这都未见得，未见得！这不过是一种看法！一种习惯！

曾　皓 （插嘴）江泰！

江　泰 （不容人插嘴，流水似地接下去）那么譬如我吧，（坐下）我死了，（回头对文彩，不知他是玩笑，还是认真）你就给我火葬！烧完啦，连骨头末都要扔在海里，再给它一个水葬，痛痛快快来一个死无葬身之地！（仿佛在堂上讲课一般）这不过也是一种看法，这也可以成为一种习惯！那么，爹，您今天——

曾　皓 （再也忍不住，高声喝住他）江泰！你自己愿意怎么死，怎么葬，都任凭尊便。（苦涩地）我大病刚好，今天也还算是过生日，这些话现在大可不必——

江　泰 （依然和平地，并不以为忤）好，好，好，您不赞成！无所谓，无所谓！人各有志——其实我早知道我的话多余，我刚才说着的时候，心里就念叨着，"别说啊！别说啊！"（抱歉地）可我的嘴总不由得——

曾思懿 （一直似乎在悲戚着）那姑老爷就此打住吧。（立起）那么爹，我，我（不忍说出的样子，擦擦自己的眼角）就照您的吩咐跟杜家人说吧？

曾　皓 （绝望）好，也只有这一条路了。

曾思懿　唉！（走了两步）

曾文彩　（痛心）爹呀！

江　泰　（忽然立起）别，你们等等，一定等等！（三脚两步进自己的卧室）

〔思懿也停住了脚。

曾　皓　（莫名其妙）这又是怎么？

〔张顺由通大客厅大门上。

张　顺　杜家又来人说，阴阳生看好那寿木要在今天下半夜寅时以前抬进杜公馆，他们问大奶奶——

曾文彩　你——

〔江泰拿着一顶破呢帽，提着手杖，匆匆地走出来。

江　泰　（对张兴高采烈）你教他们杜家那一批混账王八旦，再在客厅等一下，你就说钱就来，我们老太爷寿木要留在家里当劈柴烧呢！

曾文彩　你怎么——

江　泰　（对皓，热烈地）爹，您等一下，我找一个朋友去。（对彩）常鼎斋现在当了公安局长，找他一定有办法。（对皓，非常有把握地）这个老朋友跟我最好，这点小事一定不成问题。（有条有理）第一，他可以立刻找杜家交涉，教他们以后不准再在此地无理取闹。第二，万一杜家不听调度，临时跟他通融（轻藐的口气）这几个大钱也决无问题，决无问题。

曾文彩　（几乎不相信自己的耳朵）泰，真的可以？

江　泰　（敲敲手杖）自然自然，那么，爹，我走啦！（对思扬扬手）

大嫂，说在头里，我担保，准成！（提步就走）

曾思懿　（一阵风暴使她也有些昏眩）那么爹，这件事——

曾文彩　（欣喜）爹！

〔江泰跨进通大客厅的门槛一步，又匆匆回来。

江　泰　（对彩，匆忙地把手一伸）我身上没钱！

曾文彩　（连忙由衣袋里拿出一小卷钞票）这里！

江　泰　（一看）三十……

〔江泰由通大客厅的门施施然走出。

曾　皓　（被他撩得头昏眼花，现在才喘出一口气）江泰这个东西是怎么回事？

曾文彩　（一直是崇拜着丈夫的，现在惟恐人不相信，于是极力对皓）爹，您放心吧，他平时不怎么乱说话的。他现在说有办法，就一定有办法。

曾　皓　（将信将疑）哦！

曾思懿　（管不住）哼，我看他——（忽然又制止了自己，转对曾皓，不自然地笑着）那么也好，爹，这棺木的事……

曾　皓　（像是得了一点希望，安慰地叹息一声）也好吧，“死马当做活马医”，就照他的意思办吧。

张　顺　（不觉也有些喜色）那么，大奶奶，我就对他们——

曾思懿　（半天在抑压着自己的愠怒，现在不免颜色难看，恶声恶气地）去，要你去干什么？（有些气汹汹地向大客厅快步走去）

曾　皓　（追说）思懿，还是要和和气气对杜家人说话，请他们无论如何要等一等。

曾思懿 哼!

〔思懿由通大客厅的门下，张顺随着出去。

曾文彩 （满脸欣喜的笑容）瑞贞，你看你姑父有点疯魔吧，他到了这个时候才——

曾瑞贞 （心里有事，随声应）嗯，姑姑。

曾　皓 （又燃起希望，紧接着彩的话）唉！只要把那寿木留下来就好了!（不觉回头）霆儿，你看这件事有望么?

曾　霆 （也随声答应）有，爷爷。

曾　皓 （点头）但愿家运从此就转一转——嗯，都说不定的。（想立起，瑞贞过来扶）你现在身体还好吧?

曾瑞贞 好，爷爷。

曾　皓 （立起，望瑞，感慨地）你也是快当母亲的人喽!

〔文彩示意，叫霆儿也过来扶祖父，霆默默过来。

曾　皓 （望着孙儿和孙儿媳妇，忽然抱起无穷的希望）我瞧你们这一对小夫妻总算相得的，将来看你们两个撑起这个门户吧。

曾文彩 （对霆示意，叫他应声）霆儿!

曾　霆 （又应声，望望瑞贞）是，爷爷。

曾　皓 （对着曾家第三代人，期望的口气）这次棺木保住了，房子也不要卖，明年开了春，我为你们再出门跑跑看，为着你们的儿女我再当一次牛马!（用手帕擦着眼角）唉，只要祖先保佑我身体好，你们诚心诚意为我祷告吧!（向书斋走）

曾文彩 （过来扶着曾皓，凑着兴会）是啊，明年开了春，爹身体也好了，瑞贞也把重孙子给您生下来，哥哥也——

〔书斋小门打开，门前现出愫方。她像是刚刚插完——花，水淋淋的手还拿着两三朵插剩下的菊花。

愫　方　（一只手轻轻掠开掉在脸前的头发，温和地）回屋歇歇吧，姨父，您的房间收拾好啦。

曾　皓　（快慰地）好，好！（一面对文彩点首应声，一面向外走）是啊，等明年开了春吧！——瑞贞，明年开了春——

〔瑞贞扶着他到书斋门口，望着愫方回头暗暗地指了指这间屋子。愫方会意，点点头，接过曾皓的手臂扶着他出去，后面随着文彩。

〔霆儿立在屋中未动，瑞贞望他，又从书斋门口默默走回来。

曾瑞贞　（低声）霆！

曾　霆　（几乎不敢望她的眼睛，悲戚地）你明天一早就走么？

曾瑞贞　（也不敢望他，低沉的声音，迟缓而坚定地）嗯。

曾　霆　是跟袁家的人一路？

曾瑞贞　嗯，一同走。

曾　霆　（四面望望，在口袋里掏着什么）那张字据我已经写好了。

曾瑞贞　（凝视霆）哦。

曾　霆　（掏出一张纸，不觉又四面看一下，低声读着）“离婚人谢瑞贞曾霆，我们幼年结婚，意见不合，实难继续同居，今后二人自愿脱离夫妻——”

曾瑞贞　（心酸）不要再念下去了。

曾　霆　（迟疑一下，想着仿佛是应该办的手续，嗫嚅）那么签字，盖章——

曾瑞贞　回头在屋里办吧。

曾　霆　也，也好。

曾瑞贞　（衷心哀痛）霆，真对不起你，要你写这样的字据。

曾　霆　（说不出话，从来没有像今天对她这般依恋）不，这两年你在我们家也吃够了苦。（忽然）那个孩子不要了，你告诉过愫姨了吧？

曾瑞贞　（不愿提起）嗯！她给孩子做的衣服我都想还给她了。怎么？

曾　霆　我想家里有一个人知道也好。

曾瑞贞　（关切地）霆，我走了以后，你，你干什么呢？

曾　霆　不知道。（寂寞地）学校现在不能上了。

曾瑞贞　（同情万分）你不要失望啊。

曾　霆　不。

曾瑞贞　（安慰）以后我们可以常通信的。

曾　霆　好。（泪流下来）

〔外面圆儿嚷着："瑞贞！"

曾瑞贞　（心酸）不要难过，多少事情是要拿出许多痛苦才能买出一个"明白"呀。

曾　霆　这"明白"是真难哪！

〔圆儿吹着口哨，非常高兴的样子由通大客厅的门走进。她穿着一套旧薄棉袄裤，卷起袖口，像是刚忙着收拾东西。她一手举着鸟笼，里面关着那个鸽子"孤独"，一手提着那撕破了的大金鱼风筝。

袁　圆　（大声）瑞贞，我父亲找了你好半天哪，他问你的行李——

曾瑞贞　（忙止住她，微笑）请你声音小点，好吧？

袁　圆　（立刻憋住喉咙）我父亲——问你——同你的朋友们——行李——收拾好了没有？

曾瑞贞　收拾好了。

袁　圆　（还是压着喉咙）他说可以送你们——还说——（嘘出一口气，恢复原来的声音）可别扭死我了。还是跟我来吧，我父亲还有好些话跟你说呢。

曾瑞贞　（爽快地）好，走吧。

袁　圆　（并不走，却抱着东西走向曾霆，“煞有介事”的样子）曾霆，你爹不在家，（举起那只破旧的“金鱼”纸鸢）这个破风筝还给你妈！（纸鸢靠在桌边，又举起那鸽笼）这鸽子交给愫小姐！（鸽笼放在桌上）

曾　霆　（似乎早已忘记了一个多月前对圆儿的情感，点点头）好。

袁　圆　（对瑞）走吧，瑞贞！

〔圆儿一手持着那剪影，一手推着瑞贞的背向通大客厅的门走出。

〔这时思懿也由那门走进，正撞见她们。瑞贞望着婆婆愣了一下，就被圆儿一声“走”，推出去。

〔霆望她们出了门，微微叹了一声。

曾思懿　（斜着眼睛回望一下，走近霆）瑞贞这些日子常不在家，总是找朋友，你知道她在干些什么？

曾　霆　（望望她，又摇摇头）不知道。

曾思懿　（抱怨地叹口气）哎，媳妇是你的呀，孩子，我也生不了这许多气了！（忽然）他们呢？

曾　霆　到上房去了。

曾思懿　（诉说，委屈地）霆儿，你刚才看见妈怎么受他们的气了。

〔霆望望他的母亲，又低下头。

曾思懿　（掏出手帕）妈是命苦，你爷摔开我们跑了，你妈成天受这种气，都是为了你们哪！（擦擦泪润湿了的眼）

曾　霆　妈，别哭了。

曾思懿　（抚着霆）以后什么事都要告诉妈，（埋怨地）瑞贞有肚子，要不是妈上个月看出来，你们还是不告诉我的。（指着）你们俩个是存的什么心哪！（关切地）我教瑞贞喝的那服安胎的药她喝了没有？

曾　霆　没有。

曾思懿　我说的前天我从罗太医那里讨来的那个方子。

曾　霆　（心里难过，有些不耐）没有喝呀！

曾思懿　（勃然变色）为什么不喝呢？（厉声）教她喝，要她喝，她再不听话，你告诉我，看我怎么灌她喝！她要觉得她自己不是曾家的人，她肚子里那块肉可是曾家的。现在为她肚子里那孩子，什么都由着她，她倒越说越来了。（忽然又低声）霆儿，你别糊涂，我看瑞贞这些日子是有点邪，鬼鬼祟祟，交些乱朋友——（更低声）我怕她拿东西出去，夜晚前后门我都下了锁，你要当心啊，我怕——

〔愫方端着一个药罐由通书斋小门进。

愫　方　罗太医那方子的药煎好了。

〔思懿望望她。

愫　方　就在这儿吃么？

曾思懿　（冷冷地）先搁在我屋里的小炭炉上温着吧！

〔愫方端着药由霆儿面前走过，进了思懿的屋子。

曾　霆　（望望那药罐，诧异而又不大明白的神色）妈，怎么罗太医那个方子，您，您也在吃？

曾思懿　（有些尴尬，但立刻又镇静下来，含含糊糊地）妈，妈现在身体也不大好，（找话说）这几天倒是亏了你愫姨照护着——（但立时又改了口气，咳了一声）不过孩子，（狠恶地）愫姨这个人哪，（摇头）她呀，她总是——

〔愫方由卧室出。

愫　方　表嫂，姨父叫你呢！

曾思懿　（似理非理，点了点头。回头对霆）霆儿，跟我来。

〔霆儿随着思懿由书斋小门下。

〔天更暗了。外面一两声雁叫，凄凉而寂寞地掠过这深秋渐晚的天空。

〔愫方轻轻叹息了一声，显出一点疲乏的样子。忽然看见桌上那只鸽笼，不觉伸手把它举起，凝望着那里面的鸽子。

〔这时瑞贞提着一只装满婴儿衣服的小藤箱，把藤箱轻轻放在桌上，又悄悄地走到愫方的身旁。

曾瑞贞　（低声）愫姨！

愫　方　（略惊，转身）你来了！（放下鸽笼）

曾瑞贞　你看见我搁在你屋里那封长信么？

愫　方　（点头）嗯。

曾瑞贞　你不怪我？

愫　方　不——（忽然）真的要走了么？

曾瑞贞　（依依地）唉。

愫　方　（叹一口气，并非劝止，只是舍不得）别走吧！

曾瑞贞　（激奋起来）愫姨，你还劝我忍下去？

愫　方　（缓慢而坚决地）我知道，人总该有忍不下去的时候。

曾瑞贞　（期待的神气，热烈地握着她的手）那么，你呢？

愫　方　（凄然望着瑞贞，静静地）瑞贞，不谈吧，你走了，我会更寂寞的。以后我也许用不着说什么话，我会更——

曾瑞贞　（更紧紧握着她的手，推她一同坐下）不，不，愫姨，你不能这样，你不能一辈子这样！（迫切地恳求）愫姨，我就要走了，你为什么不跟我说几句痛快话？你为什么不说你的——（暧暧的暮色里瞥见愫方眼中含着泪，突然抑止住）

愫　方　（缓缓地）你要我怎么说呢？

曾瑞贞　（不觉嗫嚅）譬如你自己，你，你——（忽然）你为什么不走呢？

愫　方　（落寞地）我上哪里去呢？

曾瑞贞　（兴奋地）可去的地方多的很。第一，你就可以跟我们走。

愫　方　（摇头）不，我不。

曾瑞贞　（移近她的身旁，亲密地）你读完了我给你的书了么？

愫　方　读完了。

曾瑞贞　说的对不对？

愫　方　对的。

曾瑞贞　（笑起来）那你为什么不跟我们一道走呢？

愫　方　我不！

曾瑞贞　为什么？

愫　方　（望望她）不！

曾瑞贞　（急切）可为什么呢？

〔愫方想说，但又摇摇头。

曾瑞贞　你总该说出个理由啊，你！

愫　方　（异常困难地）我觉得我，我在此地的事还没有了（“了”字此处作“完结”讲）。

曾瑞贞　我不懂。

愫　方　（微笑立起）不要懂吧，说不明白的呀。

曾瑞贞　那么你为什么不去找他？

愫　方　（有点惶惑）你说——

曾瑞贞　（爽朗）找爹！找他去！

愫　方　（镇定下来，沉思着）为什么要找呢？

曾瑞贞　你不爱他吗？

〔愫方低下头。

曾瑞贞　（一句比一句紧）那么为什么不想找他？你为什么不？（爽快地）愫姨，我现在不像从前那样呆了。这些话一个月前我决不肯问的。你大概也知道我晓得。（沉重）我要走了，此地再没有第三个人，这屋子就是你同我。愫姨，告诉我，你为什么不找他，为什么不？

愫　方　（叹一口气）见到了就快乐么？

曾瑞贞　（反问）那么你在这儿就快乐？

愫　方　我，我可以替他——（忽然觉得说不出口）

曾瑞贞　（急切）你说呀，我的愫姨，你说过你要跟我好好谈一次的。

愫　方　我，我说——（脸上逐渐闪耀着光彩，苍白的面颊，泛起一层红晕）——他走了，他的父亲我可以替他侍候；他的孩子我可以替他照料；他爱的字画我管；他爱的鸽子我喂；连他所不喜欢的人我都觉得该体贴，该喜欢，该爱，为着——

曾瑞贞　（插进）为什么？……

愫　方　（感动地）为着他所不爱的也都还是亲近过他的！（一气说完，充满了喜悦）

曾瑞贞　（倒吸一口气）所以你连霆的母亲，我那婆婆，你都拼出你的性命来照护。

愫　方　（苦笑）你爹走了，她不也怪可怜吗？

曾瑞贞　真的愫姨，你就忘了她从前，现在，待你那种——

愫　方　为什么要记得那些不快活的事呢？如果为着他，为着一个人，为着他——

曾瑞贞　（忍不住）哦，我的愫姨，这么一个苦心肠，你为什么不放在大一点的事情上去？你为什么处处忘不掉他？把你的心偏偏放在这么一个废人身上，这么一个无用的废——

愫　方　（如同刺着她的心一样）不要这么说你的爹呀。

曾瑞贞　（分辩）爷爷不也是这么说他？

愫　方　（心痛）不，不要这么说，没有人明白过他啊。

曾瑞贞　（喘一口气，哀痛地）那么你就这样预备一辈子不跟他见面啦？

〔愫方低下头。

曾瑞贞　（沉挚地）说呀，愫姨！

愫　方　（低到几乎听不见）嗯。

曾瑞贞　那当初你为什么让他走呢？

愫　方　（声调里充满了同情）我，我看他在家里苦，我替他难过呀。

曾瑞贞　（不觉反问）那么他离开了，你快乐？

愫　方　（低声）嗯。

曾瑞贞　（叹息）唉，两个人这样活下去是为什么呢？

愫　方　（脸上掠过一丝笑意）看见人家快乐，你不也快乐么？

曾瑞贞　你在家里就不惦着他？

〔愫方低下头。

曾瑞贞　他在外面就不想着你？

〔愫方眼泪默默流在苍白的面颊上。

曾瑞贞　就一生，一生这样孤独下去——两个人这样苦下去？

愫　方　（凝神）苦，苦也许；但是并不孤独的。

曾瑞贞　（深切感动）可怜的愫姨，我懂，我懂，我懂啊！不过我怕，我怕爹也许有一天会回来。他回来了，什么又跟从前一样，大家还是守着，苦着，看着，望着，谁也喘不出一口气，谁也——

愫　方　（打了一个寒战，蓦然坚决地摇着头）不，他不会回来的。

曾瑞贞　（固执）可万一他——

愫　方　（轻轻擦去眼角上的泪痕）他不会，他死也不会回来的，（缓缓地）他已经回来见过我！

曾瑞贞　（吃了一惊）爹走后又偷偷回来过？

愫　方　嗯。他说他要成一个人，死也不再回来，（感动得不能自止地说下去）他说他对不起他的父亲，他的儿子，连你他都提了又提。他要我照护你们，看守他的家，他的字画，他的鸽子。他说着说着就哭起来，他还说，他还说他最放心不下的是——（泪珠早已落下，却又忍不住笑起来）瑞贞，他还像个孩子，哪像个连儿媳妇都有的人哪！

曾瑞贞　（严肃地）那么从今以后你决心为他看守这个家？（以下的问答几乎是没有停顿，一气接下去）

愫　方　嗯。

曾瑞贞　（追问）成天陪着快死的爷爷？

愫　方　（默默点首）嗯。

曾瑞贞　照护他的儿子？

愫　方　（望瑞，微微皱眉）嗯。

曾瑞贞　侍候这一家老小？

愫　方　（固执地）嗯。

曾瑞贞　（几乎是生了气）还整天看我这位婆婆的脸子？

愫　方　（不由得轻轻地打了一个寒战）喔！——嗯。

曾瑞贞　受气?

〔愫方凝视。

曾瑞贞　吃苦?

愫　方　（低沉）嗯。

曾瑞贞　一辈子不离开?（狠而重）到死?

愫　方　（缓缓地）到——死!

曾瑞贞　（爆发，哀痛地）可我的好愫姨，你这是为什么呀?

愫　方　（抬起头）为着——

曾瑞贞　（质问）嗯，为着——

愫　方　（困难地）为着，我不知道该怎么说——（忽然）为着，这才是活着呀!

曾瑞贞　（逼出了句话来）你真地相信爹就不会回来么?

愫　方　（微笑）天会塌么?

曾瑞贞　你真准备一生不离开曾家的门，这个监牢，就为着这么一个梦，一个理想，一个人——

愫　方　（悠悠地）也许有一天我会离开——

曾瑞贞　（迫待）什么时候?

愫　方　（笑着）那一天，天真地能塌，哑巴都急得说了话!

曾瑞贞　（无限的悯切）愫姨，把自己的情感完全放在一个人的身上是危险的，也是不应该的。（感慨）过去我是个傻子，愫姨你现在还——

〔室内一切渐渐隐入在昏暗的暮色里，乌鸦在窗外屋檐上叫两声又飞走了。在瑞贞说话的当儿由远远城墙上断续送来未归营的号手吹着的号声，在凄凉的空气中寂寞地荡漾，一直到闭幕。

愫　方　不说吧，瑞贞。（忽然扬头望着外面）你听，这远远吹的是什么？

曾瑞贞　（看出来她不肯再谈下去）城墙边上吹的号。

愫　方　（谛听）凄凉的很哪！

曾瑞贞　（点头）嗯，天黑了！过去我一个人坐在屋里就怕听这个，听着就好像活着总是灰惨惨的。

愫　方　（眼里涌出泪光）是啊，听着是凄凉啊！（猛然热烈地抓着瑞贞的手，低声）可瑞贞，我现在突然觉得真快乐呀！（抚摸自己的胸）这心好暖哪！真好像春天来了一样。（兴奋地）活着不就是这个调子么？我们活着就是这么一大段又凄凉又甜蜜的日子啊！（感动地流下泪）教你想想忍不住要哭，想想又忍不住要笑啊！

曾瑞贞　（拿手帕替愫擦泪）愫姨，你怎么真地又哭了？愫姨你——

愫　方　（倾听远远的号声）不要管我，你让我哭哭吧！（又强自笑出来）可我是在笑啊！瑞贞——（想扶起瑞贞的头）——瑞贞，你不要为我难过啊！（温柔地）这心里头虽然是酸酸的，我的眼泪明明是因为我太高兴啦！——

〔瑞贞忍不住落下泪来。

愫　方　（抚摸瑞的手，又像是快乐，又像是伤心地那样低低地安慰着，申诉着）——别哭了，瑞贞，多少年我没说过这么多话了，今天我的心好像忽然打开了，又教太阳照暖和了似的。瑞贞，你真好！不是你，我不会这么快活；不是你，我不会谈起了他，谈得这么多，又谈得这么好！（忽然更兴奋地）瑞贞，只要你觉得外边快活，你就出去吧，出去吧！我在这儿也是一样快活的。别哭了，瑞贞，你说这是监牢吗？这不是呀，这不是呀——

曾瑞贞　（抽咽着）不，不，愫姨，我真替你难过！我怕呀！你不要这么高兴！你的脸又在发烧，我怕——

愫　方　（恳求似的）瑞贞，不要管吧！我第一次这么高兴哪！（走近瑞放着小箱子的桌旁）瑞贞，这一箱小孩儿的衣服，你还是带出去。（哀悯地）在外面还是尽量帮助人吧！把好的送给人家，坏的留给自己。受苦的人我们都要帮助，我们不是单靠吃活着的啊！（打开那箱子）这些小衣服你用不着，就送给那些没有衣服的小孩子们穿吧。（忽然由里面抖出一件大红棉斗篷）你看这件斗篷好看吧？

曾瑞贞　好，真好看。

愫　方　（得意地又取出一顶小红帽子）这个好玩吧？

曾瑞贞　嗯，真好玩。

愫　方　（欣喜地又取出一件绿绸子小衣服）这件呢？

曾瑞贞　（也高起兴来）这才真美哪！

愫　方　（更快乐起来，她的脸更显出美丽而温和的光彩）不，这不算好的，还有一件（忍不住笑，低头朝箱子里——）

〔凄凉的号声，仍不断地传来，这时通大客厅的门缓缓推开，暮色昏暗里出现曾文清。他更苍白瘦弱，穿一件旧的夹袍，臂里挟着那轴画，神色惨沮疲惫，低着头踽踽踱进来。

〔愫方背向他，正高兴地低头取东西。瑞贞面朝着那扇门——

曾瑞贞 （一眼看见，像中了梦魇似的，喊不出声来）啊，这——

愫　方 （压不下的欢喜，两手举出一个非常美丽的布娃娃，穿着红色的花衣服。她满脸是笑，期待地望着瑞）你看！（突然看见瑞贞的苍白紧张的脸）谁？

曾瑞贞 （呆望）我看，天，天塌了。（掩面，突然回身）

愫　方 （回头望见文清，文清站着，仿佛看不大清楚似地向她们这边望）啊！

〔文清当时低下头，默默走进了自己的屋里。

〔他进去后，思懿就由书斋小门跑进。

曾思懿 （惊喜）是文清回来了么？

愫　方 （喑哑）回来了！

〔思懿立刻跑进自己的卧室。

〔愫方呆呆地愣在那里。

〔远远的号声随着风在空中寂寞的振抖。

——幕徐落

（落后即起，表示到第二景经过相当的时间）

第二景

离第三幕第一景有十个钟头的光景，是黎明以前那段最黑暗的时候。一盏洋油灯扭得很大，照着屋子里十分明亮。那破金鱼纸鸢早不知扔在什么地方了。但那只鸽笼还孤零零地放在桌子上，里面的白鸽子动也不动，把头偎在自己的毛羽里，似乎早已入了睡。屋里的空气十分冷，半夜坐着，人要穿上很厚的衣服才挡得住这初冬的寒气。外面西风正紧，院子里的白杨树响得像一阵阵的急雨，使人压不下一种悲凉凄苦的感觉。破了的窗纸被风吹的抖个不止。远远偶尔有更锣声，在西风的呼啸中，间或传来远处深巷里卖“硬面饽饽”的老人的叫卖声，被那忽急忽缓的风，荡漾得时而清楚，时而模糊。

这一夜曾家的人多半没有上床，在曾家的历史中，这是一个最惨痛的夜晚。曾家老太爷整夜都未合上眼，想着那漆了又漆，朝夕相处有多少年的好寿木再隔不到几个时辰就要拱手让给别人，心里真比在火边炙烤还要难忍。

杜家人说好要在“寅时”未尽——就是五点钟——以前“迎材”，把寿木抬到杜府。因此杜家管事只肯等到五点以前，而江泰从头晚五点跑出去交涉借款到现在还未归来。曾文彩一面焦急着丈夫的下落，同时又要到上房劝慰父亲。一夜晚随时出来，向各处打电话，派人找，而江泰依然是毫无踪影，其余的人看到老太爷这般焦灼，也觉得不好不陪。自然有的人是诚心诚意，望着江泰把钱借来，好把杜家这群狼虎一般的管事们赶走。有的倒是怕江泰归来，万一借着了钱，把一笔生意打空了。同时也有人，暗地在房里忙着收拾自己的行李，流着眼泪，又怀着喜悦，抱着哀痛的心肠与光明的希望，追惜着过去，想着未来，这又是属于明日的“北京人”的事，和在棺木里打滚的人们不相干的。

在这间被凄凉与寒冷笼住了的屋子里，文清痴了一般的坐在沙发上，一动也不动。他换了一件深灰色杭绸旧棉袍，两手插在袖管里。倦怠和绝望占有了他。听着远处的更锣声，风声，偶尔才留心到身旁思懿无尽无休的言语。

思懿换了一件蓝毛噶的麻棉袍，大概已经说了很多话，现在似乎说累了，正期待地望着文清答话。她一手拿着一碗药，一手拿着一只空碗；两只碗互相倒过来倒过去，等着这碗热药凉了好喝，最后一口把药喝光，就拿起另一杯清水漱了漱口。

曾思懿　（放下碗）好了，你也算回来了。我也算对得起曾家的人了。（冷笑）总算没教我们那姑奶奶猜中，没教我把他哥哥逼走了不回来。

〔文清厌倦地抬起头望望她。

曾思懿　（斜眼看着文清，似乎十分认真地）怎么样？这件事？——我可就这么说定了？（仿佛是不了解的神色）咦，你怎么又不说话呀？这我可没逼你老人家啊！

曾文清 （叹息，无可奈何地）你究竟又打算干什么吧？

曾思懿 （睁大了眼，像是又遭受不白之冤的样子）奇怪，顺你老人家的意思这又不对了。（做出那“把心一横”的神气）我呀，做人就做到家！今天我们那位姑奶奶当着爹，当着我的儿女，对我发脾气，我现在都为着你忍下去！刚才我也找她，低声下气地先跟她说了话，请她过来商量，大家一块儿来商量商量——

曾文清 （忍不住，抬头）商量什么？

曾思懿 咦，商量我们说的这件事啊？（认定自己看穿了文清的心思，讥刺地）这可不是小孩子见糖，心里想，嘴里说不要。我这个人顶喜欢痛痛快快的，心里想要什么，嘴里就说什么。我可不爱要吃羊肉又怕膻气的男人。

曾文清 （厌烦）天快亮了，你睡去吧！

曾思懿 （当做没听见，接着自己的语气）我刚才就爽爽快快跟我们姑奶奶讲——

曾文清 （惊愕）啊！你跟妹妹都说了——

曾思懿 怎么？这不能说？——

〔文彩由书斋小门上。她仍旧穿着那件驼绒袍子，不过加上了一件咖啡色毛衣。一夜没睡，形容更显憔悴，头发微微有些蓬乱。

曾文彩 （理着头发）怎么哥哥，快五点了，你现在还不回屋睡去？

曾文清 （苦笑）不。

曾文彩　（转对思，焦急地）江泰回来了没有？

曾思懿　没有。

曾文彩　刚才我仿佛听见前边下锁开门。

曾思懿　（冷冷地）那是杜家派的杠夫，抬寿木来啦。

曾文彩　唉！（失望地，打了一个寒战，蜷缩在那张旧沙发里）哦，好冷！

曾思懿　（谛听，忍不住故意地）你听，现在又上了锁了！（提出那问题）怎么样？（虽然称呼得有些硬涩，但脸上却堆满了笑容）妹妹，刚才我提的那件事……

曾文彩　（心里乱如麻——茫然）什么？

曾思懿　（谄媚地笑着瞟了文清一眼）我说把愫小姐娶过来的事。

曾文彩　（望着思懿，莫测高深，只好苦涩地笑了笑）这不大合适吧。

曾思懿　（非常豪爽地）这有什么不合适的呢？（亲热地）妹妹，您可别把我这个做嫂子的心看得（举起小手指一比）这么"不丁点儿"大！我可不是那种成天要守着男人才能过日子的人。"贤慧"这两个字今生我也做不到，这一点点度量我还有。（又谦虚地）按说呢，这并谈不上什么度量不度量，表妹妹嫁表哥，亲上加亲，这也是天公地道，到处都有的事。

曾文彩　（老老实实）不，我说也该问问愫表妹的意思吧。

曾思懿　（尖刻地笑出声来）咳，这还用的着问？她还有什么不肯的？我可是个老实人，爱说一个痛快话，愫表妹这番心思，也不是我一个人看得出来。表妹呢，道道地地是个好人，我不爱说亏心话。那么，（对文清似乎"恳切"的样子）"表哥”，你现在也该说句老实话了吧？亲姑奶奶也在这儿，你至少也该在妹妹面前，对我讲一句明白话吧。

〔文清望望文彩，仍低头不语。

曾思懿（追问）你说明白了我好替你办事啊！

曾文彩（仿佛猜得出哥哥的心思，替他说）我看这还是不大好吧。

曾思懿（眼珠一转）这又有甚不大好的？妹妹，你放心，我决不会委屈愫表妹，只有比从前亲，不会比从前远！（益发表现自己的慷慨）我这个人最爽快不过，半夜里我就把从前带到曾家的首饰翻了翻，也巧，一翻就把我那副最好的珠子翻出来，这就算是我替文清给愫表妹下的定（说着由小桌上拿起一对从古老的簪子上拆下来的珠子，递到文彩面前）妹妹，你看这怎么样？

曾文彩（只好接下来看，随口称赞）倒是不错。

曾思懿（逐渐说得高兴）我可急性子，连新房我都替文清看定了。一会袁家人上火车一走，空下屋子我就叫裱糊匠赶紧糊。大家凑个热闹，帮我个忙，到不了两三天妹妹也就可以吃喜酒啦。我呀，什么事都想到啦——（望着文清似乎是嘲弄，却又像是赞美的神气）我们文清心眼儿最好，他就怕亏待了他的愫表妹。我早就想过，以后啊，（索性说个畅快）哎，说句不好听的话吧，以后在家里就是“两头大”，（粗鄙地大笑起来）我们谁也不委屈谁！

曾文彩（心里焦烦，但又不得不随着笑两声）是啊，不过我怕总该问一问爹吧？

〔张顺由书斋小门上，像刚从床上被人叫起来，睡眼蒙眬的，衣服都没穿整齐。

张　顺　（进门就叫）大奶奶！

曾思懿　（不理张顺，装做没听清楚彩的话）啊？

曾文彩　我说该问问爹吧。

曾思懿　（更有把握地）嗐，这件事爹还用着问？有了这么个好儿媳妇，（话里有话）侍候他老人家，不更“名正言顺”啦吗？（忽然）不过就是一样，在家里爱怎么称呼她，就怎么称呼。出门在外，她还是称呼她的“愫小姐”好，不能也“奶奶，太太”的教人听着笑话——（又一转，瞥了文清一眼）其实我倒无所谓，这也是文清的意思，文清的意思。（文清刚要说话，她立刻转过头来问张）张顺，什么事？

张　顺　老太爷请您。

曾思懿　老太爷还没有睡？

张　顺　嗯——

曾思懿　（对张）走吧，嗐！

〔思懿急匆匆由书斋小门下，后面随着张顺。

曾文彩　（望着思走出去，才站起来，走到文清面前非常同情的声调，缓缓地）哥哥，你还没有吃东西吧？

〔文清望着她，摇摇头，又失望地出神。

曾文彩　我给你拿点枣泥酥来。

曾文清　（连忙摇手，烦躁地）不，不，不，（又倦惫地）我吃不下。

曾文彩　那么哥哥，你到我屋里洗洗脸，睡一会好不好？

曾文清　（失神地）不，我不想睡。

曾文彩　（想问又不好问）她，她这一夜晚为什么不让你到屋子里去？

曾文清　（惨笑）哼，她要我对她赔不是。

曾文彩　你呢？

曾文清　（绝望但又非常坚决的神色）当然不！（就合上眼）

曾文彩　（十分同情，却又毫无办法的口气）唉，天下哪有这种事：丈夫刚回来一会儿，好不到两分钟，又这样没完没了的——

〔外面西风呼呼地吹着，陈奶妈由书斋小门上。她的面色也因为一夜的疲倦而显得苍白，眼睛也有些凹陷。她披着一件大棉袄，打着呵欠走进来。

陈奶妈　（看着文清低头闭上眼靠着，以为他睡着了，对着文彩，低声）怎么清少爷睡着了？

曾文彩　（望望文清，低声）没有吧。

〔陈奶妈走近文清，文清依然合着眼，不想作声。

陈奶妈　（看着他，怜悯地摇摇头，十分疼爱的，压住嗓子回头对彩）大概是睡着啦。（轻轻叹一口气，就把身上披的棉袄盖在他的身上）

曾文彩　（声音低而急）别，别，您会冻着的，我去拿（向自己的卧室走）——

陈奶妈　（以手止住文彩，嘶着声音，匆促地）我不要紧。得啦，姑奶奶，您还是到上屋看看老爷子去吧！

曾文彩　（焦灼地）怎么啦？

陈奶妈　（心痛地）教他躺下他都不肯，就在屋里坐着又站起来，站起来又坐下，直问姑老爷回来了没有？姑老爷回来了没有？

曾文彩　（没有了主意）那怎么办？怎么办呢？江泰到现在一夜晚没有个影，不知道他跑到——

陈奶妈　（摇头）唉，真造孽！（把彩拉到离文清较远的地方，怕吵醒他）说起可怜！白天说说把寿木送给人家容易；到半夜一想，这守了几十年的东西一会儿就要让人拿去——您想，他怎么会不急！

〔张顺由书斋小门上。

张　顺　姑奶奶！

〔陈奶妈忙指着文清，连连摇手。

张　顺　（立刻把声音放低）老太爷请。

曾文彩　唉！（走了两步回头）愫小姐呢？

陈奶妈　刚给老爷子捶完腿——大概在屋里收拾什么呢！

曾文彩　唉。

〔文彩随着张顺由书斋小门下。

〔外面风声稍缓，树叶落在院子里，打着滚，发出沙沙的声音，更锣声渐渐地远了。隔巷又传来卖"硬面饽饽"苍凉单沉的叫卖声。

〔陈奶妈打个呵欠，走到文清身边。

陈奶妈　（低头向文清，看他还是闭着眼，不觉微微叫出，十分疼爱地）可怜的清少爷！

〔文清睁开了眼，依然是绝望而厌倦的目光，用手撑起身——

陈奶妈　清少爷，你醒啦？

曾文清　（仿佛由恹恹的昏迷中唤醒，缓缓抬起头）是您呀，奶妈！

陈奶妈　（望着清，不觉擦着眼角）是我呀，我的清少爷！（摇头望着他，疼惜地）可怜，真瘦多了！你怎么在这儿睡着了？

曾文清　（含含糊糊地）嗯，奶妈。

陈奶妈　唉，我的清少爷，这些天在外面真苦坏啦！（擦着泪）愫小姐跟我没有一天不惦记着你呀。可怜，愫小姐——

曾文清　（忽然抓着陈奶妈的手）奶妈，我的奶妈！

陈奶妈　（忍不住心酸）我的清少爷，我的肉，我的心疼的清少爷！你，你回来了还没见着愫小姐吧？

曾文清　（说不出口，只紧紧地握住陈奶妈干巴巴的手）奶妈！奶妈！

陈奶妈　（体贴到他的心肠，怜爱地）我已经给你找她来了。

曾文清　（惊骇，非常激动地）不，不，奶妈！

陈奶妈　造孽哟，我的清少爷，你哪像个要抱孙子的人哪，清少爷。

曾文清　（惶惑）不，不，别叫她！您为什么要——

陈奶妈　（看见书斋小门开启）大概是她来了！

〔愫方由书斋小门上。

〔她换了一件蓝布旗袍，衬着长长的黑发，苍白的面容，冷静的神色，大的眼睛里稍稍露出难过而又疲倦的样子。

〔文清此刻十分激动地站起来。

愫　方　陈奶妈！

陈奶妈　（故意做出随随便便的样子）愫小姐还没睡呀。

愫　方　还没呢。

陈奶妈　您歇会儿吧！（忽然想起）我也去瞅瞅孙少爷、孙少奶奶起来没有，大奶奶还教他们小夫妻俩给袁家人送行呢。（说着就向外面走）

曾文清　（举起她的棉袄，低低的声音）您的棉袄，奶妈！

陈奶妈　哦！棉袄，（笑对他们）瞧我这记性！（拿着棉袄，搭讪着由书斋小门下）

〔天未亮之前，风又渐渐地刮大起来，白杨树又像急雨一般地响着，远处已经听见第一遍鸡叫。

〔二人默对，半天说不出话，文清愧恨地低下头，缓缓朝卧室走。

愫　方　文清！

〔文清停步，依然不敢回头。

愫　方　奶妈说你在找我。

〔文清转身，慢慢抬头望愫方。

〔愫方望着他。

曾文清　愫方！（低下头）

〔愫方不觉望着笼里的鸽子。

曾文清　（没有话说，凄凉地）这，这只鸽子还在家里。

愫　方　（冷静地）因为他已经不会飞了！

曾文清　（一愣）我——（忽然明白，掩面抽咽）

愫　方　文清。

〔文清依然在哀泣。

愫　方　（皱着眉）不要这样，为什么要哭呢？

曾文清　（大恸，扑在沙发上）我为什么回来呀！我为什么回来呀！明明晓得绝不该回来的，我为什么又回来呀！

愫　方　飞不动，就回来吧！

曾文清　（抽咽，诉说）不，你不知道啊——在外面——在外面的风浪——

愫　方　文清！（取出一把钥匙递给文清）你拿去。

曾文清　啊？

愫　方　这是那箱子的钥匙！

曾文清　（不明白）怎么？

愫　方　（沉静地）你的字画都放在那箱子里。（将钥匙放在桌子上）

曾文清　（惊惶）你要怎么样啊，愫方？

〔半晌。外面风声，树叶声——

愫　方　外面的风吹得好大啊！

〔思懿由书斋小门上。

曾思懿　（对愫，似乎在讥讽，又似乎是一句无心的话）啊！我一猜你就到这儿来啦！（亲热地）愫表妹，我的腰又痛起来啦，回头你再给我推一推，好吧？嗐，刚才我还忘了告诉你，你表哥回来了，倒给你带了一样好东西来了。

曾文清　（窘极）你——

曾思懿　（不由分说，拿起桌上那对珠子，送到愫方面前）你看这对珠子多大呀，多圆哪！

曾文清　思懿！

〔张顺由通书斋小门上，在门口望见主人正在说话，就停住了脚。

曾思懿　（同时——不顾文清的脸色，笑着）你表哥说，这是表哥送给表妹做——

曾文清　（激动得发抖，突然爆发，愤怒地）你这种人是什么心肠欧！（说完，立刻跑进自己的卧室）

曾思懿　文清！

〔卧室门砰地关上。

曾思懿　（脸子一沉，冷冷地）哎，我真不知道我这个当太太的还该怎么做啦！

张　顺　（这时走上前，低声）大奶奶，杜家管事说寅时都要过啦，现在非要抬棺材不可了。

曾思懿　好，我就去。

〔张顺由通大客厅的门下。

曾思懿　（突然）好，愫表妹，我们回头说吧。（向通书斋的小门走了两步，又回转身，亲热地笑着）愫表妹，我怕我的胃气又要犯，你到厨房给我炒一把热盐焐焐[1]，好吧？（由书斋小门下）

〔愫方望着鸽笼。

〔外面风声。

〔瑞贞由通大客厅的门上。

曾瑞贞　愫姨！

1 “焐焐”底本作“煰煰”，当作“焐焐”。

愫　方　（不动）嗯。

曾瑞贞　（急切）愫姨！

愫　方　（缓缓回头，对端）瑞贞，你说的对，这是监牢！

曾瑞贞　（愣半天，忽然紧紧握着她的手）哑巴真地说了话了！（兴奋地）不早了，愫姨，走吧。

愫　方　（低沉）门还是锁着的，钥匙在——

曾瑞贞　钥匙在袁先生手里，已经要过来了。

〔外面思懿在喊。

〔思懿的声音：愫表妹！愫表妹！

曾瑞贞　她来了！（走到通大客厅的门背后）

〔思懿立刻由书斋小门上。

曾思懿　哦，你一个人还在这儿！爹要喝参汤，走吧。

〔愫方点头，就要走。

曾思懿　（忽然亲热地）哦，愫表妹，我想起来了，我看我就现在对你说了吧？（说着走到桌旁，把放在桌上的那副珠子拿起来。忽然瞥见了瑞贞）你在这儿干什么？

〔瑞贞望着她。

曾思懿　死相，你把你丈夫叫起来没有？

曾瑞贞　叫了。

曾思懿　给他多穿点衣服，好给他们袁家人送行。（厌恶地盯了瑞贞一眼，对愫）我们到厢房说去吧。

〔思懿拉着愫方由书斋小门下。

〔袁任敢穿着棉大衣，由通大客厅的门上。

曾瑞贞 （热烈地）袁先生。

袁任敢 （笑着）想清楚了没有？

曾瑞贞 想清楚了。

袁任敢 真的下了决心？

曾瑞贞 您还不相信我？

袁任敢 （沉着地）路上可能有点麻烦，要经过几道检查，盘问，也可能扣起来。

曾瑞贞 （镇定地）也可能进集中营，但是去的人还不是多的很？我们不怕。

袁任敢 对，决心到光明的地方就得不怕火炼。到了那里，你们要学很多很多的东西。

曾瑞贞 我知道，我们有许多缺点。

袁任敢 你把这些情形告诉了你的愫姨没有？

曾瑞贞 嗯，她是有准备的。

袁任敢 好，我已经给你们俩人都接洽好了。

曾瑞贞 （兴奋地）袁先生，谢谢，谢谢你！

袁任敢 （笑着，拍拍她的肩）沉住气！到了天津我再告诉你怎么样联络。回头见吧。（由客厅门下）

〔同时愫方由书斋小门上，颜色非常惨白。

曾瑞贞 （高兴地跑过来）愫姨！愫姨！我，我——（忽然发现愫方惨白的脸）你怎么脸发了青？怎么？她对你说了什么？

〔愫方微微摇摇头。

曾瑞贞 （止不住那高兴）愫姨，我告诉你，我们的事已经接洽好了。

愫　方　（沉重地）嗯，我是应该走了。

〔外面忽然传来一阵非常热闹的吹吹打打的锣鼓唢呐响，掩住了风声。

曾瑞贞　（惊愕，回头）这是干什么？

愫　方　大概杜家那边预备迎棺材呢。

曾瑞贞　你的东西呢？

愫　方　在厢房里。

曾瑞贞　拿走吧？

愫　方　（点首）嗯。

曾瑞贞　愫姨，你——

愫　方　不，你先走！

曾瑞贞　（惊异）怎么，你又——

愫　方　（摇头）我就来，我想再看看姨父。

曾瑞贞　（不觉气愤）他剥削你一辈子，你还要看他。

愫　方　他快死了。

曾瑞贞　好吧，那我先走，我们回头在车站上见。

〔外面文彩喊着，“江泰！江泰！”瑞贞立刻由通大客厅的门下。

〔愫方刚向书斋小门走了两步，文彩就由书斋小门上，满脸的泪痕。

曾文彩　（焦急地）江泰还没有回来？

愫　方　没有。

曾文彩　他怎么还不回来？（说着就跌坐在沙发上呜咽起来）我的爹呀，我的可怜的爹呀！

愫　方　（急切地）怎么啦？

曾文彩　（一边用手帕擦泪，一边诉说着）杜家的人现在非要抬棺材，爹一死儿不许！可怜，可怜他老人家像个小孩子似地抱着那棺材死也不肯放。（又抽咽）我真不敢看爹那个可怜的样子！（抬头望着愫方）表妹，你去劝爹进来吧，别再在棺材旁边看吧！

〔愫方向书斋小门走，由书斋小门下。

曾文彩　（同时自语）爹，爹，你要我们这种儿女干什么哟？（立起，不由得）哥哥！哥哥！（向文清卧室走）我们这种人有什么用，有什么用啊！

〔忽然外面爆竹声大作。

〔文彩不觉停住脚，回头望。

〔张顺由书斋小门上，眼睛也红红的。

曾文彩　这是什么？

张　顺　（又是气又是难过）杜家那边放鞭爆迎寿材呢！我们后门也打开啦，棺材已经抬起来了。

〔在爆竹声中听见了许多杠夫抬着棺木，整齐的脚步声，和低沉地“唉喝，唉喝”的声音；同时还掺杂着杜家的管事们督促着照料着的叫喊声，书斋窗户里望见许多灯笼，匆忙地随着人来回摇动。

〔这时陈奶妈和愫方扶着曾皓由书斋小门走进。曾皓面色白得像纸，眼睛里布满了红丝。在极度的紧张中，他几乎像癫狂了一般，说什么也不肯进来。陈奶妈一边擦着眼泪，一边不住地劝慰，拉着，推着。愫方悲痛地望着曾皓的脸。他们后面跟着思懿。她也拿了手帕假意地擦着眼角。

陈奶妈 （连连地）进来吧，老爷子！——别看了！进来吧——

曾　皓 （回头呼唤，声音喑哑）等等！教他们再等等！等着！（颤巍巍转对思，言语失了伦次）你再告诉他们，说钱就来，人就来，钱就拿人来！等等！教他们再等等！

愫　方 姨父！你——

〔愫方把皓扶在一个地方倚着，看见老人这般激动地喘息，忽然想起要为他拿什么东西，立刻匆匆由书斋小门下。

陈奶妈 （不住地劝解）老爷子，让他们去吧，（恨恨地）让他们拿去挺尸去吧！

曾　皓 （几乎是乞怜）你去呀，思懿！

曾思懿 （这时她也不免有些难过，无奈何地只得用仿佛在哄骗着小孩子的口气）爹！有了钱，我们再买副好的。

曾　皓 （愤极）文彩，你去！你去！（顿足）江泰究竟来不来？他来不来？

曾文彩 （一直在伤痛着——连声应）他来，他来呀，我的爹！

〔外面爆竹声更响，抬棺木的脚步声仿佛越走越近，就要从眼前过似的。

曾　皓 （不觉喊起来）江泰！江泰！（又像是对着文彩，又像是对着自己）他到哪儿去啦？他到哪儿去啦！

〔这时通大客厅的门忽然推开，江泰满脸通红，头发散乱，衣服上一身的皱褶，摇摇晃晃地走进来。

〔爆竹声渐停。

曾　皓　（几乎不相信自己的眼睛）江泰，你来了！

江　泰　（小丑似地，似笑非笑，似哭非哭，不知是得意还是懊丧的神气，含糊地对着他点了点头）我——来——了！

曾　皓　（忘其所以）好，来得好！张顺，教他们等着！给他们钱，让他们滚！去，张顺。

〔张顺立刻由书斋小门下。

曾文彩　（同时走到江泰面前）借，借的钱呢！（伸出手）

江　泰　（手一拍，兴高采烈）在这儿！（由口袋里掏出一卷"手纸"，"啪"一声[1]掷在她的手掌里）在这儿！

曾文彩　你，你又——

江　泰　（同时回头望门口）进来！滚进来！

〔果然由通大客厅的门口走进一个警察，后面随着曾霆，非常惭愧的颜色，手里替他拿着半瓶"白兰地"。

江　泰　（手脚不稳而理直气壮）就是他！（又指点着，清清楚楚地）就——是——他！（转身对曾家的人们申辩），我在北京饭店开了一个房间，住了一夜，可今天他们偏说我拿了东西，拿了他们的东西——

曾　皓　这——

警　察　对不起，昨儿晚上委屈这位先生在我们的派出所——

江　泰　你放屁！北京饭店！

1　"'啪'一声"底本作"'拍'一"，疑当作"'啪'一声"。

警　察　派出所！

江　泰　（大怒）北京饭店！（指着警察）你们的局长我认识！（说着走着，一刹时怒气抛到九霄云外）你看，这是我的家！我的老婆！（莫名其妙地顿时忘记了方才的冲突，得意地）我的岳父曾皓先生！（忽然抬头，笑起来）你看哪！（指屋）我的房子！（一面笑，望着警察，一面含含糊糊地，指着点着，仿佛在引导人家参观）我的桌子！（到自己卧室门前）我的门！（于是就糊里糊涂走进去，嘴里还在说着）我的——

〔忽然不很重的“扑通”一声——

曾文彩　泰，你——（跑进自己的卧室）

警　察　诸位现在都看见了，我也跟这位少爷交待明白啦。（随随便便点了点头，由通大客厅的门下）

〔外面的人：（高兴地）抬吧！（接着哄然一笑，立刻又响起沉重的脚步声）

〔皓突又转身。

陈奶妈　您干什么？

曾　皓　我看——看——

陈奶妈　得啦，老爷子——

〔曾皓走在前面，陈奶妈赶紧去扶，思懿也过去扶着。陈与皓由书斋小门下。

〔外面的喧嚣声，脚步声，随着转弯抹角渐行渐远。

曾思懿　（将皓扶到门口，又走回来，好奇地）霆儿，那警察说什么？

曾　霆　他说姑爹昨天晚上醉醺醺地到洋铺子买东西，顺手就拿了人家一瓶酒。

曾思懿 教人当面逮着啦?

曾　霆 嗯，不知怎么姑爹一晚上在派出所还喝了一半，又不知怎么姑爹又把自己给说出来了，这,(举起那半瓶酒)这是剩下那半瓶“白兰地”!(把酒放在桌子上，就苦痛地坐在沙发上)

曾思懿 (幸灾乐祸)这倒好，你姑爹现在又学会一手啦?(向卧室门走)文清,(到门口)文清，刚才我已经跟你的愫表妹说了，看她样子倒也挺高兴。以后好啦，你也舒服，我也舒服，你呢，有你的愫表妹陪你；我呢，坐月子的时候，也有个人伺候!

曾　霆 (母亲的末一句话像一根钢针戳入他的耳朵里，触电一般蓦然抬起头)妈，您说什么?

曾思懿 (不大懂)怎么——

曾　霆 (徐徐立起)您说您也要——呃——

曾思懿 (有些惭色)嗯!——

曾　霆 (恐惧地)生?

曾思懿 (脸上表现出那件事实)怎么?

曾　霆 (对母亲绝望地看了一眼，半晌，狠而重地)唉!生吧!(突然由通大客厅的门跑下)

曾思懿 霆儿!(追了两步)霆儿!(痛苦地)我的霆儿!

〔文彩由卧室匆匆地出来。

曾文彩 爹呢?

曾思懿 （呆立）送寿木呢！

〔文彩刚要向书斋小门走去，陈奶妈扶着曾皓由书斋小门上，皓在门口不肯走，向外望着，喊着。彩立刻追到门前，外面的灯笼稀少了，那些杠夫们已经走得很远。

曾　皓 （脸向着门外，遥遥地喊）不成，那不成！不是这样抬法！

陈奶妈 （同时）得啦，老爷子，得啦！

曾文彩 （不住地）爹！爹！

曾　皓 （依依瞭望着那正在抬行的棺木，叫着，指着）不成！那碰不得呀！（对陈奶妈）教他们别碰着那土墙！那寿木盖子是四川漆！不能碰！碰不得！

曾思懿 别管啦，爹，碰坏了也是人家的。

曾　皓 （被她提醒，静下来发愣，半晌，忽然大恸）亡妻呀！我的亡妻呀！你死得好，死得早，没有死的，连，连自己的棺木都保不了——（顿足）活着要儿孙干什么哟！要这群像耗子似的儿孙干什么哟！（哀痛地跌坐在沙发上）

〔訇然一片土墙倒塌声。

〔大家沉默

曾文彩 （低声）土墙塌了。

〔静默中，江泰由自己的卧室摇摇晃晃又走出来。

江　泰 （和颜悦色，抱着极大的善意，对着思懿）我告诉过你，八月节我就告诉过你，要塌！要塌！现在，你看，是不是？

〔思懿厌恶地看他一眼，陡然转身由书斋小门走下。

江　泰 （摇头）哎，没有人肯听我的话！没有人理我的哟！没有人

理我的哟!(一边说着，一边顺手又把桌上那半瓶“白兰地”拿起来，又进了屋)

曾文彩 (着急)江泰!(跟着进去)

〔远远鸡又在叫。

陈奶妈 唉。

〔这时仿佛隔壁忽然传来一片女人的哭声。愫方一只手腕上搭着自己要带走的一条毯子，一手端了一碗参汤，由书斋小门进。

曾　皓 (抬头)谁在哭?

陈奶妈 大概杜家老太爷已经断了气了，我瞧瞧去。

〔皓又低下头。

〔陈奶妈匆匆由书斋小门下。

〔鸡叫。

愫　方 (走近皓，静静地)姨父!

曾　皓 (抬头)啊?

愫　方 您要的参汤!(递过去)

曾　皓 我要了么?

愫　方 嗯!(搁在皓的手里)

〔圆儿突然由通大客厅的门悄悄上。她仍然穿着那身衣服，只是上身又加了一件大衣。

袁　圆 (站在门口，低声，急促地)天就亮了，快走吧!

愫　方 (点点头)就来。

〔圆笑嘻嘻的缩回去，关上门。

曾　皓　（喝了一口，就把参汤放在沙发旁边的桌上，微弱地长嘘了一声）唉！（低头合上眼）

愫　方　（关心地）您好点吧！

曾　皓　（含糊地）嗯，嗯——

愫　方　我走了！

曾　皓　（点头）你去歇一会儿吧。

愫　方　哝，我去了！

曾　皓　（疲备到极点像要睡的样子，轻微地）嗯！

〔愫方转身走了两步，忍不住又回头望望那衰弱的老人。

曾　皓　（忽然又含糊地）回头就来呀。

愫　方　（冷淡地）就来！（一面望着他，慢慢向外走）

曾　皓　（闭着眼）再来给我捶捶。

愫　方　（压住愤懑的情绪）嗯，再来给你捶！再来给你捶！（似乎听见又有什么人要进来，立刻向通大客厅的门走出）

〔愫方刚一出门，文彩由卧室进。

曾文彩　（看见皓在打瞌睡，轻轻地）爹，把参汤喝了吧，凉了！

曾　皓　不，我不想喝。

曾文彩　（悲哀地安慰着）爹，别难过了！怎么样的日子都是要过的。（流下泪来）等吧，爹。等到明年开了春！爹的身体也好了，重孙子也抱着了，江泰的脾气也改过来了，哥哥也回来找着好事了！

〔文清卧室内忽然仿佛有人"哼"了一声，从床上掉下的声音。

曾文彩　（失声）啊！（转对皓）爹，我去看看去。（立刻跑进文清的

卧室）

〔陈奶妈由书斋小门上。

曾　皓　（虚弱地）杜家——死了？

陈奶妈　死了，完啦。

曾　皓　眼睛好痛啊！给我把灯捻小了吧！

〔陈奶妈把洋油灯捻小，屋内暗下来。

〔文彩慌张跑出。

曾文彩　（低声急促地）陈奶妈，陈奶妈！

陈奶妈　啊！

曾文彩　（惧极，压住喉咙）您先不要叫！快告诉大奶奶！哥哥吞了鸦片烟，脉都停了。

陈奶妈　（惊恐）啊！（要哭——）

曾文彩　（急止她）别哭，奶妈，老太爷再经不住事了。快去！

〔陈奶妈由书斋小门跑下。

曾文彩　（强自镇定，走向皓）爹，天就要亮了，我扶着您睡去吧。

曾　皓　（立起，走了两步）刚才那屋里是什么？

曾文彩　（哀痛地）耗子，闹耗子。

曾　皓　哦。

〔文彩扶着皓，向通书斋小门缓缓地走。门外面鸡又叫，天开始亮了，隔巷有骡车慢慢地滚过去，远远传来两声尖锐的火车汽笛声。

——幕徐落

北京人

1954人文版

【题注】据1954年6月人民文学出版社《曹禺剧本选》初版排印。通校1984年12月四川人民出版社“曹禺戏剧集”本初版（校注称“川版”）。

人物表

曾　皓——在北平落户的旧世家的老太爷，年六十三[1]。

曾文清——他的长子，三十六岁。

曾思懿——他的长媳，三十八九。

曾文彩——他的女儿，三十三岁。

江　泰——他的女婿，文彩的丈夫，一个老留学生，三十七岁。

曾　霆——他的孙子，文清与思懿的儿子，十七岁。

曾瑞贞——他的孙媳，霆儿的媳妇，十八岁。

愫　方——他的姨侄女，三十上下。

陈奶妈——哺养过曾文清的老奶妈，年六十上下。

小柱儿——她的孙儿，年十五[2]。

张　顺——曾家的仆人，三十上下。

袁任敢——研究人类学的学者，年三十八。

袁　圆——他的独女，十六整。

要账的甲、乙、丙。

警察

---

1 “年六十三”川版作“六十四、五岁”。

2 “年十五”川版作“十三、四岁”。

时间和地点

第一幕　　中秋节。——在北平曾家小花厅里。

第二幕　　当夜十一点钟的光景。——曾家小花厅里。

第三幕　　仍在曾宅小花厅。

第一景　　离第一幕约有一月，某一天的傍晚。

第二景　　翌日五点钟左右，天尚未亮的时候。

第一幕

中秋节，将近正午的光景，在北平曾家旧宅的小花厅里，一切都是静幽幽的。屋内悄无一人，只听见靠右墙长条案上一座古老的苏钟迟缓地迈着“滴滴搭搭”的步子。屋外，主人蓄养的白鸽成群地在云霄里盘旋，时而随着散开一片泠泠的鸽哨响，异常嘹亮悦耳。从后面大花厅一排明净的敞窗望出去，正有三两朵白云浮在蔚蓝的天空。

这间小花厅是上房大客厅和前后院东厢房衔接的所在，屋内一共有四个出入的门。屋右一门通大奶奶的卧室，门上挂着一条精细的绿纱帘。屋左一门通姑奶奶——曾文彩的睡房，门上没有挂帘子，门框较小，比较肮脏，显得里面的屋子也不甚讲究。整个后墙的一面，是一排糊着蓝绸子的槅扇门窗，和一小部分壁橱似的小小的书斋。这槅扇门通大客厅，就是大客厅的侧门，占有小花厅后壁三分之二的地位。门槛前有一层石台阶，里面便是大客厅。打开槅扇就望见大客厅的气象十分轩豁，正是一个曾经盛极一时的大家门第。里面大客厅的门窗都开在右面，向前院的门大敞着，露出庭院中绿荫荫的枣树，藤萝和白杨。这时耀目的阳光透过大客厅的窗子射进来。小书斋的门额上有篆书“养心斋”三个大字的横匾。小书斋里左面一门（观众看不大见的）通后面的庭院和曾老太爷的寝室。沿墙是一列书箱，里面装满了线装书籍。窗前有楠木书案，紫檀凳子，案上放着笔墨画砚，瓷器古董，都极其古雅而精致。主人们有时在这里作画吟诗，有时在这里读经清谈，有时在这里卜神课，无聊时就打瞌睡。

这间小花厅当年是作为一个谈机密话的地方。在曾家家运旺盛的时代，宾客盈门；敬德公，这位起家立业的祖先，创下了一条规矩：体己的亲友们都照例请到此地来坐候。如今过了几十年了，这间屋子依然是曾家子孙们聚谈的所在。统管家务的大奶奶（敬德公的孙媳）和她丈夫就住在右边隔壁，一切事情的吩咐和商量也离不开这个地方。虽然现在家道衰微，大客厅和西厢房都不得已租给一位研究人类学的学者，但这一面的房屋他们再也不肯轻易让出去，这是曾家最后的藏身之处。

这间屋子的陈设尽量保持当年的气派，一点也不觉寒伧。通大奶奶屋那扇八角形的玻璃窗打磨得非常光亮（北平老式的房子，内屋与内屋之间也有玻璃窗），里面掩着杏色的幔子——大奶奶的脾气素来不肯让人看见她在房里做些什么——仿佛锁藏着无限的隐秘。钟前横放一架金锦包裹的玉如意，祖传下来的东西。两旁摆列着盆景兰草和一对二十年前作为大奶奶陪嫁的宝石红的古瓶。条案前立一张红木方桌，有些旧损，上面铺着紫线毯，开饭时便抬出来当做饭桌，现在放着一大盘冰糖葫芦。靠方桌有两三把椅子和一只矮凳，擦得都很洁净。左墙边上倚一张半月式的紫檀木桌，放在姑奶奶房门上首。桌上有一盆佛手，几只绿绢包好的鼻烟瓶，两三本古书。当中一只透明的玻璃缸，几条金鱼在水藻里悠然游漾。桌前两三把小沙发和一个矮几。这面墙上悬挂一张董其昌的行书条幅，装裱颇古。近养心斋的墙角处，悬一张素锦套着的七弦琴，垂着橙黄的丝穗。后面在养心斋与通大客厅的槅扇之间的墙上挂着一幅淡远秀劲的墨竹，看来似乎装裱得不久。在这幅竹子的右边，立一个五尺高的乌木雕龙灯座，龙嘴衔一个四方形的，画着彩色的花鸟的纱灯。左边放一个白底蓝花仿明瓷的大口瓷缸，里面斜插了十几轴画。缸边放两张方凳，凳上正搁着一只皮箱，半掩着箱盖。

屋内静悄悄的，天空有断断续续的鸽哨响。外面长胡同里传来那时北平独有的单轮水车，在磷磷不平的路上单调地“孜妞妞，孜妞妞”的声音。间或又有磨刀剪的人吹起烂旧的喇叭“唔呃哈哈”地吼叫，冲破了沉闷。

半晌。

远远自大客厅通前院的门，走进来曾大奶奶和张顺。他们匆匆穿过大花厅，踱入眼前这间屋子。张顺，一个三十上下的北平仆人，恭谨而又有些焦灼地随在后面。

曾思懿（大奶奶的名字）是一个自小便在士大夫家庭里熏陶出来的女人。自命知书达礼，精明干练，整天满脸堆着笑容；虚伪，自私，多话，猜忌多疑，而自以为慷慨大方，任何一句话，在她听来都藏着阴谋，计算。她好在自己造想的权诈、诡秘的空气中钩心斗角。言辞间总显露着她那种谦和，孝顺，仁爱……种种一个封建社会贤妇应有的美德。她身材不高，兔眼睛微微有点斜。宽前额，高鼻梁，厚厚的嘴唇，牙齿向前暴突，两条乌黑的细眉，像刀斩一般地涂得又齐又狠。说话时，极好暗地窥看对方的神色，举止言谈都非常机警。她不到四十岁的模样，身体已经发胖，脸上仿佛有些浮肿。她穿一件浅黄色的碎花旗袍，金绣缎鞋，胁下系着一串亮闪闪的钥匙，手里拿着账单，眉宇间是恼怒的。

张　顺　（赔着笑脸）您瞅怎么办好，大奶奶？

曾思懿　（嘴唇一努）你叫他们在门房里等着去吧。

张　顺　可是他们说这账现在要付——

曾思懿　（斜着眼睛）现在没有。

张　顺　他们说，（颇难为情地）他们说——

曾思懿　（眉头一皱）说什么？

张　顺　他们说，漆棺材的时候，老太爷挑那个，选这个，非漆上三五十道不可。现在福建漆也漆上了，寿材也抬进来了，（赔笑）跟大奶奶要钱，钱就——

曾思懿　（狡黠地笑出声来）你叫他们跟老太爷要去呀。你告诉他们，棺材并不是大奶奶睡的。他们要等不及，请他们把棺材抬走，黑森森的棺材摆在家里我还嫌闷气呢。

张　顺　（老老实实）我看借给他们点吧，大八月节的，那棺材漆都漆了，大奶奶。

曾思懿　（翻了脸）油漆店给了你多少好处，你这么帮着这些要账的混账东西说话。

张　顺　不是，大奶奶，您瞅啊——

〔陈奶妈，一位六十多岁[1]的老妇人，由大客厅通前院的门颤巍巍地走进来。她是曾家多年的用人，大奶奶的丈夫就吃

1　“六十多岁”川版作“六十上下”。

她的乳水哺养大的。四十年前她就进了曾家的门。在曾家全盛的时代，她是死去的老太太得力的女仆。她来自田间，心直口快，待曾家的子女有如自己的骨肉。最近因自己的儿子屡次接她回乡，她才回家小住，但不久她又念记她主人的子女，时常带些土礼回来探望。这一次她又带着自己的孙儿刚由乡下来拜节，虽然步伐已经欠稳，头发已经斑白，但面色却白里透红，说话声音也十分响亮，都显出她仍然是很健壮。耳微聋，脸上常浮泛着欢愉的笑容。她的家里如今倒是十分地好过。她心地慈祥，口里唠叨，知悉曾家事最多，有话就说，曾家上上下下都有些惹她不起。她穿着一件月白色的上身，外面套了青直贡呢的坎肩。黑裤子，黑老布鞋。灰白的小髻上斜插一朵小小的红花。

张　顺　（惊讶）哟，陈奶奶，您来了。

陈奶妈　（急急忙忙，探探身算是行了礼）大奶奶，真是的，要节账也有这么要的，做买卖人也许这么要账的！（回头，气呼呼地）张顺，你出去让他们滚蛋！我可没见过，大奶奶。（气得还在喘）

曾思懿　（打起一脸笑容）您什么时候来的，陈奶妈？

张　顺　（抱歉的口气）怎么啦，陈奶奶？

陈奶妈　（指着）你让他们给我滚蛋！（回头对大奶奶半笑半怒的神色）我真没有见过，可把我气着了。大奶奶，你看可有堵着门要账的么？（转身对张顺又怒冲冲地）你告诉他们，这是曾家大公馆。要是老太太在，这么没规没矩，送个名片就把他们押起来！别说这几个大钱，就是整千整万的银子，连我这穷老婆子都经过手。（气愤）真，他们敢堵着门口不让我进来。

曾思懿 （听出头绪，一半是玩笑，一半是讨她的欢喜，对着张顺）天啊，哪个敢这么大胆，连我们陈大奶妈都不认得？

陈奶妈 （笑逐颜开）不是这么说，大奶奶，他们认得我不认得我不关紧，他们不认识这门口，真叫人生气。这门口我刚来的时候，不是个蓝顶子，正三品都进不来。（对张顺）就你爷爷老张才，一年到头单这大小官的门包钱，就够买地，娶媳妇，生儿子，添孙子！（笑指着）冒出了你这个小兔崽子。

张　顺 （遇见了爷爷辈的这般倚老卖老的同事，只好顺嘴胡溜，嘻嘻地）是啊是啊，陈奶奶。

曾思懿 坐吧，陈奶妈。

陈奶妈 哼，谁认得这一群琉璃球嘎杂子，我来的时候老太爷还在当少爷呢。（一比）大爷才这么点大，那时候——

曾思懿 （推她坐，一面劝着）坐下吧，别生气啦，陈奶妈，究竟怎么啦？

陈奶妈 哼，一到过八月节——

曾思懿 陈奶妈，他们究竟对您老人家怎么啦？

陈奶妈 （听不清楚）啊？

张　顺 她耳朵聋，没听见。大奶奶，您别理她，理她没完。

陈奶妈　你说什么?

张　顺　(大声)大奶奶问您那要账的究竟怎么欺负您老人家啦?

陈奶妈　(听明白，立刻从衣袋取出一些白账单)您瞅，他们拦着门口，就把这些行子塞在我手里，非叫我拿进来不可。

曾思懿　(拿在手里)哦，这个!

陈奶妈　(敲着手心)您瞧，这些东西哪是个东西呀!

曾思懿　(正在翻阅那账单)哼，裱画铺也有了账了。张顺，你告诉大树斋的伙计们，说大爷不在家。

陈奶妈　啊，怎么，清少爷!

曾思懿　(拿出钱来)叫他先拿二十块钱去。你可少扣人家底子钱!等大爷回来，看看这一节字画是不是裱了那么多，再给他算清。

张　顺　可是那裁缝铺的，果子局的，还有那油漆棺材的——

曾思懿　(不耐烦)回头说，回头说，等会见了老太爷再说吧。

张　顺　(指左面的门，低声)大奶奶，这边姑老爷又闹了一早上啦，说他那屋过道土墙要塌了，问还收拾不收拾?

曾思懿　(沉下脸)你跟姑老爷说不是不收拾，是收拾不起。请他老人家将就点住，老太爷正打算着卖房子呢。

张　顺　(不识相)大奶奶，下房也漏雨，昨天晚上——

曾思懿　(冷冷地)对不起，我没有钱，一会儿我跟老太爷讲，特为给你盖座洋楼住。

〔张顺正在进退不得，外面有人声:“张爷，张爷!”

张　顺　来了!——(由通大花厅的门下)

曾思懿 （转脸，亲热非常）陈奶妈，您这一路上走累了，没有热着吧？

陈奶妈 （失望而又不甘心相信的神气）真格的，大奶奶，我的清少爷不在家——

曾思懿 别着急，你的清少爷（指右门）在屋里还没起来，他就要出来给他奶妈拜节呢。

陈奶妈 （笑呵呵）大奶奶，您别说笑话了，就说是奶妈，也奴是奴，主是主，哪有叫快四十，都有儿媳妇的老爷给我——

曾思懿 （喜欢这样做作[1]）那么，奶妈，让我先给您拜吧！

陈奶妈 （慌忙立起，拉住）得，得，折死我了，您大奶奶都是做婆婆的人，哎，哪——（二人略略争让一会，大奶奶自然不想真拜，于是——）

曾思懿 （一笑结束）哎，真是的。

陈奶妈 （十分高兴）是呀，我刚才听了一愣，心想进城走这么远的路就为的是——

曾思懿 （插嘴）看清少爷。

陈奶妈 （被人道中来意，愣了一下，不好意思地笑起来）您啊，真机灵！咳，我也是想看您大奶奶，愫小姐，老太爷，姑奶奶，孙少爷，孙少奶奶。您想，这一大家子的人，我没看见就走——

曾思懿 怎么？

---

1 “做作”底本作“做做”，据川版改。

陈奶妈　我晚上就回去，我跟我儿媳妇说好的——

曾思懿　那怎么成！好容易大老远的从乡下来到北平城里一趟，哪能不住就走？

陈奶妈　（又自负又伤感）咳，四十年我都在这所房子里过了！儿子娶媳妇我都没回去。您看，哪儿是我的家呀？大奶奶，我叫我的小孙子给您捎了点乡下玩意儿。

曾思懿　真是，陈奶妈，那么客气作什么？

陈奶妈　（诚挚地）嗐，一点子东西。（一面走向那大客厅，一面笑着说）要不是我脸皮厚，这点东西早就——（遍找不见）小柱儿，小柱儿！这孩子一眨巴眼又不知疯到哪儿去了。小柱儿！小柱儿！（喊着喊着就走出大客厅到前院子里找去了）

〔天上鸽群的竹哨响，恬适而安闲。

〔远远在墙外卖凉货的小贩敲着“冰盏”——那是一对小酒盅似的黄晶晶的铜器，叠在掌中，可互击作响——叮冷有声，清圆而浏亮，那声节是：“叮嚓叮嚓，叮叮嚓，嚓嚓叮叮嚓。”操着清脆的北平口音，似乎非常愉快地喊卖着：“又解渴，又带凉，又加玫瑰，又加糖！不信您就弄[1]碗尝一尝！（到了此地索性提高嗓门有调有板地唱起来）酸梅的汤儿来[2]。哎另一个味的呀！”冰盏又继续簸弄着：“叮嚓嚓，叮嚓嚓，嚓嚓叮叮嚓。”

1　读若“闹”。——底本注。

2　读若“雷”。——底本注。

〔此时曾思懿悄悄走到皮箱前，慢慢整理衣服。

曾思懿　（突然向右回头）文清，你起来了没有？

〔里面无应声。

曾思懿　文清，你的奶妈来了。

〔右面屋内曾文清的声音：（空洞乏力）知道了。为什么不请她进来呀？

曾思懿　请她进来？一嘴的臭蒜气！到了我们屋子，臭气熏天，你受的了，我可受不了。你今天究竟走不走？出门的衣服我可都给你收拾好了。

〔屋内文清的声音：（慢悠悠地）鸽子都飞起来了么？

曾思懿　（不理他）我问你究竟想走不想走？

〔屋内文清的声音：（入了神似地）今天鸽子飞得真高啊！哨子声音都快听不见了。

曾思懿　（向右门走着）喂，你到底心里头打算什么？你究竟——

〔屋内文清的声音：（苦恼地拖着长声）我走，我走，我走，我是要走的。

曾思懿　（走到卧室门前，掀起门帘。把门推开。仿佛突然在里面看见什么不祥之物，惊叫一声）啊，怎么你又——

〔这时大客厅里听见陈奶妈正迈步进来，放声说话，思懿连忙回头谛听，那两扇房门立刻由里面霍地关上。

〔陈奶妈携着小柱儿走进来。小柱儿年约十四五[1]，光葫芦头，

1　“十四五”川版作“十三四”。

穿一身农村的孩子过年过节才穿的新衣裳。布袜子，布鞋，扎腿，毛蓝土布的长衫，短袖肥领，下摆盖不住膝盖。长衫洗得有些褪了颜色，领后正中有一块小红补钉。衣服早缩了水，紧紧箍在身上，显得他圆粗粗地茁壮可爱，他一手拿着一具泥土塑成的“刮打嘴”兔儿爷或猪八戒——一种玩具，当中有线，可以抽着活动——一手挟着一个老母鸡，提着一个蓄鸽子的长方空竹笼。后面跟随张顺，两手抱着一个大筐子，里面放着母鸡，鸡蛋，白菜，小米，芹菜等等。两个人都汗淋淋地傻站在一旁。

陈奶妈 走，走，走啊！（唠唠叨叨）这孩子，你这孩子！出了一身汗，哪个叫你喝酸梅汤？立了秋再喝这些冰凉的东西，要闹肚子的。（回头对张顺）张顺，你在旁边也不说着点！由他的性[1]！（指着）你这“刮打嘴”是谁给你买的？

小柱儿 （斜眼看了看张顺）他——张爷。

陈奶妈 （回头对张顺一半笑，一半埋怨）你别笑！你买了东西，我也不领你的情。

曾思懿 得了，别骂他了。

陈奶妈 小柱儿，你还不给大奶奶磕头。把东西放下，放下。

〔小柱儿连忙放下空鸽笼，母鸡也搁在张顺抱着的大筐子里。

曾思懿 别磕了，别磕了，老远来怪累的。

1 “性”川版作“性儿”。

陈奶妈　（看看小柱儿舍不得放下那“刮打嘴”，一手抢过来）把那“刮打嘴”放下，没人抢你的。（顺手又交给张顺）

〔张顺狼狈不堪，抱满了一大堆东西。

曾思懿　别磕了，怪麻烦的。

陈奶妈　（笑着说）您看这乡下孩子！教了一路上，到了城里都忘了。（上前按着小柱儿）磕头，我的小祖宗！

〔小柱儿回头望望他的祖母，仿佛发愣；待陈奶妈放开手，他蓦地扑在地上磕了一个头，一骨碌就起来。

曾思懿　（早已拿出一个为着过节赏人的小红纸包）小柱儿，保佑你日后狗头狗脑的，长命百岁！来，拿着，买点点心吃。

〔小柱儿傻站着。

陈奶妈　嗐，真是的，又叫您花钱。（对孙儿）拿着吧，不要紧的，这也是你奶奶的亲人给的。（小柱儿上前接在手里）谢谢呀，你！（小柱儿反身又从张顺手里拿下他的“刮打嘴”，低头傻笑）这孩子站没站相，坐没坐相，磕头也没磕头相。大奶奶，您坐呀。嗐。路远天热，（拉出一个凳子就坐）我就一路上跟小柱儿跑[1]——

张　顺　（忍不住）陈奶奶，我这儿还抱着呢！

陈奶妈　（回头笑）哼，您瞅我这记性！大奶奶，（把思懿拉过来，一面说一面在筐里翻）乡下没什么好吃的，我就从地里摘[2]了

1　“跑”川版作“抱”。

2　读若“哉”。——底本注。

点韭菜，芹菜，擘兰[1]，黄瓜，青椒，缸豆，这点东西——

曾思懿 太多了，太多了。

陈奶妈 哦，还有点子小米，鸡蛋，俩老母鸡。

曾思懿 您这简直是搬家了。真是的，大老远的带了来，又不能——（回头对张顺）张顺，就拿下去吧。

陈奶妈 （对张顺）还有给你带了两个大萝卜。（乱找）

张　顺 （笑着）您别找了，早下了肚了。（连忙抱着那大筐由通大客厅的门走出去）

小柱儿 （秘密地）奶奶。

陈奶妈 干什么？

小柱儿 （低声）拿出来不拿出来？

陈奶妈 （莫名其妙）什么？

〔小柱儿忽然伶俐地望着他的祖母，提了提那鸽笼。

陈奶妈 （突然想起来）哦！（非常着急）哪儿啦？哪儿啦？

小柱儿 （仿佛很抱歉的样子由衣下掏出一只小小的灰鸽子，顶毛高翘，羽色油润润的，周身有几颗紫点。看去异常玲珑，一望便知是个珍种）这儿！

陈奶妈 （捧起那只小鸽，快乐得连声音都有些颤动，对那鸽子）乖，我的亲儿子，你在这儿啦！怪不得我觉得少了点什么。（对大奶奶）你瞅这孩子！原来是一对的，我特意为我的清少

1　读若“辣”。——底本注。

爷寻[1]摸来的。好好放在笼里，半路上他非要都拿出来玩，哗的，就飞了一个。倒是我清少爷运气好，剩下的是个好看的。大奶奶，您摸摸这毛,（硬要塞在大奶奶的手中）这小心还直跳呢!

曾思懿 （本能地厌恶鸽子这一类的小生命，向后躲避，强打着笑容）好，好，好。（对右门喊）文清，陈奶妈又给你带鸽子来啦!

陈奶妈 （不由得随着喊）清少爷。

〔屋内文清的声音：陈奶妈。

陈奶妈 （捧着鸽子，立刻就想到她的清少爷面前献宝）我进门给他看看!（说着就走）

曾思懿 （连忙）您别进去。

陈奶妈 （一愣）怎么?

曾思懿 他，他还没起。

陈奶妈 （依然兴高采烈）那怕什么的，我跟清少爷就在床边上谈谈。（又走）

曾思懿 别去吧。屋子里怪脏的。

陈奶妈 （温爱地）嗐，不要紧的。（又走）

曾思懿 （叫）文清，你衣服换好了没有?

〔屋内文清的声音：我正在换呢!

陈奶妈 （直爽地笑着）嗐，我这么大年纪还怕你。（走到门前推门）

〔屋内文清的声音：（大声）别进来，别进来!

---

1 读若“学”。——底本注。

曾思懿　（拦住陈奶妈）就等会吧，他换衣服就怕见人——

陈奶妈　（有点失望）好，那就算了吧，脾气做成就改不了啦。（慈爱地）大奶奶，清少爷十六岁还是我给他换小褂裤呢。（把鸽子交给小柱儿）好，放回去吧！（但是又忍不住对着门喊）清少爷，你这一向好啊？

曾思懿　（同时拉出一个凳子）坐着说吧。

〔屋内文清的声音：（亲热地）好，您老人家呢？

陈奶妈　（大声）好！（脸上又浮起光彩）我又添了一个孙女。

〔这时小柱儿悄悄把鸽子放入笼里。

〔屋内文清的声音：恭喜你啊。

陈奶妈　（大声）可不是，胖着哪！（说完坐下）

曾思懿　他说恭喜您。

陈奶妈　嗐，恭什么喜，一个丫头子！

〔屋内文清的声音：你这次得多住几天。

陈奶妈　（伸长颈子，大声）嗯，快满月了。

曾思懿　他请您多住几天。

陈奶妈　（摇头）不，我就走。

〔屋内文清的声音：（没听见）啊？

陈奶妈　（立起大声）我就走，清少爷。

〔屋内文清的声音：干嘛那么慌啊？

陈奶妈　啊？

〔屋内文清的声音：（大声）干什么那么忙？

陈奶妈　（还未听见）什么？

小柱儿　（忍不住憨笑起来）奶奶，您真聋，他问你忙什么？

陈奶妈　（喊昏了，迷惘地重复一遍）忙什么？（十分懊恼，半笑道）嗐，这么谈，可别扭死啦。得了，等他出来谈吧。大奶奶，我先到里院看看愫小姐去！

曾思懿　也好，一会儿我叫人请您。（由方桌上盘中取下一串山楂[1]红的糖葫芦）小柱儿，你拿串糖葫芦吃。（递给他）

陈奶妈　你还不谢谢！（小柱儿傻嘻嘻地接下，就放在嘴里）又吃！又吃！（猛可从他口里抽出来）别吃！看着！（小柱儿馋滴滴地望着手中红艳艳的糖葫芦）把那“刮打嘴”放下，跟奶奶来！

〔小柱儿放下那“刮打嘴”，还恋恋不舍。陈奶妈拉着他的手，由养心斋的小门下。

曾思懿　真讨厌！（把那五颜六色的“刮打嘴”放在一边，又提起那鸽笼——）

〔屋内文清的声音：陈奶妈！

曾思懿　出去了。

〔曾文清——思懿的丈夫——由右边卧室门踱出。他是个瘦长个儿，穿着宽大的袍子，服色淡雅大方，举止，谈话，带着几分闲散模样。他面色苍白，宽前额，高颧骨，无血色的嘴唇，看来异常敏感，凹下去的眼眸流露出失望的神色，悲哀而沉郁。时常凝视出神，青筋微微在额前凸起。

---

1 “山楂”底本作“山渣”，据川版改。

〔他生长在北平的书香门第，下棋，赋诗，作画，很自然地在生活里占了很多的时间。北平的岁月是悠闲的，春天放风筝，夏夜游北海，秋天逛西山看红叶，冬天早晨，霁雪时在窗下作画。寂寞时徘徊赋诗，心境恬淡时独坐品茗，半生都在空洞的悠忽中度过。

〔他又是从小为母亲所溺爱的。早年结婚，身体孱弱，小地方看去，他绝顶聪明，然而他给予人的却是那么一种沉滞的懒怠之感。懒于动作，懒于思想，懒于说话，懒于举步，懒于起床，懒于见人，懒于做任何严重费力的事情。重重对生活的厌倦和失望甚至使他懒于宣泄心中的苦痛。懒到他不想感觉自己还有感觉，懒到能使一个有眼的人看得穿："这只是一个生命的空壳。"他进了屋还在扣系他的夹绸衫上的纽襻。

曾文清 （笑颜隐失）她真的去了。你怎么不留她一会儿？

曾思懿 （不理他）这是她送给你的鸽子。（递过去）

曾文清 （提起那只鸽笼）可怜，让她老人家走这么远的路。（望着那鸽子，赞赏地）啊，这还是个"凤头"！"短嘴"！（欣喜地）这应该是一对的，怎么——（抬头看到一副铁青的脸望着他）

曾思懿 文清，你又把那灯点起来干什么？

〔乌云罩住了文清的脸，他慢慢把那鸽笼放下。

曾思懿 （叨叨地）昨儿个，老头还问我你最近怎么样，那套烟灯，烟家伙扔了没有。我可告诉他早扔了。（尖厉的喉咙）怪事！怪事！苦也吃了，烟也戒了，临走，临走，你难道还想闹场乱子？

曾文清 （长叹，坐下）哎，别管我，你让我就点着灯看看。

曾思懿 （轻蔑地）谁要管你？大家住在一起，也就顾的是这点面子。你真要你那好妹夫姑爷说中了！说你再也出不了门，做不得事，只会在家里抽两口烟，喝会子茶，玩玩鸽子，画画画，恍惚了这一辈子！

曾文清 （淡悠悠）管人家怎么说呢，我不就要走了么？

曾思懿 你要走，你就给我留点面子，别再昏天黑地的。

曾文清 （苦恼地）我不是处处听了你的话么？你还要怎么样？（又呆呆望着前面）

曾思懿 （冷冷地挑剔）请你别做那副可怜相。我不是母夜叉，你别做得叫人以为我多么厉害，仿佛我天天欺负丈夫，我可背不起这个名誉。（走到箱子前面）

曾文清 （无神地凝望那笼里的鸽子）别说了，晚上我就不在家了。

曾思懿 （掀开箱盖，回头）你听明白，我可没逼你做事。你别叫人说又是我出的主意，叫你出去。外头有什么不舒服，叫亲戚们骂我逼丈夫出门受苦，自己享福，又是大奶奶不贤慧。（唠唠叨叨，一面整理箱中文清出门的衣服）我在你们家里气可受够了，哼！有婆婆的时候，受婆婆的气，没有婆婆了，受媳妇的气。老的老，小的小，中间还有你这位——

曾文清 （早已厌倦，只好另外找一个题目截住她的无尽无休的话）咦，这幅墨竹挂起来了。

曾思懿　（斜着眼）挂起来了——

曾文清　（走到画前）裱得还不错。

曾思懿　（尖酸地）我看画得才好呢！真的，多雅致！一个画画，一个题字，真是才子佳人，天生的一对。

曾文清　（气闷）你别无中生有，拿愫小姐开心。

曾思懿　（鄙夷地）咦，奇怪，你看你这做贼心虚的劲儿。我说你们怎么啦！愫小姐画张画也值得你这样大惊小怪的，又赋诗，又题字，又亲自送去裱。我告诉你，我不是个小气人，丈夫讨小老婆我一百个赞成。（夸张地）我要是个男人，我就讨个七八个小老婆。男人嘿！不争个酒色财气，争什么？可是有一样，（尖刻地）像愫小姐这样的人——

曾文清　（有点恼怒）你不要这样乱说人家，人家是个没出嫁的姑娘！

曾思懿　奇怪，（刁钻古怪地笑起来）你是她的什么？要你这么护着她。

曾文清　（诚挚地）人家无父无母的住在我们家里，你难道一点不怜恤人家？

曾思懿　（狡猾地把嘴唇一咧）你怜恤人家，人家可不怜恤你！（指着他说）你不要以为她一句话不说，仿佛厚厚道道，没心没意的。（精明自负）我可看得出这样的女人！（絮絮叨叨）这样的女人[1]一肚子坏水，话越少，心眼越多！人家为什么不嫁，陪着你们老太爷？人家不瘸不瞎，能写能画，为什么

1　“这样的女人”底本作“这样女人”，据川版改。

偏偏要当老姑娘，受活罪，陪着老头？（冷笑）我可不愿拿坏心眼乱猜人，你心里想去吧。

曾文清　（冷冷地望着她）我想不出来。

曾思懿　（爆发）你想不出来，那你是个笨蛋！

曾文清　（眉头上涌起寂寞的忧伤）唉，不要太聪明了！（低头踱到养心斋里，在画桌前，仿佛在找什么）

曾思懿　（更惹起她的委屈）我聪明？哼，聪明人也不会在你们家里苦待二十年了。我早就该学那些新派的太太们，自己下下馆子，看看戏，把这个家交给儿媳妇管，省得老头一看见我就皱眉头，像欠了他的阎王债似的。（自诩）哎，我是个富贵脾气丫头命！快四十的人还得上孝顺公公，下侍候媳妇，中间还得看你老人家颜色。（端起一杯参汤）得了，得了，参汤都凉了，你老人家快喝吧。

曾文清　（一直皱着眉头，忍耐地听着，翻着，突然由书桌抽屉里抖出一幅尚未装裱的山水，急得脸通红）你看，你看，这是谁做的事？（果然那幅山水的边缘被什么动物啮成犬牙的形状，正中竟然咬破一个掌大的洞）

曾思懿　（放下杯子）怎么？

曾文清　（抖动那幅山水）你看，你看啊！

曾思懿　（幸灾乐祸，淡淡地）这别是我们姑老爷干的吧。

曾文清　（回到桌前，又查视那抽屉）这是耗子！这是耗子！（走近思懿，忍不住挥起那幅画）我早就说过，房子老，耗子多，要买点耗子药，你总是不肯。

曾思懿 老爷子，买过了。（嘲弄）现在的耗子跟从前不一样，鬼得多，放了耗子药，它就不吃，专找人心疼的东西祸害。

曾文清 （伤心）这幅画就算完了。

曾思懿 （刻薄尖酸）这有什么希奇，叫愫小姐再画一张不结了么？

曾文清 （耐不下，大声）你——（突然想起和她解释也是枉然，一种麻木的失望之感又蠕蠕爬上心头。他默默端相那张已经破碎的山水，木然坐下，低头沉重地）这是我画的。

曾思懿 （也有些吃惊，但仍坚持她的冷冷的语调）奇怪，一张画叫几个小耗子咬了，也值得这么着急！家里这所房子，产业，成年叫外来一群大耗子啃得都空了心了，你倒像没事人似的。

曾文清 （长叹一声，把那张画扔在地上，立起来苦笑）哎，有饭大家吃。

曾思懿 （悻悻然）有饭大家吃？你祖上留给你多少产业，你夸得下这种口。现在老头在，东西还算一半是你的，等到有一天老头归了天——

〔突然由左边屋里发出一种混浊而急躁的骂人声音，口气高傲，骂得十分顺嘴，有那种久于呼奴使婢骂惯了下人的派头。

〔左屋内的声音：滚！滚！滚！真是混账王八蛋，一群狗杂种。

曾思懿 （对文清）你听。

〔左屋内的声音：（仿佛打开窗，对后院的天井乱喊）张顺，张顺！林妈！林妈！

曾文清 （走到大花厅门口，想替他喊叫）张顺，张——

曾思懿 （嘴一努，瞪起眼睛，挑衅的样子）叫什么！

〔文清于是嘿然[1]——

曾思懿 （低声）让他叫去，成天打鸡骂狗的！（切齿而笑）哼，这是他给你送行呢！

〔左屋内的声音：（咻咻然）张顺，八月节，你们都死了，死绝了！

曾思懿 （盛气反而使她沉稳起来，狞笑）你听！

〔左屋内的声音：（拖长）张——顺！

曾文清 （忍不住又进前）张——

曾思懿 （拦住他，坚决）别叫，看我们姑老爷要发多大脾气！

〔砰朗一声，碗碟摔个粉碎，立刻有女人隐泣的声音。

〔半晌。

曾文清 （低声）妹妹刚病好，又哭起来了。

曾思懿 （轻蔑地冷笑）没本事，就知道欺负老婆。还留学生呢，狗屁！

〔左屋内的声音：（随她的话后）混账王八蛋！

〔砰朗一声，又碎了些陶瓷。

〔左屋内的声音：（吼叫）这一家人都死绝了？

曾思懿 （火从心上起，迈步向前）真是太把人不放在眼里了！我们家的东西，不是拿钱买的是怎么？

1 “嘿然”川版作“默然”。

曾文清　（拦劝，低声）思懿，不要跟他吵。

〔张顺慌忙由通大客厅门口上。

张　顺　（仓皇）是姑老爷叫我？

曾文清　快进去吧。

〔张顺忙着跑进左屋里。

曾思懿　（盛怒）“有饭大家吃”，（对文清）给这种狼虎吃了。他会感激你么？什么了不起的人？赚钱舞弊，叫人四下里通缉的，躲在丈人家，就得甩姑老爷的臭架子啦？（指着门）一到过年过节他就要摔点东西纪念纪念，我真不知道——

〔曾霆——思懿和文清生的儿子——汗涔涔地由通大客厅的门很兴奋地急步走进来。

〔曾霆，这十七岁的孩子，已经做了两年多的丈夫了。他的妻比他大一岁，在他们还在奶妈的怀抱时，双方的祖父就认为门当户对，替他们缔了婚姻。日后年年祖父祖母眼巴巴地盼着重孙，在曾霆入了中学的前二年，一般孩子还在幸福地抛篮球，打雪仗，斗得头破血流的时候，便挑选一个黄道吉日要为他们了却终身大事。于是在沸天震地的锣鼓鞭炮中，这一对小人儿——他十五，她十六——如一对羔羊，昏惑而惊惧，被人笑嘻嘻地推到焰光熊熊的龙凤喜烛之前，一拜，再拜，三拜……从此就在一间冰冷的新房里同住了两年零七个月。重孙还没有降世，祖老太太就在他们新婚第一个月升了天，而曾霆和他的妻就一直是形同路人，十天半月说不上一句话，喑哑一般地挨着痛苦的日子，活像一对遭人虐待的牲畜。每天晚上他由书房归来，必须在祖父屋里背些《昭明文选》《龙文鞭影》之类的文章，偶尔还要临摹碑帖，对些干涩的聪明对子，打过二更，他才无精打采地回到房里，昏灯下望见那为妻的依然沉默地坐着，他也就一言不发地拉开了被沉沉睡去。

〔进了学校七个月才使他略微有些异样。同伴们野马似的生活，使他多少恢复他应有的活泼，家人才发现这个文静的小大人原来也有些痴呆的孩子气。这突如其来的天真甚至于浮躁，不但引起家里长辈们的不满，连远房的亲属也大为惊异。因为一向是曾家的婴儿们仿佛生下来就该长满了胡须，迈着四方步的。户外生活逐渐对他成了个巨大的诱惑。他开始爱风，爱日光，爱小动物，爱看人爬树打枣，甚至爱独自走到护城河畔放风筝。尤其因为最近家里来了这么一个人类学者的女儿，她居然引动他陪着做起各种顽皮的嬉戏。他莫名其妙地暗自追随这个明快爽利的女孩子身后，像在黑夜里跟从一束熊熊的火焰。她和他玩，她喋喋不休地问他不知多少难以回答的有趣的傻话。曾霆开始感觉生命中展开了一片新的世界，他的心忽然奔突起来有如一个初恋的男子。——事实上他是第一次有这样的经历。——他逐渐忘却他那循规蹈矩的步伐，有时居然被她的活泼激动得和她一同跳跃起来，甚至被她强逼着也羞涩涩地和她比武相扑，简直忘却他已有十七岁的年龄，如他祖父与母亲时常告诫的，是个“有家室之累”的大人了。

他生得文弱清秀，一若他的父亲。苍白而瘦削的脸上，深湛的黑眼睛有若一泓澄静的古潭。他穿一身淡色的夹长衫，便鞋，漂白布单裤，眉尖上微微有点汗。

曾　霆　（突然瞥见他的母亲，止住脚）妈！

曾文清　下学啦？

曾　霆　嗯，爹。

曾思懿　（继续她的牢骚）霆儿，你记着，再穷也别学你姑丈，有本事饿死也别吃丈人家的饭。看住在我们家的袁伯伯，到月头给房钱，吃饭给饭钱，再古怪也有人看得起。真是没见过我们这位江姑老爷，屎坑的石头，又臭又硬！

〔前院一个女孩的声音：（愉快地）曾霆！曾霆！

曾文清　你听，谁叫你？

〔前院女孩的声音：曾霆，曾霆！

曾　霆　（不得已，只好当着母亲答应）啊！——

〔前院女孩的声音：（笑喊）曾霆，我的衣服脱了，你来呀！

曾思懿　（厉声）这是谁！

曾　霆　袁伯伯的女儿。

曾思懿　她叫你干什么？

曾　霆　（有些羞涩）她，她要泼水玩。

曾思懿　（大吃一惊）什么，脱了衣服泼水，一个大姑娘家！

曾　霆　（解释地）她，她常这样。

曾思懿　（申斥里藏着嘲讽）你也陪着她？

曾　霆　（愿然）她，她说的。

曾思懿　（突然严峻）不许去！八月节泼凉水，发疯了！我就不喜欢袁家人这点，无法无天，把个女儿惯得一点人样都没有。

〔前院女孩的声音：（高声）曾——霆！

曾　霆　（要应又不敢应）哎！

曾思懿　（立刻截住）别答理她！

曾　霆　（想去告诉她）那么让我，——（刚走一步）

曾思懿　（又扯住他）不许走！（对曾霆）你当你还小么？十七岁，成了家的人了。你爷爷在你那么大，都养了家了！（突兀）你的媳妇回来了没有？

曾　霆　（一直很痛苦地听着她的话，微声）打了电话了。

曾思懿　她怎么说？

曾　霆　（畏缩）不是我打的，我托愫姨打的。

曾思懿　（怒）你为什么不打？叫你去打，你怎么不打？

〔前院女孩的声音：（几乎同时）曾霆，你藏到哪儿去了？

曾　霆　（昏惑地，不知答复哪面好）愫姨原来就要托她买檀香的。

〔前院女孩的声音：（着急）你再不答应，我可生气了。

曾思懿　（看出曾霆的心又在摇动。曾霆还没走半步，立刻气愤愤地）别动，愫姨叫她买檀香，叫她买去好了。（固执地）可我叫你自己给瑞贞打电话，你为什么不打？我问你，你为什么总是不听？不听？

〔曾霆偷偷望一眼，又低头无语。

曾文清　（悠然长叹）他们夫妻俩没话说，就少让他说几句。何必勉强呢？凡事勉强就不好。

〔前院女孩的声音:（高声大叫）曾——霆!

曾思懿　（突对那声音来处）讨厌!（转向文清）“勉强就不好”，什么事都叫你这么纵容坏了的！我问你，八月节大清早回娘家，这是哪家的规矩？她又不是不知道现在家里景况不好，下人少，连我不是也下厨房帮着张顺做饭?（刻薄地）哼，娘家也没有钱，可一小就养成千金小姐的脾气!（对曾霆咻咻然）你告诉她：到哪儿，说哪儿。嫁到我们这读书的世家，我们家里什么都不讲究，就讲究这点臭规矩!

〔由通大花厅的门跑进来雄赳赳的袁圆小姐——这个一生致力于人类学的学者十分钟爱的独女。她手提一桶冷水，穿着短袖洋衬衣，胶鞋，男孩儿的西式短裤，露出小牛一般茁壮的圆腿，气昂昂地来到门槛上张望。她满脸顽皮相，整天在家里翻天覆地，没有一丝儿安闲。时常和男孩儿们一同玩耍嬉戏。在她一切都来得自然简单，率直爽朗。她头发短短的，汗淋淋的脸红喷喷的。

袁　圆　（指着曾霆）曾霆，好，闹了归齐，你在这儿!（说着就提起那桶水笑嘻嘻地追赶上去，弄得曾霆十分困窘，在母亲面前，简直不知道如何是好）

曾　霆　（大叫）水！水!（不知不觉躲在父亲后面）

曾思懿　（惊吓）凉水浇不得!（拉住袁圆）袁小姐，我问你一句话。

袁　圆　（回转身，笑呵呵地）什么?

曾思懿　（随嘴乱问）你父亲呢?

袁　圆　（放下水桶，故意沉稳地）在屋里画“北京人”呢。（突然大叫一声，猫捉耗子似的把曾霆捉住）你跑？看你跑到哪里！

曾　霆　（笑得狼狈）你，你放掉我。

袁　圆　（兴奋地）走，我们出去算账。

曾思懿　（大不高兴）袁小姐！

袁　圆　走！

曾文清　（笑嘻嘻地）袁圆，你要一个东西不？

袁　圆　（突想起来，不觉放掉曾霆）啊，曾伯伯，你欠了我一个大风筝。你说你有，你给我找的。

曾文清　（笑着）秋天放不起风筝的。

袁　圆　（固执）可你答应了我。我要放，我要放！

曾文清　（微笑）我倒是给你找着一个大蜈蚣。

袁　圆　（跳起来）在哪儿？（伸手）给我！

曾文清　（不得已）蜈蚣叫耗子咬了。

袁　圆　（黠巧地）你骗我。

曾文清　有什么法子，耗子饿极了，蜈蚣上的浆糊都叫耗子吃光了。

袁　圆　（顿足）你看你！（眼里要挂小灯笼）

曾文清　（安慰）别哭，别哭，还有一个。

袁　圆　（泪光中闪出一丝笑容）嗯？我不相信。

曾文清　霆儿，你到书房（指养心斋）里把那个大金鱼拿过来。

曾　霆　（几乎是跳跃地）我拿去。

曾思懿　（吼住他）霆儿，跳什么？

〔曾霆压抑住自己的欢欣，大人似的走向书斋。

袁　圆　（追上去）曾霆！（拉着他的手）快点，你！（把他拉到书斋

里，瞥见那只五颜六色，上面有些灰尘的风筝，忍不住惊喜地尖叫一声）啊，这么大！（立刻就要抢过来）

曾　霆　（脸上也浮起异常兴奋的笑容，颤抖地）你别拿，我来！（举起那风筝）

袁　圆　（争执）你别拿，我来！

曾　霆　你毛手毛脚地弄坏了。

袁　圆　（连喊）我来！我来！我来！你爹爹为我糊的。

〔二人都在争抢着那金鱼。

曾思懿　（同时）霆儿！

曾　霆　（喘着气喊）不，不。（目不转睛望着袁圆，兴奋而快乐地和她争抢。十个苍白得几乎透明的手指握着那风筝的竹篾，被圆儿粗壮的手腕左右摇甩，几乎按不住那风筝）

袁　圆　（同时不住地叫）我来，我来！

〔曾霆蓦然大叫一声，放下那风筝，呆望自己流血的手指。

袁　圆　（吃一惊）怎么？

曾思懿　（埋怨）你看！（走到曾霆面前申斥）你看出了血了！

曾文清　（望着曾霆）扎破了？

曾　霆　（握着手指）嗯。

袁　圆　（关怀地）痛不痛？

曾　霆　（惶惑）有一点。

曾思懿　（拉着曾霆）快去，上点七厘散。

袁　圆　（满有把握地）不用！（陡然低下头吮吸他手上的伤口）

曾　霆　（吃了一惊）啊！（一阵感激的兴奋在脸上掠过，他忸怩地拒绝母亲的手）妈，不用了，妈——

袁　圆　（唾出一口涎水，愉快地把他的手放开）得，还痛不痛？

曾　霆　（恧然低声）不痛了。

〔圆儿突然由地上提起那桶凉水。

曾　霆
曾思懿　（紧张）啊！

袁　圆　（对曾霆笑着）饶了你，这一桶水，我不泼你了。（推着曾霆）走，我们放风筝去。（曾霆立刻顺手拿起风筝）再见！曾妈妈。

〔圆儿[1]跳跳蹦蹦地推着曾霆出了门，水洒了一地。

曾思懿　霆儿！

曾文清　（解劝地）让他们去吧！

曾思懿　你别管！（对外）霆儿！

〔霆儿只好又从外面走进来，后随那莫名其妙的袁圆。

〔曾霆望着母亲。

曾思懿　（端起那碗参汤）把这碗参汤喝了它，你爹不喝了。

袁　圆　（圆眼一睁，惊讶地羡慕）参汤！

曾　霆　我不喝！

曾思懿　（厉声）喝掉！

曾　霆　（拿起就喝了一口，立刻吐出）真的，坏了。

曾思懿　胡说！（自己拿过来尝了一口，果然觉得口味不对，放下）哼！

1　“圆儿”川版作“袁圆”。

〔这时袁圆顽皮地向曾霆招手，又轻悄悄踮着脚步推着曾霆的背走出。曾霆迈出门槛，袁圆只差一步——

曾思懿 （忽然）袁小姐！

袁　圆 （吃一惊）啊？（回头）

曾思懿 你过来！

袁　圆 （走过来）干什么？

曾思懿 （满脸笑容）今天我们家里，请你同你父亲一同过来过节，你对他说过了么？

袁　圆 （白眼）请我们吃中饭？

曾思懿 （异常讨好的神色）啊，特为请你这位顶好看的袁小姐。

袁　圆 （愣头愣脑）你胡扯！你们请的爸爸跟愫小姐，我知道。

曾思懿 哪个说的？

袁　圆 （自负）江姑老爷跟我都说了。

曾思懿 （和颜悦色）那么你想要新妈妈不？

袁　圆 我没妈妈，我也不要。

曾思懿 （劝导地）有妈好。你喜欢愫小姐做你的妈妈不？

袁　圆 （莫名其妙）我？

〔前院子里曾霆的声音：袁圆，快来，有风了！

袁　圆 （冷不防递给思懿一个纸包）给你！

曾思懿 （吃了一惊）什么？

袁　圆 爸爸给你的房租钱！（由通大客厅门跑下）

曾思懿 （鄙恶）这种孩子，真是没家教！

曾文清 （不安地）你，你跟江泰闹的什么把戏？你们要把愫方怎么样？

曾思懿 （翻翻眼）怎么样？人家要嫁人，人家不能当一辈子老姑娘，侍候你们老太爷一辈子。

曾文清 她没有说，你们怎么知道她要嫁人？

曾思懿 （嘴角又咧下来）看不出来，还猜不出来！我前生没做好事，今生可要积积德，我可不想坑人家一辈子。

曾文清 嫁人当然好，不过嫁给这种整天就懂研究死人脑袋壳的袁博士——

曾思懿 她嫁谁有你的什么？你关的什么心？（恶毒地）你老人家是想当陪房丫头一块嫁过去，好成天给人家端砚台拿纸啊，还是给人家铺床叠被到了晚上当姨老爷啊？

曾文清 （气愤）你是人是鬼？这样背后欺负人家！

曾思懿 （也怒）你放屁！我问“你”是人是鬼，用着你这样偏向着人家！

曾文清 她是个老姑娘；住在我们家里侍候爹这么些年——

曾思懿 （索性说出来）我就恨一个老姑娘死拖活赖住在我们家里，成天画图写字，陪老太爷，仿佛她一个人顶聪明。

曾文清 唉，反正我要走了，只要爹肯，你们——

曾思懿 他不肯也得肯。一则家里没有钱，连大客厅都租给外人，再也养不住闲亲戚。再则，（斜眼望着他，刻薄地）人家自己要嫁人，你不愿意她嫁呀——

曾文清 （忍无可忍，急躁）谁说我不愿意她嫁？谁说我不愿意她嫁？谁说我不愿意她嫁？

曾思懿 （一眼瞥见愫小姐由养心斋的小门走进来，恰如猫弄老鼠一般地诡笑起来）别跟我吵，我的老爷，人家愫小姐来了！

〔愫方有三十岁上下的模样，生在江南的世家，父亲也是个名士。名士风流，身后非常萧条；不久母亲又弃世，自己的姨母派人接来[1]，从此就遵守母亲的遗嘱，长住在北平曾家，再没有回过江南老家。曾老太太在时，非常喜爱她，这个刚强的老妇人死后，愫方又成了她姨父曾皓的拐杖，他走到哪里，她必须随到哪里。在曾皓日渐衰颓的暮年里，愫方是他眼前必不可少的慰藉，而愫方的将来，却在悠忽的岁月中，很少有人为她恳切地想一想。

〔见过她的人第一个印象便是她的沉静。谁也猜不出她心底压抑着多少苦痛的思想与愿望，她是异常缄默的。

〔伶仃孤独，多年寄居在亲戚家中的生活养成她一种惊人的耐性，她低着眉头，听着许多刺耳的话。只有在偶尔和文清的诗画往还中，她才不自知地流露出一点抑郁的情感。

〔她态度大方，服饰很淡雅。她穿一身深蓝毛哔叽的旧旗袍，宽大适体。

曾思懿 （对着愫方，满脸的笑容）你看，愫妹妹，你看他多么厉害！临走临走，还要恶凶凶地对我发一顿脾气。（又是那一套言不由衷的鬼话）不知道的，都看我这样子像是有点厉害，在家里不知道怎么恶呢！知道的，都明白，我是个受

---

1 “接来”川版作“把她接来”。

气包：我天天受他（指文清）的气，受老爷子的气，受我们姑奶奶姑老爷的气，（可怜的委屈样）连儿子媳妇的气我都受啊！（亲热地）真是，这一家子，就是愫妹妹你，心地厚道，一个人待我好，待我——

〔愫方莫名其妙地谛听这潮涌似的话，恬静地微笑着。

曾文清 （忍不住，插进嘴去）爹起来了？

〔思懿这才停住嘴。屋里顿时安静下来。

愫　方 （安详地）姨父早起来了。（望见地上那张破碎的山水，弯身拾起）这不是表哥画的那张画？

曾思懿 （又叨叨起来）是呀，就因为这张画叫耗子咬了，他老人家跟我闹了一早上啦。

愫　方 （衷心的善意）不要紧，我拿进去给表哥补补。

曾文清 （谦笑）算了吧，值不得。

曾思懿 （似笑非笑对文清睨视一下）不，叫愫妹妹补吧。（对愫方）你们两位一向是一唱一和的，临走了，也该留点纪念。

愫　方 （听出她的语气，不知放下好，不放下好，嗫嚅）那我，我——

曾文清 （过来解围）还是请愫妹妹动动手补补吧，怪可惜的。

曾思懿 （眼一翻）真是怪可惜的。（自叹）我呀，我一直就想着也有愫妹妹这双巧手，针线好，字画好。说句笑话，（不自然地笑起来）有时想着想着，我真恨不得拿起一把菜刀，（微笑的眼光里突然闪出可怕的恶毒）把你这两只巧手（狠重）斫下来给我接上。

愫　方　（惊恐）啊！（不觉缩进去那双苍白的手腕）

曾文清　你这叫什么笑话。

曾思懿　（得意大笑）我可是个粗枝大叶，有嘴无心的人。（拿起愫方的手，轻轻抚弄着）愫妹妹，你可别介意啊。我心直口快，学不出一点文绉绉的秀气样子，我常跟文清说，（斜睨着文清）我要是个男人，我就不要像我这样的老婆，（更亲昵地）愫妹妹，你说是不是？你说我——

〔正当着愫方惶惑无主，不知如何答复的时候，曾瑞贞——大奶奶的儿媳妇——提着一大包檀香木和柱香由通大客厅的门慌慌走进来。

〔曾瑞贞只有十八岁，面容却已经显得有些苍老，使人不相信她是不到二十的年轻女子。她无时不在极度的压抑中生活。生成一种好强的心性，反抗的根苗藏在心里，在生人前口上决不泄露一丝痕迹。眼神中看得出抑郁，不满，怨恨。嘴角总绷得紧紧的，不见一丝女人的柔媚。她不肯涂红抹粉，也不愿穿鲜艳的衣裳，虽然屡次她的婆婆这样吩咐她，当她未如她的意时，为着这件事詈骂她。

〔当她无端遭她婆婆狺狺然辱骂时，她只是冷冷地对看着，并不惧怕，仿佛是故意地对她漠然。她决不在她所厌恶的人的面前哭泣，示出自己的怯弱，虽然她心里是忧苦的。在孤寂的空房中，她念起日后这漫漫的岁月，有时痛不欲生，几要自杀；既而又愤怒地想定：这幽灵似的门庭必须步出，一个女人，该谋寻自己的生路。

〔当她还在十六岁的时候——想起来，仿佛隔现在有几十年——她进了中学只有二年，就糊里糊涂地被人送进了这个精神上的樊笼。在这个书香门第里，她仿佛在短短一个夜晚从少女的天真的懵懂中被赶出来，蓦然变成了一个充满了忧虑的成年妇人。她这样快地饱尝到作人的艰苦，变得忧郁而沉默，使她以往的朋友们惊叹一个少女怎会变得这样突然。她的小丈夫和她谈不上话来，她又不屑于学习那谄媚阿谀的妾妇之道来换取婆婆的欢心。她勉强做着曾家孙媳妇应守的繁缛的礼节。她心里知道长久生活在这样环境中是不可能的。

〔在布满愁云一般的家庭里，只有愫姨是她的朋友。她间或在愫姨面前默默流着眼泪，她也同情怜惜着愫姨嘤嘤隐泣时发自衷心的哀痛。但她和愫姨是两个时代的妇女。她怀抱着希望，她逐渐看出她的将来不在这狭小的世界里，而愫姨的思想情感却跳不出曾家的圈栏。她好读书，书籍教她认识现在的世界，也帮她获得几个热心为她介绍书籍以及帮助她认识其他方面的诚恳的明友。这一方面的生活她只偶尔讲与愫姨听，曾家其他的人是完全不知道的。

〔这些天她的面色不好，为着突如其来的一种身体上的变化，她的心里激荡着可怕的矛盾。她为着一个未来的小小的生命寝馈不安，更深切地感到自己懵懵懂懂生活在这个家庭是怎样不幸，更想不明白为什么嫁与这个小人，目前又将胡胡涂涂为这个小人添了一个更小的生命。为着这个不可解决的疑难，她时常出门，她日夜愁思要想出一个解决的方法。

〔她进门有些犹疑。她晓得她穿的颜色暗澹的衣服先使婆婆看着不快。

曾瑞贞 妈！爹！

曾思懿 （嘲弄地）居然打电话把您请回来啦。我正在跟愫姨说，想叫辆汽车催请呢。

曾瑞贞 我，我身上有点不舒服。

曾思懿 （刁钻古怪地尖声笑着）难道这儿不是家？我就不能侍候您少奶奶啦。

愫　方 （替瑞贞说话）表嫂，她是有点不舒服。

曾思懿 （勉强地问）好了没有？

曾瑞贞 （低声）好了。

曾思懿 （狠狠看了她一眼）请吧，我怕你——快敬祖宗去吧。

曾瑞贞 嗯。（就转身向养心斋走）

曾思懿 （满面笑容，对愫方）我这个人就是心软，顶不会当婆婆了。一看——（突然转身对瑞贞）喂，瑞贞，你怎么连你爹都不叫一声就走了。

曾瑞贞 叫过了。

曾思懿 （嫌她顶撞，登时沉下脸，对文清）你听见了？（不容文清答声，立刻转对瑞贞）我没听见。

曾瑞贞 （冷冷望着她，转又对文清）爹爹！

曾文清 （不忍）快走，快走吧！

曾思懿 （对瑞贞）愫姨呢？

曾瑞贞 （机械地）愫姨。

曾思懿 （对愫方又似谦和又似示威地阴笑）你看我们这位少奶奶简直是一点规矩也不懂。（转对瑞贞，非常慈祥的样子）你还不谢谢愫姨，愫姨疼你，刚才电话是愫姨打的。

曾瑞贞 谢谢愫姨。

曾思懿 你知道霆儿从学校回来了么？

曾瑞贞 知道。

曾思懿 你看见他跟袁小姐放风筝了么？

曾瑞贞 （低声）看见了。

曾思懿 （对愫方指着瑞贞）您瞅，有这种傻人不？知道了，也看见了。（忽然转对瑞贞）那你为什么不赶紧回来看[1]着他。（自以为聪明地告诫）别糊涂，他是你的男人，你的夫，你的一辈子靠山。

曾文清 （寂寞地）小孩子们，一块玩玩，你总是大惊小怪地说这些话。

曾思懿 （故意）谁大惊小怪，你就会替这种女人说偏心话。（不自主地往愫方身上一瞟）这种女人我一看见就知道想勾引男人，心里顶下作啦。瑞贞你收拾好神桌，赶快叫霆儿穿马褂敬祖宗，少跟那个疯小姐混。

〔瑞贞又提起那一大包檀香木和柱香。

1 读阴平，“守”的意思。——底本注。

曾思懿　回来，哪个叫你买这些檀香木？

〔瑞贞不语。

愫　方　（低声）表嫂——

曾思懿　（佯未听见，仍对瑞贞）你发财啦，谁叫你买这么一大堆废东西？哪个那么讨厌，多事？

愫　方　（镇静地）是我，表嫂。

〔静默。

〔瑞贞由养心斋小门下。

曾思懿　（沉闷中笑出来）哎，真是的，你看我这个人，可不是心直口快，有口无心。莽张飞，心里一点事都存不住。（似乎是抱歉）哎，我要早知道是愫妹吩咐的——

愫　方　（沉静）姨，姨父说买来为晚上自己念经用的。

曾文清　爹前几天就说要人买了。

曾思懿　（顺嘴人情）我们这位老太爷，就是脾气怪，难侍候。早对我吩咐下来，不早就买啦。（又亲热地）哎，愫妹妹，你不知道，文清跟我多么感激你。这家里要没有你，老太爷不知道要对我这做儿媳妇的发多少次脾气啦。（非常关心的口气，低声）昨天晚上是老太爷又不舒服了吧？

愫　方　（微颔首）嗯。

曾思懿　（对文清，得意地）你看，可不是！（对愫方）我就听老爷子屋里“喀儿喀儿”直咳嗽。我就跟文清说：“可怜，老爷子大概又在气喘呢！”（满脸忧虑的神气）我一听就翻来覆去睡不着，我直推着文清说：“你听，大半夜了，愫妹妹还下厨房拿水，给爹灌汤婆子呢。真是的……”

曾文清 爹爹犯什么病？

愫　方 （无力地）腿痛，要人捶，他说心里头气闷。

曾思懿 （口快）那一定是——

曾文清 （怨艾地）于是他老人家就叫你捶了一晚上？

愫　方 （悲哀的微笑）捶捶，姨父就多睡一会。

曾思懿 （惊讶）啊，怪不得一早上我看见愫妹还在捶呢。

曾文清 （深沉的同情）那么，你到现在还没有睡？

曾思懿 （挢起舌头）通宵不睡觉怎么成！（疼惜的样子）哎，你怎么不叫我来替呀。真是的，快回屋睡一会。（推着愫方）你体子又单薄，哪经得住熬夜。（一肚子的关怀的心肠）哎，这是怎么说的。走，我的好妹妹，睡一会，回头真病了，我真要急死啦。

愫　方 （哀婉地）不用，我睡不着。

曾思懿 文清，你看真是再没有比愫妹再孝心的人了。我就爱愫妹这样的脾气，（对着愫方夸赞）不说话，待人好，心地厚道，总是和和气气，不言不语的。（忽转对文清）文清，我要是男的，我就娶愫妹这样的人，一辈子都是福气。

曾文清 （解救）愫妹，你不是给爹拿参汤的么？

愫　方 哦，哦，是的。

曾思懿 你早说呀，我早就预备好了。（端起那碗参汤）

曾文清 刚才霆儿不是说这碗参汤——

曾思懿 你少听他胡扯。咳，还是我热热拿去吧！（笑嘻嘻）这才叫作“丑媳妇也得见公婆”呢！再丑再不爱看，也是没法子啦。（走了两步，回头）哦，厨房那两碗菜是不是你做给文清在路上吃的？

愫　方　啊——嗯——

曾思懿　（尖刻）文清，你看你多福气，愫妹待你多好啊！临走临走，愫妹一夜没睡，还赶着做两碗菜给你吃，你还不谢谢！（笑着由养心斋小门走下）

〔静默，窗外天空断断续续地传来愉快的鸽哨响。

曾文清　（感愧的眼光满眼含着泪，低声）愫方，我，我——

〔愫方低头不语。

曾文清　（望望她也低下头，嗫嚅）陈奶妈来，来看我们来了。

愫　方　（忍着自己的哀痛）她，她在前院。

〔思懿蓦然又从书斋的小门匆忙探出身来。

曾思懿　（满面笑容，招手）文清，陈奶妈在外面找你呢。你快走了，还不跟她老人家说两句话？来呀，文清！

〔愫方望着文清，文清毫无生气地随着思懿由书斋小门下。

〔泠泠的鸽哨响。

〔辚辚——石道上独轮水车，单调的轮轴声。

〔远处算命瞎子悠缓的铜钲声。

〔一两句遥远市街上的“酸梅的汤儿来……”

〔愫方伫立发痴，蓦然坐在一张孤零零的矮凳上嘤嘤隐泣起来。

〔微风吹来，响动着墙上挂的画。

〔外面袁圆的声音:（放着风筝，拍手喊）飞呀，飞呀，向上飞呀！

〔陈奶妈带着小柱儿由大花厅通前院的门走进来。小柱儿目不转睛地回头望着半空中的纸鸢，阳光迎面射着他通红的圆脸。

陈奶妈　愫小姐！

小柱儿　（情不自禁，拍手）奶奶，金鱼上天了！金鱼上天了！（指着窗外的天空，惋惜地大叫）哎呀，金鱼又从天上摔下来了。金鱼——

陈奶妈　（望见愫方独自在哭，回首，低声）别嚷嚷，你出去看去吧！

〔小柱儿喜出望外，三脚两步走出去。陈奶妈悄悄走到愫方面前。

陈奶妈　（缓缓地）愫小姐，你怎么啦？

愫　方　（低头）我，我——（又低声抽咽）

〔半晌。

陈奶妈　（叹了一口气，怜惜地把手放在她微微在抽动着的肩上）愫小姐，别哭了。我走了大半年了，怎么我回来你还是在哭呀？

愫　方　（抬头）我真是想大哭一场，奶妈，这样活着，是干什么呀！（扑在桌上哭起来）

陈奶妈　（低下头，眼泪几乎也流下来）别哭了，我的愫小姐，去年我就劝你多少次了。（沉痛地）嫁了吧，还是嫁人好。就是给人填房都好。（一面擦着自己的泪水，一面强笑着）我可说话没轻没重的，一个大姑娘在姨父家混一辈子成怎么回事啊。（愫方又隐泣起来）好歹嫁了吧，我的愫小姐，人家的家总不是自己的家呀！

〔愫方哭出声来。

陈奶妈 （低声，秘密地）那位袁先生我刚才到前院偷偷相了一下，人倒是——

愫　方 （抽咽）奶妈，你，你别说这个。

陈奶妈 （温慈地）是，八字都拿去合了么？

愫　方 （恳求她不要再说下去）奶妈。

陈奶妈 （摇头）我们这位大奶奶是不容人的。我看，清少爷，可怜，天天受她的气，我一想起来，心里真是说不出的心疼啊。（忧伤地）哎，世上真是没有如意的事啊，你看，你跟清少爷，你们这一对——

〔瑞贞由养心斋小门匆忙上。

曾瑞贞 愫姨，爷爷叫你。

愫　方 哦！（忙立起身，擦擦眼睛，就低首向书斋走）

曾瑞贞 爷爷在前面厢房里。

〔愫方又低头转身向通大客厅的门走。瑞贞看出她在哭，就随在后面。

曾瑞贞 （低声）愫姨，你——

〔愫方依然低头向前走。

〔后院思懿的声音：瑞贞！

曾瑞贞　（停步应声）哎！

〔后院思懿的声音:（尖厉地）你又跑到哪儿去了，瑞贞？

曾瑞贞　在这儿!（依然随着愫方后面走）

愫　方　（在大客厅门槛上停步）你去吧！

曾瑞贞　不。

〔愫方又走，二人走进大客厅内，愫方先由通前院的门走出去。

〔思懿由养心斋小门上。

曾思懿　瑞贞，你——（瞥见陈奶妈）啊，陈奶妈,（满脸笑容，指着后院）快去吧，你的清少爷正到处找你呢！

陈奶妈　（喜不自禁）清少爷？哪儿？

曾思懿　院子里。

〔陈奶妈又非常高兴地颤巍巍地由书斋走下。瑞贞从通大客厅的门悄悄走上来。

曾瑞贞　妈。

曾思懿　（狠狠盯着她）你耳朵聋了!（四下一望）我叫你喊的人呢！

曾瑞贞　我，我——

曾思懿　（厉声）滚！死人！

〔瑞贞低首由她面前走过——

曾思懿　（切齿）看你那死样子,（顿足）你怎么不死啊！

〔瑞贞默默由书斋小门下。

曾思懿　（同时走到大客厅，喊）霆儿，霆儿！

〔曾霆由大客厅通前院的门上。

曾　霆　（一脸汗）妈。

曾思懿　（责备，冷冷地）妈叫你，知道么？

曾　霆　（歉笑）知道。

曾思懿　（气消了一半）快穿好袍子马褂，给祖先上供去！

〔曾霆立刻转身向书斋走。

曾思懿　（一手拉住他，异常和蔼地）孩子，以后你别跟那个袁小姐玩，野姑娘，没规没矩的。（一半鼓励，一半泄愤的样子）你要是嫌瑞贞不好，你中学毕了业，我给你再娶一个。好好念书，为你妈妈争气，将来——

〔曾霆正听得不耐烦时，张顺由左边姑老爷的卧室走出。曾霆乘机由书斋小门溜下。

〔门开时，左面卧室内传出"混蛋！滚！滚！"的喊声。砰地门随着关上。

曾思懿　什么事，张顺？

张　顺　（也气呼呼地）大奶奶，张顺想跟您请长假。

曾思懿　又怎么啦？

张　顺　（指手画脚）我侍候不了这位姑老爷，一天百事不做，专找着我们当下人的祖宗八代地乱卷[1]。

曾思懿　（愤愤）他是条疯狗，跟他一般见识干什么？

张　顺　（盛气难息）不，您另找人吧，我每天搪账不必说——

〔突然又由隔壁传来一声"混账！"一个女人喊着说："你别

---

1 "骂"的意思。——底本注。

去！别去！”男人暴叫：“撒开手，我要见她！”

曾思懿 （仿佛感到什么，立刻低声）张顺，这边来说，让他来喊去。

〔张顺随着大奶奶由书斋内小门走出。

〔同时几乎一阵闯进来的是扭持着的姑老爷和姑太太。江泰登时甩开手，曾文彩目瞪口张地望着他。他手握着一束钞票，气呼呼地乱指。

〔姑老爷江泰是个专攻化学的老留学生，到了北平，就纵情欢乐，尽量享受北平舒适的生活，几乎和北平土生的公子哥儿的神气毫无二致。他有三十七岁，神色带着几分潦倒模样。人看来是很精明的，却仿佛走到社会里就比不过与他同样聪明的朋友们，以是[1]他时时刻刻想占些小便宜，而总不断地在大处吃了人的亏。他心地并不算奸恶，回国后，很想大大发展一下。他不知为什么抛弃本行，沾沾自喜地做了官。做了几次官都不十分得意，在最后一任里，他拉下很大的亏空，并且据说有侵吞公款的嫌疑，非常不名誉地下了任。他没剩多少钱，就和太太寄居在丈人家里，成天牢骚满腹，喝了两杯酒就在丈人家里使气。人越穷，气越盛，拍桌骂人，摔碟子摔碗是常有的事。

〔但他也不是没有可爱的地方，他很直率，肯说老实话，有时也很公平，固然他常欺蔑他的病妻。在太太偶尔高兴，开始发两句和他不同的议论的时候，他总是轻蔑地对她说：

---

1 “以是”川版作“于是”。

“你懂得什么?”他还有一件长处，北平的饭馆戏园各种游乐的场所他几乎处处知道门路。而且他最讲究吃，他是个有名的饕餮，精于品味食物的美恶，举凡一切烹调秘方，他都讲得头头是道，说得有声有色，简直像一篇袁子才的小品散文。他也好吹嘘，总爱夸显过去他如何的阔绰豪放，怎样得到朋友们的崇拜和称赞，有时说得使人难以置信。

通常他是无时无刻不在谈着发财的门径的。但多半是纸上谈兵的淡话，只图口头上快意，决不想到实行。只有一次，他说要办实业，想开一个一本万利的肥皂厂，就在曾家的破花窖里砌炉举火，克日动工，熬开一大锅黄澄澄的浓汤，但制成时，一块块胰子软叽叽的像牛油。原来他的化学教科书不好，那节肥皂的制造方法，没有写明白，于是那些锅儿灶儿就一直扔在破花窖里，再没有人提。

经过这一次失败后，有一阵他绝口不谈发财。但不久躲在房里又忍不住和他的妻轻轻叹息说:“总有一天我能发明一种像万金油似的药，那我就——”于是连续地他又有许多发财的梦，但始终都是梦。看相批命也不甚灵，命中该交财运的年头，事实都不如此。最近他才忽然想起一个巨大的计划，他要经商，他劝他丈人拿钱到上海做出口生意，并且如果一时手下不便，可以先卖了房子，做为营利的资本。但他的岳父照例地以为不可。却又怕他的“姑老爷”的脾气发作，就对他唯唯否否，弄得他十分不快。

他身材不高，宽前额，丰满的鼻翼，一副宽大的厚嘴唇，唇上微微有些黑髭[1]，很漂亮的。他眼神有些浮动，和他举止说话一样。

〔他穿一套棕色西服，货料和剪裁都好，领带拖在前面。一绺头发在顶上翘起来，通身上下都不整齐。

〔他的夫人曾文彩有三十三岁，十年前是一位有名娇滴滴的蜡美人，温厚娴静，婚后数年颇得他丈夫的宠爱。后来一直卧病，容颜顿改，人也憔悴瘦弱，脸色比曾家一般人还要苍白，几乎一点也看不出昔日的风韵。她非常懦弱，任何事她都拿不定主意。在旧书房里读了几年书，她简直是崇拜她的丈夫，总是百依百顺地听她丈夫的吩咐，甘心受着她丈夫最近数年的轻蔑和欺凌。病久了，她进门有些颤抖，唇[2]惨白失色，头发微乱，她穿一件半旧的蓝灰色羽纱旗袍，青缎鞋也有些破旧。

曾文彩 （哀求江泰）你这样去，成什么样子？

江　泰 （睁圆了眼）给他钱，什么样子？住房，给房钱，吃饭，给饭钱。

曾文彩 （怯弱地）你不要这么嚷，弄得底下人听见笑话。

江　泰 （愤慨）这有什么可笑话！给完了钱，我们就搬家。（举起那钞票乱甩，怒喊）我叫你给他钱，你为什么不去？（拔步就走）我自己去交给你父亲！

---

1 “黑髭”川版作“黑影”。

2 “唇”川版作“嘴唇”。

曾文彩 （死命拉住他，颤抖得像一只将死的蝴蝶）江泰，你给我留点面子，这是我的娘家！

〔思懿偷偷由书斋小门伸出头窃听。

江　泰 （唾了一口涎水）娘家，我看还不及住旅馆有情分呢。（指着后院）老头死了，你要是拿他一个大钱，我立刻就跟你离婚。

曾文彩 （哀诉地）你从哪儿听的这些闲话？哪个告诉你说嫂嫂嫌我们住在此地，又是谁说你想着你岳父的钱哪？

江　泰 （傲慢地）奇怪，我贪这几个钱？（愤恨）你们家里的人一个个都是混蛋，小人，没见过钱的，第一你那个大嫂！

曾文彩 （低声，怯惧地）你喊什么？她说不定就在隔壁！

江　泰 （痛快淋漓）我喊，我就是给她听，看她怎么样？看她敢怎么样？我要打死她，我要一枪打死她！

〔思懿先真要挺身而出，听见这么可怕的恐吓，又悄悄退回去。

曾文彩 （叹息）再怎么说也是亲戚。

江　泰 什么亲戚？（牢骚满腹）亲戚是狗屎！我有钱，我得意的时候，认识我。没有钱，下了台，你看他们那副鬼脸子！（越想越恨）混账！借我钱，买田产的时候，你问问他们记得不记得？我叫他们累得丢了官，下了台，你问问他们知道不知道？昨天我就跟老头通融三千块钱，你看老头——

曾文彩 （连忙）回头我跟爹说！

江　泰 （怒冲冲）你不要去！你少给我丢脸！你以为你父亲吃斋念

佛就有人心么？伤天害理，自己的棺材放在家里，漆都漆好了，偏把人家老姑娘坑在家里，不许嫁人！

曾文彩 （弱声弱气）你不要这样胡说！

江　泰 哼,（凶横地）我问你，他怕死不怕死？

曾文彩 （枯笑）老人家哪个不怕死？

江　泰 那么，他既然知道他要死了，为什么屡次有人给愫小姐提婚，他总是东不是西不是[1]挑剔，反对？

曾文彩 （忠厚地）那也是为她好。

江　泰 （睁圆眼睛）你胡扯！自私！自私！就是自私！一句话，眼不见为净，我立刻走！我立刻就滚蛋，滚他妈的蛋！

〔曾霆由书斋小门上。

曾　霆 姑姑，姑丈，爷爷请您们二位敬祖去。

江　泰 我不去。

曾文彩 霆儿，你别听他的，我们就去。

曾　霆 妈说等着姑姑跟姑丈点蜡呢。

江　泰 我不去，我江家的祖宗还没有祭呢。

曾文彩 （哀恳地）走，把衣服换了，穿上袍子马褂！

〔愫方由书斋小门上。她手里拿着一包婴儿的衣服。

愫　方 （找着）瑞贞呢？

曾文彩 不在这儿。

愫　方 表姐夫还不去，姨父都在祖先堂屋等着呢！

1　此处川版有“地”。

曾文彩　（几乎是乞怜）看我的份上，你去一趟吧！

江　泰　（翻翻眼）你告诉他我没有工夫侍候。（头也不回。由大客厅通前院的门下）

曾文彩　（追在后面）江泰，你别走，你听我说。（追下）

〔曾霆欲由大客厅走出去。

愫　方　（哀恳地）霆儿，你别走。

曾　霆　愫姨。

愫　方　你——（欲说又止）

曾　霆　什么？

愫　方　（终于）你为什么不跟瑞贞好呢？

〔曾霆不语。

愫　方　（沉重）你们是夫妻呀。

曾　霆　（痛苦地）您别提这句话吧。

愫　方　譬，譬如她是你的妹妹，你忍心成天——

曾　霆　（哀恳地）愫姨！

〔他们觉得有人来，回头看见瑞贞低着头仿佛忍着极端的苦痛，匆匆由书斋小门走进。

曾瑞贞　（抬头，突然望见曾霆）哦，你，你在这儿。

愫　方　（立刻）你们谈谈吧。（急向大客厅那面走）

〔前院袁圆的喊声：快来呀，曾霆！

〔曾霆原来与瑞贞相对无语，听见喊声，立刻抢在愫方的前面，疾步走进大客厅。

愫　方　霆儿，你——

〔曾霆不回顾，忙由大客厅通前院的门走出，愫方回过头，脸上罩满哀伤，慢慢向瑞贞走来。

曾瑞贞 愫姨！（扑在愫方的怀里哭泣起来）

愫　方 （低声抚慰）不要哭，瑞贞。

曾瑞贞 （忍不住地抽咽）我，我不，我不。

愫　方 （拉着她）我看你回屋躺一躺去吧。

曾瑞贞 （摇头）不，他母亲还叫我侍候开饭呢。

愫　方 （不安地探问着）你怎么一早就出去了？

曾瑞贞 我有，有点事。

愫　方 （摸着她的脸，哀怜地）我看你睡一会吧，你的眼通红的。

曾瑞贞 （惨凄）不，那他母亲更要以为我是装病了。

愫　方 （同情地）你还吐么？

曾瑞贞 还好。

愫　方 （无意地）瑞贞，还是让我，我替你说了吧。

曾瑞贞 （坚决）不，不。

愫　方 那么先告诉霆儿吧。

曾瑞贞 （抑郁）他懂什么？他是个孩子。

愫　方 （劝解）可为什么不说呢？

曾瑞贞 （摇头）愫姨，你不明白。

愫　方 （不了解）为什么呢？（欣悦之色）这又不是什么怕人晓得的事。

曾瑞贞 （痛苦地望着愫方）愫姨，我要是能像你一样，一辈子不结婚多好啊。

愫　方　（哀静地凝视）你怎么说些小孩子话？

曾瑞贞　（痛心）愫姨，我们是小孩子啊，到了年底我十八，曾霆才十七呀。我同他糊糊涂涂叫人送到一处。我们不认识，我们没有情感，我们在房里连话都没有说的。过了两年了，（痛苦地）可现在，现在又要——

愫　方　（淳厚地）那你的爷爷才喜欢呢。

曾瑞贞　是呀，愫姨，我就是问为什么呀？为什么爷爷要抱重孙子，就要拉上我们这两个可怜虫再生些小可怜虫呢？

愫　方　（安慰）人家说有了小孩就好了，有了小孩，夫妻的感情就会好的了。

曾瑞贞　（沉重地摇着头）不，愫姨，我不相信，我们不会好的。（肯定）即便曾霆又待我好，我在这样的家庭也活不下去的。（憎恶地）我真是从心里怕看见这些长辈们的脸哪，（拉着愫方的手）愫姨，如果这家里再没有你，我早就死了。

愫　方　（感动地）不要这么说话。你还小，孩子生下来大家就高兴了。

曾瑞贞　（哀愁）愫姨，怎么会高兴？杜家的账到现在没法子还，爷爷都说要卖房子——

愫　方　（低头）嗯。

曾瑞贞　多一个就多一个负担，曾霆连中学都还没毕业。

愫　方　（慈爱地笑着）不要像个小大人似的想下去了，活着吃苦不为着小孩子们，还为什么呢？毛毛生下来，我来替你喂。我来帮你，不要怕，真到了没路可走的时候，我母亲还留下一点钱，我们还可用在小孩子身上的。

曾瑞贞　（十分感动）愫姨，你，你的心真是——

愫　方　（高兴得流眼泪）那么，瑞贞，我一会儿替你说了吧，我替你告诉，先告诉表嫂，她想着要抱孙孙，就不会待你那样了。

曾瑞贞　（连忙）不，不，你不懂，我就不愿意告诉我这位婆婆。不，不，你千万谁也不要告诉。（激动地）愫姨，只有你，只有你——啊，愫姨，我心里乱慌慌的，昨天晚上我梦见我的母亲又活起来了，我还在家里当女孩子，（痛苦地）哦，愫姨，我要是永远不嫁人，永远不长大多好啊，多好啊！（又抽咽起来）

愫　方　（抚慰）不要哭，不要再流眼泪了。我给你看一点东西吧！（打开那个包，露出美丽的小婴儿绒线衣服）瑞贞，你看能用么？

曾瑞贞　（望着那件玲珑的小衣服，说不出话来）啊？

愫　方　喜欢么？

曾瑞贞　（颤抖着）怎么你连这个都预备了？（虽然有些羞赧，但也忍不住笑起来）还，还早得很呢。

愫　方　做着玩玩，我也是学着做。

曾瑞贞　（一件一件地翻弄，欣喜地）好看，好看，真好看。（陡然放下衣服）可愫姨，你没有钱，你为什么花这么许多钱，为，为着——

愫　方　（哀矜地）为着我爱你，瑞贞，你不生气吧。我们都是无父无母，看人家眼色过日子的人。

曾瑞贞 （低下头，紧紧握住愫方的手）愫姨。（泪泫然流下来）

愫　方 （哀婉地）你现在快做母亲了，要成大人了，为什么想不要孩子呢？有了孩子，他就会慢慢待你好的。（用手帕轻轻擦着瑞贞眼睫下面的泪水）顺着他一点，他还是个小孩呢！（摇头，哀伤地）唉，你们俩都是小孩子，十七八岁的人，懂得什么哟。（慢慢握紧瑞贞的手，诚挚地）瑞贞，昨天晚上你对我讲的话，那是万万做不得的。

曾瑞贞 （低声）为什么要这个小东西呢？（凝视）他是不喜欢我的。

愫　方 （恳切地）瑞贞，他再怎么不喜欢你，孩子是没有罪过的。岁数大了，心思就变了。有个小孩，家里再怎么不好，心里也就踏实多了。（凝望着她）你真想听你那个女朋友的话，到什么地方去么？（悲哀地）哎，哪里又真是我们的家呀！

曾瑞贞 （愤慨）我不要家，我不要这个家。

愫　方 （立刻按住她的手，摇头）不，你小，你不明白没有家的女人是怎么过的？（泫然）那心里头老是非常地寂寞的。（不能自已）我自小就——（突然又抑制住自己的愁苦，急转，哀痛地）瑞贞，你听我的话，你决不要做那样的事，万不要打掉那孩子。

曾瑞贞 嗯。

愫　方 你刚才是不是又找那个坏医生去了？

〔瑞贞不语。

〔后院文清的喊声：瑞贞！

愫　方　你要对我说实话。

曾瑞贞　（望她）嗯。

〔后院文清的喊声：瑞贞！

愫　方　那你以后再也不要去。

曾瑞贞　（哀痛地）嗯！

愫　方　（沉挚地）你说定了！

〔正当瑞贞微微颔首的时候，文清低首由书斋小门上。

曾文清　（扬头突见愫方）哦，你在这儿！（对瑞贞）瑞贞，你给我拿马褂来。

曾瑞贞　是，爹！（进了文清的卧室）

〔半晌，二人相对无语。

曾文清　（长叹一声）愫方，我要走了，以后，你，你一个人——

〔蓦然由大客厅通前院的门兴高采烈地跑进来袁圆。

袁　圆　（连喊）曾伯伯，曾伯伯！

曾文清　（转身笑着）什么？

袁　圆　小柱儿说他奶奶送给你一对顶好看的鸽子。

曾文清　（指那笼子里的鸽子）在那里。

袁　圆　（提起来）咦，怎么就剩下一个啦？

曾文清　（哀痛）那个在半路上飞了。

袁　圆　（赞美地指着笼里的鸽子，天真地）这个有名字不？

曾文清　（缓缓点头）有。

袁　圆　（恳切地）叫什么？

曾文清　（沉静地）它，它叫“孤独”。

袁　圆　真好看！（撒娇似地央求着）曾伯伯，你送给我？

曾文清　好。

袁　圆　（大喜）谢谢你！你真是个好伯伯！（提着鸽笼跳起就跑）小柱儿！小柱儿！

〔一路喊着由大客厅通前院的门走出去。

〔静默。天空鸽哨声。

曾文清　（费力地）谢谢你送给我的画。

〔愫方低头不语。

曾文清　（慢慢由身上取出一张淡雅的信笺）昨天晚上我作了几首小东西，（有些羞怯地递到她的面前）在，在这里。

〔愫方接在手中。

曾文清　（温厚地）回头看吧。

愫　方　（望着他）一会儿，我不能送行了。

〔思懿突由书斋小门上。

曾思懿　（惊讶）哟，你们在这儿。（对愫方）老爷子叫你呢。

愫　方　（仍然很大方地拿着那张纸）哦。（立刻走向书斋）

曾思懿　（瞥见她手上的诗笺，忽然眼珠一转）啊呀，地上还有一张纸！

愫　方　（不由得回头）啊？

曾文清　（惴惴然）哪儿？（忙在地上寻望）

曾思懿　（尖刻地笑）哦，就一张！（望着愫方）原来在手上呢！

〔外面曾老太爷的声音：（苍老地）愫方哪！

愫　方　哝！（由书斋小门下）。

曾思懿　（脸沉下来）你们又在我背后闹些什么把戏！

曾文清　（惶然）怎么——没有。

曾思懿　你刚才给她什么？

曾文清　（推诿）没有什么。

曾思懿　（厉声）你放屁，你瞒不了我！你说，她手里拿的是什么？你说——

曾文清　我——

〔瑞贞由右边卧室拿着马褂走出来。

曾瑞贞　爹，马褂！

〔文清接下马褂。

曾思懿　（对瑞贞烦恶地）快去吧，你的愫姨等着你。

〔瑞贞由书斋小门下。

〔文清默默穿马褂。

曾思懿　（叨叨）我一辈子是大方人，吃大方的亏。我不管你们在我背后闹些什么，（百般忍顺的模样）反正这家里[1]早已不成一个家。"树倒猢狲散"，房子一卖，你带你的儿子媳妇一齐去过也好，或者带你的宝贝愫妹妹过也好，我一个人到城外尼姑庵一进。带发修行，四大皆空。（怕他不信）你别以为我在跟你说白话，我早已看好了尼姑庵，都跟老尼姑说好了。

曾文清　（明知她说的是一套恐吓的假话。然而也忍不住气闷，颤抖地）你这是何苦？你这是何苦？

1　"这家里"川版作"这个家"。

曾思懿　（诉苦）我也算替你们曾家生儿养女，辛苦了一场，我上上下下对得起你们曾家的人！过了八月节，这八月节，我把这家交给姑奶奶，明天我就进庙。（向卧室走）

〔张顺由大客厅通前院的门急进。

张　顺　（急促）大奶奶，那漆棺材的要账的伙计——

曾思懿　叫他们找老太爷去！

张　顺　（狼狈）可他们非请大奶奶——

曾思懿　（眼一翻）跟他们说大奶奶死了，刚断了气！（进了卧室）

〔文清望着卧室的门。

〔张顺叹一口气由大客厅通前院门下。

曾文清　思懿！（推卧室门）开门！开门！你在干什么？

〔思懿的声音：（气愤的口气）我在上吊！

曾文清　（敲门）你开门！开门！你心里在想着什么？你说呀，你打算——（回头一望，低声）爹来了！

〔果然是由书斋小门，瑞贞，愫方和陈奶妈簇拥着曾皓走进来。

〔曾皓，看来至多不过六十五，鬓发斑白，身体虚弱，肿胀的黄脸上，微微有几根稀落惨灰的短须。一对昏蒙无神的眼睛，时常流着泪水，只在偶尔振起精神谈话时才约莫寻得出曾家人通有的清秀之气。他吝啬，自私，非常怕死，整天尽吃补药，相信一切益寿延年的偏方。过去一直在家里享用祖上的遗产，过了几十年的舒适日子。偶尔出门做官，补过几次缺，都不久就重回到北平闭门纳福。老境坎坷，现在才逐渐感到困苦，子女们尤其使他失望。家中的房产，也所剩无几，自己又没什么治生的本领，所以心中百般懊恼。他非常注意浮面上的繁文缛礼，以为这是士大夫门第的必不可少的家教，往往故意夸张他在家里当家长的威严，但心中颇怕他的长媳。他晓得大奶奶尽管外表上对他作“奉承”文章，心里不知打些什么算盘。他也厌恶他的女婿的嚣张横肆，一年到头，总听见他在吵，在出主意，在高谈阔论种种营利的勾当。曾老太爷一直不说他有钱的，但现在也不敢说没有钱。他的家几乎完全操在大奶奶的手心里，哭穷固然可以应付女婿，但真要是穷得露了骨，他想得到大奶奶的颜色是很难看的，虽然到现在为止，大奶奶还不敢对自己的公公当面有若何轻视的表示。然而他很怕，担心有一天子女就会因为他没有留下多少财产，做出一种可怕的颜色给他看。

〔自然，这也许是他神经过敏，但他确实感到贫穷，对他，一个士大夫家庭中家长的地位都成了莫大的威胁。他有时几乎不相信诗书礼仪对他的子女究竟施了多大的教化和影响。他想最稳妥的方法是“容忍”，然而“容忍”久了也使他气郁，所以终不免时而唠唠叨叨，牢骚一发，便不能自止。但多半时间他愿装痴扮聋，隐忍不讲。他的需要倒也简单，除了漆寿木，吃补药两点他不让步外，其余他尽量使自己不成为子孙的赘疣。他躲在屋内，写字读佛，不见无欲，既省钱，也省力。却有时事情常闹到头上来，那么他就把多年忍住的脾气发作一下，但也与年壮气盛时大不相同，连发作的神情都很萎缩。他埋怨一切，他仿佛有一肚子的委屈要控诉，咒骂着子女们的不孝无能，叹惜着家运不昌，毁谤着邻居们的粗野无礼，间或免不了感叹[1]这没落的士大夫家庭的教养，趣味种种，他唯一留下来的一点骄傲也行将消散。

〔他的自私常是不自觉的。譬如他对愫方，总以为自己在护养着一个无告的孤女。事实上愫方哀怜他，沉默地庇护他，多少忧烦的事隐瞒着他，为他遮蔽大大小小无数次的风雨。当他有时觉出她的心有些摇动时，他便猝然张皇得不能自主，几乎是下意识地故意慌乱而过分地显露老人失倚的种种衰弱和苦痛，期想更深地撼动她的情感，成为他永远的奴隶。他无时无刻不在想着自己，怜悯着自己，这使他除了自己的不幸外，看不清周围其他的人也在痛苦。

〔他穿一件古铜色的长袍，肥大宽适；外面套着一件愫方为他缝制的轻软的马褂——他是异常地怕冷的——都没有系领扣，下面穿着洋式翻口绒鞋，灰缎带扎着腿。他手里拿着一串精细的念珠。

〔愫方和瑞贞扶掖着他，旁边陈奶妈捧着盖碗。

曾　皓　（闭着眼睛，听什么，连连点着头）嗯，嗯。

曾文清　（不安地）爹。

---

1 “免不了感叹”底本作“免不了”，据川版改。

〔曾皓陷在沉思里，似乎没有听见。

〔陈奶妈边说边笑，大家暂停住步子，听她的话。

陈奶妈 （很兴奋地对愫方）我一算可不是有十五年了？（对曾皓）这副棺材漆了十五年！（惊羡地）哎，这可漆了有多少道漆呀？

曾　皓 （快慰）已经一百多道了。（被他们扶掖向长几那边走）

陈奶妈 （赞叹）怪不得那漆看着有（手一比）两三寸厚呢！（放下盖碗）

〔思懿由卧室走出，满面和顺的笑容，仿佛忘记刚才那一件事。

曾思懿 爹来了。（赶上扶着曾皓）这边坐吧，爹，舒服点。（把曾皓又扶到沙发那边，忙对瑞贞）少奶奶，把躺椅搬正！（扶曾皓坐下，对文清）你还不把靠垫拿过来。

曾文清 哦！（到书斋内取靠垫）

〔瑞贞也跟着拿。

曾　皓 （闭目，摸弄着佛珠）慢慢漆吧！再漆上四五年也就勉强可以睡了。

〔瑞贞由书斋内拿来椅垫。

曾思懿 （指着，和蔼地）掖在背后，少奶奶。（仿佛看瑞贞掖得不好，弯下腰）嗐，我来吧。（对瑞贞）你去拿床毛毯，给爷盖上。

曾　皓 （睁眼）不用了。（又闭目养神）

曾思懿 （更谦顺）您现在觉着好一点了吧。

曾　皓　还好。

曾文清　（走上前）爹。

曾　皓　（微颔首）嗯,（几乎是故意惊讶地）哦，你还没有走?

曾思懿　（望文清一眼，对曾皓）文清一会儿就要上车了。

曾　皓　（对文清）你给祖先磕了头没有?

曾文清　没有。

曾　皓　（不高兴）去，去，快去，拜完祖先再说。（咳嗽）

曾文清　是，爹。（向书斋小门走）

陈奶妈　（又得着一个机会和文清谈话）嗐，清少爷，我再陪陪你。

〔文清与陈奶妈同由书斋小门下。

曾　皓　愫方，你出去把我的痰罐拿过来。

〔愫方刚转身举步向书斋走——

曾思懿　（立刻笑着说）别再劳累愫妹妹啦，我屋里有。瑞贞，你给爷拿去。（把盖碗茶捧给曾皓）爹，您喝茶吧!

〔瑞贞进思懿的卧室。

〔曾皓用茶嗽口，愫方拿过一个痰桶，曾皓吐入。

曾　皓　口苦得很!（又瞌眼）

愫　方　您还晕么?

曾　皓　（望望她，又闭上眼，一半自语地）头昏口苦，这是肝阴不足啊！所以痰多气闷!（慢慢推摩自己的胸口）

曾思懿　（殷勤）我看给爹请个西医看看吧。

曾　皓　（睁开眼，烦恶）哪个说的?

曾思懿　要不叫张顺请罗太医来!

曾　皓　（启目，摇头）不，罗太医好用唐朝的古方，那种金石虎狼之药，我的年纪，体质——（不愿说下去，叹口气，闭眼轻咳）

〔瑞贞由思懿的卧室上，把小痰罐递与曾皓，曾皓又一口黏痰吐进去，把痰罐拿在手中。

曾思懿　隔壁杜家又派一个账房来要那五万块钱啦。

曾　皓　哦！

曾思懿　还有今年这一年漆寿木的钱——

曾　皓　（烦躁）钱，钱！牛马，牛马，做一辈子的牛马，连病中还要操心，当牛马。

〔思懿也沉下脸。半晌。

愫　方　（安慰地）今年那寿木倒是漆得挺好的。

曾　皓　（不肯使思懿太难看，点头，微露喜色）嗯，嗯，等吧，等到明年春天再漆上两道川漆，再设法把杜家这笔账还清楚，我这孽就算做完了。（不觉叹一口气，望着瑞贞）那么运气好，明年里头我再能看见重孙——

曾思懿　（打起欢喜的笑容）是啊，刚才给祖先磕头，我还叫瑞贞心里念叨着：求祖宗保佑她早点有喜，好给爷爷抱重孙呢。

曾　皓　（浮肿的面孔泛着欣喜的皱纹）瑞贞，你心里说了没有？

〔瑞贞低头。

曾思懿　（推她；尖声）爷爷问你心里说了没有？

〔瑞贞背转。

愫　方　（劝慰）瑞贞！

瑞　贞　（回头）说了，爷爷。

曾　皓　（满意地笑）说了就好。

〔外面曾文彩的声音：江泰，江泰！

曾思懿　（咕噜着）你瞅，这孩子，你哭什么？

〔由大客厅通前院的门拉拉扯扯地走进来文彩和江泰。

曾文彩　（央求）江泰！江泰！（拉他走进）

江　泰　（说着走着，气愤愤地）好，我来，我来！你别拉着我！

〔大家都回头望他们，他们走到近前。

曾　皓　怎么啦？

曾文彩　爹！（回头低声对江泰）就这样跪着磕吧，别换衣服啦。

曾思懿　（故意笑着说出来）姑老爷给爹拜节呢。

曾　皓　（探身，做势要人扶起，以为江泰要磕头）哎，不用了，不用了，拜什么节哟！

〔江泰狠狠盯了思懿一眼，在曾皓已经欠起半身的时候，似拜不拜地懒懒鞠了个半躬，自己就先坐下。

江　泰　（候曾皓坐定，四面望一望，立刻）好，我有一句话，（指着）我屋旁边那土墙要塌了，你们想收拾不收拾？——

曾文彩　（低声，急促地）你又怎么了？

江　泰　（对文彩）你别管！（转对思懿和曾皓）你们收拾不收拾？不收拾我就卷铺盖滚蛋。

曾　皓　（莫名其妙）怎么？

曾思懿　（软里透硬）不是这么说，姑老爷，我没有敢说不收拾，不过我听说爹要卖房子，做买卖，所以——

曾　皓　（挺身不悦）卖房子？

曾思懿　卖给隔壁杜家。

曾　皓　（微怒）哪个说的？这是哪个人说的？

曾思懿　（眼向江泰一瞟，冷笑）谁知道谁说的？

江　泰　（冒然）我说的！（望着曾皓，轻蔑的神色）我也不知道哪个说话不算话的人对我说的。

曾　皓　（在自己家里，当着自己的儿媳受这样抢白，实在有些忍不住）江泰，你这不是对长辈说话的样子。

江　泰　好，那么我走。（拔脚就走）

曾文彩　（低声，几乎要哭出来）江泰，你还不坐下。

愫　方　（央求地）表姐夫！

〔江泰被她们暗暗拉着，不甘愿地又坐下。

〔半晌。沉静中文清由书斋小门悄悄走进来，站在一旁。

曾　皓　（望了文清一眼，颤抖）好，我说过，我说过，我是为我这些不肖的子孙才说的。现在家里景况不好，没有一个人能赚钱，（望文清，愤愤地）大儿子第一个就不中用！隔壁那个暴发户杜家天天逼我们的债，他们硬要买我们的房子，难道我们就听他们再给一两万块钱，乖乖把房子送给他们么？（越说越气）这种开纱厂的暴发户，仗势欺人，什么东西都以为可以拿钱买，他连我这漆了十五年的寿木都托人要拿钱来买，（气得发抖）这种人真是一点书都没有读过。难道我自己要睡的棺材都要卖给他？（望文彩）文彩，你说，（对文清）文清，你这个做长子的人也讲讲！（文清低头）你们这做儿子的——

〔由书斋小门走进来陈奶奶。

陈奶妈　（高兴地）清少爷！——（看见大奶奶对她指着曾皓摆手，吓得没有说出来，就偷偷从通大客厅的门走出去）

曾　皓　这房子是先人的产业，一草一木都是祖上敬德公惨淡经营留下的心血。我们食于斯，居于斯，自小到大都是倚赖祖宗留下来这点福气，吃住不生问题。（拍着那沙发的扶手）你们纵然不知道爱惜，难道我忍心肯把房子卖给这种暴发户，卖给这种——

江　泰　（把手一举）我声明，不要把我算在里面，你们房子卖不卖，我从来没有想过。

曾　皓　（愣一愣，继续愤慨地）这种开纱厂的暴发户，这种连人家棺木都想买的东西，这种——

〔突然从隔墙邻院袭来震耳的鞭炮声。

曾　皓　（惊吓）这是什么？（几乎要起来，仿佛神经受不住这刺激）这是什么？什么？什么？

愫　方　（在鞭炮响声里，用力喊出）不要紧，这是放鞭！

曾　皓　（掩盖自己的耳朵，紧张地）关上门，关上门！

〔文清与瑞贞赶紧跑去关上通大客厅的门扇，鞭炮声略远，但仍不断爆响，半天才歇。

曾文彩　（爆竹声中倒吸一口长气）谁家放这么长的爆竹？

江　泰　（冷笑）哼！就是那暴发户的杜家放的。

曾　皓　（摇头）看这暴发户！过一回八月节都要闹得像嫁女儿——

〔陈奶妈由通大客厅的门上。

陈奶妈 （拍手笑）愫小姐，这一家子可有趣！女儿管爹叫“老猴”，爹管女儿叫“小猴”，屋里还坐着一个像猩猩似的野东西，老猴画画，小猴直要爬到老猴头上翻斤斗。（笑得前翻后仰）屋里闹得要翻了天——

曾　皓 （莫名其妙）谁？

陈奶妈 还不是袁先生跟那位袁小姐，我看袁先生人脾气怪好的，直傻呵呵地笑——

曾思懿 陈奶妈，你到厨房看看去，赶快摆桌子开饭，今天老太爷正为着愫小姐请袁先生呢！

陈奶妈 哦，哦，好，好！（十分欢喜地由通大客厅的门走下）

曾思懿 （提出正事）媳妇听说袁先生不几天就要走了，不知道愫妹妹的婚事爹觉得——

曾　皓 （摇头，轻蔑地）这个人，我看——

〔江泰早猜中曾皓的心思，异常不满地由鼻孔“哼”了一声。

曾　皓 （回头望江泰一眼，气愤地立刻对那正要走开的愫方）好，愫方，你先别走。趁你在这儿，我们大家谈谈。

愫　方 我要给姨父煎药去。

江　泰 （善意地嘲讽）咳，我的愫小姐，这药您还没有煎够？（迭连快说）坐下，坐下，坐下，坐下。

〔愫方又勉强坐下。

曾　皓 愫方，你觉得怎么样？

〔愫方低头不语。

曾　皓　愫[1]，你自己觉得怎么样？不要想到我，你应该替你自己想。我这个当姨父的，恐怕也照拂不了你几天了，不过照我看，袁先生这个人哪，——

曾思懿　（连忙）是呀，愫妹妹，你要多想想，不要屡次辜负姨父的好意。以后真是耽误了自己——

曾　皓　（也抢着说）思懿，你让她自己想想。这是她一辈子的事情，答应不答应都在她自己，（假笑）我们最好只做个参谋。愫方，你自己说，你以为如何？

江　泰　（忍不住）这有什么问题？袁先生并不是个可怕的怪物！他是研究人类学的学者，第一人好，第二有学问，第三有进款，这，这是自然——

曾　皓　（带着那种“稍安毋躁”的神色）不，不，你让她自己考虑，（转对愫方，焦急地）愫方，你要知道，我就有你这么一个姨侄女，我一直把你当我的亲女儿一样看，不肯嫁的女儿，我不是也一样养么？——

曾思懿　（抢说）就是啊，我的愫妹妹，嫁不了的女儿也不是[2]——

〔文清再也忍不下去，只好拔起脚就向书斋走——

曾思懿　（斜睨着文清）咦，走什么？走什么？

〔文清不顾，由书斋小门下。

曾　皓　文清怎么？

1　“愫”川版作“愫方”。

2　“也不是”川版作“不是也”。

曾思懿　（冷笑）大概他也是想给爹煎药呢！（回头对愫方又万分亲热地）愫妹妹，你放心，大家提这件事也是为着你想。你就在曾家住一辈子谁也不能说半句闲话。（阴毒地）嫁不出去的女儿不也是一样得养么？何况愫妹妹你父母不在，家里原底就没有一个亲人——

曾　皓　（当然听出她话里的根苗，不等她说完——）好了，好了，大奶奶，请你不要说这么一大堆好心话吧。

〔思懿的脸突然罩上一层霜。

曾　皓　（转对愫方）那么愫方，你自己有个决定不？

曾思懿　（着急，对愫方）你说呀！

曾文彩　（听了半天，一直都在点头，突然也和蔼地）说吧，愫妹妹，我看——

江　泰　（猝然，对自己的妻）你少说话！

〔文彩嘿然，愫方默默立起，低头向通大客厅的门走。

曾　皓　愫方，你说话呀，小姐。你也说说你的意见呀。

愫　方　（摇头）我，我没有意见。（由通大客厅的门下）

曾　皓　哝，这种事怎么能没有意见呢？

江　泰　（耐不下）你们要我说话不？

曾　皓　怎么？

江　泰　要我说，我就说。不要我说，我就走。

曾　皓　好，你说呀，你当然可以说说你的意见。

江　泰　（痛痛快快）那我就请你们不要再跟愫方为难。愫方心里怎么回事，难道你们看不出来？为什么要你一句我一句欺负一个孤苦伶仃的老小姐？为什么——

曾思懿 欺负？

曾文彩 江泰。

江　泰 （盛怒）我就是说你们欺负她。她这些年侍候你们老的少的，活的，死的，老太爷，老太太，少奶奶，小少爷，一直都是她一个人管。她现在已经过了三十，为什么还拉着她，不放她，这是干什么？

曾　皓 你——

曾文彩 江泰！

江　泰 难道还要她陪着一同进棺材，把她烧成灰供祖宗？拿出点良心来！我说一个人要有点良心。我走了，这儿有封信，（把信硬塞在曾皓的膝上）你们拿去看吧。

曾文彩 江泰！

〔江泰气呼呼地由通大客厅的门下。

曾　皓 （满腹不快）这，这说的是什么？我，我从来没听见这种野话。（同时颤抖地拆开信，露出来钞票和简短的信纸）

〔曾皓看信时，张顺拿着碗筷悄悄走进来。瑞贞也走来帮他把方桌静静抬出，默默摆碗筷和凳子。

曾　皓 （匆促地读完那短信，气得脸发了青）这是什么意思？（举着那钞票）他要拿这几个房租钱给我？（对思懿）思懿，这是怎么回事？

曾思懿 （冷笑）我不知道他老人家又犯了些什么神经病。

曾文彩 （早已立起，看着那信，惶惑不安，哀诉着）爹，您千万别介他的意，他心里不快活，他这几年——

曾　皓　（愤然）江泰，我不说他，就说女婿是半子吧，他也是外姓人。（对文彩）你是我的女儿，你当然知道我们曾家人的脾气，都是读书第一，从来没有谈过钱的话。好，你们愿意住在此地就住下去，不愿意住也随意，也无须乎拿什么房钱，饭钱，给父亲看——

曾文彩　（抽咽）爹，您就当错生了我这女儿，您就当——

曾　皓　（气得颤巍巍）呃，呃，在我们曾家甩这种阔女婿架子！

曾文彩　（早忍不下，哧[1]地哭起来）哦，妈，您为什么丢下我死了，我的妈呀！

曾思懿　姑奶奶！

〔文彩哭着跑进自己的卧室。

曾　皓　（长叹一声）一群冤孽！说都说不得的。开饭，张顺，请袁先生来

〔张顺由通大客厅门下。

〔文清由书斋小门上。

曾文清　爹！

曾　皓　要走了么？

曾文清　一点钟就上车。

曾　皓　你的烟戒了？

曾文清　（低头）戒了。

---

1 “哧”川版作“喷”。

曾　皓　确实戒了？

曾文清　（赧然）确实戒了。

曾　皓　纸烟呢？

曾文清　（低头）也不抽了。

曾　皓　（望着他的黄黄的手指）又说瞎话，（训责地）你看，你的手指头叫纸烟熏成什么样子？（摇头叹息）你，你这样子怎么能见人做事？

曾文清　（不自觉看看手指）回，回头洗。

曾　皓　霆儿呢？

曾思懿　（连忙跑到通大客厅门前喊）霆儿！你爷爷叫你。

曾　皓　他在干什么？

曾文清　大概陪袁小姐放风筝呢。

曾　皓　放风筝！为什么放着《昭明文选》不读，放什么风筝！

曾文清　霆儿！

〔门外大客厅内曾霆的喊声：我爷爷在屋里！我爷爷在屋里！

〔袁圆的喊声：你跑！你跑！

〔砰地通大客厅的门扇大开，曾霆一边喊着一边走进来，圆儿[1]满头水淋淋的，提着一个空桶，手里拿着一串点着了的鞭炮。小柱儿也随在后面，一手拿着一根燃着的香，一手抱着那只鸽子。

曾　皓　跑什么，哪里学来的这些野相？

---

1 “圆儿”川版作“袁圆”。

曾　霆　（跑着）爷爷，她，她——

袁　圆　（笑喊）你跑！你跑！看你朝哪里跑……

〔待曾霆几乎躲在曾皓坐的沙发背后，袁圆把鞭炮扔在他们身上，就听着一串“噼啪”乱响，曾霆和曾皓都吓得叫起来。袁圆大笑，小柱儿站在门口也哈哈不止。

曾　皓　你这，这女孩子是怎么回事？

袁　圆　曾爷爷！

曾　皓　你怎么这样子胡闹？

袁　圆　（撒娇）你看，曾爷爷，（把湿漉漉的头发伸给他看，指曾霆）他先泼我这一桶水！

〔外面一个男人的声音：（带着笑）小猴子，你到哪儿去了？

袁　圆　（顽皮地）老猴儿！我在这儿呢。（笑着，跳着，由通大客厅的门走出去）

〔小柱儿连忙也跟出去。

曾　皓　（对思懿）你看，这种家教怎么配得上愫方，（转身对曾霆）刚才是你泼了她一桶水？

曾　霆　（怯惧地）她，她叫我泼她的。

曾　皓　跪下！

曾思懿　我看，爷爷——

曾　皓　跪下！

〔曾霆只得直挺挺跪下。

曾　皓　也叫袁家人看看我们曾家的家教。

〔圆儿[1]拉着她的“老猴儿”——人类学者袁任敢兴高采烈地走进来。

〔“老猴儿”实在并不老，看去只有四十岁[2]模样，不过老早就秃了顶，头顶油光光的只有几根毛，横梳过去，表示曾经还有过头发。他身材不高，可是红光满面，胸挺腰圆，穿着一身旧黄马裤，泥污的黑马靴，配上一件散领棕色衬衣，活像一个修理汽车的工人。但是他有一对幽默而聪明的眼睛，眼里时常闪出一种嘲讽的目光，和学者们常有的那种凝思的神情。

袁　圆　（一路上谈）爹，小柱儿就给我拿来一根香，我就把鞭点上，爹，我就追，我就照他的腿上——

袁任敢　（点头，笑着听着）嗯，嗯，哦——（望见曾皓已经立起来欢迎他）曾老伯，真是谢谢，今天我们又来吃你来了。

曾　皓　过节，大家叙一叙。（让座）请袁先生上座，上座，上座。

袁　圆　（望见了霆儿[3]突然矮了一截，大喊）爹，你看，你看，他跪在地上呢！

曾　皓　无须管他，请坐吧！

袁任敢　（望着曾霆，大惊）怎么？

曾　皓　我这小孙儿年幼无知，说是在令嫒头上泼了一桶水——

1　“圆儿”川版作“袁圆”。

2　“四十岁”川版作“三十七、八岁”。

3　“霆儿”川版作“曾霆”。

袁任敢　（歉笑）哎呀，起来吧，起来吧，那桶水是我递给他泼的——

曾　皓　（愕然）那，那，——（不知如何收场，依然板起脸，向曾霆）还是太顽皮了。

袁任敢　（笑着）顽皮点好，顽皮点好。起来吧。

曾思懿　（就势）起来吧，霆儿，谢谢袁老伯！

曾　霆　（站起）谢谢袁老伯。

袁任敢　（对曾霆）对不起，下次你来泼我！

曾　皓　（听不下去）袁先生，请坐吧。瑞贞，把酒筛好。（走近桌旁）

袁任敢　（笑着）我的小朋友，一个人可跪不得的，一跪就比旁人矮了一截，那就真不好看了。

曾思懿　袁先生，这边坐吧。

袁任敢　好，吃，不客气了。圆儿——

〔张顺端进来一碗热菜，搁好即下。

曾思懿　过来，袁小姐，到这边陪着爸爸坐。

〔大家按序入座。

曾　皓　（举杯）今天一则因为过节，二则也因为大小儿要离开家，一直没跟袁先生领教，也就趁这个机会跟袁先生多叙叙。来，请，请。

袁任敢　多谢，多谢。（一饮而尽）我听说曾大先生非常懂得喝茶的道理，——

〔外面争吵声。

曾　皓　瑞贞，你去看看，这是谁？吵什么？

袁　圆　（对瑞贞）我替你看看去！

〔思懿对文清耳语，文清站起执酒壶，思懿随后向曾皓身边走来。

〔袁圆早放下筷子，由通大客厅的门跑下。

曾思懿　（持杯）媳妇给爹敬酒。

曾　皓　（仍坐）不用了。

曾思懿　（恭顺的样子）文清跟爹辞行啦。

曾文清　（低声）爹，跟您辞行！

〔文清跪下三叩首，瑞贞和霆儿[1]都立起，袁任敢瞪着大眼，好奇地望着他们。在他们一个端坐，一个跪叩的时候，又传进讥诮的骂声。

〔要账的甲诮骂的声音：你们给钱不给钱！

〔要账的乙诮骂的声音：（几乎同时地）大八月节，叫人等了一大清早了！

〔要账的丙诮骂的声音：（几乎同时地）有钱还，再欠账；没有钱，你欠的什么账，别丢人！……

曾　皓　这是什么？

曾思懿　隔壁人家吵嘴吧。

曾　皓　（安下心，对袁任敢[2]）请，请哪！（对曾霆与瑞贞，和蔼地）你们也该给你们父亲送行哪！

1　“霆儿”川版作“曾霆”。

2　“袁任敢”底本作“袁圆”，据川版改。

〔于是——瑞贞和霆儿[1]复立起来，执酒壶，到文清面前，斟酒。

曾思懿 （非常精明练达的样子，教他们说）说爹一路平安。

曾瑞贞
曾　霆 （呆板地）爹一路平安。

曾思懿 说以后请您老人家常写家信。

曾瑞贞
曾　霆 （呆板地）以后请您老人家常写家信。

曾思懿 （又教他们）儿子，儿媳妇不能常侍候您老人家了。

曾瑞贞
曾　霆 （呆板地）儿子，儿媳妇不能常侍候您老人家了。（说完了就要回坐）

曾思懿 （连忙）磕头啊，傻孩子！（很得意地望望袁任敢）

〔曾霆与瑞贞双双跪下三叩首，文清立起。无声的磕头中，外面又开始咒骂——

〔要账的甲咒骂的声音：你们过的什么节？

〔要账的乙咒骂的声音：（几乎同时地）五月节的账到现在还没有还清，现在还一个钱儿不给。

〔要账的丙咒骂的声音：（几乎同时地）不到五百块钱就这么为难哪。

〔张顺的声音：（一面劝着）你们别在这儿嚷嚷，走！走！老太爷在这儿……

1 “霆儿”川版作“曾霆”。

〔要账的甲咒骂的声音:(讥讽地)老太爷又怎么样，这摆的什么阔气!

〔要账的乙咒骂的声音:(几乎同时地)老太爷没有钱，还不跟我们一样!

〔要账的丙咒骂的声音:(几乎同时地)破落户!

〔继续吵下去。

〔袁任敢也回头谛听。

曾　皓　这究竟怎么啦?

曾思懿　别是隔壁的——

〔外面争吵声中，愫方忙由通大客厅的门疾步进来。

曾　皓　是谁?

愫　方　(闪烁其词)没有谁。

曾思懿　(奸笑)袁先生，我介绍一下，这是愫小姐!

〔袁任敢立起。

曾思懿　(又转对愫方)袁先生!

〔由通大客厅的门，陈奶妈围着一条旧围裙，端一大盘菜急急慌慌走进来，后随着小柱儿，一手抱着鸽子，一手拉着他祖母的衣裾。

陈奶妈　(边说边走，烦躁地)别拉着，小柱儿，讨厌，别拉着我!(把菜放在桌上，连连甩手)好烫!

愫　方　(低声)表嫂!

曾思懿　(举筷)袁先生，这碗菜是愫小姐——

〔愫方拉她的衣裾。

曾思懿　（回头对愫方）啊？

曾　皓　（举箸）请！请！

愫　方　（同时，惶惑）漆棺材的——他，他们——

曾思懿　（翻翻眼，不答理她，快意地笑着）快吃吧。（对袁任敢）这碗菜是（指着愫方）愫小姐下厨房特为袁先生做的！（不觉对文清笑了一下）

曾　皓　（举箸）请，请哪。

〔门蓦地大开，要账的甲，乙，丙拥进来，张顺挤在当中，阻挡不住。

张　顺　不成，不成，屋里有客。

要账的甲（推开他）你别管，我们要钱，不是要命。老太爷，大奶奶，（伸手）您老人家有钱就拿出来，现在该还账了吧？

〔他们慢慢走向曾皓。

——幕落

第二幕

当天夜晚，约有十一点钟的光景，依然在曾宅小客厅里。

曾宅的近周，沉寂若死。远远在冷落的胡同里有算命的瞎子隔半天敲两下寂寞的铜钲，仿佛正缓步踱回家去。间或也有女人或者小孩的声音，这是在远远寥落的长街上凄凉地喊着的漫长的叫卖声。

屋内纱灯罩里的电灯，暗暗地投下一个不大的光圈，四壁的字画古玩，都隐隐地随着翳入黑暗里。墙上的墨竹也更显得模糊，有窗帷的地方都密密地拉严。从旧纱灯里一个宽缝露出一道灯光，正射在那通大客厅的门上。那些白纸糊的槅子门，每扇都已关好。从头至地，除了每个槅扇下半截有段极短的木质雕饰外，现在是整个成了[1]一片雪白而巨大的纸幕。槅扇与槅扇的隙间泄进来一丝微光，纸幕上似乎有模糊的人影隐约浮动。偶尔听见里面（大客厅）有人轻咳和谈话的声音。

靠左墙长条案上放着几只蜡台，有一只插着半截残烬的洋蜡。屋正中添了一个矮几子，几上搁了一个小小的红泥火炉，非常洁净。炉上坐着一把小洋铁水壶，炉火融融，在小炉口里闪烁着。水在壶里呻吟，像里面羁困着一个小人儿在哀哭。旁边有一张纤巧的红木桌，上面放着小而精致的茶具。围炉坐着苍白脸的文清，他坐在一张矮凳上

1 “现在是整个成了”川版作“看上去象是”。

出神。对面移过来一张小沙发，陈奶妈坐在那里，正拿着一把剪刀为坐在小凳上的小柱儿剪指甲。小柱儿打着盹。

书斋内有一盏孤零零的暗灯，灯下望见曾霆恹恹地独自低声诵读《秋声赋》。

远远在深巷的尽头有打更的声音。

陈奶妈 （一面剪着，一面念叨）真的，清少爷，你明天还是要走么？

〔文清颔首。

陈奶妈 我看算了吧，既然误了一趟车，就索性在家里等两三天，看袁先生跟愫小姐这段事有了眉目再走。

〔文清摇首。

陈奶妈 你说袁先生今天看出来不？

曾文清 （低着头勉强回答）我没留神。

陈奶妈 （笑着）我瞅袁先生看出来了，吃饭的时候他老望着愫小姐这边看。

〔文清望着奶妈，仿佛不明白她的话。

陈奶妈 清少爷，你说这件事——

〔文清不觉长叹一声。

〔陈奶妈望了文清一眼，想说什么又没说。

〔小柱儿一磕头，突由微盹中醒来，打一个呵欠，嘴里不知道说了句什么，又昏昏忽忽地打起盹。

陈奶妈　（剪着小柱儿的指甲）唉，我也该回家的。（指小柱儿）他妈还在盼着我们今天晚上回去呢。（小柱儿头又往前一瞌，她扶住他说）别动，我的肉，小心奶奶剪着你！（怜爱地）唉，这孩子也真是累乏了，走了一早晨，又跟着这位袁小姐玩了一天。乡下的孩子不比城里的孩子，饿了就吃，累了就睡，真不像——（望着书斋内的霆儿[1]，怜惜地，低声）孙少爷，孙少爷！

曾　霆　（一直在低诵）"……嗟夫，草木无情，有时飘零。人为动物，惟物之灵。百忧感其心，万事劳其形。有动乎中，必摇其精。而况思其力之所不及，忧其智之所不能……"

曾文清　让他读书吧，一会儿他爷爷要问他的。

〔深巷的更声。

陈奶妈　这么晚了还念书！大八月节的。哎，打三更了吧？

曾文清　嗯，可不是打三更了。

陈奶妈　乡下孩子到了这个时候都睡了大半觉了。（剪完了最后一个手指）好啦，起来睡去吧，别在这儿受罪了。

小柱儿　（擦擦眼睛）我不，我不想睡。

曾文清　（微笑）不早了，快十一点钟啦。

小柱儿　（抖擞精神）我不困。

陈奶妈　（又是生气，又是爱）好，你就一晚上别睡。（对文清）真是乡下孩子进城，什么都新鲜，你看他就舍不得睡觉。

1　"霆儿"川版作"曾霆"。

〔小柱儿由口袋取出一块花生糖放在嘴里，不觉又把身旁那个“刮打嘴”抱起来看。

陈奶妈 唉，这个八月节晚上，又没有月亮。——怎么回子事？大奶奶怎么又不肯出来。（叫）大奶奶！（对文清）她这阵子在屋里干什么？（立起）大奶奶，大奶奶！

曾文清 别，别叫她。

陈奶妈 清少爷，那，那你就进去吧。

曾文清 （摇头，哀伤地低声独自吟起陆游的《钗头风》）“……东风恶，欢情薄，一怀愁绪，几年离索，错，错，错！……”

陈奶妈 （叹一口气）哎，这也是冤孽，清少爷，你是前生欠了大奶奶的债，今生该她来磨你。可，可到底怎么啦，她这一晚上一句话也没说，——她要干什么？

曾文清 谁知道？她说胃里不舒服，想吐。

陈奶妈 （回头瞥见小柱儿又闲不住手，开始摸那红木矮几上的茶壶，叱责地）小柱儿，你放下，你屁股又痒痒啦！

〔小柱儿又规规矩矩地放好。

陈奶妈 （转对文清）也怪，姑老爷不是嚷嚷今天晚上就要搬出去么？怎么现在——

曾文清 哎，他也不过是说说罢了。（忽然口气里带着怨情）他也是跟我一样，我不说话，一辈子没有做什么。他吵得凶，一辈子也没有做什么。

〔文彩由书斋小门走进，手里拿着一支没点的蜡烛和一副筷子，一碟从稻香村买来的清酱肉、酱黄豆，杂香之类的小菜。

曾文彩 （倦怠地）奶妈，你还没有睡！

陈奶妈 没有，怎么姑老爷又要喝酒了？

曾文彩 （掩饰）不，他不，是我。

曾文清 你？——哎，别再让他喝了吧。

曾文彩 （叹了一口气，放下那菜碟子和筷子）哥哥，他今天晚上又对我哭起来了。

陈奶妈 姑老爷？

曾文彩 （忍不住掏出手帕，一眼眶的泪）他说他对不起我，他心里难过，他说他这一辈子都完了。我看他那个可怜样子，我就觉得是我累的他。哎，是我的命不好，才叫他亏了款，丢了事。（眼泪流下来）奶妈，洋火呢？

陈奶妈 让我找——

曾文清 （由红木几上拿起一盒火柴）这儿！

〔陈奶妈接下，走起替文彩点上洋蜡。

曾文彩 （由桌上拿起一个铜蜡台）他说闷得很，他想夜里喝一点酒。你想，哥哥，他心里又这么不快活，我——

曾文清 （长嘘一声）喝吧，一个人能喝酒也是好的。

陈奶妈 （把点好的蜡烛递给文彩）老爷子还是到十一点就关电灯么？

曾文彩 （把烛按在烛台里）嗯。（体贴地）给他先点上蜡好。别待会儿喝了一半，灯抽冷子灭了，他又不高兴。

陈奶妈 我帮你拿吧。

曾文彩　不用了。（拿着点燃的蜡烛和筷子菜碟，走进自己的房里）

陈奶妈　（摇头）唉，做女人的心肠总是苦的。

〔文彩放下东西，又忙忙自卧室走出。

曾文彩　江泰呢？

陈奶妈　刚进大客厅。

曾文清　大概正跟袁先生闲谈呢。

曾文彩　（已走到火炉旁边）哥哥，这开水你要不？

曾文清　（摇头，倦怠地）文彩，小心你的身体，不要太辛苦了。

曾文彩　（悲哀地微笑）不。（提着开水壶由卧室下）

〔文清又把一个宜兴泥的水罐放在炉上[1]，慢吞吞地拨着火。

曾　霆　（早已拿起书本，立起）爹，我到爷爷屋里去了。

曾文清　（低头放着他的泥罐[2]）去吧。

陈奶妈　（走上前）孙少爷！（低声）你爷爷要问你爹，你可别说你爹没有走成。

小柱儿　（正好好坐着，忽然回头，机灵地）就说老早赶上火车走了。

陈奶妈　（好笑）谁告诉你的？

小柱儿　（小眼一挤）你自个儿告诉我的。

陈奶妈　这孩子！（对曾霆）走吧，孙少爷你背完书，就回屋睡觉去。老爷子再要上书，就说陈奶妈催你歇着呢！

1　“文清又把一个宜兴泥的水罐放在炉上”川版作“文清又将一把宜兴泥的茶壶放在炉旁”。

2　“低头放着他的泥罐”川版作“低头看着他的宜兴茶壶”。

曾　霆　嗯。（向书斋走）

曾文清　霆儿！

曾　霆　干嘛，爹？

曾文清　（关心地）你这两天怎么啦？

曾　霆　（闪避）没有怎么，爹。（曾霆由书斋小门怏怏下）

陈奶妈　（看曾霆走出去，赞叹的样子，不觉回首指着小柱儿）你也学学人家，人家比你也就大两岁，念的书比你吃的饭米粒还要多。你呢，一顿就四大碗干饭，肚子里尽装的是——

小柱儿　（突然）奶奶，你听，谁在叫我呢？

陈奶妈　放屁，你别当我耳朵聋，听不见。

小柱儿　真的，你听啊，这不是袁小姐——

陈奶妈　哪儿？

小柱儿　你听。

陈奶妈　（谛听）人家袁小姐帮她父亲画猴呢。

小柱儿　（故意捉弄他的祖母）真的，你听！“小柱儿！小柱儿！”这不是袁小姐。你听：“小柱儿，你给我喂鸽子来！”（突然满脸顽皮的笑容）真的，奶奶，她叫我喂鸽子。（立刻撒“鸭子”就向大客厅跑）

陈奶妈　（追在后面笑着）这皮猴又想骗你奶奶。

〔小柱儿连笑带跑，正跑到那巨幕似的槅扇门前。按着曾宅到十一点就得灭灯的习惯，突然全屋黑暗。在那雪白而宽大的纸幕上由后面蓦地现出一个猿人的黑影，蹲伏在人的眼前。

小柱儿 （望见，吓得大叫）奶奶！（跑到奶奶怀里）

陈奶妈 哟！这是什么？

曾文清 （立起，对奶妈）点上蜡吧！

陈奶妈 嗯。（走去点蜡）

〔大客厅内袁任敢的声音：你看，这就是当初的北京人。那时候的人要爱就爱，要恨就恨，要哭就哭，要喊就喊，他们自由地活着。没有礼教来拘束，没有文明来捆绑，没有虚伪，没有欺诈，没有阴险，没有陷害，太阳晒着，风吹着，雨淋着，没有现在这么多人吃人的礼教同文明，而他们是非常快活的。

〔猛地槅扇打开了一扇，大客厅里的煤油灯洒进一片光，江泰拿着一根点好的小半截残蜡，和袁任敢走进来。江泰穿一件洋服坎肩，袁任敢还是那件棕色衬衣，袖口又掠起，口里叼着一个烟斗，冒出一缕缕的烟。

江　泰 （有些微醺，应着方才最后一句话，非常赞同地）而他们是非常快活的。

〔大客厅内袁圆的声音：小柱儿，你来。

小柱儿 唳。（抽个空儿跑进大客厅）

江　泰 （兴奋地放下蜡烛，咀嚼方才那一段话的意味，不觉连连地）而他们是非常快活的。对！对！袁先生，你的话真对，简直是不可更对。你看看我们过的什么日子？成天垂头丧气，要不就成天胡发牢骚。整天是愁死，愁活，愁自己的事业没有发展，愁精神上没有出路，愁活着没有饭吃，愁死了没有棺材睡，成天地希望，希望，而永远没有希望，譬如，（指文清）他——

曾文清 别再发牢骚，叫袁先生笑话了。

江　泰 （肯定）不，不，袁先生是个研究人类的学者，他不会笑话我们人的弱点的。坐坐，袁先生！坐坐，坐着谈。（与袁任敢围炉坐下，由红木几上拿起一支香烟，忽然）咦，刚才我说到哪里了？

袁任敢 （微笑）你说，（指着）譬如他吧！

江　泰 哦，譬如他吧。哦（对文清，苦恼地）我真不喜欢发牢骚，可你再不让我说几句，可我，我还有什么？我活着还有什么？（对袁任敢）好，譬如他，我这位内兄，好人，一百二十分的好人，我知道他就有情感上的苦闷。

曾文清 你别胡说啦。

江　泰 （黠笑）啊，你瞒不过我，我又不是傻子。（对袁任敢，指文清，爽快地）他有情感上的苦闷，他希望有一个满意的家庭，有一个真了解他的女人共处一生。（兴奋地）这点希望当然是自然的，对的，合理的，值得同情的，可是多少年前他就发现了一个了解他的女人。但是他就因为胆小，而不敢找她；找到了她，又不敢要她。他就让这个女人由小孩而少女，由少女而老女，像一朵花似的把她枯死，闷死，他忍心让自己苦，人家苦，一直到今天，现在这个女人还在——

曾文清 （忍不住）你真喝多了！

江　泰　（笑着摇手）放心，没喝多，我只讲到这点为止，决不多讲。（对袁任敢）你想，让这么个女人，成天在这样一个家庭里朽掉，像老坟里的棺材慢慢地朽，慢慢地烂。成天就知道叹气，做梦，忍耐，苦恼，懒，懒，懒得动也不动；爱不敢爱，恨不敢恨，哭不敢哭，喊不敢喊，这不是堕落，人类的堕落。[1]那么，（指着自己）就譬如我——（划地一声点着了烟，边吸边讲）读了二十多年的书——

袁任敢　（叼着烟斗，微笑）我就猜着你一定还有一个"譬如我"的。

江　泰　（滔滔不绝）自然，我决不尽批评人家，不说自己。譬如我吧，我爱钱，我想钱，我一直想发一笔大财。我要把我的钱，送给朋友用，散给穷人花。我要像杜甫的诗说的，盖起无数的高楼大厦，叫天下的穷朋友白吃，白喝，白住，研究科学，研究美术，研究文学，研究他们每个人所喜欢的，为中国，为人类，谋幸福。可是，袁先生，我的运气不好，处处倒楣，碰钉子，事业一到我手里就莫名其妙地弄得一塌胡涂。我们成天在天上计划，而成天在地下妥协。我们只会叹气，做梦，苦恼，活着只是给有用的人糟蹋粮食，我们是活死人，死活人，活人死！一句话，你说的，（指着自己的胸）像我们这样的才真是（指那"北京人"的巨影）他的不肖的子孙！

袁任敢　（一直十分幽默地点着头，此时举起茶杯微笑）请喝茶！

1　"堕落。"川版作"堕落！？"。

江　泰　（接下茶杯）对了，譬如喝茶吧，我的这位内兄最讲究喝茶。他喝起茶来，要洗手，漱口，焚香，静坐。他的舌头不但尝得出这茶叶的性情，年龄，出身，做法，他还分得出这杯茶用的是山水，江水，井水，雪水还是自来水，烧的是炭火，煤火，或者柴火。茶对我们只是解渴的，可一到他口里，就会有无数的什么雅啦，俗啦的这些个道理。然而，这有什么用？他不会种茶，他不会开茶叶公司，不会做出口生意，就会一样，“喝茶！”喝茶喝得再怎么精，怎么好，还不是喝茶，有什么用？请问，有什么用？

〔文彩由卧室出。

曾文彩　泰！

江　泰　我就来！

陈奶妈　（走去推他）快去吧，姑老爷！

江　泰　（立起，仍舍不得就走）譬如我吧——

陈奶妈　别老“譬如我”“譬如我”地说个没完了，袁先生都快嫌你唠叨了。

江　泰　喂，袁博士，你不介意我再发挥几句吧。

袁任敢　（微笑）哦，当然不，请“发挥”！

江　泰　所以譬如——（文彩又走来拉他回屋，他对文彩几乎是恳求地）文彩，你让我说，你就让我说说吧！（对袁任敢）譬如我吧，我好吃，我懂得吃，我可以引你到各种顶好的地方去吃。（颇为自负，一串珠子似地讲下去）正阳楼的涮羊肉，便宜坊的挂炉鸭，同和居的烤馒头，东兴楼的乌鱼蛋，致美斋的烩鸭条。小地方哪，像灶温的烂肉面，穆家寨的炒疙瘩，金家楼的汤爆肚，都一处的炸三角，以至于——

曾文彩 走吧！

江　泰 以至于月盛斋的酱羊肉，六必居的酱菜，王致和的臭豆腐，信远斋的酸梅汤，三妙堂的合碗酪，恩德元[1]的包子，沙锅居的白肉，杏花春的花雕，这些个地方没有一个掌柜的我不熟，没有一个掌灶的，跑堂的，站柜台的我不知道。然而有什么用？我不会做菜，我不会开馆子，我不会在人家外国开一个顶大的李鸿章杂碎，赚外国人的钱。我就会吃，就会吃！（不觉谈到自己的痛处，捶胸）我做什么就失败什么。做官亏款，做生意赔钱，读书对我毫无用处。（痛苦地）我成天住在丈人家里混，好说话，好牢骚，好批评，又好骂人，简直管不住自己，专说人家不爱听的话。

曾文彩 （插嘴）泰！

江　泰 （有些抽噎）成天叫人家看着我不快活，不成材，背后骂我是个废物。啊，文彩，我真是一个大废物，我从心里觉得对不起你！（突然不自禁地哭出）累赘你！

曾文彩 （连叫）泰，泰！别难过，是我不好，我累了你。

陈奶妈 进去吧，又喝多了。

江　泰 （摇头）我没有，我没有，我心里难过，我心里难过啊——

〔陈奶妈与文彩扶江泰由卧室下。

---

1 “恩德元”川版作“恩元德”。

曾文清　（叹口气）您喝杯茶吧。

袁任敢　我已经灌了好几大碗凉开水了，我今天午饭吃多了。曾先生，我有一件事拜托你——

曾文清　是——

袁任敢　我——

〔愫方一手持一床毛毯，一手持蜡烛，由书斋小门上。

袁任敢　愫小姐。

〔愫方点头。

曾文清　爹睡着了？

〔愫方摇头。

曾文清　袁先生，您的事？

〔江泰又由卧室走出，手里握着半瓶白兰地。

江　泰　（笑着）袁先生进来喝两杯不？

袁任敢　不，（指巨影）他还在等着我呢！

江　泰　（举瓶）好白兰地，文清，你——

〔文清不语，望了望愫方。

江　泰　（莫名其妙）哦，怎么你们三位——

〔卧室内陈奶妈的声音：姑老爷！

江　泰　（摇头，叹了口气）唉，没有人理我，没有人理我的。（由卧室下）

曾文清　袁先生，你方才说——

〔大客厅内袁圆的声音：爹，爹！你快来看，“北京人”的影子，我剪好了。

袁任敢　（望望愫方与文清）回头说吧。（幽默而又懂事地）没有什么事，我的小猴子叫我呢。

〔袁任敢打开那巨幕一般的门扇走进去。跟着泄出一道光，又关上。白纸幕上依然映现出那个巨大无比的“北京人”的黑影。寂静，远处更锣声。

曾文清　（期待地）奶妈把纸条给你了？

〔愫方默默点头。

曾文清　（低声）我，我就想再见你一面，我好走。

〔愫方无意中望着文清的卧室的门。

曾文清　（指门）她关上门睡觉呢。（低头）

〔愫方坐下。

曾文清　（突然）愫方！

〔愫方又立起。

曾文清　怎么？

愫　方　姨父叫我拿医书来的。

〔陈奶妈由文彩卧室走出。

陈奶妈　愫小姐，您来了。（陈奶妈立刻向书斋小门走）

曾文清　奶妈上哪儿去？

陈奶妈　（掩饰）我去瞅瞅孙少爷书背完了不？（由书斋小门下）

〔远远又是两下凄凉的更锣声。

曾文清　愫方，明天我一定走了，这个家（顿）我不想再回来了。

愫　方　（肯定地）不回来是对的。

曾文清　嗯，我决不回来了。今天我想了一晚上，我真觉得是我，是我误了你这十几年。害了人，害了己，都因为我总在想，总在想着有一天，我们——（望见愫方蹙起眉头，轻轻抚摸着前额）愫方，你怎么了？

愫　方　（疲倦地）我累得很。

曾文清　（恻然）可怜，愫方，我不敢想，我简直不敢再想你以后的日子怎么过。你就像那只鸽子似的，孤孤单单地困在笼子里，等，等，等到有一天——

愫　方　（摇头）不，不要说了！

曾文清　（伤心）为什么，为什么我们要东一个，西一个苦苦地这么活着？为什么我们不能长两个翅膀，一块儿飞出去呢？（摇着头）啊，我真是不甘心哪！

愫　方　（幽郁）这还不够么？要怎么样才甘心呢！

曾文清　（突然）愫方，你跟我一道到南方去吧！（立刻眉梢又有些踌躇）走吧！

愫　方　（摇头，哀伤地）还提这些事干么？

曾文清　（悔痛，低头缓缓地）要不你就，你就答应今天早上那件事吧。

愫　方　（愣住）为——为什么？

曾文清　（望着愫方，嘴角痛苦地拖下来）这次我出去，我一辈子也不想回来的。愫方，我就求你这一件事，你就答应我吧。你千万不要再在这个家里住下去。（恳切地）想想这所屋子除了啃我们字画的耗子还有什么？（愫方的眼睛悲哀地凝视着他）你心里是怎么打算？等着什么？你别再不说话，你对我说呀，（蓦然鼓起勇气，冒然）愫方，你，你还是嫁，嫁了吧，你赶快也离开这个牢吧。我看袁先生人是可托的，你——

〔愫方缓缓立起。

曾文清 （也立起哀求）你究竟怎么打算，你说呀。

〔愫方向书斋小门走。

曾文清 （沉痛地）你不能不说就走，“是”，“不是”，你要对我说一句啊。

愫　方 （转身）文清！（递给他一封信，缓缓地走开）

〔文清昏惑地把信接在手里。

〔陈奶妈由书斋小门急上。

陈奶妈 （迫促地）老爷子来了，就在后面。（推着文清）进去，进去，省得麻烦。进去……

曾文清 奶妈，我——

〔陈奶妈嘴里唠唠叨叨地把文清推着进到他的卧室里，愫方呆立在那里。

〔曾皓由书斋小门上，他穿一件棉袍，围着一条绒围巾，拖着趿鞋[1]，扶拐杖，提着一个小油灯走进。

曾　皓 （看见愫方，急切地）我等你好半天了——（对陈奶妈）刚才谁进去了？

陈奶妈 大奶奶。

---

1 “拖着趿鞋”川版作“趿着拖鞋”。

曾　皓　（望见那红泥火炉）怎么，谁又在这里烧茶了？

陈奶妈　姑老爷，他刚才陪着袁先生在这里品茶呢。

曾　皓　（藐笑）哧，这两个人懂得什么品茶！（突然望见门上的巨影）这是什么？

陈奶妈　袁先生画那个“北京人”呢。

曾　皓　（鄙夷地）什么“北京人”！简直是闹鬼。

陈奶妈　老爷子，回屋睡去吧。

曾　皓　不，我要在这儿看看，你睡去吧。

愫　方　奶妈，我给你把被铺叠好了。

陈奶妈　嗯，嗯。（感动）哎，愫小姐，你——（欣喜）好，我看看去。

（由书斋小门下）

〔曾皓开始每晚照例的巡视。

愫　方　（随着曾皓的后面）姨父，不早了，睡去吧，还看什么？

曾　皓　（一面在角落里探找，一面说）祖上辛辛苦苦留下来的房子，晚上火烛第一要小心，小心。（忽然）你看那地上冒着烟，红红的是什么？

愫　方　是烟头。

曾　皓　（警惕）你看这多危险！这一定又是江泰干的。总是这样，烟头总不肯灭掉。

〔愫方拾起烟头，预备扔在火炉里。

曾　皓　这么长一节就不抽了，真是糟蹋东西！（回头嗅闻）愫方，你闻闻仿佛有什么香味没有？

愫　方　没有。

曾　皓　刚才没有人来过么？

愫　方　没谁。

曾　皓　（嗅闻）怪得很，仿佛有鸦片烟的味道。

愫　方　别是您，今天水烟抽多了。

曾　皓　唔，老了，连鼻子都不中用了。（突然）究竟文清走了没有？

愫　方　走了。

曾　皓　你可不要骗我。

愫　方　是走了。

曾　皓　唉，走了就好。这一个大儿子也够把我气坏了，烟就戒了许多次。现在他好容易把烟戒了，离开了家——

愫　方　不早了，睡去吧。

曾　皓　（坐在沙发里怨诉）他们整天地骗我，上了年纪的人活着真是没意思。儿孙不肖，没有一个孩子替我想。（凄惨地）家里没有一个体恤我，可怜我，心疼我。我牛马也做了几十年了，现在倒个个人都盼我早死。

愫　方　姨父，您别这么想。

曾　皓　我晓得，我晓得。（怨恨地）我的大儿媳妇第一个不是东西，她就知道想法弄我的钱。今天正午我知道是她故意引这帮流氓进门，存心给我难堪。（切齿）你知道她连那寿木都不肯放在家里，父亲的寿木。这种不孝的人，这种没有一点心肝的女人，她还是书香门第的闺秀，她还是——

〔外面风雨袭来，树叶飒飒地响着。

曾　皓　她自己还想做人的父母，她——

愫　方　（由书斋小窗谛听）雨都下下来了，姨父，睡吧，别再说了。

曾　皓　（摇头）不，我睡不着。老了，儿孙不肖，一个人真可怜，半夜连一个侍候我的人都没有。（痛苦地摸着腿）啊！

愫　方　怎么了？

曾　皓　（微呻）痛啊，腿痛得很！

〔外面更锣声。

愫　方　（拿来一个矮凳，放好曾皓的腿，把毛毯盖上，又拉过一个矮凳坐在旁边，为他轻轻捶腿）好点吧？

曾　皓　（呻吟）好，好。脚冷得像冰似的。愫方，你把我的汤婆子灌好了没有？

愫　方　灌好了。

曾　皓　（回忆）你姨妈生前顶好了，晚上有点凉，立刻就给我生起炭盆，热好了黄酒，总是老早把我的被先温好。——（似乎突然记起来）我的汤婆子，你放在哪里了？

愫　方　（捶着腿）已经放在您的被里了。（呵欠）

曾　皓　（快慰）啊，老年人心里没有什么。第一就是温饱，其次就是顺心。你看，（又不觉牢骚起来）他们哪一个是想顺我的心？哪一个不是阴阳怪气？哪一个肯听我的话，肯为着老人家想一想？（望见愫方沉沉低下头去）愫方，你想睡了么？

愫　方　（由微盹中惊醒）没有。

曾　皓　（同情地）你真是累很了，昨天一夜没有睡，今天白天又侍候我一天，也难怪你现在累了。你睡去吧。（语声中带着怨望）我知道你现在听不下去了。

愫　方　（擦擦眼睛，微微打了一个呵欠）不，姨父，我不要睡，我是在听呢。

曾　皓　（又忍不住埋怨）难怪你，他们都睡了。老运不好，连自己的亲骨肉都不肯陪着我，嫌我烦厌——

愫　方　（低头）不，姨父，我没有觉得，我没有——

曾　皓　（唠叨）愫方，你不要骗我，我也晓得。他们就是不在你的面前说些话，我也知道你早就耐不下去了。（呻吟）哎哟，我的头好昏哪。

愫　方　没，并没有人在我面前说什么。我，我刚才只是有点困了。

曾　皓　（絮絮叨叨）你年纪轻轻的，陪着我这么一个上了年纪的人，你心里委屈，我是知道的。（长叹）唉，跟着我有什么好处？一个钱没有，眼前固然没有快乐可言，以后也说不上有什么希望。（嗟怨）我的前途就，就是棺材，棺材，我——（捶着自己的腿）啊！

愫　方　（捶重些，只好再解释）真的，姨父，我刚才就是一阵子有点困了。

曾　皓　（一眶眼泪，望着愫方）你瞒不了我，愫方，（一半责怨，一半诉苦）我知道你心里在怨我，你不是小孩子——

愫　方　姨父，我是愿意侍候您的。

曾　皓　（摇手）愫方，你别捶了。

愫　方　我不累。

曾　皓　（把她的手按住）不，别。你让我对你说几句话。（唠叨）我不是想苦你一辈子。我是在替你打算，你真的嫁了一个可靠的好人．我就是再没有人管，（愫方不觉把手抽出来）我也觉得心安，觉得对得起你，对得起你的母亲，我——

愫　方　不，姨父。（缓缓立起）

曾　皓　可是——（突然阴沉地）你的年纪说年轻也不算很——

愫　方　（低首痛心）姨父，您别说了，我并没有想离开您。

曾　皓　（狠心地）你让我说，你的年纪也不小了，一个老姑娘嫁人，嫁得再好，也不过给人做个填房。可是做填房如果遇见前妻的子女好倒也罢了，万一碰见尽是些不好的，你自己手上再没有钱，那种日子——

愫　方　（实在听不下去）姨父，我，我真是没有想过——

曾　皓　（苦笑）不过，给人做填房总比在家里待一辈子要好得多，我明白。

愫　方　（哀痛）我，我——

曾　皓　（絮烦）我明白，一个女人岁数一天一天地大了，高不成，低不就，人到了三十岁了，（一句比一句狠重）父母不在，也没有人做主，孤孤单单，没有一个体己的人，真是有一天，老了，没有人管了，没有孩子，没有孩子，没有亲戚，老，老，老得像我——

愫　方　（悲哀而恐惧的目光，一直低声念着）不，不，（到此地突然大声哭起来）姨父，您为什么也这么说话，我并没有想离开您老人家呀！

曾　皓　（苦痛地）我是替你想啊，替你想啊！

愫　方　（抽咽）姨父，不要替我想吧，我说过我是一辈子也不嫁人的呀！

曾　皓　（长叹一声）愫方，你不要哭，姨父也活不长了。

〔幽长的胡同内又有算命的瞎子寂寞地敲着铜钲走过去。

曾　皓　这是什么？

愫　方　算命的瞎子回家了。（默默擦着泪水）

曾　皓　不要哭啦，我也活不了几年了，我就是再麻烦你，也拖不了你几年了。我知道思懿，江泰他们心里都盼我死，死了好分我的钱，愫方，只有你是一个忠厚孩子！

愫　方　您，您不会的。（低泣起来）为什么您老是这么想，我今天没有冒犯您老人家啊！

曾　皓　（抚着愫方的手）不，你好，你是好孩子，可他们都以为姨父是有钱的，（愫方又缓缓把手抽回去）他们看着我脸上都贴的是钞票。我的肚子里装的不是做父母的心肠，都装的是洋钱元宝啊！（咳）他们都等着我死，哎，上了年纪的人活着真没有意思啊。（抚摩自己的头）头也这么痛。（想立起）

愫　方　（扶起他）睡去吧。

曾　皓　（坐起，在袋里四下摸索）可我早就没有钱。我的钱早为你的姨母出殡，修坟，修补房子，为着每年漆我的寿木早用光了。（从袋里取出一本红色的银行存折）这是思懿天天想偷看的银行存折。（递在愫方的眼前）你看这里还有什么？愫方，可怜我死后连给你都没留多少钱（立起）——

愫　方　（哀痛地）姨父，我从来没有想过要您的钱哪！

〔瑞贞由书斋小门上。

曾瑞贞 爷爷，药煎好了，在您屋里。

曾　皓 哦！

〔更声。深巷的犬吠声。

曾　皓 走吧。

〔瑞贞和愫方扶着曾皓向书斋小门走。

〔曾霆拿着一本线装书由书斋小门走进。

曾　霆 爷爷，抄完了，您还讲吧？

曾　皓 （摇头）不早了，（转头对瑞贞）瑞贞也不要来了，你们两个都回屋睡去吧。

〔愫方扶曾皓由书斋小门下。瑞贞呆望着那炉火[1]。曾霆走到那巨影的下面，望了一望，又复逡巡踱回。

曾　霆 （找话说）妈妈没有睡么？

曾瑞贞 大概睡了吧。

曾　霆 （犹疑）你怎么还不睡？

曾瑞贞 我刚给爷爷煎好药。（忽想呕吐，不觉坐下）

曾　霆 （有点焦急）你坐在这里干什么？

曾瑞贞 （手摸着胸口）没有什么。（失望地）要我走么？

曾　霆 （耐下）不，不。

〔淅沥的雨声，凄凉的“硬面饽饽”的叫卖声。

曾　霆 （望着窗外）雨下大了。

曾瑞贞 嗯，大了。

---

1 “炉火”川版作“小火炉”。

〔深巷中凄寂而沉重的声音喊着："硬面饽饽！"

曾　霆　（寂寞地）卖硬面饽饽的老头儿又来了。

曾瑞贞　（抬头）饿了么？

曾　霆　不。

曾瑞贞　（立起）你，你不要回屋去睡么？

曾　霆　我，我不。你累，你回去吧。

曾瑞贞　（低头）好。（缓缓向书斋小门走）

曾　霆　你哭，哭什么？

曾瑞贞　我没有。

曾　霆　（忽然同情地一句一顿）你要钱——妈今天给我二十块钱——在屋里枕头上——你拿去吧。

曾瑞贞　（绝望地叹息）嗯。

曾　霆　（怜矜的神色，微微带着勉强）你，你要不愿一个人回屋，你就在这里坐会儿。

曾瑞贞　不，我是要回屋的。

〔曾霆打了半个喷嚏，又忍住。

曾瑞贞　（回头）你衣服穿少了吧？

曾　霆　我不冷。

〔瑞贞又向书斋小门走。

曾　霆　（忽然记起）哦，妈刚才说——

曾瑞贞　妈说什么？

曾　霆　妈说要你给她捶腿。

曾瑞贞　嗯。（转身向文清卧室走）

曾　霆　（突然止住她）不，你不要去。

曾瑞贞　（无神地）怎么？

曾　霆　（希望得着同感）你恨，恨这个家吧？

曾瑞贞　我？

曾　霆　（追问）你？

〔瑞贞抑郁地低下头来。

曾　霆　（失望，低声）你去吧。

曾瑞贞　（走了一半，忽然回头。一半希冀，一半担心）我想告诉你一件事。

曾　霆　什么事？

曾瑞贞　（有些赧然）我，我最近身上不大舒服。

曾　霆　（连忙）你为什么不早说？

曾瑞贞　我，我有点怕——

曾　霆　（爽快地）怕什么，你怎么不舒服？

曾瑞贞　（嗫嚅）我常常想吐，我觉得——

曾　霆　（懵懂）啊，就是吐啊，（立刻叫）妈！

曾瑞贞　（立刻止住他）你干什么？

曾　霆　妈屋里有八卦丹，吃点就好。

曾瑞贞　（埋怨地）你！

曾　霆　（莫名其妙）怎么，说吧，还有什么不舒服？

曾瑞贞　（失望）没有什么，我我——（向卧室走）

曾　霆　你又哭什么？

曾瑞贞　（止步）我，我没有哭。（突然抬头望曾霆，哀伤地）霆，你一点不知道你是个大人么？霆，我们是——

曾　霆　（急促地解释）我们是朋友。你跟我也说过我们是朋友，因为我们结婚不是自由的。你的女朋友说的对，我不是你的奴隶，你也不是我的奴隶。我们顶多是朋友，各人有各人的自由，各走各的路。你，你自己也相信这句话是吧？

曾瑞贞　（忽然坚决地）嗯，我相信！

〔右面卧室内思懿的喊声：瑞贞，瑞贞！

曾　霆　妈叫你。

曾瑞贞　（愣一愣，转对曾霆）那么，我去了。

曾　霆　嗯。

〔瑞贞走入右面卧室。

曾　霆　（望着瑞贞走出去，鼓起勇气，对着那槅扇门的隙缝，低声）袁圆！袁圆！

〔瑞贞又从思懿卧室走出。

曾　霆　（有些狼狈）怎么你——

曾瑞贞　妈叫我找愫姨。（由书斋小门下）

曾　霆　（有些犹豫，叹一口气，又——）袁圆！袁圆！

〔槅扇门打开，泄出一道灯光，袁圆走出来。

袁　圆　咦，你又来了？

曾　霆　袁家妹妹，你看到我给你的信没有？

袁　圆　（懵懂地）看到了。

曾　霆　（突然）你读了我给你的诗，我信里面的诗了么？

袁　圆　（点头，天真地）念了！

曾　霆　（欣喜）念了？

袁　圆　（点头）嗯，我爸爸说你的字比我写得好。

曾　霆　（出乎意料）你给你父亲看了？

袁　圆　（忽然聪明起来）别红脸，不要紧的，爸爸说你就写了两个别[1]字，比我好。

曾　霆　那么，我给你的诗——

袁　圆　（点头）我给爸爸看了。

曾　霆　（更惊）也给他看了？

袁　圆　我看不懂。

曾　霆　那么你父亲——

袁　圆　（摇头）他说那诗古得很[2]。（抱歉地）他也看不懂。

曾　霆　他还说什么？

〔瑞贞和愫方由书斋小门上。刚要走出书斋，瑞贞突然瞥见曾霆和袁圆，不由己地停住脚，呆立在书斋里。愫方手里握着一件婴儿的绒线衣服，也默然伫立。

袁　圆　他说——（冒然）他叫我以后别跟你一块儿玩了。不理他，明天我们俩还是一块儿放风筝去。

曾　霆　（低语）为什么不能在一块儿玩？

袁　圆　（随口）愫姨刚才找我爸爸来了。

曾　霆　（吃惊）干什么？

1　读若“白”——底本注。

2　“他说那诗古的很”川版作“他说那诗，古，古得很”。

袁　圆　她说你的太太已经有了小娃娃了。

曾　霆　（晴天里的霹雳）什么？

袁　圆　你就快成父亲了。（好奇地）真的么？

曾　霆　（落在雾里）我？

袁　圆　我爸爸等愫姨走了，就跟我说，少领着你瞎玩了。

曾　霆　（依然晕眩）当父亲？

袁　圆　（忽然）我十五，你十几？

曾　霆　（发痴）十七。

袁　圆　啊，十七岁你就要当爸爸了。（拍手）啊，小爸爸，十七岁的小爸爸！

〔曾霆突然呜呜地哭起来。

袁　圆　别哭了，你再哭，我生气了。

〔曾霆依然痛苦着。

袁　圆　曾霆，别哭了，你看，我把我的鸽子都送给你。（把“孤独”在他的面前举起）

曾　霆　（摇头）不，不，我想哭啊！

〔袁任敢的声音：圆儿！圆儿！

袁　圆　（低声）我爸爸叫我了，明天见，我明天等你一块放风筝，钓鱼，好吧？

〔袁任敢的声音：圆儿！圆儿！

袁　圆　来了，爸。

〔袁圆打开槅扇门，跑进门又倏地关上。

〔斜风细雨，深巷里传来苍凉的“硬面饽饽”的叫卖声。

〔曾霆又扑倒，哭泣起来。

〔瑞贞缓缓由书斋走出来，愫方依然在书斋内发痴。

曾瑞贞　（走到曾霆的身后，略弯身，轻轻拍着他的肩膀，哀怜地）不要哭了，袁小姐走了。

曾　霆　（抬头）愫，愫姨的话是真的？

〔瑞贞望着他，深深一声叹气。

曾　霆　（大恸，怨愤地）哦，是哪个人硬要把我们俩拖在一起，（立起）我真是想（顿足）死啊！（向书斋小门跑去）

愫　方　霆儿！

〔曾霆头也不回，夺门而出。

〔瑞贞呆呆跌坐在凳子上。

愫　方　（走过来）瑞贞！

曾瑞贞　愫姨！

愫　方　（抚着她的头发）你，你别——

曾瑞贞　（猛然抱着愫方）我也真是想死啊！

愫　方　（温和地）瑞贞！我的妹妹。

曾瑞贞　（忍不住一面流泪，一面怨诉着）愫姨，你为什么要告诉袁家伯伯呢？为什么要叫袁家小姐不跟他来往呢？

愫　方　（悲哀地）瑞贞，我太爱你，我看你苦，我实在忍不下去了。（昏惑地）我不知道我怎么跑去说的，我像个傻子似的跑去见了袁先生。我简直不知道我说了些什么，我就跑出来了。瑞贞，如果霆儿从这以后能够——

曾瑞贞　（沉痛）你真傻呀，愫姨，他是不喜欢我的。你看不出来？

他是一点也不喜欢我的！

愫　方　（哀伤地）不，他是个孩子，他有一天就会对你好的。唉，瑞贞，等吧，慢慢地等吧，日子总是有尽的。

曾瑞贞　（立起摇头，沉缓地）不，愫姨，我等不下去了。我要走，我已经等了两年了。

〔外面曾皓的声音：愫方！愫方！

愫　方　你上哪里去？

曾瑞贞　（痴望）我那女朋友告诉我，有这么一个地方，那里——

愫　方　（哀缓地）可是你的孩子。（把那小衣服递在瑞贞的眼前）

曾瑞贞　（接下看着）那孩子。（长叹一声，不觉把衣服掷落地上）

〔由书斋小门露出曾皓的上半身。

曾　皓　（举着蜡炬）愫方，汤婆子漏了，一床上都是水。

〔愫方与曾皓由书斋小门下。

〔思懿拿着账本由自己的卧室走出，瑞贞连忙从地上拾起小衣服藏起。

曾思懿　（瞥见愫方的背影）愫小姐！愫小姐！（对瑞贞）那不是你的愫姨么？

曾瑞贞　嗯。

曾思懿　怎么看见我又走了？

曾瑞贞　爷叫她有事。

曾思懿　（厉声）去找她来，说你爹找她有事。

〔瑞贞低头由书斋小门下。远处更声。文清由卧房走进。思懿走到八仙桌前数钱。

曾文清 （焦急地）你究竟要怎么样？

曾思懿 （翻眼）我不要怎么样。

曾文清 你要怎么样？你说呀，说呀！

曾思懿 （故意作出一种忍顺的神色）我什么都看开了。人活着没有一点意思。早晚棺材一盖，两腿一伸，什么都是假的。（走向自己的卧室）

曾文清 你要干什么？

曾思懿 （回头）干什么？我拿账本交账。（走进屋内）

曾文清 （对门）你这是何苦，你这是何苦？你究竟想怎么样？你说呀！

〔思懿拿着账本又由卧室走出。

曾思懿 （翻眼）我不想怎么样。我只要你日后想着我这个老实人待你的好处。明天一见亮，我就进尼姑庵，我已经托人送信了。

曾文清 哦，天哪，请你老实说了吧。你的真意思是怎么回子事？我不是外人，我跟你相处了二十年，你何苦这样？何苦这样？

曾思懿 （拿出方才愫方给文清的信，带着嘲蔑）哼，她当我这么好欺负，在我眼前就敢信啊诗啊地给你递起来。（突然狠恶地）还是那句话，我要你自己当着我的面把她的信原样退给她。

曾文清 （闪避地）我，我明天就会走了。

曾思懿 （严厉）那么就现在退给她。我已经替你请她来了。

曾文清 （惊恐）她，她来干什么？

曾思懿 （讥刺地）拿你写给她的情书啊！

曾文清　（苦闷地叫了一声）哦！（就想回转身跑到卧室）

曾思懿　（厉声）敢走！

〔文清停住脚。

曾思懿　（切齿）不会偷油的耗子，就少在猫面前做馋相。这一点点颜色我要她——

〔蓦地大客厅里的灯熄灭，那巨影也突然消失，袁圆换了睡衣，抱着那"孤独"，举着蜡，打开一扇门走进来，手里拿着一张纸条。

袁　圆　（活泼地）哟，（递信给文清）曾伯伯，我爸爸给你的信！（转对思懿，指着）你们俩还没有睡，我们都要睡了。（转身就跳着进了屋，门倏地关上）

曾文清　（读完信，长叹一声）嗯。

曾思懿　怎么？

曾文清　（递信给她）袁先生说他的未婚妻就要到。

曾思懿　他有未婚妻？

曾文清　嗯，他请你替他找所好房子。

曾思懿　（读完，嘲讽地）哼，这么说，我们的愫小姐这次又——

〔愫方拿着蜡烛由书斋小门上。

愫　方　（低声）表哥找我？

曾文清　我——

曾思懿　是，愫妹。（把信递给文清）怎么样？

曾文清　哦。（想走）

曾思懿　（厉声）站住！你真的要逼我撒野？

曾文清　（哀恳地）愫方，你走吧，别听她。

〔愫方回头望思懿，想转身。

曾思懿　（对愫方）别动！（对文清，阴沉地）拿着还给她。

〔文清屈服地伸手接下。

〔愫方痛苦地望着文清，僵立不动。

曾思懿　（狞笑）这是愫妹妹给文清的信吧？文清说当不起，请你收回。

〔愫方颤抖地伸出手把文清手中的信接下。

〔文清低头。

〔静寂。

〔愫方默默地由书斋小门走出。

〔文清回头望愫方走出门，忍不住倒坐在沙发上哽咽。

曾思懿　（低声，狠恶地）哭什么，你爹死了？

曾文清　（摇头）你不要这么逼我，我是活不久的。

曾思懿　（长叹一声）隔壁杜家的账房晚上又来逼账了，老头拿住银行折子，一个钱也不拿出来，文清，我们看谁先死吧，我也快叫人逼疯了。（忙忙由书斋小门下）

〔文清失神地站起来，缓缓地向自己的卧室走。那边门内砰然一声，像是木杖掷在门上的声音，文彩喊着由她的卧室跑出。

曾文彩　（低声，恐惧地）哥哥！

曾文清　怎么？

曾文彩　他，他又发酒疯了！

曾文清　（无力地）那我，我怎么办？

曾文彩　（急促）哥哥，怎么办，你看怎么办？

〔突然屋内又有摔东西的声音，和狺狺然骂人的声音。

曾文彩　（拉着文清的臂）你听他又摔东西了。

曾文清　（捧着自己的头）唉，让他摔去得了。

曾文彩　（心痛地）他，他疯了，他要打我，他要离婚——

曾文清　（惨笑）离婚？

〔屋内江泰的声音：（拍桌）文彩！文彩！

曾文彩　哥哥。

〔屋内江泰的声音：（拍桌大喊）文彩！文彩！文彩！

曾文彩　（拉着文清）哥哥，你听！

曾文清　你别拉着我吧！

曾文彩　（焦急）他这样会出事的！会出事的，哥哥！

曾文清　放开我吧，我心里的事都闹不清啊！（摔开手，踉跄步入自己的卧室内）

〔文彩向自己的卧室走了两步，突然门开，跌进来醉醺醺的江泰，一只脚穿着拖鞋，那一只是光着。

江　泰　（不再是刚才那样苦恼可怜的样子，倚着门口，瞪红了眼睛）你滚到哪里去了？你认识不认识我是江泰，我叫江泰，我叫你，叫你，你怎么不来？

曾文彩　（苦痛）我，我，你——

江　泰　我住在你们家里不是不花钱的。我在外面受了一辈子人家的气，在家里还要受你们曾家人的气么？我要喝就得买，要吃就得做——谁欺负我，我就找谁——走——（拉着文彩的手）找他去！

曾文彩 （拦住他）你要找谁呀？

江　泰 曾皓，你的爹，他对不起我，我要找他算账。

曾文彩 明天，明天，父亲睡了。

江　泰 那么现在叫他滚起来。（走）

曾文彩 （拖住）你别去！

江　泰 你别管！

曾文彩 （忽然灵机一动，回头）啊呀，你看，爹来了！

江　泰 哪儿？

曾文彩 这儿！（顺手把江泰又推进自己的卧室内，立刻把门反锁上）

〔屋内江泰的声音：（击门）开门！开门！

曾文彩 哥哥！（连忙向文清卧室的门跑）哥哥！

〔屋内江泰的声音：（捶门）开门！开门！

〔文彩走到文清卧室门口，掀开门帘。

曾文彩 （似乎看见一件最可怕的事情）啊，天，你怎么还抽这个东西呀！

〔屋内文清的声音：（长叹）别管我吧，你苦我也苦啊！

〔屋内江泰的声音：（大吼大叫）文彩！（乱捶门）开门，我要烧房子啦！我要烧房子，我要点火啦，我——（扑通一声仿佛全身跌倒在地上）

曾文彩 （同时一面跑向自己的卧室，一面喊着）天啊，江泰，你醒醒吧，你还没有闹够，你别再吓死我了！（开了门）

〔文彩立刻进了自己的卧室，把门推严，里面只听得江泰呻吟的声音。

〔立刻由书斋小门上来曾皓，披着一件薄薄的夹袍，提着灯笼，由愫方扶掖着，颤巍巍地打着寒战。

曾　皓　（慌张地）出了什么事？什么事？（低声对愫方）你，你让我看看是谁，是谁在吵。你快去给我拿棉袍来。

〔愫方由书斋小门下。江泰还在屋内低微地哼哼，曾皓瞥见文清卧室的灯光，悄悄走到他的门前，掀开帘子望去。

〔屋内文清的声音：（喑哑）谁？

曾　皓　谁？（不可想象的打击）你，没走？

〔文清吓昏了头，昏沉沉地竟然拿着烟枪走出来。

曾　皓　你怎么又，又——

曾文清　（低头）爹，我——

〔曾皓惊愕得说不出一句话，摇摇晃晃向文清身边走来，文清吓得后退，逼到八仙桌旁，曾皓突然对文清跪下。

曾　皓　（痛心地）我给你跪下，你是父亲，我是儿子。我请你再不要抽，我给你磕响头，求你不——（一壁就要磕下去）

曾文清　（突然意识到自己的罪恶，扔下烟枪）妈呀！（推开大客厅的门扇跑出）

〔同时曾皓突然中了痰厥，瘫在沙发近旁。

〔同时愫方由书斋小门拿着棉袍忙上。

愫　方　（惊吓）姨父！姨父！（扶他靠在沙发上）姨父，你怎么了？姨父，你醒醒！姨父！

曾　皓　（睁开一半眼，细弱地）他，他走了么？

愫　方　（颤抖）走了。

曾　皓　（咬紧了牙）这种儿子怎么不（顿足）死啊？不（顿足）死啊！（想立起，舌头忽然有些弹）我舌头——麻——你——

愫　方　（颤声）姨父，您坐下，我拿参汤去，姨父！

〔曾皓口张目瞪不能应声，愫方慌忙由书斋小门跑下。

〔屋内文彩的声音：（哭泣）江泰！江泰！

〔屋内江泰的声音：（大吼）滚开呀，你！

〔屋内文彩的声音：江泰！

〔江泰猛然打开门，回身就把门反锁上。

〔屋内文彩的声音：你开门！开门！

江　泰　（在烛光摇曳中，看见了曾皓坐在那里，像入了定；他愤愤地）啊，你在这儿打坐呢？

〔曾皓目瞪口张。

江　泰　你用不着这么斜眼看我，我明天一定走了，一定走了。我再不走运，养自己一个老婆总还养得起。（怨愤）可我走以前，你得算账，算账。

〔屋内文彩的声音：（急喊）开门！开门！你在跟谁说话？江泰！（捶门）开门，江泰，开门！（一直在江泰说话的间隔中喊着）

江　泰　你欠了我的，你得还。我一直没说过，你不能再装聋卖傻。我为了你才丢了我的官，为了你才亏了款。人家现在通缉我。我背了坏名声，我一辈子出不了头，这是你欠我的债，你得还，你不能不理！你得再给我一个出头日子。你不能再这样不言语。（大声）你看清楚没有？我叫江泰，叫江泰！认清楚！你的女婿，你欠了我的债！曾皓，曾皓，你听见没有？

〔屋内文彩的声音：（吓住）开门！开门！（一直大叫）爹！爹！别理他！他说胡话，他疯了。爹，爹，爹呀！开门，江泰！（夹在江泰的长话当中）开门！爹，爹！

江　泰　曾皓，你给不给，你究竟还不还？我知道你有的是存款，金子，银子，股票，地契，（忽然恳切地）哦，借给我三千块钱，就三千，我做了生意，我一定要还你，还给你利息，还给你本，你听见了没有？我要加倍还给你，江泰在跟你说话，曾老太爷，你留着那么多死钱干什么？你老了，你岁数不小了。你的棺材都预备好了，漆都漆了几百遍了，你——

〔屋内文彩的声音：（同时捶门）开门！开门！

〔思懿拿着曾皓方才拿出过的红面存折，气愤愤地由书斋小门急上，望了望曾皓，就走到文彩的卧室前开门。

江　泰　（并未察觉有人进来，望着曾皓，厌恶地）你笑什么？你对我笑什么？（突然凶猛地）你怎么还不死啊？还不死啊！（疯了似地走到曾皓前面，推摇那已经昏厥过去的老人的肩膀）

〔文彩满面泪痕，蓦地由卧室跑出来。

曾文彩　（拖着江泰，力竭声嘶地）你这个鬼！你这个鬼！

江　泰　（一面被文彩向自己的卧室拉，一面依然激动地嚷着）你放开我，放开我，我要杀人，我杀了他，再杀死我自己呀。

〔文彩终于把江泰拖入房内，门霍地关上。愫方捧着一碗参汤由书斋小门急上。思懿依然阴沉沉地立在那里。

愫　方　（喂曾皓参汤）姨父！姨父！喝一点，姨父！

〔曾霆由书斋小门跑上。

曾　霆　怎么了？

愫　方　（喂不进去）爷爷不好了，赶快打电话，找罗太医。

曾　霆　怎么？

愫　方　中了风！姨父！姨父！

〔曾霆由大客厅门跑下，同时陈奶妈仓皇由书斋小门上，一边还穿着衣服。

陈奶妈　（颤抖地）怎么了老爷子？老爷子怎么了？

愫　方　（急促地）你扶着他的头，我来灌。

〔老人喉咙里的痰涌上来。

陈奶妈　（扶着他）不成了，痰涌上来了。——牙关咬得紧，灌不下。

愫　方　姨父！姨父！

〔文清由大客厅门上。

曾文清　（步到老人的面前，愧痛地连叫着）爹，爹！我错了，我错了。

〔文彩由自己的卧室跑出来。

曾文彩　（抱着老人的腿）爹，爹，我的爹！

愫　方　姨父，姨父！

陈奶妈　老爷子！老爷子！

曾思懿　（突然）别再吵了！别等医生来，送医院去吧。

愫　方　（昂首）姨父不愿意送医院的。

曾思懿　（对陈奶妈）叫人来！

〔陈奶妈由大客厅门下。

曾文彩　（立刻匆促地）我到隔壁杜家借汽车去。（由大客厅跑下）

愫　方　姨父，姨父！

曾文清　（哽咽）怎么了[1]？怎么了？

曾思懿　哼，怎么了？（气愤地）你看，（把手里曾皓的红面折子扔在文清的眼前）这才怎么了呢！

〔陈奶妈带着张顺由大客厅门上。曾霆随进。

曾思懿　张顺呢？

陈奶妈　这不是？

曾思懿　（对张顺）抬到汽车上。

〔张顺正要抱起老太爷。

愫　方　（忽然一把拉住曾皓）不能进医院，姨父眼看就不成了。

〔老人说不出话，眼睛苦痛地望着。

〔张顺望着愫方，停住手。

曾思懿　（拉开愫方，对张顺）抬！

〔张顺把曾皓抱起，向大客厅走。

曾　霆　（哭起来）爷！爷！

曾思懿　别哭了。

1　这里是“怎么办？”的意思。——底本注。

曾文清　（跟在后面）爹，我，我错了。

〔张顺走到门槛上。老人的苍白的手忽然紧紧抓着那门扇，坚不肯放。

曾　霆　（回头）走不了，爷爷的手抓着门不放。

曾思懿　用劲抬！

愫　方　（哀痛地）他不肯离开家呀！（大家又在犹疑）

曾思懿　抬！抬！救人要紧，听我的话还是听她的话？抬！

〔张顺硬向前走。

愫　方　他的手，他的手！

曾思懿　（对曾霆）把手掰开。

曾　霆　我怕。

曾思懿　笨，我来。

曾文清　爹！爹！

曾　霆　（恐怖地指着）爷爷的手，爷爷的手！

〔思懿强自掰开曾皓的手。

曾文清　（愤极）你这个鬼！你把父亲的手都弄出血来了。

曾思懿　抬！（低声，狠恶地）房子要卖，你愿意人死在家里？

〔大家随着张顺，由大客厅门走出，只有文清留在后面。

〔木梆声。

〔苍凉的“硬面饽饽”的叫卖声。

〔屋里醉人一声痛苦的呻吟。

〔文清进屋立刻走出。他拿着一件旧外衣和一个破帽子，臂里挟一轴画，长叹一声，缓缓地由通大客厅的门走出，顺手把门掩上。

〔风挟着秋雨吹入，门又悄悄自启，四壁烛影憧憧[1]，墙上的画轴也被刮起来砰砰地响着。

〔远处一两声凄凉的更锣。

——幕徐落

1 “憧憧”底本作“幢幢”，据1994人文版改。

第三幕

第一景

在北平阴历九月稍尾的早晚，人们已经需要加上棉绒的寒衣。深秋的天空异常肃穆而爽朗。近黄昏时，古旧一点的庭园就有成群成阵像一片片墨点子似的老鸦在老态龙钟的榆钱树的树巅上来回盘旋，此呼彼和，噪个不休。再晚些，暮色更深，乌鸦也飞进了自己的巢。在苍茫的暮霭里，传来城墙上还未归营的号手吹着的号声。这来自遥远的，孤独的角声打在人的心坎上，说不出地熨帖而又凄凉，像一个多情的幽灵独自追念着那不可唤回的渺若烟云的以往，又是惋惜，又是哀伤，那样充满了怨望和依恋，在薄寒的空气中不住地振抖。

天渐渐地开始短了，不到六点钟，石牌楼后面的夕阳在西方一抹淡紫的山气中隐没下去。到了夜半就唰唰地刮起西风，园里半枯的树木飒飒地乱抖。赶到第二天一清早，阳光又射在屋顶辉煌的琉璃瓦上，天朗气清，地面上罩一层白霜，院子里，大街的人行道上都铺满了头夜的西风刮下来的黄叶。气候着实地凉了，大清早出来，人们的呼吸在寒冷的空气里凝成乳白色的热气，向菜市买来的菜蔬碰巧就结上一层薄薄的冰凌，在屋子里坐久了不动就觉得有些冻脚，窗纸边的苍蝇拖着迟重身子飞飞就无力地落在窗台上。在往日到了这种天气，比较富贵的世家如同曾家这样的门第，家里早举起了炕火[1]，屋内暖洋洋的。绕着大厅的花槅扇与宽大的玻璃窗前放着许多盆盛开的菊花：有绿的，白的，黄的，宽瓣的，细瓣的，都是名种，它们有的放在花架上，有的放在地上，还有在糊着蓝纱的槅扇前紫檀花架上的紫色千头菊悬崖一般地倒吊下来，这些都绚烂夺目地在眼前罗列着。主人高兴时就在花前饮酒赏菊，邀几位知己的戚友，吃着热气腾腾的羊肉火锅[2]，或猜拳，或赋诗，酒酣耳热，顾盼自豪。真是无上的气概，无限的享受。

像往日那般欢乐和气概于今在曾家这间屋子里已找不出半点痕迹，惨淡的情况代替了当年的盛景。现在这深秋的傍晚——离第二幕有一个多月——更是处处显得零落衰败的样子，槅扇上的蓝纱都褪了色，有一两扇已经撕去了，换上普通糊窗子用的高丽纸，但也泛黄了。槅扇前地上放着一盆白菊花，枯黄的叶子，花也干的垂了头。靠墙的一张旧红木半圆桌上放着一个深蓝色大花瓶，里面也插了三四朵快开败的黄菊。花瓣儿落在桌子上，这败了的垂了头的菊花在这衰落的旧家算是应应节令。许多零碎的摆饰[3]都收了起来，墙上也只挂着一幅不知什么人画的山水，裱的绫子已成灰暗色，下面的轴子只剩了一个。墙壁的纸已开始剥落。墙角倒悬那张七弦琴，琴上的套子不知拿去作了什么，橙黄的穗子仍旧沉沉地垂下来，但颜色已不十分鲜

1 “炕火”底本作“坑火”，据川版改。

2 “羊肉火锅”川版作“菊花火锅”。

3 “摆饰”川版作“摆设”。

明，蜘蛛在上面织了网，又从那儿斜斜地织到屋顶。书斋的窗纸有些破了补上，补上又破了的。两张方凳随便地放在墙边，一张空着，一张放着一个作针线的簸箩。那扇八角窗的玻璃也许久没有擦过，灰尘尘的。窗前八仙桌上放一个茶壶，两个茶杯，桌边有一把靠椅。

一片淡淡的夕阳透过窗子微弱地洒在落在桌子上的[1]菊花瓣上，同织满了蛛网的七弦琴的穗子[2]上，暗澹澹的，忽然又像回光返照一般地明亮起来，但接着又暗下去。外面一阵阵地噪着老鸦。独轮水车的轮声又在单调地“孜妞妞孜妞妞”地滚过去，太阳下了山，屋内渐渐地昏暗。

开幕时文彩坐在靠椅上织着毛线坎肩，她穿着一件旧黑洋绉的驼绒袍子，黑绒鞋。面色焦灼，手不时地停下来，似乎在默默地等待着什么。离她远远地在一张旧沙发上歪歪地靠着江泰，他正在拿着一本《麻衣神相》，十分入神地读，左手还拿了一面用红头绳缠拢的破镜子，翻翻书又照照自己的脸，放下镜子又仔细研读那本线装书。

半晌。

陈奶妈拿着纳了一半的鞋底子，打开书斋的门走进来。她的头发更斑白，脸上仿佛又多了些皱纹，因为年纪大了怕冷，她已经穿上一件灰布的薄棉袄，青洋缎套裤扎着腿。看见她来，文彩立刻放下手里的毛线活计站起来。

---

1 “洒在落在桌子上的”川版作“洒落在桌子上面的”。

2 “穗子”川版作“龙龈”。

曾文彩　（非常关心地低声问）怎么样啦？

〔陈奶妈止步，回头向窗外伫听。文彩满蓄忧愁的眼睛望着她，等待她的回话。

陈奶妈　（无可奈何地摇摇头）没有走，人家还是不肯走。

〔文彩失望地叹息了一声，又坐下拿起毛线衣，低头缓缓地织着。

〔江泰略回头，看了这两个妇人一眼，显着厌恶的神气又转过身读他的《麻衣神相》。

〔陈奶妈长长的嘘出一口气，四面望了望，提起袖口擦抹一下眼角，走到方凳子前坐下，迎着黄昏的一点微光默默地纳起鞋底。

〔江泰忽然搓顿着两只脚，冷瑟瑟的。

曾文彩　（抬起头望江泰）脚冷么？

江　泰　（心烦）唔！（又翻他的相书）

〔文彩又低下头织毛线。

〔半晌。

曾文彩　（斜觑江泰一眼，又低下头织了两针，实在忍不住了）泰！

〔江泰若有所闻，但仍然看他的书。

曾文彩　（又温和地）你在干什么？

〔江泰不理她。

〔陈奶妈看江泰一眼，不满意地转过头去。

曾文彩　（放下毛线）泰，几点了，现在？

江　泰　（拿起镜子照着，头也不回）不知道。

曾文彩　（只好看看外边的天色）有六点了吧？

江　泰　（放下镜子，回过头，用手指了一下，冷冷地）看钟！

曾文彩　钟坏了。

江　泰　（翻翻白眼）坏了拿去修！（又拿起镜子）

曾文彩　（怯弱地）泰，你再到客厅看看他们现在怎么样啦，好么？

江　泰　（烦躁地）我不管，我管不着，我也管不了！你们曾家的事也太复杂，我没法管。

曾文彩　（恳求）你再去看一下，好不好？看看他们杜家人究竟想怎么样？

江　泰　怎么样？人家到期要曾家还钱。没有钱要你们府上的房子，没有房子要曾老太爷的寿木，那漆了几十年的楠木棺材。

曾文彩　（无力地）可这寿木是爹的命，爹的命！

江　泰　你既然知道这件事这么难办，你要我去干什么？

陈奶妈　（早已停下针在听，插进嘴）算了，就让大奶奶一个人对付他们去吧，反正钱是没有，房子要住——

江　泰　那棺材——

曾文彩　爹舍不得！

江　泰　（瞪瞪文彩）明白啦？（又拿起镜子）

〔文彩低头叹息，拿出手帕抹眼泪。

〔半晌。外面乌鸦噪声，水车“孜妞妞，孜妞妞”滚过声。

陈奶妈　（纳着鞋底，时而把针放在斑白的头发上擦两下，又使劲把针扎进鞋底。这时她停下针，抬起头叹气）我走咯，走咯，明天我也走咯！可怜今天老爷子过的是什么丧气生日！

唉，像这样活下去，倒不如那天晚上……（忽然）要是往年祖老太爷做寿的时候，家里请客唱戏，院子里，客厅里摆满了菊花。上上下下都开着酒席，哪儿哪儿都是拜寿的客人。叽哩旮旯儿[1]满世界都是寿桃，寿面，红寿帐子，哪像现在——

曾文彩 （一直在沉思着眼前的苦难，呆望着江泰，几乎没听见陈奶妈[2]的话，此时打起精神对江泰又温和地提起话头）泰，你在干什么？

江　泰 （翻翻眼）你看我在干什么？

曾文彩 （勉强地微笑）我说你一个人照什么？

江　泰 （早已不耐烦，立起来）我在照我的鼻子！你听清楚，我在照我的鼻子！鼻子！鼻子！（拿起镜子和书走到一个更远的椅子上坐下）

曾文彩 你不要再叫了吧，爹这次性命是捡来的。

江　泰 （总觉文彩故意跟他为难，心里又似恼怒却又似毫无办法的样子，连连指着她）你看你！你看你！你每次说话的口气，言外之意总像是我那天把你父亲气病了似的。你问问现在谁不知道是你那位令兄，令嫂——

曾文彩 （只好极力辩解）谁这么疑心哪？（又低声下气，温婉地）我说，爹今天刚从医院回来，你就当着给他老人家拜寿，到

---

1 “到处”的意思。——底本注。

2 “陈奶妈”底本作“陈奶奶”，据川版改。

上屋看看他，好吧？

江　泰　（还是气鼓鼓的）我不懂，他既然不愿意见我，你为什么非要我见他不可？就算那天我喝醉啦，说错了话得罪了他，上个月到医院也望了他一趟，他都不见我，不见我——

曾文彩　（解释）唉，老人家现在心绪不好！

江　泰　那我心绪就好？

曾文彩　（困难地）可现在爹回了家，你难道就一辈子不见他？就当作客人吧，主人回来了，我们也该去问声好，何况你——

江　泰　（理屈却气壮，走到她的面前又指又点）你，你，你的嘴怎么现在学得这么刁？这么刁？我，我躲开你！好不好？（赌气拿着镜子由书斋小门走出去）

曾文彩　（难过地）江泰！

陈奶妈　唉，随他——

〔江泰又匆匆进来在原处乱找。

江　泰　我的《麻衣神相》呢？（找着）哦，这儿。（又走出）

曾文彩　江泰！

陈奶妈　（十分同情）唉，随他去吧，不见面也好。看见姑老爷，老爷子说不定又想起清少爷，心里更不舒服了。

曾文彩　（无可奈何，只得叹了口气）您的鞋底纳好了吧？

陈奶妈　（微笑）也就差一两针了。（放下鞋底，把她的铜边老花镜取下来，揉揉眼睛）鞋倒是做好了，人又不在了。

曾文彩　（勉强挣出一句希望的话）人总是要回来的。

陈奶妈　（顿了一下，两手提起衣裾擦泪水，伤心地）嗯，但——愿。

曾文彩 （凄凉地）奶妈，您明天别走吧。再过些日子，哥哥会回来的。

陈奶妈 （一月来的烦忧使她的面色失了来时的红润。她颤巍巍摇着头，干巴巴的瘪嘴激动得一抽一抽的。她心里实在舍不得，而口里却固执地说）不，不，我要走，我要走的。（立起把身边的针线什物往簸箩里收，一面揉揉她的红鼻头）说等吧，也等了一个多月了，愿也许了，香也烧了，还是没音没信。可怜我的清少爷跑出去就穿了一件薄夹袍——（向外喊）小柱儿！小柱儿！

曾文彩 小柱儿大概帮袁先生捆行李呢。

陈奶妈 （簸箩里取出一块小包袱皮，包着那双还未完全做好的棉鞋）要，要是有一天他回来了，就赶紧带个话给我，我好从乡下跑来看他。（又不觉眼泪汪汪的）打，打听出个下落呢，姑小姐就把这双棉鞋绱[1]好给他寄去——（回头又喊）小柱儿！——（对文彩）就说大奶妈给他做的，叫他给奶妈捎个信。（闪出一丝笑容）那天，只要我没死，多远也要去看他去。（忍不住又抽咽起来）

曾文彩 （走过来抚慰着老奶妈）别，别这么难过！他在外面不会怎么样，（勉强地苦笑）三十六七快抱孙子的人，哪会——

陈奶妈 （泪眼婆娑）多大我也看他是个小孩子，从来也没出过门，连自己吃的穿的都不会料理的人——（一面喊一面走向通大

---

1 "绱"底本作"尚"，据川版改。

客厅的门）小柱儿，小柱儿！

〔小柱儿的声音：唳，奶奶！

陈奶妈 你在干什么哪，你还不收拾收拾睡觉，明儿个好赶路。

〔小柱儿的声音：愫小姐叫我帮她喂鸽子呢。

陈奶妈 （一面向大客厅走，一面唠叨）唉，愫小姐也是孤零零的可怜！可也白糟蹋粮食，这时候这鸽子还喂个什么劲儿？（由大客厅门走出）

曾文彩 （一半对着陈奶妈说一半是自语，喟然）喂也是看在那爱鸽子的人！

〔外面又一阵乌鸦噪，文彩打了个寒战，正拿起她的织物，——

〔江泰嗒然由书斋小门上。

江　泰 （忘记了方才的气焰，像在黄霉天里背上沾湿了雨一般，说不出的又是丧气，又是恼怒，又是悲哀的神色，连连地摇着头）没办法，没办法！真是没办法！这么大的一所房子，走东到西的没有一块暖和地方。到今儿个还不生火，脚冻得要死。你那位令嫂就懂得弄钱，你的父亲就知道他的棺材。我真不明白这样活着有什么意义，有什么意义？

曾文彩 别埋怨了，怎么样日子总是要过的。

江　泰 闷极了我也要革命！（从似乎是开玩笑又似乎是发脾气的口气而逐渐激愤地喊起来）我也反抗，我也打倒，我也要学瑞贞那孩子交些革命党朋友，反抗，打倒，打倒，反抗！都滚他妈的蛋，革他妈的命！把一切都给他个推翻！

可——（突然摸着了自己的口袋，不觉挖苦挖苦自己，惨笑出来）可我这口袋里，就剩下一块钱了。（摸摸又眨眨眼）不，那一块钱也没有了——（翻眼想想，低声）看了相！

曾文彩 江泰，你这——

江　泰 （忽然摇头，“如丧考妣”的样子，长叹一声）要是我能发明一种像万金油似的药多好啊！多好啊！

曾文彩 （哀切地）泰，不要再这样胡思乱想，顺嘴里扯，你这样会弄成神经病的。

江　泰 （像没听见她的话，蓦地又提起精神）文彩，我告诉你，今天早上我逛市场，又看了一个相。那个看相的也说我现在正交鼻运，要发财，连夸我的鼻子生得好，饱满，藏财。（十分认真地）我刚才照照我的鼻子，倒是生得不错！（直怕文彩驳斥）看相大概是有点道理，不然怎么我从前的事都说的挺灵呢？

曾文彩 那你也该出去找朋友啊！

江　泰 （有些自信）嗯！我一定要找，我要找我那些阔同学。（仿佛用话来唤起自己的行动的勇气）我就要找，一会儿我就去找！我大概是要走运了。

曾文彩 （鼓励地）江泰，只要你肯动一动你的腿，你不会不发达的。

江　泰 （不觉高兴起来）真的么？（突然）文彩，我刚才到上房看你爹去了。

曾文彩 （也提起高兴）他，他老人家跟你说什么？

江　泰 （黠巧地）这可不怪我，他不在屋。

曾文彩 他又出屋了？

江　泰 嗯，不知道他——

〔陈奶妈由书斋小门上。

陈奶妈 （有些惶惶）姑小姐，你去看看去吧。

曾文彩 怎么？

陈奶妈 唉！老爷子一个人拄着个棍儿又到厢房看他的寿木去了。

曾文彩 哦——

陈奶妈 （哀痛地）老爷子一个人站在那儿，直对着那棺材流眼泪……

江　泰 愫小姐呢？

陈奶妈 大概给大奶奶在厨房蒸什么汤呢。——姑小姐，那棺材再也给不得杜家，您先去劝劝老爷子去吧。

曾文彩 （泫然）可怜，爹。我，我去——（向书房走）

江　泰 （讥诮地）别，文彩，你先去劝劝你那好嫂子吧。

曾文彩 （一本正经）她正在跟杜家人商量着推掉呢。

江　泰 哼，她正在跟杜家商量着送呢。你叫她发点良心，别尽想把押给杜家的房子留下来，等她一个人日后卖好价钱，你父亲的棺材就送不出去了。记着，你父亲今天出院的医药费都是人家愫小姐拿出来的钱。你嫂子一个人躲在屋子里吃鸡，当着人装穷，就知道卖嘴！你忘了你爹那天进医院以前她把你爹的手都弄出血啦，哼，你们这位令嫂啊，——

〔思懿由书斋小门上。

陈奶妈 （听见足步声，回头一望，不觉低声）大奶奶来了。

〔江泰默然，走在一旁。

〔思懿面色阴暗，蹙着眉头，显得十分为难又十分哀恸的样子。她穿件咖啡色起黑花的长袖绒旗袍，靠胳膊肘的地方有些磨光了，领子上的纽扣没扣，青礼服呢鞋。

曾文彩 （怯弱地）怎么样，大嫂？

〔思懿默默走向沙发那边去。

〔半晌。

陈奶妈 （关切而又胆怯地）杜家人到底肯不肯？

〔思懿仍默然坐在沙发上。

曾文彩 大嫂，杜家人——

曾思懿 （猛然扑在沙发的扶手上，有声有色地哭起来）文清，你跑到哪儿去了？文清，你跑了，扔下这一大家子，叫我一个人撑，我怎么办得了啊？你在家，我还有个商量，不在家，碰见这种难人的事，我一个妇道还有什么主意哟！

〔江泰冷冷地站在一旁望着她。

陈奶妈 （受了感动）大奶奶，您说人家究竟肯不肯缓期呀？

曾思懿 （鼻涕眼泪抹着，抽咽着，数落着）你们想，人家杜家开纱厂的，鬼灵精！到了我们家这个时候，“墙倒众人推”，还会肯么？他们看透了这家里没有一个男人，（江泰鼻孔哼了一声）老的老，小的小，他们不趁火打劫，逼得你非答应不可，怎么会死心啊！

曾文彩 （绝望地）这么说，他们还是非要爹的寿木不可？

曾思懿 （直拿手帕擦着红肿的眼，依然抽动着肩膀）你叫我有什么法子？钱，钱我们拿不出；房子，房子我们要住，一大家子的人张着嘴要吃。那寿木，杜家老太爷想了多少年，如今非要不可，非要——

江　泰　（靠着自己卧室的门框冷言冷语地）那就送给他们得啦。

陈奶妈　（惊愕）啊，送给他们？

曾思懿　（不理江泰）并且人家今天就要——

曾文彩　（倒吸一口气）今天？

曾思懿　嗯，他们说杜家老太爷病得眼看着就要断气，立了遗嘱，点明——

江　泰　（替她说）要曾家老爷的棺材！

曾文彩　（立刻）那爹怎么会肯？

陈奶妈　（插嘴）就是肯，谁能去跟老爷子说？

曾文彩　（紧接）并且爹刚从医院回来。

陈奶妈　（岔进）今天又是老爷子的生日，——

曾思懿　（突然又嚎起来）我，我就是说啊！文清，你跑到哪儿去了？到了这个时候，叫我怎么办啊？我这公公也要顾，家里的生活也要管，我现在是“忠孝不能两全”。文清你叫我怎么办哪！

〔在思懿的哭嚎声中，书斋的小门打开，曾皓拄着拐杖，巍巍然[1]地走进来。他穿着藏青线春的丝棉袍子，上面罩件黑呢马褂，黑毡鞋。面色黄枯，形容惨沮，但从他走路的样子看来，似乎已经恢复了健康。他尽量保持自己仅余那点

1　“巍巍然”川版作“颤微微”。

尊严，从眼神里看得出他在绝望中再做最后一次挣扎，然而他又多么厌恶眼前这一帮人。

〔大家回过头都立起来。

〔江泰一看见就偷偷沿墙溜进自己的屋里。

曾文彩 爹!(跑过去扶他)

曾　皓 (以手挥开，极力提起虚弱的嗓音)不要扶，让我自己走。(走向沙发)

曾思懿 (殷殷勤勤)爹，我还是扶您回屋躺着吧。

曾　皓 (坐在沙发上对大家)坐下吧，都不要客气了。

曾　皓 (四面望望)江泰呢?

曾文彩 他，——(忽然想起)他在屋里,(惭愧地)等着爹，给爹赔不是呢。

曾　皓 老大还没有信么?

曾思懿 (惨凄凄地)有人说在济南街上碰见他，又有人说在天津一个小客栈看见他——

曾文彩 哪里都找到了，也找不到一点影子。

曾　皓 那就不要找了吧。

曾文彩 (打起精神安慰老人家)哥哥这次实在是后悔啦，所以这次在外面一定要创一番事业才——

曾　皓 (摇首)“知子莫若父”，他没有志气。早晚他还是会——(似乎不愿再提起他，忽然对文彩)你叫江泰进来吧。

曾文彩 (走了一步，中心愧怍，不觉转身又向着父亲)爹，我，我们真没脸见爹，真是没——

曾　皓　唉，去叫他，不用说这些了。（对思懿）你也把霆儿跟瑞贞叫来。

〔文彩至卧室前叫唤。思懿由书斋门走下。

曾文彩　江泰，江——

〔江泰立刻悄悄溜出来。

江　泰　（出门就看见曾皓正在望着他，不觉有些惭愧）爹，您，您——

曾　皓　（挥挥手）坐下，坐下吧。

〔江泰坐。

曾　皓　（对陈奶妈，关心地）你告诉愫小姐，刚从医院回来，别去厨房再辛苦啦，歇一会去吧。

〔陈奶妈由通大客厅的门下。

曾文彩　（一直在望着江泰示意，一等陈奶妈转了身，低声）你还不站起来给爹赔个罪！

江　泰　（似立非立）我，我——

曾　皓　（摇手）过去的事我们不提了，不提了。

〔江泰又坐下。静默中，思懿领着曾霆与瑞贞由书斋小门上。瑞贞穿着一件灰底子小红花的布夹袍，霆儿[1]的袍子上罩上一件蓝布大褂。

〔曾皓指指椅子，他们都依次坐下，只有瑞贞立在文彩的背后。

1　“霆儿”川版作“曾霆”。

曾　皓　（哀伤地望了望）现在座中大概就缺少老大，我们曾家的人都在这儿了。（望望屋子，微微咳了一下）这房子是从你们的太爷爷敬德公传下来的。我们累代是书香门第，父慈子孝，没有叫人说过一句闲话。现在我们家里出了我这种不孝的子孙——

曾思懿　（有些难过）爹！——

〔大家肃然相望，又低下头。

曾　皓　败坏了曾家的门庭，教出一群不明事理，不肯上进，不知孝顺，连守成都做不到的儿女——

〔江泰开始有些烦恶。

曾文彩　（抬起头来惭愧地）爹，爹，你——

曾　皓　这是我对不起我的祖宗，我没有面目再见我们的祖先敬德公！（咳嗽）

〔瑞贞走过来捶背。

江　泰　（不耐，转身连连摇头，又唉声叹息起来，嘟哝着）哎，哎，真是这时候还演什么戏！演什么戏！

曾文彩　（低声）你又发疯了！

曾　皓　（徐徐推开瑞贞）不要管我。（转对大家）我不责备你们，责也无用。（满面绝望可怜的神色，而声调是恨恨的）都是一群废物，一群能说会道的废物。（忽然来了一阵勇气）江泰，你，你也是——

〔江泰似乎略有表示。

曾文彩　（怕他发作）泰！

〔江泰嘿然，又不做声。

曾　皓　（一半是责备，一半是发牢骚）成天地想发财，成天地做梦，不懂得一点人情世故！同老大一样，白读书，不知什么害了你们，都是一对——（不觉大咳，自己捶了两下）

曾文彩　唉，唉！

江　泰　（只好无奈何地连连出声）这又何必呢，这又何必呢！

曾文彩　爹！爹！

曾　皓　思懿，你是有儿女的人，已经做了两年的婆婆，并且都要当祖母啦。（强压自己的愤怒）我不说你，错误也是我种的根，错也不自今日始。（自己越说越凄惨）将来房子卖了以后，你们尽管把我当作死了一样，这家里没有我这个人，我，我——（泫然欲泣）

曾文彩　（忍不住大哭）爹，爹！

曾思懿　（早已变了颜色）爹，我不明白爹的话。

曾　皓　（没有想到）你，你，——

曾文彩　（愤极）大嫂，你太欺侮[1]爹了。

曾思懿　（反问）谁欺侮[2]爹了？

曾文彩　（老实人也逼得出了声）一个人不能这么没良心。

曾思懿　谁没良心？谁没良心？天上有雷，眼前有爹，妹妹，我问你，谁？谁？

1　“欺侮”川版作“欺负”。

2　“欺侮”川版作“欺负”。

曾　霆　（同时苦痛地）妈！

曾文彩　（被思懿的气势所夺，气得发抖）你，你逼得爹没有一点路可走了。

江　泰　（无可奈何地）不要吵了，小姑子，嫂嫂们。

曾文彩　你逼得爹连他老人家的寿木都要抢去卖，你逼得爹——

曾　皓　（止住她）文彩！

曾思懿　（讥诮地）对了，是我逼他老人家，吃他老人家，（说着立起来）喝他老人家，成天在他老人家家里吃闲饭，一住就是四年，还带着自己的姑爷——

曾　霆　（在旁一直随声劝阻，异常着急）妈，您别，——妈，您——妈——

江　泰　（也冒了火）你放屁，我给了钱！

曾　皓　（急喘，镇止他们）不要喊了！

曾思懿　（同时）你给了钱？哼，你才——

曾　皓　（在一片吵声中顿足怒喊）思懿，别再吵！（几乎是哀号）我，我就要死了！

〔大家顿时安静，只听见思懿哀哀低泣。

〔天开始暗下来，在肃静的空气中，愫方由大客厅门上。她穿着深米色的哔叽夹袍，面庞较一个月前略瘦，因而她的眼睛更显得大而有光彩，我们可以看得出在那里面含着镇静，和平与坚定的神色。她右手持一盏洋油灯，左臂抱着两轴画。看见她进来，瑞贞连忙走近，替她接下手里的灯，同时低声仿佛在她耳旁微微说了一句话。愫方默默颔首，不觉悲哀地望望眼前那几张沉肃的脸，就把两轴画放进那只瓷缸里，又回身匆忙地由书斋门下。瑞贞一直望着她。

曾　皓　（叹息）你们这一群废物啊！到现在还有什么可吵的？

曾瑞贞　爷爷回屋歇歇吧！

曾　皓　（感动地）看看瑞贞同霆儿还有什么脸吵？（慨然）别再说啦，住在一起也没有几天了。思懿，你，你去跟杜家的管事说，说叫，——（有些困难）叫他们把那寿木抬走，先，先（凄惨地）留下我们这所房子吧。

曾文彩　爹！

曾　皓　杜家的意思刚才愫方都跟我说了。

曾文彩　哪个叫愫表妹对您说的？

曾思懿　（挺起来）我！

曾　皓　不要再计较这些事情啦！

江　泰　（迟疑）那么您，还是送给他们？

〔曾皓点头。

曾思懿　（不好开口，却终于说出）可杜家人说今天就要。

曾　皓　好，好，随他们，让它给有福气的人睡去吧。（思懿就想出去说，不料曾皓回首对江泰）江泰，你叫他们赶快抬，现在就抬！（无限的哀痛）我，我不想明天再看见这晦气的东西！（低头不语，思懿只好停住脚）

江　泰　（怜悯之心油然而生）爹！（走了两步又停住）

曾　皓　去吧，去说去吧！

江　泰　（蓦然回头，走到曾皓的面前非常善意地）爹，这有什么可难过的呢！人死就死了，睡个漆了几百道的棺材又怎么样呢？（原是语调里带着同情而又安慰的口气，但逐渐忘形，改了腔调，又按他一向的习惯，对着曾皓滔滔不绝地说起来）这种事您就没有看通。譬如说，您今天死啦，睡了就漆一道的棺材，又有什么关系呢？

曾文彩 （知道他的话又来了）江泰！

江　泰 （回头对文彩嫌厌地）你别吵！（又转脸对曾皓，和颜悦色，十分认真地劝解）那么您死啦，没有棺材睡又有什么关系呢？（指着，点着）这都是一种习惯！一种看法！（说得逐渐高兴，渐次忘记了原来同情与安慰的善意，手舞足蹈地对着曾皓开了讲）譬如说，（坐在沙发上）我这么坐着好看，（灵机一动）那么，这么（忽然把条腿翘在椅背上）坐着，就不好看么？（对思懿）大嫂，（陶醉在自己的言词里，像喝得微醺之后，几乎忘记方才的龃龉）我这是比方啊！（指着）你穿衣服好看，你不穿衣服就不好看么？

曾思懿 姑老爷！

江　泰 （继续不断）这都未见得，未见得！这不过是一种看法！一种习惯！

曾　皓 （插嘴）江泰！

江　泰 （不容人插嘴，流水似地接下去）那么譬如我吧，（坐下）我死了，（回头对文彩，不知他是玩笑，还是认真）你就给我火葬！烧完啦，连骨头末都要扔在海里，再给它一个水葬，痛痛快快来一个死无葬身之地！（仿佛在堂上讲课一般）这不过也是一种看法，这也可以成为一种习惯！那么，爹，您今天——

曾　皓　（再也忍不住，高声拦住他）江泰！你自己愿意怎么死，怎么葬，都任凭尊便。（苦涩地）我大病刚好，今天也还算是过生日，这些话现在大可不必——

江　泰　（依然和平地，并不以为忤）好，好，好，您不赞成！无所谓，无所谓！人各有志！——其实我早知道我的话多余，我刚才说着的时候，心里就念叨着，"别说啊！别说啊！"（抱歉地）可我的嘴总不由得——

曾思懿　（一直似乎在悲戚着）那姑老爷就此打住吧。（立起）那么爹，我，我（不忍说出的样子，擦擦自己的眼角）就照您的吩咐跟杜家人说吧？

曾　皓　（绝望）好，也只有这一条路了。

曾思懿　唉！（走了两步）

曾文彩　（痛心）爹呀！

江　泰　（忽然立起）别，你们等等，一定等等！（三脚两步跑进自己的卧室）。

〔思懿也停住了脚。

曾　皓　（莫名其妙）这又是怎么？

〔张顺由通大客厅大门上。

张　顺　杜家又来人说，阴阳生看好那寿木要在今天下半夜寅时以前抬进杜公馆，他们问大奶奶——

曾文彩　你——

〔江泰拿着一顶破呢帽，提着手杖，匆匆地走出来。

江　泰　（对张顺，兴高采烈）你叫他们杜家那一批混账王八蛋，再在客厅等一下，你就说钱就来，我们老太爷的寿木要留在家里当劈柴烧呢！

曾文彩　你怎么——

江　泰　（对曾皓，热烈地）爹，您等一下，我找一个朋友去。（对文彩）常鼎斋现在当了公安局长，找他一定有办法。（对曾皓，非常有把握地）这个老朋友跟我最好，这点小事一定不成问题。（有条有理）第一，他可以立刻找杜家交涉，叫他们以后不准再在此地无理取闹。第二，万一杜家不听调度，临时跟他通融（轻藐的口气）这几个大钱也决无问题，决无问题。

曾文彩　（几乎不相信自己的耳朵）泰，真的可以？

江　泰　（敲敲手杖）自然自然，那么，爹，我走啦。（对思懿扬扬手）大嫂，说在头里，我担保，准成！（提步就走）

曾思懿　（一阵风暴使她也有些昏眩）那么爹，这件事——

曾文彩　（欣喜）爹！

〔江泰跨进通大客厅的门槛一步，又匆匆回来。

江　泰　（对文彩，匆忙地把手一伸）我身上没钱！

曾文彩　（连忙由衣袋里拿出一小卷钞票）这里！

江　泰　（一看）三十……（由通大客厅的门施施走出）。

曾　皓　（被他撩得头昏眼花，现在才喘出一口气）江泰这个东西是怎么回事？

曾文彩　（一直是崇拜着丈夫的，现在惟恐人不相信，于是极力对曾皓）爹，您放心吧，他平时不怎么乱说话的。他现在说有办法，就一定有办法。

曾　皓　（将信将疑）哦！

曾思懿　（管不住）哼，我看他——（忽然又制止了自己，转对曾皓，不自然地笑着）那么也好，爹，这棺木的事……

曾　皓　（像是得了一点希望的安慰似的，那样叹息一声）也好吧，“死马当作活马医”，就照他的意思办吧。

张　顺　（不觉也有些喜色）那么，大奶奶，我就对他们——

曾思懿　（半天在抑压着自己的愠怒，现在不免颜色难看，恶声恶气地）去，要你去干什么？（有些气汹汹地向大客厅快步走去）

曾　皓　（追说）思懿，还是要和和气气对杜家人说话，请他们无论如何要等一等。

曾思懿　哝！（由通大客厅的门下）。

〔张顺随着出去。

曾文彩　（满脸欣喜的笑容）瑞贞，你看你姑父有点疯魔吧，他到了这个时候才——

曾瑞贞　（心里有事，随声应）嗯，姑姑。

曾　皓　（又燃起希望，紧接着文彩的话）唉！只要把那寿木留下来就好了！（不觉回顾）霆儿，你看这件事有望么？

曾　霆　（也随声答应）有，爷爷。

曾　皓　（点头）但愿家运从此就转一转。——嗯，都说不定的。（想立起，瑞贞过来扶）你现在身体还好吧？

曾瑞贞 好，爷爷。

曾　皓 （立起，望瑞贞，感慨地）你也是快当母亲的人喽！

〔文彩示意，叫霆儿[1]也过来扶祖父，霆儿[2]默默过来。

曾　皓 （望着孙儿和孙儿媳妇，忽然抱起无穷的希望）我瞧你们这一对小夫妻总算相得的，将来看你们两个撑起这个门户吧。

曾文彩 （对霆儿[3]示意，叫他应声）霆儿！

曾　霆 （望望瑞贞，又应声）是，爷爷。

曾　皓 （对着曾家第三代人，期望的口气）这次棺木保住了，房子也不要卖。明年开了春，我为你们再出门跑跑看，为着你们的儿女我再当一次牛马！（用手帕擦着眼角）唉，只要祖先保佑我身体好，你们诚心诚意为我祷告吧！（向书斋走）

曾文彩 （过来扶着曾皓，凑着兴）是啊，明年开了春，爹身体也好了，瑞贞也把重孙子给您生下来，哥哥也——

〔书斋小门打开，门前现出愫方。她像是刚刚插完花，水淋淋的手还拿着两三朵插剩下的菊花。

愫　方 （一只手轻轻掠开掉在脸前的头发，温和地）回屋歇歇吧，姨父，您的房间收拾好啦。

曾　皓 （快慰地）好，好！（一面对文彩点首应声，一面向外走）是啊，等明年开了春吧！——瑞贞，明年开了春，明年——

---

1 “霆儿”川版作“曾霆”。

2 “霆儿”川版作“曾霆”。

3 “霆儿”川版作“曾霆”。

〔瑞贞扶着他到书斋门口，望着愫方回头暗暗地指了指这间屋子。愫方会意，点点头，接过曾皓的手臂扶着他出去，后面随着文彩。

〔霆儿[1]立在屋中未动，瑞贞望他，又从书斋门口默默走回来。

曾瑞贞 （低声）霆！

曾　霆 （几乎不敢望她的眼睛，悲戚地）你明天一早就走么？

曾瑞贞 （也不肯望他，低沉的声音，迟缓而坚定地）嗯。

曾　霆 是跟袁家的人一路？

曾瑞贞 嗯，一同走。

曾　霆 （四面望望，在口袋里掏着什么）那张字据我已经写好了。

曾瑞贞 （凝视曾霆）哦。

曾　霆 （掏出一张纸，不觉又四面看一下，低声读着）“离婚人谢瑞贞，曾霆，我们幼年结婚，意见不合，实难继续同居，今后二人自愿脱离夫妻——”

曾瑞贞 （心酸）不要再念下去了。

曾　霆 （迟疑一下，想着仿佛是应该办的手续，嗫嚅）那么签字，盖章——

曾瑞贞 回头在屋里办吧。

曾　霆 也，也好。

曾瑞贞 （衷心哀痛）霆，真对不起你，要你写这样的字据。

曾　霆 （说不出话，从来没有像今天对她这般依恋）不，这两年你

1 “霆儿”川版作“曾霆”。

在我们家也吃够了苦。（忽然）那个孩子不要了，你告诉过愫姨了吧？

曾瑞贞　（不愿提起的回忆）嗯！她给孩子做的衣服我都想还给她了。怎么？

曾　霆　我想家里有一个人知道也好。

曾瑞贞　（关切地）霆，我走了以后，你，你干什么呢？

曾　霆　不知道。（寂寞地）学校现在不能上了。

曾瑞贞　（同情万分）你不要失望啊。

曾　霆　不。

曾瑞贞　（安慰）以后我们可以常通信的。

曾　霆　好。（泪流下来）

〔外面袁圆的喊声：瑞贞！

曾瑞贞　（酸苦）不要难过，多少事情是要拿出许多痛苦才能换出一个“明白”呀。

曾　霆　这“明白”是真难哪！

〔圆儿[1]吹着口哨，非常高兴的样子，由通大客厅的门走进。她穿着一条毛织品的裙子，和一件印度红的薄薄的短毛衫，两只腿仍旧是光着的，脚上穿着一双白帆布运动鞋。她像是刚在忙着收拾东西，头发有些乱，她一手举一只鸟笼，里面关着那个[2]鸽子“孤独”，一手提着那个撕破了的大金

---

1 “圆儿”川版作“袁圆”。

2 “那个”川版作“那只”。

鱼风筝。

袁　圆　（大声）瑞贞，我父亲找了你好半天哪，他问你的行李——

曾瑞贞　（忙止住她，微笑）请你声音小点，好吧？

袁　圆　（伸伸舌头，立刻憋住喉咙）我父亲——问你——同你的朋友们——行李——收拾好了没有？

曾瑞贞　（被她这种神气惹得也笑起来）收拾好了。

袁　圆　（还是压着喉咙）他说——只能——送你们一半路，——还问——（嘘出一口气，恢复原来的声音）可别扭死我了。还是跟我来吧，我父亲还要问你一大堆话呢。

曾瑞贞　（爽快地）好，走吧。

袁　圆　（并不走，却抱着东西走向曾霆，"煞有介事"的样子）曾霆，你爹不在家，（举起那只破旧的"金鱼"纸鸢）这个破风筝还给你妈！（把纸鸢靠在桌边，又举起那鸽笼）这鸽子交给愫小姐！（把鸽笼放在桌上）

曾　霆　（似乎早已忘记了一个多月前对圆儿[1]的情感，点点头）好。

袁　圆　（对瑞贞）走吧，瑞贞！

〔圆儿[2]推着瑞贞的背向通大客厅的门走出。

〔这时思懿也由那门走进，正撞见她们。瑞贞望着婆婆愣了一下，就被圆儿[3]一声"走"，推出去。

---

1 "圆儿"川版作"袁圆"。

2 "圆儿"川版作"袁圆"。

3 "圆儿"川版作"袁圆"。

〔曾霆望她们出了门，微微叹了一声。

曾思懿 （斜着眼睛回望一下，走近曾霆）瑞贞这些日子常不在家，总是找朋友，你知道她在干些什么？

曾　霆 （望望她，又摇摇头）不知道。

曾思懿 （嫌她自己的儿子太不精明，但也毫无办法，抱怨地叹口气）哎，媳妇是你的呀，孩子。我也生不了这许多气了！（忽然）他们呢？

曾　霆 到上房去了。

曾思懿 （诉说，委屈地）霆儿，你刚才看见妈怎么受他们的气了。

〔曾霆望望他的母亲，又低下头。

曾思懿 （掏出手帕）妈是命苦，你爹摔开我们跑了，你妈成天受这种气，都是为了你们哪！（擦擦泪润湿了的眼）

曾　霆 妈，别哭了。

曾思懿 （抚着霆儿[1]）以后什么事都要告诉妈！（埋怨地）瑞贞有肚子要不是妈上个月看出来，你们还是不告诉我的。（指着）你们两个是存的什么心哪！（关切地）我叫瑞贞喝的那副安胎的药她喝了没有？

曾　霆 没有。

曾思懿 不，我说的前天我从罗太医那里讨来的那个方子。

曾　霆 （心里难过，有些不耐）没有喝呀！

曾思懿 （勃然变色）为什么不喝呢？叫她喝，要她喝！她再不听话，

---

1 “霆儿”川版作“曾霆”。

你告诉我，看我怎么灌她喝！她要觉得她自己不是曾家的人，她肚子里那块肉可是曾家的。现在为她肚子里那孩子，什么都由着她，她倒越说越来了。（低声）霆儿，你别糊涂，我看瑞贞这些日子是有点邪，鬼鬼祟祟，交些乱朋友，——（更低声）我怕她拿东西出去，夜晚前后门我都下了锁，你要当心啊，我怕——

〔愫方端着一个药罐由通书斋小门进。

愫　方　（温婉地）罗太医那方子的药煎好了。

〔思懿望望愫方。

愫　方　（看她不说话，于是又——）就在这儿吃么？

曾思懿　（冷冷地）先搁在我屋里的小炭炉上温着吧！

〔愫方端着药由霆儿[1]面前走过，进了思懿的屋子。

曾　霆　（望望那药罐里的药汤，诧异而又不大明白的神色）妈，怎么罗太医那个方子您，您也在吃？

曾思懿　（有些尴尬，但立刻又镇静下来，含含糊糊地）妈，妈现在身体也不大好，（找话说）这几天倒是亏了你愫姨照护着，——（但立时又改了口气，咳了一声）不过孩子，（脸上又是一阵暗云）愫姨这个人哪，（摇头）她呀，她才是——

〔愫方由卧室出。

愫　方　表嫂，姨父正叫着你呢！

---

1 “霆儿”川版作“曾霆”。

曾思懿　（似理非理，点了点头。回头对霆儿[1]）霆儿，跟我来。

〔霆儿[2]随着思懿由书斋小门下。

〔天更暗了。外面一两声雁叫，凄凉而寂寞地掠过这深秋渐晚的天空。

〔愫方轻轻叹息了一声，显出一点疲乏的样子。忽然看见桌上那只鸽笼，不觉伸手把它举起，凝望着那里面的白鸽子。

〔这时瑞贞提着一只装满婴儿衣服的小藤箱，把藤箱轻轻放在另外一张小桌上。又悄悄地走到愫方的身旁。

曾瑞贞　（低声）愫姨！

愫　方　（略惊，转身）你来了！（放下鸽笼）

曾瑞贞　你看见我搁在你屋里那封长信么？

愫　方　（点头）嗯。

曾瑞贞　你不怪我？

愫　方　（悲哀而慈爱地笑）不，——（忽然）真地要走了么？

曾瑞贞　（依依地）唉[3]。

愫　方　（叹一口气，并非劝止，只是舍不得）别走吧！

曾瑞贞　（顿时激奋起来）愫姨，你还劝我忍下去？

愫　方　（仿佛在回忆着什么，脸上浮起一片光彩，缓慢而坚决地）我知道，人总该有忍不下去的时候。

---

1 “霆儿”川版作“曾霆”。

2 “霆儿”川版作“曾霆”。

3 “唉”川版作“嗯”。

曾瑞贞　（眼里闪着期待的神色，热烈地握着她的苍白的手指）那么，你呢？

愫　方　（凄然望着瑞贞，哀静地）瑞贞，不谈吧。你走了，我会更寂寞的。以后我也许用不着说什么话，我会更——

曾瑞贞　（更紧紧握着她的手，慢慢推她坐下）不，不，愫姨，你不能这样，你不能一辈子这样！（迫切地恳求）愫姨，我就要走了，你为什么不跟我说几句痛快话？你为什么不说你的——（暖暖的暮色里瞥见愫方含着泪光的大眼睛，突然抑止住）

愫　方　（缓缓地）你要我怎么说呢？

曾瑞贞　（不觉嗫嚅）譬如你自己，你，你，——（忽然）你为什么不走呢？

愫　方　（落寞地）我上哪里去呢？

曾瑞贞　（兴奋地）可去的地方多的很。第一，你就可以跟我们走。

愫　方　（摇头）不，我不。

曾瑞贞　（坐近她的身旁，亲密地）你看见了我给你的书了么？

愫　方　看了。

曾瑞贞　说的对不对？

愫　方　对的。

曾瑞贞　（笑起来）那你为什么不跟我们一道走呢？

愫　方　（声调低徐，却说得斩截）我不！

曾瑞贞　为什么？

愫　方　（望望她）不！

曾瑞贞　（急切）可为什么呢？

〔愫方想说，但又摇摇头。

曾瑞贞　你总该说出个理由啊，你！

愫　方　（异常困难地）我觉得我，我在此地的事还没有了[1]。

曾瑞贞　我不懂。

愫　方　（微笑，立起）不要懂吧，说不明白的呀。

曾瑞贞　（追上去，索性——）那么你为什么不去找他？

愫　方　（有点惶惑）你说——

曾瑞贞　（爽朗）找爹！找他去！

愫　方　（镇定下来，沉思着）为什么要找呢？

曾瑞贞　你不爱他么？

〔愫方低下头。

曾瑞贞　（一句比一句紧）那么为什么不想找他？你为什么不？（爽快地）愫姨，我现在不像从前那样呆了。这些话一个月前我决不肯问的。你大概也知道我晓得。（沉重）我要走了，此地再没有第三个人，这屋子就是你同我。愫姨，告诉我，你为什么不找他，为什么不？

愫　方　（叹一口气）见到了就快乐么？

曾瑞贞　（反问）那么你在这儿就快乐？

愫　方　我，我可以替他——（忽然觉得说不出口）

曾瑞贞　（急切）你说呀，我的愫姨，你说过你要跟我好好谈一次的。

1　这里是“没有完结”的意思。——底本注。

愫　方　我，我说——（脸上逐渐闪耀着美丽的光彩，苍白的面颊，泛起一层红晕。她的声音都有些颤抖）——他走了，他的父亲我可以替他侍候；他的孩子我可以替他照料；他爱的字画我管；他爱的鸽子我喂；连他所不喜欢的人我都觉得该体贴，该喜欢，该爱，为着——

曾瑞贞　（插进，逼问）为什么？……

愫　方　（话略顿，但语气并未停止——感动地）为着他所不爱的也都还是亲近过他的！（一气说完，充满了喜悦，连自己都惊讶这许久关在心里如今才形诸语言的情绪原来是这般的）

曾瑞贞　（倒吸一口气）所以你连霆的母亲，我那婆婆，你都拼出你的性命来照料，照护。

愫　方　（苦笑）你爹走了，她不也怪可怜么？

曾瑞贞　真的愫姨，你就忘了她从前，现在，待你那种——

愫　方　（哀矜地）为什么要记得那些不快活的事呢？如果为着他，为着一个人，为着他——

曾瑞贞　（忍不住）哦，我的愫姨，这么一个苦心肠，你为什么不放在大一点的事情上去？你为什么处处忘不掉他？把你的心偏偏放在这么一个废人身上，这么一个无用的废——

愫　方　（如同刺着她的心一样）不要这么说你的爹呀。

曾瑞贞　（分辩）爷爷不也是这么说他？

愫　方　（心痛）不，不要这么说，没有人明白过他啊。

曾瑞贞　（喘一口气，哀痛地）那么你就这样预备一辈子不跟他见面啦？

〔愫方慢慢低下头去。

曾瑞贞 （沉挚地）说呀，愫姨！

愫　方 （几乎听不见）嗯。

曾瑞贞 那当初你为什么让他走呢？

愫　方 （似乎在回忆）我，我看他在家里苦，我替他难过呀。

曾瑞贞 （不觉反问）那么他离开了，你快乐？

愫　方 （低微）嗯。

曾瑞贞 （叹息）唉，两个人这样活下去是为什么呢？

愫　方 （脸上掠过一丝笑的波纹）看见人家快乐，你不也快乐么？

曾瑞贞 （深刻的关心，缓缓地）你在家里就不惦着他？

〔愫方低下头。

曾瑞贞 他在外面就不想着你？

〔愫方眼泪默默流在苍白的面颊上。

曾瑞贞 就一生，一生这样孤独下去——两个人这样苦下去？

愫　方 （凝神）苦，苦也许，但是并不孤独的。

曾瑞贞 （深切感动）可怜的愫姨，我懂，我懂，我懂啊！不过我怕，我怕爹也许有一天会回来。他回来了，什么又都跟从前一样：大家还是守着，苦着，看着，望着，谁也喘不出一口气，谁也——

愫　方 （打了一个寒战，蓦然坚决地摇着头）不，他不会回来的。

曾瑞贞 （固执）可万一他——

愫　方 （轻轻擦去眼角上的泪痕）他不会，他死也不会回来的，（低头望着那块湿了的手帕，低声缓缓地）他已经回来见过我！

曾瑞贞　（吃了一惊）爹走后又偷偷回来过？

愫　方　嗯。

曾瑞贞　（诧异起来）哪一天？

愫　方　他走后第二天。

曾瑞贞　（未想到，嘘一口气）哦！

愫　方　他说他要成一个人，死也不再回来。（感动得不能自止地说下去）他说他对不起他的父亲，他的儿子，连你他都提了又提。他要我照护你们，看守他的家，他的字画，他的鸽子。他说着说着就哭起来，他还说，他还说，他还说他最放心不下的是——（泪珠早已落下，却又忍不住笑起来）瑞贞，他还像个孩子，哪像个连儿媳妇都有的人哪！

曾瑞贞　（严肃地）那么从今以后你决心为他看守这个家？

〔以下的问答几乎是没有停顿，一气接下去。

愫　方　（又沉静下来）嗯。

曾瑞贞　（追问）成天陪着快死的爷爷？

愫　方　（默默点首）嗯。

曾瑞贞　再照护他的儿子？

愫　方　（望瑞贞，微微皱眉）嗯。

曾瑞贞　侍候这一家子老小？

愫　方　（固执地）嗯。

曾瑞贞　（几乎是生了气）还整天看我这位婆婆的脸子？

愫　方　（不由得轻轻地打了一个寒战）喔！——嗯。

曾瑞贞　（追问）受气？

〔愫方凝视。

曾瑞贞　（逼近）吃苦？

愫　方　（凝视）嗯。

曾瑞贞　（反激）一辈子不离开？（狠而重）到死？

愫　方　（低头，用手摸着前额，缓缓地）到——死！

曾瑞贞　（爆发，哀痛地）可我的好愫姨，你这是为什么呀？

愫　方　（抬起头）为着——

曾瑞贞　（质问）嗯，为着——

愫　方　（困难地）为着，我不知道该怎么说，——（忽然脸上显出动人的笑容）为着，这才是活着呀！

曾瑞贞　（逼出一句话来）你真地相信爹就不会回来么？

愫　方　（微笑）天会塌么？

曾瑞贞　你真准备一生不离开曾家的门，这个牢，就为着这么一个梦，一个幻想，一个人——

愫　方　（悠悠地）也许有一天我会离开——

曾瑞贞　（迫待）什么时候？

愫　方　（笑着）那一天，天真地能塌，哑巴都急得说了话。

曾瑞贞　（无限的悯切）愫姨，把自己的快乐完全放在一个人的身上是危险的，也是不应该的。（感慨）过去我是个傻子，愫姨你现在还——

〔室内一切渐渐隐入在昏暗的暮色里，乌鸦在窗外屋檐上叫两声又飞走了。在瑞贞说话的当儿由远远城墙上断续送来未归营的号手吹着的号声，在凄凉的空气中寂寞地荡漾，一直到闭幕。

愫　方　不说吧，瑞贞。（忽然扬头望着外面）你听，这远远吹的是什么？

曾瑞贞　（看出她不肯再谈下去）城墙边上吹的号。

愫　方　（谛听）凄凉得很哪！

曾瑞贞　（点头）嗯，天黑了！过去我一个人坐在屋里就怕听这个，听着就好像活着总是灰惨惨的。

愫　方　（眼里涌出泪光）是啊，听着是凄凉啊！（猛然热烈地抓着瑞贞的手，低声）可瑞贞，我现在突然觉得真快乐呀！（抚摸自己的胸）这心好暖哪！真好像春天来了一样。（兴奋地）活着不就是这个样子么？我们活着就是这么一大段又凄凉又甜蜜的日子啊！（感动地流下泪）叫你想想忍不住要哭，想想又忍不住要笑啊！

曾瑞贞　（拿手帕替愫方擦泪，连连低声喊）愫姨，你怎么真地又哭了？愫姨你——

愫　方　（倾听远远的号声）不要管我，你让我哭哭吧！（泪光中又强自温静地笑出来）可我是在笑啊！瑞贞，——（瑞贞凄然低头，用手帕抵住鼻子）——瑞贞，你不要为我哭啊！（温柔地）这心里头虽然是酸酸的，我的眼泪明明是因为我太高兴啦！——

〔瑞贞抬头望了愫方一下，抽咽起来。愫方抚摸瑞贞的手，又像是快乐，又像是伤心地那样低低地安慰着，申诉着。

愫　方　——别哭了，瑞贞。多少年我没说过这么多话了，今天我的心好像忽然打开了，又叫太阳照暖和了似的。瑞贞，你真好！不是你，我不会这么快活；不是你，我不会谈起了他，谈得这么多，又谈得这么好！（更兴奋地）瑞贞，只要你觉得外边快活，你就出去吧，出去吧！我在这儿也是一样快活的。别哭了，瑞贞，你说这是监牢么？这不是呀，这不是呀，——

曾瑞贞　（抽咽着）不，不，愫姨，我真替你难过！我怕呀！你不要这么高兴！你的脸又在发烧，我怕——

愫　方　（恳求似地）瑞贞，不要管吧！我第一次这么高兴哪！（走近瑞贞放着小箱子的桌旁）瑞贞，这一箱小孩儿的衣服，你还是带出去。（哀悯地）在外面还是尽量帮助人吧！把好的送给人家，坏的留给自己。什么可怜的人我们都要帮助，我们不是单为着吃才活着的啊！（打开那箱子）这些小衣服你用不着，就送给那些没有衣服的小孩子们穿吧。（忽然由里面抖出一件大红棉线斗篷）你看这件斗篷好看吧？

曾瑞贞　好，真好看。

愫　方　（得意地又取出一顶小白帽子）这个好玩吧？

曾瑞贞　嗯，真好玩。

愫　方　（欣喜地又取出一件绿绸子小衣服）这件呢？

曾瑞贞　（也高起兴来）这才真美哪！

愫　方　（更快乐起来，她的脸更显出美丽而温和的光彩）不，这不算好的，还有一件。（忍不住笑，低头朝箱子里——）

〔凄凉的号声，仍不断地传来。这时通大客厅的门缓缓推开，暮色昏暗里显出曾文清。他更苍白瘦弱，穿一件旧的夹袍，臂里挟着那轴画，神色惨沮疲惫，低着头踽踽踱进来。

〔愫方背向他，正高兴地低头取东西。瑞贞面朝着那扇门——

曾瑞贞 （一眼看见，像中了梦魇似的，喊不出声来）啊，这——

愫　方 （压不下的欢喜，两手举出一个非常美丽的大布娃娃，黑头发，亮眼珠，裹在大红绸子的襁褓里。她满脸是笑，期待地望着瑞贞）你看！（突然看见瑞贞的苍白紧张的脸）谁？

曾瑞贞 （呆望）我看，天，天塌了。（突然回身掩住自己的脸）

愫　方 （回头望见文清，文清正停顿着，仿佛看不大清楚似地向她们这边望）啊！

〔文清当时低下头，默默走进了自己的屋里。

〔他进去后，思懿就由书斋小门跑进。

思　懿 （惊喜）是文清回来了么？

愫　方 （喑哑）回来了！

〔思懿立刻跑进自己的卧室。

〔愫方呆呆地愣在那里。

〔远远的号声随着风在空中寂寞地振抖。

——幕徐落

第二景

离第三幕第一景有十个钟头的光景，是黎明以前那段最黑暗的时候。一盏洋油灯扭得很大，照着[1]屋子里十分明亮。那破金鱼纸鸢早不知扔在什么地方了。但那只鸽笼还孤零零地放在桌子上，里面的白鸽子动也不动，把头偎在自己的毛羽里，似乎早已入了睡。屋里的空气十分冷。半夜坐着，人要穿上很厚的衣服才耐得住这秋尽冬来的寒气。外面西风正紧，院子里的白杨树响得像一阵阵的急雨，使人压不下一种悲凉凄苦的感觉。破了的窗纸也被吹的抖个不休。远远偶尔有更锣声，在西风的呼啸中，间或传来远处深巷里卖"硬面饽饽"的老人叫卖声，被那忽急忽缓的风，荡漾得时而清楚，时而模糊。

这一夜曾家的人多半没有上床，在曾家的历史中，这是一个最惨痛的夜晚。曾家老太爷整夜都未阖上眼，想着那漆了又漆，朝夕相处有多少年的好寿木，再隔不到几个时辰就要拱手让给别人，心里真比在火边炙烤还要难忍。

杜家人说好要在"寅时"未尽——就是五点钟——以前"迎材"，

1 "照着"川版作"照得"。

把寿木抬到杜府。因此杜家管事只肯等到五点以前，而江泰从头晚五点跑出去交涉借款到现在还未归来。曾文彩一面焦急着丈夫的下落，同时又要到上房劝慰父亲。一夜晚随时出来，一问再问，到处去打电话，派人找，而江泰依然是毫无踪影，其余的人看到老太爷这般焦灼，也觉得不好不陪。自然有的人是诚心诚意，望着江泰把钱借来，好把杜家这群狼虎一般的管事们赶走。有的呢，只不过是嘴上孝顺，倒是怕江泰归来，万一借着了钱，把一笔生意打空了。同时在夜晚，曾家也有人，暗地在房里忙着收拾自己的行李，流着眼泪，又怀着喜悦。抱着哀痛的心肠和光明的希望，追惜着过去，憧憬未来：这又是属于明日的“北京人”的事，和在棺木里打滚的人们不相干的。在这间被凄凉与寒冷笼住了的屋子里，文清痴了一般地坐在沙发上，一动也不动。他换了一件深灰色杭绸旧棉袍，两手插在袖管里不作声。倦怠和绝望交替着在眼神里，眉峰间，嘴角边浮移，终于沉闷地听着远处的更锣声，风声，树叶声，和偶尔才肯留心到的身旁思懿无尽无休的言语。

思懿换了一件蓝毛噶的薄棉袍，大概不知已经说了多少话，现在似乎说累了，正期待地望着文清答话。她一手拿着一碗药，一手拿着一只空碗，两只碗互相倒过来倒过去，等着这碗热药凉了好喝。最后一口把药喝光，就拿另一杯清水漱了漱口。

曾思懿 （放下碗，又开始——）好了，你也算回来了，我也算对得起曾家的人了。（冷笑）总算没叫我们那姑奶奶猜中，没叫我把她哥哥逼走了不回家。

〔文清厌倦地抬头来望望她。

曾思懿　（斜眼看着文清，似乎十分认真地）怎么样？这件事？——我可就这么说定了？（仿佛是不了解的神色）咦，你怎么又不说话呀？这我可没逼你老人家啊！

曾文清　（叹息，无可奈何地）你，你究竟又打算干什么吧？

曾思懿　（睁大了眼，像是又遭受不白之冤的样子）奇怪，顺你老人家的意思这又不对了。（做出那“把心一横”的神气）我呀，做人就做到家！今天我们那位姑奶奶当着爹，当着我的儿女，对我发脾气，我现在都为着你忍下去！刚才我也找她，低声下气地先跟她说了话，请她过来商量，大家一块儿来商量商量——

曾文清　（忍不住，抬头）商量什么？

曾思懿　咦，商量我们说的这件事啊！（认定自己看穿了文清的心思，讥刺地）这可不是小孩子见糖，心里想，嘴里说不要。我这个人顶喜欢痛痛快快的，心里想要什么，嘴里就说什么。我可不爱要吃羊肉又怕膻气的男人。

曾文清　（厌烦）天快亮了，你睡去吧！

曾思懿　（当做没听见，接着自己的语气）我刚才就爽爽快快跟我们姑奶奶讲，——

曾文清　（惊愕）啊！你跟妹妹都说了——

曾思懿　（咂咂嘴）怎么？这不能说？——

〔文彩由书斋小门上。她仍旧穿着那件驼绒袍子，不过加上了一件咖啡色毛衣。一夜没睡，形容更显憔悴，头发微微有些蓬乱。

曾文彩 （理着头发）怎么哥哥，快五点了，你现在还不回屋睡去？

曾文清 （苦笑）不。

曾文彩 （转对思懿，焦急地）江泰回来了没有？

曾思懿 没有。

曾文彩 刚才我仿佛听见前边下锁开门。

曾思懿 （冷冷地）那是杜家派的杠夫，抬寿木来啦。

曾文彩 唉！（心里逐渐袭来失望的寒冷，她打了一个寒战，蜷缩在那张旧沙发里）哦，好冷！

曾思懿 （谛听，忍不住故意地）你听，现在又上了锁了！（提出那问题）怎么样？（虽然称呼得有些硬涩，但脸上却堆满了笑容）妹妹，刚才我提了那件事，……

曾文彩 （心里像生了乱草，——茫然）什么？

曾思懿 （谄媚地笑着瞟了文清一眼）我说把愫小姐娶过来的事。

曾文彩 （想起来，却又不知思懿肚子里又在弄什么把戏，只好笑了一笑）这不大合适吧。

曾思懿 （非常豪爽地）这有什么不合适的呢？（亲热地）妹妹，您可别把我这个做嫂子的心看得（举起小手指一比）这么“不丁点儿”大！我可不是那种成天要守着男人才能过日子的人。“贤慧”这两个字今生我也做不到，这一点点度量我还有。（又谦虚地）按说呢，这并谈不上什么度量不度量，表妹妹嫁表哥，亲上加亲，这也是天公地道，到处都有的事。

曾文彩 （老老实实）不，我说也该问问愫表妹的意见吧。

曾思懿　（尖刻地笑出声来）咳，这还用得着问？她还有什么不肯的？我可是个老实人，爱说一个痛快话，愫表妹这番心思，也不是我一个人看得出来。表妹呢，道道地地是个好人，我不爱说亏心话。那么，（对文清似乎恳切的样子）"表哥"，你现在也该说句老实话了吧？亲姑奶奶也在这儿，你至少也该在妹妹面前，对我讲一句明白话吧。

〔文清望望文彩，仍低头不语。

曾思懿　（追问）你说明白了我好替你办事啊！

曾文彩　（仿佛猜得出哥哥的心思，替他说）我看这还是不大好吧。

曾思懿　（眼珠一转）这又有甚不大好的？妹妹，你放心，我决不会委屈愫表妹，只有比从前亲，不会比从前远！（越发表现自己的慷慨）我这个人最爽快不过，半夜里我就把从前带到曾家的首饰翻了翻，也巧，一翻就把我那副最好的珠子翻出来，这就算是我替文清给愫表妹下的定。（说着由小桌上拿起一对从古老的簪子上拆下来的珠子，递到文彩面前）妹妹，你看这怎么样？

曾文彩　（只好接下来看，随口称赞）倒是不错。

曾思懿　（逐渐说得高兴）我可急性子，连新房我都替文清看定了。一会袁家人上火车一走，空下屋子我就叫裱糊匠赶紧糊。大家凑个热闹，帮我个忙，到不了两三天妹妹也就可以吃喜酒啦。我呀，什么事都想到啦，——（望着文清似乎是嘲弄，却又像是赞美的神气）我们文清心眼儿最好，他就怕亏待了他的愫表妹。我早就想过，以后啊，（索性说个畅快）

哎，说句不好听的话吧，以后在家里就是“两头大”，（粗鄙地大笑起来）我们谁也不委屈谁！

曾文彩　（心里焦烦，但又不得不随着笑两声）是啊，不过我怕总该也问一问爹吧？

〔张顺由书斋小门上，似乎刚从床上被人叫起来，睡眼蒙眬的，衣服都没穿整齐。

张　顺　（进门就叫）大奶奶！

曾思懿　（不理张顺，装做没听清楚文彩的话）啊？

曾文彩　我说该问问爹吧。

曾思懿　（更有把握地）嗐，这件事爹还用着问？有了这么个好儿媳妇，（话里有话）侍候他老人家，不更“名正言顺”啦么？（忽然）不过就是一样，在家里爱怎么称呼她，就怎么称呼。出门在外，她还是称呼她的“愫小姐”好，不能也“奶奶”，“太太”的叫人听着笑话。——（又一转，瞥了文清一眼）其实我倒无所谓，这也是文清的意思，文清的意思。（文清刚要说话，她立刻转过头来问张顺）张顺，什么事？

张　顺　老太爷请您。

曾思懿　老太爷还没有睡？

张　顺　嗯，——

曾思懿　（对张顺）走吧，嗐！（急匆匆由书斋小门下）。

〔张顺随下。

曾文彩　（望着思懿走出去，才站起来，走到文清面前非常同情的声调，缓缓地）哥哥，你还没有吃东西吧？

〔文清望着文彩，摇摇头，又失望地出神。

曾文彩　我给你拿点枣泥酥来。

曾文清　（连忙摇手，烦躁地）不，不，不，（又倦惫地）我吃不下。

曾文彩　那么哥哥，你到我屋里洗洗脸，睡一会好不好？

曾文清　（失神地）不，我不想睡。

曾文彩　（想问又不好问，但终于——）她，她这一夜晚为什么不让你到屋子里去？

曾文清　（惨笑）哼，她要我对她赔不是。

曾文彩　你呢？

曾文清　（绝望但又非常坚决的神色）当然不！（就合上眼）

曾文彩　（十分同情，却又毫无办法的口气）唉，天下哪有这种事！丈夫刚回来一会儿，好不到两分钟，又这样没完没了的。

〔外面西风呼呼地吹着，陈奶妈由书斋小门上。她的面色也因为一夜的疲倦而显得苍白，眼睛也有些凹陷。她披着一件大棉袄，打着呵欠走进来。

陈奶妈　（看着文清低头闭上眼靠着，以为他睡着了，对着文彩，低声）怎么清少爷睡着了？

曾文彩　（低声）不会吧。

〔陈奶妈走近文清，文清依然合着眼，不想作声。

陈奶妈　（看着文清，怜悯地摇摇头，十分疼爱的，压住嗓子回头对文彩）大概是睡着啦。（轻轻叹一口气，就把身上披的棉袄盖在文清的身上）

曾文彩　（声音低而急）别，别，您会冻着的，我去拿——（向自己

的卧室走）

陈奶妈　（以手止住文彩，嘶着声音，匆促地）我不要紧。得啦，姑小姐，您还是到上屋看看老爷子去吧！

曾文彩　（焦灼地）怎么啦？

陈奶妈　（心痛[1]地）叫他躺下他都不肯，就在屋里坐着又站起来，站起来又坐下，直问姑老爷回来了没有？姑老爷回来了没有？

曾文彩　（没有了主意）那怎么办？怎么办呢？江泰到现在一夜晚没有个影，不知道他跑到——

陈奶妈　（摇头）唉，真造孽！（把文彩拉到一个离文清较远的地方，怕吵醒他）说起可怜！白天说说把寿木送给人家容易；到半夜一想，这守了几十年的东西一会儿就要让人拿去——您想，他怎么会不急！怎么会不——

〔张顺由书斋小门上。

张　顺　姑奶奶！

〔陈奶妈忙指着似乎在沉睡着的文清，连连摇手。

张　顺　（立刻把声音放低）老太爷请。

曾文彩　唉！（走了两步回头）愫小姐呢？

陈奶妈　刚给老爷子捶完腿。——大概在屋里收拾什么呢！

曾文彩　唉。

〔文彩随着张顺由书斋小门下。

1　“心痛”川版作“心疼”。

〔外面风声稍缓，树叶落在院子里，打着滚，发出沙沙的声音，更锣声渐渐地远了，远到听不见。隔巷又传来卖“硬面饽饽”苍凉单沉的叫卖声。

〔陈奶妈打个呵欠，走到文清身边。

陈奶妈　（低头向文清，看他还是闭着眼，不觉微微叫出，十分疼爱地）可怜的清少爷！

〔文清睁开了眼，依然是绝望而厌倦的目光，用手撑起身子——

陈奶妈　（惊愕）清少爷，你醒啦？

曾文清　（仿佛由恹恹的昏迷中唤醒，缓缓抬起头）是您呀，奶妈！

陈奶妈　（望着文清，不觉擦着眼角）是我呀，我的清少爷！（摇头望着他，疼惜地）可怜，真瘦多了！你怎么在这儿睡着了？

曾文清　（含含糊糊地）嗯，奶妈。

陈奶妈　唉，我的清少爷，这些天在外面真苦坏啦！（擦着泪）愫小姐跟我没有一天不惦记着你呀。可怜，愫小姐——

曾文清　（忽然抓着陈奶妈的手）奶妈，我的奶妈！

陈奶妈　（忍不住心酸）我的清少爷，我的肉，我的心疼的清少爷！你，你回来了还没见着愫小姐吧？

曾文清　（说不出口，只紧紧地握住陈奶妈干巴巴的手）奶妈！奶妈！

陈奶妈　（体贴到他的心肠，怜爱地）我已经给你找她来了。

曾文清　（惊骇，非常激动地）不，不，奶妈！

陈奶妈　造孽哟，我的清少爷，你哪像个要抱孙子的人哪，清少爷。

曾文清　（惶惑）不，不，别叫她！您为什么要——

陈奶妈　（看见书斋小门开启）别，别，大概是她来了！

〔愫方由书斋小门上。

〔她换了一件黑毛巾布的旗袍[1]，衬着长长的黑发，苍白的面容，冷静的神色，大的眼睛里稍稍露出难过而又疲倦的样子，像一个美丽的幽灵[2]轻轻地走进房来。

〔文清此刻十分激动地站起来。

愫　方　陈奶妈！

陈奶妈　（故意做出随随便便的样子）愫小姐还没睡呀？

愫　方　嗯，（想不出话来）我，我来看看鸽子来啦。（就向搁着鸽笼的桌子走）

陈奶妈　（顺口）对了，看吧！（忽然想起）我也去瞅瞅孙少爷，孙少奶奶起来没有，大奶奶还叫他们小夫妻俩给袁家人送行呢。（说着就向外面走）

曾文清　（举起她的棉袄，低低的声音）您的棉袄，奶妈！

陈奶妈　哦！棉袄，（笑对他们）你们瞧我这记性！（拿着棉袄，搭讪着由书斋小门下）

〔天未亮之前，风又渐渐地刮大起来，白杨树又像急雨一般地响着，远处已经听见第一遍鸡叫，随着风在空中缭绕。

〔二人默对，半天说不出话。文清愧恨地低下头，缓缓朝卧室走。

1　“黑毛巾布的旗袍”川版作“黑色的旗袍”。

2　川版无“像一个美丽的幽灵”。

愫　方　（眼睛才从那鸽笼移开）文清！

〔文清停步，依然[1]不敢回顾。

愫　方　文清！

〔文清停步，[2]依然不敢回顾。

愫　方　奶妈说你在找我。

〔文清转身，慢慢抬头望愫方。

〔愫方望着他。

曾文清　愫方！（低下头）

〔愫方不觉望着笼里的鸽子。

曾文清　（没有话说，凄凉地）这，这只鸽子还在家里。

愫　方　（冷静地）因为它已经不会飞了！

曾文清　（一愣）我——（忽然明白，掩面抽咽）

愫　方　文清。

〔文清依然在哀泣。

愫　方　（皱着眉）不要这样，为什么要哭呢？

曾文清　（大恸，扑在沙发上）我为什么回来呀！我为什么回来呀！明明晓得绝不该回来的，我为什么又回来呀！

愫　方　飞不动，就回来吧！

曾文清　（抽咽，诉说）不，你不知道啊，——在外面——在外面的风浪——

1　川版无“依然”。

2　川版无“停步，”。

愫　方　文清！（取出一把钥匙递给文清）

曾文清　啊？

愫　方　这是那箱子的钥匙！

曾文清　（不明白）怎么？

愫　方　（沉静地）你的字画都放在那箱子里。（将钥匙放在桌子上）

曾文清　（惊惶）你要怎么样啊，愫方——

〔半晌。外面风声，树叶声，——

愫　方　外面的风吹得好大啊！

〔风声中屋外仿佛有人在叫着：“愫姨！愫姨！”

愫　方　（谛听）外面谁在叫我啊？

曾文清　（也听，听不见）没，没有吧？

愫　方　（肯定，徐徐地）有，有！

〔思懿由书斋小门上。

曾思懿　（对愫方，似乎在讥讽，又似乎是一句无心的话）啊！我一猜你就到这儿来啦！（亲热地）愫表妹，我的腰又痛起来啦，回头你给我推一推，好吧？嗐，刚才我还忘了告诉你，你表哥回来了，倒给你带了一样好东西来了。

曾文清　（窘极）你——

曾思懿　（不由分说，拿起桌上那对珠子，送到愫方面前）你看这对珠子多大呀，多圆哪！

曾文清　思懿！

〔张顺由通书斋小门上，在门口望见主人正在说话，就停住了脚。

曾思懿　（同时——不顾文清的脸色，笑着）你表哥说，这是表哥送给表妹做——

曾文清　（激动得发抖，突然愤怒地）你这种人是什么心肠啵！（说完，立刻跑进自己的卧室）

曾思懿　文清！

〔卧室门砰地关上。

曾思懿　（脸子一沉，冷冷地）哎，我真不知道我这个当太太的还该怎么做啦！

张　顺　（这时走上前，低声）大奶奶，杜家管事说寅时都要过啦，现在非要抬棺材不可了。

曾思懿　好，我就去。

〔张顺由通大客厅的门下。

曾思懿　（突然）好，愫表妹，我们回头说吧。（向通书斋的小门走了两步，又回转身，亲热地笑着）愫表妹，我怕我的胃气又要犯，你到厨房给我炒一把热盐焐焐[1]，好吧？

〔愫方低下头。

〔思懿由书斋小门下。

〔愫方望着鸽笼。

〔外面风声。

〔瑞贞由通大客厅的门上。

曾瑞贞　愫姨！

1　“焐焐”底本作“煨煨”，当作“焐焐”。

愫　方　（不动）嗯。

曾瑞贞　（急切）愫姨！

愫　方　（缓缓回头，对瑞贞）瑞贞，你说的对，这是监牢！

曾瑞贞　（愣一下，忽然紧紧握着愫方的手）哑巴真地说了话了！（兴奋地）不早了，愫姨，走吧。

愫　方　（低沉）这个门真出得去么？

曾瑞贞　我们跟袁先生一道走，送他上车，我们也就上了车。袁先生明白。

〔外面思懿的喊声：愫表妹！愫表妹！

曾瑞贞　她来了！（走到通大客厅的门背后）

〔思懿立刻由书斋小门上。

曾思懿　哦，你一个人还在这儿！爹要喝参汤，走吧。

〔愫方点头，就要走。

曾思懿　（忽然亲热地）哦，愫表妹，我想起来了，我看我就现在对你说了吧。（说着走到桌旁，把放在桌上的那副珠子拿起来。忽然瞥见了瑞贞）你在这儿干什么？

〔瑞贞望着她。

曾思懿　死相！你把你丈夫叫起来没有？

曾瑞贞　叫了。

曾思懿　给他多穿点衣服，好给他们袁家人送行。（厌恶地盯了瑞贞一眼，对愫方）我们到厢房说去吧。（拉着愫方由书斋小门下）

〔袁任敢穿着棉大衣，由通大客厅的门上。

曾瑞贞　袁先生。

袁任敢　（笑着）怎么，你还是要走么？

曾瑞贞　（捺下自己的兴奋）嗯，连愫姨的行李都放在您的空木箱里，送上车了。

袁任敢　（惊异）哦！——你的愫姨到底叫你说服了。

曾瑞贞　（点点头）嗯，她跟我一道走。

袁任敢　（猜着一半，可又不太相信）奇怪，你们究竟要到哪里去？

曾瑞贞　袁先生，——（很为难的样子）

袁任敢　好，那就别说了。（诚挚地）我倒希望路上有人照护你们。

曾瑞贞　嗯，有同路的。

袁任敢　好吧，再过二十分钟，我们就走。（下）

〔同时愫方由书斋小门上。

曾瑞贞　（高兴地跑过来）愫姨！愫姨——（忽然发现愫方惨白的脸）你怎么脸发了青？怎么？她对你说了什么？

愫　方　（沉重地）嗯，我是应该走了。

〔外面忽然传来一阵非常热闹的吹吹打打的锣鼓唢呐声，掩住了风声。

曾瑞贞　（惊愕，回头）这是干什么？

愫　方　大概杜家那边预备迎棺材呢。

曾瑞贞　不要看了，走吧。

愫　方　（凄然）不，你先走！

曾瑞贞　（惊异）怎么，你？

愫　方　我就来，我只想再见他一下。

曾瑞贞　（不觉气愤）谁？

愫　方　（恻然）可怜的姨父！

曾瑞贞　（才明白了）哦！（也有些难过）好吧，那我先走，就在大门口等你。

〔外面文彩的喊声：江泰！江泰！

〔瑞贞立刻由通大客厅的门下。

〔愫方刚向书斋小门走了两步，文彩就由书斋小门上，满脸的泪痕。

曾文彩　（焦急地）江泰还没有回来？

愫　方　没有。

曾文彩　他怎么还不回来？（说着就跌坐在沙发上呜咽起来）我的爹呀，我的可怜的爹呀！

愫　方　（急切地）怎么啦？

曾文彩　（一边用手帕擦泪，一边诉说着）杜家的人现在非要抬棺材，爹一死儿不许！可怜，可怜他老人家像个小孩子似地抱着那棺材死也不肯放。（又抽咽）我真不敢看爹那个可怜的样子！（抬头望着满眼露出哀怜神色的愫方）表妹，你去劝爹进来吧，别再在棺材旁边看哪！

〔愫方凄然向书斋小门走。

〔愫方由书斋小门下。

曾文彩　（同时独自——）爹，爹，你要我们这种儿女干什么哟？（立起，不由得）哥哥！哥哥！（向文清卧室走）我们这种人有什么用，有什么用啊！

〔忽然外面爆竹声大作。

〔文彩不觉停住脚，回头望。

〔张顺由书斋小门上，眼睛也红红的。

曾文彩 这是什么？

张　顺 （又是气又是难过）杜家那边放鞭迎寿材呢！我们后门也打开啦，棺材已经抬起来了。

〔在爆竹声中听见了许多杠夫抬着棺木，整齐的脚步声，和低沉地“唉喝，唉喝”的声音；同时还掺杂着杜家的管事们督促着照料着的叫喊声，书斋窗户里望见许多灯笼，匆忙地随着人来回摇动。

〔这时陈奶妈和愫方扶着曾皓由书斋小门走进。曾皓面色白得像纸，眼睛里布满了红丝。在极度的紧张中，他几乎像颠狂了一般，说什么也不肯进来。陈奶妈一边擦着眼泪，一边不住地劝慰，拉着，推着。愫方悲痛地望着曾皓的脸。他们后面跟着思懿。她也拿了手帕在擦着眼角，不知是在擦沙，还是擦泪水。

陈奶妈 （连连地）进来吧，老爷子！——别看了！进来吧。——

曾　皓 （回头呼唤，声音喑哑）等等！叫他们再等等！等着！（颤巍巍转对思懿，言语失了伦次）你再告诉他们，说钱就来，人就来，钱就拿人来[1]！等等！叫他们再等等！

愫　方 姨父！你——

---

1 “钱就拿人来”川版作“钱，钱就拿人来”。

〔愫方把曾皓扶在一个地方倚着，看见老人这般激动地喘息，忽然想起要为他拿什么东西，立刻匆匆由书斋小门下。

陈奶妈 （不住地劝解）老爷子，让他们去吧，（恨恨地）让他们拿去挺尸去吧！

曾　皓 （几乎是乞怜）你去呀，思懿！

曾思懿 （这时她也不免有些难过，无奈何地只得用仿佛在哄骗着小孩子的口气）爹！有了钱，我们再买副好的。

曾　皓 （愤极）文彩，你去！你去！（顿足）江泰究竟来不来？他来不来？

曾文彩 （一直在伤痛着——连声应）他来，他来呀，我的爹！

〔外面爆竹声更响。抬棺木的脚步声仿佛越走越近，就要从眼前过似的。

曾　皓 （不觉喊起来）江泰！江泰！（又像是对着文彩，又像是对着自己）他到哪儿去啦？他到哪儿去啦！

〔这时通大客厅的门忽然推开，江泰满脸通红，头发散乱，衣服上一身的皱折，摇摇晃晃地走进来。

〔爆竹声渐停。

曾　皓 （几乎不相信自己的眼睛）江泰，你来了！

江　泰 （小丑似的，似笑非笑，似哭非哭，不知是得意还是懊丧，含糊地对着曾皓点了点头）我——来——了！

曾　皓 （忘其所以）好，来得好！张顺，叫他们等着！给他们钱，让他们滚！去，张顺。

〔张顺立刻由书斋小门下。

曾文彩 （同时走到江泰面前）借，借的钱呢?（伸出手）

江　泰 （手一拍，兴高采烈）在这儿!（由口袋里掏出一卷“手纸”，“啪”一下掷在她的手掌里）在这儿!

曾文彩 你，你又——

江　泰 （同时回头望门口）进来！滚进来!

〔果然由通大客厅的门口走进一个警察，后面随着曾霆，非常惭愧的颜色，手里替他拿着半瓶白兰地。

江　泰 （手脚不稳而理直气壮）就是他!（又指点着，清清楚楚地）就——是——他!（转身对曾家的人们申辩）我在北京饭店开了一个房间，住了一夜，可今天他们偏说我拿了东西，拿了他们的东西——

曾　皓 这——

警　察 （非常懂事地）对不起，昨儿晚上委屈这位先生在我们的派出所——

江　泰 你放屁！北京饭店!

警　察 （依然非常有礼貌地）派出所!

江　泰 （大怒）北京饭店!（指着警察）你们的局长我认识!（说着走着，一霎时怒气抛到九霄云外）你看，这是我的家！我的老婆!（莫名其妙地顿时忘记了方才的冲突，得意地）我的岳父曾皓先生!（忽然抬头，笑起来）你看哪!（指屋子）我的房子!（一面笑，望着警察，一面含含糊糊地指着点着，仿佛在引导人家参观）我的桌子!（到自己卧室门前）我的门!（于是就糊里糊涂走进去，嘴里还在说着）我的——

〔[1]忽然不很重的扑通一声——

曾文彩 泰，你——（跑进自己的卧室）

警　察 诸位现在都看见了，我也跟这位少爷交代明白啦。（随随便便举起手行个礼；由通大客厅的门下）

〔外面的人声：（高兴的）抬吧！

〔接着哄然一笑，立刻又响起沉重的脚步声。

〔曾皓突又转身。

陈奶妈 您干什么？

曾　皓 我看，——看，——

陈奶妈 得啦，老爷子，——

〔曾皓走在前面，陈奶妈赶紧去扶，思懿也过去扶着。陈奶妈与曾皓由书斋小门下。

〔外面的喧嚣声，脚步声，随着转弯抹角渐行渐远。

曾思懿 （将曾皓扶到门口，又走回来，好奇地）霆儿，那警察说什么？

曾　霆 他说姑爹昨天晚上醉醺醺地到洋铺子买东西，顺手就拿了人家一瓶酒。

曾思懿 叫人当面逮着啦？

曾　霆 嗯，不知怎么姑爹一晚上在派出所还喝了一半，又不知怎么姑爹又把自己给说出来了，这，（举起那半瓶酒）这是剩下的那半瓶白兰地！（把酒放在桌子上，就苦痛地坐在沙发上）

曾思懿 （幸灾乐祸）这倒好，你姑爹现在又学会一手啦！（向卧室门

1　此处川版有“江泰进了门”。

走）文清,（到门口）文清，刚才我已经跟你的愫表妹说了，看她样子倒也挺高兴。以后好啦，你也舒服，我也舒服。你呢，有你的愫表妹陪你；我呢，坐月子的时候，也有个人侍候！

曾　霆　（母亲的末一句话像一根钢针戳入他的耳朵里，触电一般蓦然抬起头）妈，您说什么？

曾思懿　（不大懂）怎么——

曾　霆　（徐徐立起）您说您也要——呃——

曾思懿　（有些惭色）嗯？——

曾　霆　（恐惧地）生？

曾思懿　（脸上表现出那件事实）怎么？

曾　霆　（对他母亲绝望地看了一眼，半晌，狠而重地）唉！生吧！（突然由通大客厅的门跑下）

曾思懿　霆儿!（追了两步）霆儿!（痛苦地）我的霆儿!

〔文彩由卧室匆匆地出来。

曾文彩　爹呢？

曾思懿　（呆立）送寿木呢！

〔文彩刚要向书斋小门走去，陈奶妈扶着曾皓由书斋小门上。曾皓在门口不肯走，向外望着，喊着。文彩立刻追到门前，外面的灯笼稀少了，那些杠夫们已经走得很远。

曾　皓　（脸向着门外，遥遥地喊）不成，那不成！不是这样抬法！

陈奶妈　（同时）得啦，老爷子，得啦！

曾文彩　（不住地）爹！爹！

曾　皓　（依依瞭望着那正在抬行的棺木，叫着，指着）不成！那碰不得呀！（对陈奶妈）叫他们别碰着那土墙！那寿木盖子是四川漆！不能碰！碰不得！

曾思懿 别管啦，爹，碰坏了也是人家的。

曾　皓 （被她提醒，静下来发愣，半晌，忽然大恸）亡妻呀！我的亡妻呀！你死得好，死得早，没有死的，连，连自己的棺木都——（顿足）活着要儿孙干什么哟！要这群像耗子似的儿孙干什么哟！（哀痛地跌坐在沙发上）

〔訇然一片土墙倒塌声。

〔大家沉默。

曾文彩 （低声）土墙塌了。

〔静默中，江泰由自己的卧室摇摇晃晃又走出来。

江　泰 （和颜悦色，抱着极大的善意，对着思懿）我告诉过你，八月节我就告诉过你，要塌！要塌！现在，你看，是不是！

〔思懿厌恶地看他一眼，陡然转身由书斋小门走下。

江　泰 （摇头）哎，没有人肯听我的话！没有人理我的哟！没有人理我的哟！（一边说着，一边顺手又把桌上半瓶白兰地拿起来，又进了屋）

曾文彩 （着急）江泰！（跟着进去）

〔远远鸡又在叫。

陈奶妈 唉！

〔这时仿佛隔壁忽然传来一片女人的哭声。愫方一只手腕上搭着自己要带走的一条毯子，一手端了一碗参汤，由书斋小门进。

曾　皓　（抬头）谁在哭？

陈奶妈　大概杜家老太爷已经断了气了，我瞧瞧去。

〔曾皓又低下头。

〔陈奶妈匆匆由书斋小门下。

〔鸡叫。

愫　方　（走近曾皓，静静地）姨父！

曾　皓　（抬头）啊？

愫　方　（温柔地）您要的参汤！（递过去）

曾　皓　我要了么？

愫　方　嗯！（搁在曾皓的手里）

〔圆儿[1]突然由通大客厅的门悄悄上。她仍然穿着那身衣服，只是上身又加了一件跟裙子一样颜色的短大衣，脖子上松松地系着一块黑底子白点子的绸方巾。

袁　圆　（站在门口，低声，急促地）不早了，快走吧！

愫　方　（点点头）——嗳。

〔圆儿[2]笑嘻嘻地缩回去，关上门。

曾　皓　（喝了一口，就把参汤放在沙发旁边的桌上，微弱地长嘘了一声）唉！（低头合上眼）

愫　方　（关心地）您好点吧？

曾　皓　（含糊地）嗯，嗯。——

---

1 “圆儿”川版作“袁圆”。

2 “圆儿”川版作“袁圆”。

愫　方　（哀怜地）我走了！姨父！

曾　皓　（点头）你去歇一会儿吧。

愫　方　嗳,（缓缓地）我去了！

曾　皓　（疲惫到极点像要睡的样子，轻微地）嗯！

〔愫方转身走了两步，回头望望那衰弱的老人的可怜的样子，忍不住又回来把自己要带走的毯子轻轻地给他盖上。

曾　皓　（忽然又含糊地）回头就来呀。

愫　方　（满眼的泪光）就来！（一面退着走一面望着曾皓）

曾　皓　（闭着眼）再来给我捶捶。

愫　方　（泪止不住地流下来）嗯！再来给您捶！再来给您捶！——再来——（似乎听见又有什么人要进来，立刻转向通大客厅的门走）

〔愫方刚一走出，文彩由卧室进。

曾文彩　（看见曾皓在打瞌睡，轻轻地）爹，把参汤喝了吧，凉了！

曾　皓　不，我不想喝。

曾文彩　（悲哀地安慰着）爹，别难过了！怎么样的日子都是要过的。（流下泪来）等吧，爹。等到明年开了春，爹的身体也好了，重孙子也抱着了，江泰的脾气也改过来了，哥哥也回来找着好事了，——

〔文清卧室内忽然仿佛有人哼了一声，从床上掉下的声音。

曾文彩　（失声）啊！（转对曾皓）爹，我去看看去。（立刻跑进文清的卧室）。

〔陈奶妈由书斋小门上。

曾　皓　（虚弱地）杜家——死了？

陈奶妈　死了，完啦。

曾　皓　眼睛好痛啊！给我把灯捻小了吧！

〔陈奶妈把洋油灯捻小，屋内暗下来，通大厅的槅扇上逐渐透出晨光。

〔文彩慌张跑出。

曾文彩　（低声急促地）陈奶妈，陈奶妈！

陈奶妈　啊！

曾文彩　（惧极，压住喉咙）您先不要叫！快告诉大奶奶！哥哥吞了鸦片烟，脉都停了。

陈奶妈　（惊恐）啊！（要哭，——）

曾文彩　（急止她）别哭，奶妈，老太爷再经不住事了。快去！

〔陈奶妈由书斋小门跑下。

曾文彩　（强自镇定，走向曾皓）爹，天就要亮了，我扶着您睡去吧。

曾　皓　（立起，走了两步）刚才那屋里是什么？

曾文彩　（哀痛地）耗子，闹耗子。

曾　皓　哦。

〔文彩扶着曾皓，向通书斋小门缓缓地走。门外面鸡又叫，天开始亮了。隔巷有骡车慢慢地滚过去，远远传来两声尖锐的火车汽笛声。

——幕徐落

一九四〇年

图书在版编目（CIP）数据

曹禺全集. 第四卷 / 曹禺著. — 北京 ：北京十月文艺出版社，2023.6

ISBN 978-7-5302-2257-7

Ⅰ. ①曹… Ⅱ. ①曹… Ⅲ. ①曹禺（1910-1996）—全集 Ⅳ. ①I216.2

中国版本图书馆CIP数据核字（2022）第155333号

曹禺全集 4
CAOYÜ QUANJI 4
曹禺　著

出　版　北 京 出 版 集 团
　　　　北京十月文艺出版社
地　址　北京北三环中路 6 号
邮　编　100120
网　址　www.bph.com.cn
发　行　新经典发行有限公司
　　　　电话 010-68423599
经　销　新华书店
印　刷　北京盛通印刷股份有限公司
版　次　2023 年 6 月第 1 版
印　次　2023 年 6 月第 1 次印刷
开　本　700 毫米 ×980 毫米　1/16
印　张　39.75
字　数　439 千字
书　号　ISBN 978-7-5302-2257-7
定　价　126.00 元
如有印装质量问题，由本社负责调换
质量监督电话　010-58572393